SIMON SCARROW

Die Brüder des Adlers

D0718780

Buch

Als die römische Armee in Britannien einmarschierte, rechnete niemand mit allzu großem Widerstand: zu zerstritten schienen die unzähligen über die Insel verstreuten keltischen Stämme. Im Sommer A. D. 44 jedoch bringen die zahlreichen nadelstichartigen Attacken der unbeugsamen Einheimischen die Invasion allmählich zum Erliegen.

In Calleva, der Hauptstadt der Atrebates, einem romtreuen Stamm im Süden der Insel, kommt es zu heftigen Unruhen. Stürzt der atrebatische König Verica, droht ein Bruch des für Rom so wichtigen Bündnisses. Daher erteilt General Plautius den Zenturionen Macro und Cato folgenden Befehl: Sie sollen unter den Angehörigen des Stammes fähige Krieger auswählen und sie zu einer schlagkräftigen Schutztruppe formen, die das Recht König Vericas durchsetzen und die Revolte beenden können. Doch zunächst müssen Macro und Cato die Loyalität der unzufriedenen keltischen Rekruten gewinnen und ihnen militärischen Drill beibringen. Eine scheinbar unlösbare Aufgabe – doch Macro und Cato wissen genau, sie dürfen nicht scheitern, denn auf ihren Schultern lastet das Schicksal der gesamten Invasionsarmee …

Autor

Simon Scarrow lebt im englischen Norfolk, wo er als College-Dozent Geschichte lehrt. Als ein großer Verehrer der Romane von Cornwell, Forester und O'Brian und ausgewiesener Kenner des Römischen Reichs beschloss Scarrow eines Tages, das zu schreiben, was er selbst gerne lesen würde: packende Abenteuerromane vor dem Hintergrund der römischen Invasion in Britannien.

Außerdem bei Blanvalet erschienen:

Im Zeichen des Adlers. Roman (35911)
Im Auftrag des Adlers. Roman (35960)
Der Zorn des Adlers. Roman (36154)

Simon Scarrow

Die Brüder des Adlers

Roman

Deutsch von Barbara Ostrop

blanvalet

Die Originalausgabe erschien unter dem Titel
»The Eagle and the Wolves«
bei Headline Book Publishing, London.

1. Auflage
Deutsche Erstveröffentlichung November 2005 bei Blanvalet,
einem Unternehmen der Verlagsgruppe Random House GmbH, München.
Copyright © der Originalausgabe 2003 by Simon Scarrow
Copyright © der deutschsprachigen Ausgabe 2005
by Verlagsgruppe Random House GmbH, München
Umschlaggestaltung: Design Team München
Umschlagillustration: Zefa/Bill Frymire + Corbis/Roger Wood
Satz: DTP Service Apel, Hannover
Druck: GGP Media GmbH, Pößneck
Verlagsnummer: 36293
UH · Herstellung: NT
Printed in Germany
ISBN-10: 3-442-36293-8
ISBN-13: 978-3-442-36293-6

www.blanvalet-verlag.de

Das vorliegende Buch ist meiner Verlegerin Marion Donaldson gewidmet sowie Wendy Suffield, die – als meine Agentin – Marion vor langer Zeit dazu bewegte, den ersten Band zu lesen. Die Arbeit mit euch war immer ein Vergnügen.

Die römische Armee, militärische Rangordnung im Jahr 44 n. Chr.

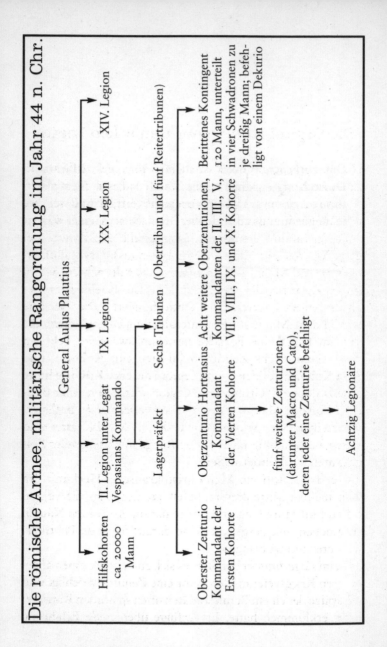

General Aulus Plautius

Hilfskohorten ca. 20000 Mann

II. Legion unter Legat Vespasians Kommando

IX. Legion

XX. Legion

XIV. Legion

Lagerpräfekt

Sechs Tribunen (Obertribun und fünf Reitertribunen)

Oberster Zenturio Kommandant der Ersten Kohorte

Oberzenturio Hortensius Kommandant der Vierten Kohorte

Acht weitere Oberzenturionen, Kommandanten der II., III., V., VII., VIII., IX. und X. Kohorte

Berittenes Kontingent 120 Mann, unterteilt in vier Schwadronen zu je dreißig Mann; befehligt von einem Dekurio

fünf weitere Zenturionen (darunter Macro und Cato), deren jeder eine Zenturie befehligt

Achtzig Legionäre

Die Organisation einer römischen Legion

Die Hauptprotagonisten von *Die Brüder des Adlers* sind Zenturio Macro und Zenturio Cato. Für Leser, die mit dem Aufbau der römischen Legionen nicht vertraut sind, sei hier die Rangordnungsstruktur der römischen Armee, soweit zum Verständnis erforderlich, dargestellt. Die Zweite Legion, Macros und Catos »Heimat«, umfasste etwa fünfeinhalbtausend Mann. Die Basiseinheit war die achtzig Mann starke Zenturie, die von einem Zenturio befehligt wurde, als dessen Stellvertreter der Optio fungierte. Die Zenturie war in acht Mann starke Unterabteilungen gegliedert, die sich im Lager eine Baracke beziehungsweise im Feld ein Zelt teilten. Sechs Zenturien bildeten eine Kohorte, und zehn Kohorten bildeten eine Legion; die erste Kohorte hatte jeweils doppelte Größe. Jede Legion wurde von einer hundertzwanzig Mann starken Kavallerieeinheit begleitet, unterteilt in vier Schwadronen, die als Kundschafter und Boten Verwendung fanden. Die Ränge in absteigender Folge lauteten folgendermaßen:

Der *Legat* war ein Mann aristokratischer Herkunft. Im Allgemeinen Mitte dreißig, befehligte der Legat die Legion bis zu fünf Jahre lang und hoffte darauf, sich einen Namen zu machen, um dergestalt seine darauf folgende Politikerkarriere voranzubringen.

Beim *Lagerpräfekt* handelte es sich zumeist um einen angegrauten Kriegsveteran, der zuvor eine Zenturie befehligt und die Spitze der einem Berufssoldaten offen stehenden Karriereleiter erklommen hatte. Er verfügte über große Erfahrung und Integrität und übernahm das Kommando über die Legion, wenn der Legat abwesend oder im Kampf gefallen war.

Sechs *Tribunen* dienten als Stabsoffiziere. Dies waren Männer Anfang zwanzig, die zum ersten Mal in der Armee dienten, um administrative Erfahrung zu erwerben, bevor sie untergeordnete Posten in der Verwaltung übernahmen. Anders verhielt es sich mit dem Obertribun. Er entstammte einer Senatorenfamilie und war nach einer Zeit als Legionskommandant für ein hohes politisches Amt vorgesehen.

Die sechzig *Zenturionen* sorgten in der Legion für Disziplin und kümmerten sich um die Ausbildung der Soldaten. Sie waren aufgrund ihrer Führungsqualitäten und ihres Todesmuts handverlesen. Demzufolge war bei ihnen die Sterblichkeitsrate weit höher als bei den anderen Rängen. Der oberste Zenturio befehligte die erste Zenturie der ersten Kohorte, war hoch dekoriert und genoss großes Ansehen.

Die vier *Dekurionen* der Legion befehligten die Kavallerie-Schwadronen und hofften darauf, zum Befehlshaber der Kavallerie-Hilfseinheiten befördert zu werden.

Jedem Zenturio stand ein *Optio* zur Seite, der die Aufgabe eines Ordonnanzoffiziers wahrnahm. Ein Optio wartete für gewöhnlich auf einen freien Platz im Zenturionat.

Unter dem Optio standen die *Legionäre*, Männer, die sich für fünfundzwanzig Jahre verpflichtet hatten. Theoretisch durften nur römische Bürger in der Armee dienen, doch wurden zunehmend auch Einwohner der römischen Provinzen angeworben, denen beim Eintritt in die Legion die römische Staatsbürgerschaft verliehen wurde.

Nach den Legionären kamen die Männer der *Hilfskohorten*. Diese wurden in den Provinzen rekrutiert und stellten die Reiterei sowie die leichte Infanterie des römischen Reiches und nahmen andere Spezialaufgaben wahr. Nach fünfundzwanzigjährigem Armeedienst wurde ihnen die römische Staatsbürgerschaft verliehen.

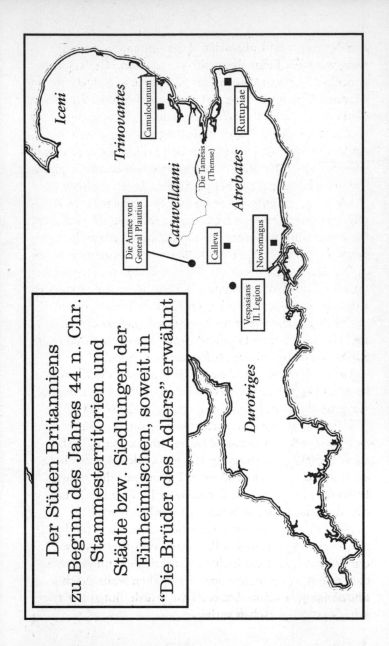

Der Süden Britanniens
zu Beginn des Jahres 44 n. Chr.
Stammesterritorien und
Städte bzw. Siedlungen der
Einheimischen, soweit in
"Die Brüder des Adlers" erwähnt

Iceni

Trinovantes

Camulodunum

Rutupiae

Catuvellauni

Die Tamesis
(Themse)

Atrebates

Die Armee von
General Plautius

Calleva

Noviomagus

Vespasians
II. Legion

Durotriges

1

»Halt!«, rief der Legat und hob den Arm.

Seine Eskorte zügelte die Pferde und Vespasian lauschte angestrengt nach dem Geräusch, das er einen Moment zuvor gehört hatte. Jetzt, als der dumpfe Hufschlag auf dem primitiven, von Einheimischen angelegten Weg das Geräusch nicht länger verdeckte, drang aus der Richtung des einige Meilen entfernten Calleva leise der Ruf britischer Kriegshörner herüber. Das Städtchen mit seinen verwinkelten Gassen war die Hauptstadt der Atrebates, eines der wenigen mit Rom verbündeten Stämme, und einen Moment lang fragte sich der Legat, ob der feindliche Kommandant Caratacus etwa einen kühnen Vorstoß gegen die rückwärtige Front der römischen Kräfte gemacht hatte. Sollte Calleva angegriffen sein …

»Los, weiter!«

Vespasian trieb sein Pferd mit den Stiefelabsätzen an, beugte sich vor und preschte den Hang hinauf. Seine Eskorte, ein Dutzend Kundschafter der Zweiten Legion, galoppierte hinter ihm her. Es war ihre heilige Pflicht, den Kommandanten zu beschützen.

Der Weg führte einen lang gezogenen, steilen Hügel schräg hinauf, hinter dessen Kuppe es nach Calleva hinunterging. Die Stadt wurde als vorgeschobenes Nachschublager der Zweiten Legion genutzt. Diese Legion war vom Armeekommandanten General Aulus Plautius abkommandiert worden, um getrennt von den anderen Legionen gegen die Durotriges zu operieren, dem letzten der südlichen

Stämme, die noch auf Seiten Caratacus' kämpften. Erst nach einem vernichtenden Sieg über die Durotriges wären die römischen Nachschublinien so gut gesichert gewesen, dass die Legion weiter nach Norden und Westen hätte vorstoßen können. Ohne ausreichenden Nachschub konnte General Plautius unmöglich siegen, und das Volk in Rom würde merken, dass die voreilige kaiserliche Feier der Eroberung Britanniens nur ein fauler Schwindel gewesen war. Das Schicksal General Plautius' und seiner Legionen – und eigentlich sogar das Schicksal des Kaisers selbst – hing von den überdehnten Lebensadern ab, die die Legion mit Nahrung versorgten und jederzeit mit einem einzigen Schlag durchschnitten werden konnten.

Vom riesigen Basislager an der Mündung des sich durchs Herz Britanniens schlängelnden Flusses Tamesis, wo Nahrungsvorräte und Ausrüstung aus Gallien angelandet wurden, rollten regelmäßig schwere Wagenkolonnen los. Seit zehn Tagen hatte die Zweite Legion jedoch keinen Nachschub mehr aus Calleva erhalten. Vespasian hatte seine Kräfte, die eine der größeren Hügelfestungen der Durotriges belagerten, zurückgelassen und war selbst nach Calleva geeilt, um der Angelegenheit nachzugehen. Die Zweite Legion gab inzwischen reduzierte Rationen aus, und in den umliegenden Wäldern lauerten feindliche Truppen auf umherstreifende römische Kräfte, die sich auf Nahrungssuche zu weit vom Hauptkörper der Legion fortwagten. Falls es Vespasian nicht gelang, Nahrung für seine Männer zu beschaffen, würde die Zweite Legion sich bald ins Nachschublager in Calleva zurückziehen müssen.

Vespasian konnte sich mühelos vorstellen, wie verärgert General Plautius einen solchen Rückschlag aufnehmen würde. Aulus Plautius war von Kaiser Claudius zum Kommandanten des in Britannien operierenden römischen Heeresteils ernannt worden und hatte den Auftrag, die britischen Stämme dem Imperium anzugliedern. Obgleich Plautius im Sommer zuvor mehrere Siege über die barbarischen Stämme errungen hatte, hatte Caratacus eine neue Armee zusammengezogen und leistete Rom noch immer Widerstand. Er hatte viel aus dem Feldzug des Vorjahres gelernt und vermied offene Schlachten gegen die römischen Legionen. Stattdessen kommandierte er Teile seiner Truppe ab, um die Nachschublinien der schwerfälligen römischen Kriegsmaschinerie anzugreifen. Mit jeder Meile, die General Plautius und seine Legionen vorrückten, wurden diese Lebensadern verwundbarer.

So hing der Ausgang des diesjährigen Feldzugs davon ab, wessen Strategie erfolgreicher sein würde. Falls es General Plautius gelang, die Briten in die offene Schlacht zu zwingen, würden die Legionen gewinnen. Falls es den Briten aber gelang, eine Schlacht zu vermeiden und die Legionen auszuhungern, mochten sie das Heer durchaus so stark schwächen, dass der General zu einem gefährlichen Rückzug bis an die Küste gezwungen war.

Je näher Vespasian mit seiner Eskorte dem Hügelkamm kam, desto durchdringender schallten die Kriegshörner. Jetzt hörten die Soldaten auch die Schreie von Männern, das scharfe Klirren sich kreuzender Klingen und das dumpfe Scheppern der Schläge, die auf Schilde trafen. Die Silhouette langer Grasbüschel stand vor dem klaren Himmel, und dann hatte Vespasian die Szenerie auf der anderen Hügelseite vor Augen. Zur Linken lag Calleva, ein wucherndes Durcheinander strohgedeckter, überwiegend jämmerlich kleiner Hütten, umgeben von einem Erdwall mit Palisade. Ein dünner Schleier von Holzrauch hing über der Stadt. Der Weg vom hohen Turm des Torhauses zur Tamesis war wie eine dunkle Wunde aus aufgewühltem Matsch. Auf diesem Weg, eine halbe Meile von Calleva entfernt, waren von einer Nachschubkolonne nur noch eine Hand voll Wagen übrig, verteidigt von einer dünnen Linie von Hilfstruppen. Rundum wimmelte es von Feinden: kleine Gruppen schwer bewaffneter Krieger und leichtere, mit Schleudern, Pfeil und Bogen sowie Wurfspeeren ausgerüstete Truppen. Sie unterhielten einen steten Geschosshagel auf die Kolonne und ihre Begleitmannschaft. Von den Flanken der verwundeten Ochsen floss das Blut, und hinter der Kolonne war der Weg mit Leichen übersät.

Vespasian und seine Leute zügelten ihre Pferde, während der Legat kurz seine Möglichkeiten abwägte. In diesem Moment stürmte eine Gruppe von Durotriges zum hinteren Ende der Kolonne und warf sich auf die Hilfstruppen. Der Kommandant der Wagenkolonne, in seinem scharlachroten Mantel auf dem Kutschbock des vordersten Wagens nicht zu übersehen, legte die Hände an den Mund, brüllte einen Befehl, und die Kolonne kam langsam zum Stehen. Die Hilfstruppen schlugen die Angreifer mühelos zurück, doch ihre Kameraden an der Spitze des Wagenzugs boten dem Feind ein leichtes Ziel, und als die Wagen sich wieder in Bewegung setzten, lagen noch weitere Soldaten auf der Erde.

»Wo steckt denn die verdammte Garnison?«, knurrte einer der Kundschafter. »Die müssten die Kolonne doch inzwischen längst gesehen haben.«

Der Legat blickte zu den säuberlich geraden Barackenreihen des an Callevas Verteidigungswall angebauten, befestigten Nachschublagers. Auf den Wegen sah man zwar Menschen hin und her eilen, doch von irgendeiner Truppenaufstellung war nichts zu bemerken. Vespasian nahm sich vor, den Garnisonskommandanten tüchtig zusammenzupfeifen, sobald er das Lager erreichte.

Falls er das Lager überhaupt erreichte, überlegte er dann, denn das Scharmützel spielte sich zwischen seinem Reitertrupp und den Toren Callevas ab.

Wenn die Garnison nicht bald einen Ausfall machte,

würde die Wagenkolonne weiter aufgerieben und schließlich in einem letzten Angriff vom Feind ausgelöscht. In der Erwartung des entscheidenden Moments drängten die Durotriges sich immer dichter an die Wagen heran, stießen ihre Kriegsschreie aus und trommelten mit ihren Waffen gegen die Ränder ihrer Schilde, um sich richtig in Kampfstimmung zu bringen.

Vespasian riss sich den Mantel von den Schultern, packte die Zügel fest mit der einen Hand, zog mit der anderen das Schwert und drehte sich zu seinen Kundschaftern um.

»Angriffslinie bilden.«

Die Männer blickten ihn überrascht an. Wenn der Legat die Absicht hatte, den Feind anzugreifen, war das praktisch Selbstmord.

»Linie bilden, verdammt noch mal!«, brüllte Vespasian, und diesmal reagierten seine Männer sofort, reihten sich zu beiden Seiten des Legaten auf und griffen nach ihren Speeren. Gleich darauf hieb Vespasian sein Schwert nach unten.

»Los!«

Dieses Manöver wäre nichts für den Paradeplatz gewesen. Die kleine Reiterschar trieb einfach ihren Pferden die Fersen in die Flanken und hielt in wildem Galopp den Hang hinunter auf den Feind zu. Das Blut hämmerte Vespasian in den Ohren, doch gleichzeitig fragte er sich, ob dieser wilde Angriff nicht der reine Wahnsinn war. Er hätte ohne weiteres einfach die Vernichtung der Kolonne beobachten und abwarten können, bis der siegreiche Feind alles demoliert hatte und abmarschiert war. Aber das wäre feige gewesen und außerdem wurden die Vorräte dringend benötigt. Also biss er die Zähne zusammen, umklammerte das Schwert mit der Rechten und stürmte auf die Wagen zu.

Am Fuß des Hügels veranlasste das Trommeln der Hufe manchen feindlichen Krieger zum Innehalten, und das Sperrfeuer auf den Konvoi ließ nach.

»Dort! Dort drüben!«, brüllte Vespasian und zeigte auf eine lose Reihe von Schleuder- und Bogenschützen. »Mir nach!«

Die Kundschafter schlugen die gleiche Richtung wie ihr Legat ein und galoppierten schräg zum Hang auf die leicht bewaffneten Durotriges zu. Schon flüchteten die Briten vor den Reitern, und das Triumphgebrüll erstarb auf ihren Lippen. Vespasian sah, dass der Kommandant der Kolonne die Atempause genutzt hatte, und die Wagen nun wieder auf Callevas sichere Befestigungsanlagen zurollten. Doch der Anführer der Durotriges war kein Dummkopf und Vespasian erfasste mit einem raschen Blick, dass die schwere Infanterie und die Streitwagen sich der Kolonne näherten, um zuzuschlagen, bevor ihre Beute die Tore erreichte. Fast unmittelbar vor ihm versuchten bemalte Krieger mit verzweifelten Seitwärtssprüngen, den römischen Reitern auszuweichen. Vespasian fasste einen hoch gewachsenen Schleuderschützen ins Auge, der ein Wolfsfell über den Schultern trug, und nahm ihn mit der Schwertspitze aufs Korn. Im letzten Moment spürte der Brite das Nahen des Pferdes und schaute sich hastig um, die Augen vor Entsetzen aufgerissen. Vespasian zielte auf eine Stelle unterhalb des Halses und machte sich für den Zusammenstoß bereit, doch im letzten Moment warf der Schleuderer sich auf den Boden und die Klinge verfehlte ihr Ziel.

»Scheiße!«, zischte Vespasian durch zusammengebissene Zähne. Diese verdammten Infanterieschwerter waren zu Pferde unbrauchbar, und er verfluchte sich dafür, dass er nicht wie seine Kundschafter ein langes Kavallerieschwert trug.

Wie aus heiterem Himmel tauchte ein anderer feindlicher Krieger vor ihm auf. Der Legat hatte gerade noch Zeit, den schmalen, schwächlichen Körperbau und das in weißen Stacheln abstehende Haar wahrzunehmen, dann hieb er ihm mit einem knirschenden, schmatzenden Laut das Schwert in den Hals. Der Mann stöhnte auf, brach zusammen und verschwand unter den Hufen, während Vespasian weiter auf die Wagenkolonne zugaloppierte. Er warf einen Blick auf seine Kundschafter und stellte fest, dass die meisten ihre Pferde zum Stehen gebracht hatten und ihre Speere in jeden Briten stießen, der sich windend auf der Erde lag. Das war der perfekte Moment für jeden Kavalleristen: der Blutrausch nach dem Durchbrechen der feindlichen Linien. Doch sie missachteten die Gefahr der Streitwagen, die den Hang entlang auf den kleinen römischen Reitertrupp zupolterten.

»Lasst sie liegen!«, brüllte Vespasian. »Liegen lassen! Schnell zu den Wagen! Los!«

Die Kundschafter besannen sich, schlossen die Reihen und galoppierten hinter Vespasian her, der auf den keine hundert Schritt entfernten hintersten Wagen zufegte. Die aus Hilfstruppen bestehende Nachhut der Kolonne feuerte sie, ihre Wurfspeere schwenkend, mit rauen Rufen an. Als die Reiter beinahe bei ihren Kameraden angelangt waren, hörte Vespasian ein leises Schwirren, und ein Pfeil zischte wie ein dunkler Strich an seinem Ohr vorbei. Dann hatten er und seine Männer die Wagen erreicht und zügelten ihre keuchenden Pferde.

»Schließt die Reihen! Hinter dem letzten Wagen!«

Während seine Männer sich mit ihren Pferden am Ende des Zuges formierten, trabte Vespasian nach vorn zum Kommandanten der Kolonne, der noch immer breitbeinig auf dem Kutschbock seines Wagens stand. Sobald er das an der Brustplatte des Legaten befestigte Rangabzeichen sah, salutierte er.

»Danke, Herr.«

»Wer bist du?«, fuhr Vespasian ihn an.

»Zenturio Gius Aurelias, Vierzehnte Gallische Hilfskohorte, Herr.«

»Aurelias, halte deine Wagen in Bewegung. Bleib auf keinen Fall stehen. Auf *gar keinen Fall*, verstanden? Ich übernehme deine Männer. Du kümmerst dich um die Wagen.«

»Ja, Herr.«

Vespasian wendete sein Pferd, trabte zu seinen Männern zurück und holte tief Luft, bevor er seine Befehle brüllte.

»Vierzehnte Gallische! In Gefechtsordnung aufstellen!«

Vespasian schwenkte sein Schwert, und die Überlebenden der Eskorte nahmen eilig ihre Plätze ein.

Die Durotriges hatten sich von dem Überraschungsangriff erholt, und jetzt, als sie sahen, dass sie vor einer Hand voll Reiter in Panik geraten waren, brannten sie vor Scham und dürsteten nach Rache. In einem dichten Gewimmel von leichten und schweren Infanterietruppen eilten sie heran, während die Streitwagen seitlich an der Wagenkolonne vorbeipolterten, um ihr den Weg abzuschneiden, bevor sie das Tor erreichte, und sie dann zusammen mit der Infanterie in die Zange zu nehmen. Vespasian sah ein, dass er gegen die Streitwagen nichts ausrichten konnte. Falls es ihnen gelang, die Kolonne vom Tor abzuschneiden, müsste Aurelias eben versuchen, mit der Massigkeit seiner Ochsen die leichteren Ponys der Durotriges samt der Streitwagen beiseite zu drängen, um sich den Weg freizukämpfen.

Alles, was Vespasian jetzt tun konnte, war die feindliche Infanterie so lange wie möglich aufzuhalten. Falls sie die Wagen erreichte, war alles verloren. Vespasian warf einen letzten Blick auf seine magere Truppe und auf die grimmig entschlossenen Gesichter der immer näher kommenden Briten und begriff augenblicklich, dass er und seine Männer keine Chance hatten. Fast hätte er bitter aufgelacht. Da hatte er also im vergangenen Jahr die blutigen Schlachten gegen Caratacus und seine Armeen überlebt, um nun hier in diesem jämmerlichen Scharmützel zu sterben – das war einfach schändlich. Dabei wollte er noch so viel erreichen. Er verfluchte sein Schicksal und den Kommandanten der Garnison von Calleva. Hätte dieser Idiot die Verstärkung nur rechtzeitig losgeschickt, hätten sie eine Chance gehabt.

2

»Raus hier, sofort!«, schrie Macro. »Hier ist reserviert für Offiziere.«

»Tut mir Leid, Herr«, antwortete der Bahrenträger, der ihm am nächsten stand. »Befehl des obersten Wundarztes.«

Macro starrte ihn einen Moment lang finster an und legte sich dann vorsichtig aufs Kissen zurück, sorgsam darauf bedacht, sich nicht auf die verletzte Seite seines Kopfes zu legen. Zwei Monate war es jetzt her, dass ein Druide ihn mit einem Schwerthieb beinahe skalpiert hätte, und obgleich die Wunde inzwischen verheilt war, setzte sie ihm noch immer zu; und die schrecklichen Kopfschmerzen ließen erst jetzt ein wenig nach. Die Sanitäter traten in die kleine Kammer und setzten die Tragbahre, vor Anstrengung keuchend, behutsam auf dem Boden ab.

»Wie lautet seine Geschichte?«

»Kavallerist, Herr«, antwortete der Pfleger, nachdem er sich aufgerichtet hatte. »Ihre Patrouille geriet heute Vormittag in einen Hinterhalt. Vor kurzem sind die ersten Überlebenden zurückgekehrt.«

Macro hatte vor einer Weile den Sammelruf der Garnison gehört. Er setzte sich wieder auf. »Warum hat uns keiner Bericht erstattet?«

Der Pfleger zuckte mit den Schultern. »Warum hätten wir euch informieren sollen? Ihr seid hier einfach nur Patienten, Herr. Wir hatten keinen Grund, euch zu stören.«

19

»He, Cato!« Macro wandte sich seinem Zimmergenossen im Nachbarbett zu.

»Cato! Hast du das gehört? Der Mann hier denkt, dass mickrige kleine Zenturionen wie wir nicht über die neuesten Entwicklungen auf dem Laufenden gehalten werden müssen … Cato? … CATO!«

Macro fluchte leise, griff nach seinem Offiziersstock, der neben dem Bett an der Wand lehnte, und verpasste der bewegungslos daliegenden Gestalt im anderen Bett einen kräftigen Stoß mit der Spitze. »Los, Junge! Aufwachen!«

Unter der Decke stöhnte es, dann wurden die Falten des groben Wollstoffs beiseite geschoben und Catos dunkle Locken tauchten auf. Macros Gefährte war erst kürzlich in den Rang eines Zenturio befördert worden, davor hatte er als Macros Optio gedient. Mit achtzehn war Cato einer der jüngsten Zenturionen der Legionen. Er hatte die Aufmerksamkeit seiner Vorgesetzten auf sich gezogen, zum einen durch seinen Mut in der Schlacht, vor allem aber durch sein Geschick bei einer äußerst heiklen Rettungsmission, die sie zu Beginn des Sommers tief in feindliches Gebiet geführt hatte. Damals waren er und Macro von den feindlichen Druiden schwer verwundet worden. Der Anführer der Druiden hatte Cato mit einer schweren Zeremonialsichel auf Brusthöhe einen Hieb in die Seite versetzt. Cato wäre an der Wunde beinahe gestorben, doch jetzt, viele Wochen später, hatte er sich schon recht gut erholt und betrachtete die lange rote Narbe mit einem gewissen Stolz, obgleich es höllisch wehtat, wenn er die Muskulatur dieser Körperseite auch nur im Geringsten belastete.

Catos Augenlider zuckten hoch und er wandte sich blinzelnd Zenturio Macro zu. »Was ist denn?«

»Wir haben Gesellschaft.« Macro zeigte mit dem Daumen auf den Mann, der auf der Tragbahre lag. »Offenbar hatten Caratacus' Burschen mal wieder was zu tun.«

»Die werden hinter einer Nachschubkolonne her sein«, meinte Cato. »Müssen wohl zufällig auf unsere Patrouille gestoßen sein.«

»Das ist doch schon der dritte Angriff in diesem Monat.« Macro sah den Pfleger an. »Oder nicht?«

»Doch, Herr. Der dritte Angriff. Die Krankenstation wird immer voller, und wir schuften uns krumm und lahm.« Die letzten Worte sprach er mit besonderem Nachdruck aus, und beide Pfleger bewegten sich zur Tür. »Du hast doch nichts dagegen, dass wir zu unseren Pflichten zurückkehren, Herr?«

»Moment mal, nicht so schnell. Was ist denn jetzt mit dieser Nachschubkolonne los?«

»Ich weiß es nicht, Herr. Ich kümmere mich nur um die Verletzten. Ich habe aber jemanden sagen hören, die Reste des Geleitschutzes seien noch immer auf der Straße, nicht allzu weit entfernt, und versuchten, die letzten paar Wagen zu retten. Dumm, wenn du mich fragst. Die hätten die Wagen den Briten überlassen und zusehen sollen, dass sie die eigene Haut retten. Und jetzt, wenn du gestattest …?«

»Was? Oh, ja. Geht nur, verpisst euch.«

»Danke, Herr.« Der Pfleger lächelte verhalten, schob seinen Kollegen vor sich her aus der Kammer und schloss die Tür hinter sich.

Sobald die Tür zu war, schwang Macro die Beine über die Bettkante und griff nach seinen Stiefeln.

»Wohin gehst du, Herr?«, fragte Cato verschlafen.

»Zum Tor, schauen, was los ist. Auf mit dir. Du kommst mit.«

»Ach, wirklich?«

»Ja, natürlich. Willst du denn nicht sehen, was abläuft? Reicht es dir nicht allmählich, dass wir seit beinahe zwei Monaten hier in diesem verdammten Lazarett eingesperrt sind? Außerdem«, fügte Macro hinzu, während er seine

Stiefel schnürte, »hast du schon den halben Tag verschlafen. Frische Luft wird dir gut tun.«

Cato runzelte die Stirn. Er schlief nur deshalb tagsüber so viel, weil sein Zimmergenosse so laut schnarchte, dass das Schlafen nachts beinahe unmöglich war. Tatsächlich hatte er das Lazarett allmählich gründlich satt und freute sich darauf, wieder in den aktiven Dienst zurückzukehren. Doch das würde noch eine Weile dauern, gestand sich Cato widerwillig ein. Inzwischen war er gerade einmal kräftig genug, ohne Hilfe aufzustehen. Sein Gefährte war trotz seiner grässlichen Kopfverletzung mit einer robusteren Konstitution gesegnet und, von den gelegentlichen Kopfschmerzattacken einmal abgesehen, beinahe wieder einsatzfähig.

Während Macro sich nach seinen Stiefelbändern bückte, betrachtete Cato die bläulich rote Narbe, die quer über seinen Kopf verlief. Das höckrige Narbengewebe war dem Blick ungeschützt preisgegeben. Der Wundarzt hatte Macro beruhigt, dass dort mit der Zeit ein Teil des Haars nachwachsen würde. Zumindest genug, um die Narbe größtenteils zu verdecken.

»Bei meinem Glück«, hatte Macro säuerlich angemerkt, »bekomme ich wahrscheinlich gerade dann eine Glatze.«

Cato musste bei der Erinnerung lächeln. Dann fiel ihm noch etwas ein, was er anführen konnte, um im Bett zu bleiben.

»Bist du dir wirklich sicher, dass wir ausgehen sollten, da du doch das letzte Mal, als wir im Lazaretthof saßen, das Bewusstsein verloren hast? Hältst du das wirklich für klug, Herr?«

Macro blickte gereizt auf, während er weiter die Bänder schnürte, ganz automatisch wie beinahe jeden Morgen in den letzten sechzehn Jahren. Er schüttelte den Kopf. »Wie oft soll ich dir noch sagen, dass du mich nicht ständig ›Herr‹

zu nennen brauchst – nur vor den Männern und wenn es förmlich zugeht. Von jetzt an heiße ich für dich ›Macro‹. Kapiert?«

»Ja, Herr«, antwortete Cato sofort, zuckte zusammen und schlug sich gegen die Stirn. »Tut mir Leid. Es fällt mir einfach noch ein bisschen schwer. Ich hab mich noch immer nicht an den Gedanken gewöhnt, dass ich jetzt Zenturio bin. Wahrscheinlich der jüngste in der Armee.«

»Im ganzen verdammten Imperium, denke ich.«

Einen Moment bereute Macro die Bemerkung und erkannte eine gewisse Bitterkeit darin. Obgleich er sich über Catos Beförderung zu Beginn ehrlich gefreut hatte, hatte er seine Begeisterung doch schnell überwunden, und jetzt entschlüpfte ihm immer mal wieder der etwas bissige Kommentar, dass ein Zenturio Erfahrung brauche. Oder er versah Cato mit dem einen oder anderen Ratschlag, wie ein Zenturio sich zu verhalten habe. Das war natürlich, wie Macro sich selbst schalt, ein wenig überheblich, da er ja selber erst vor anderthalb Jahren ins Zenturionat befördert worden war. Gewiss, davor hatte er schon sechzehn Jahre unter dem Adler gedient und war ein äußerst geachteter Veteran, doch im Zenturionat selbst war er beinahe so neu wie sein junger Freund.

Cato, der Macro beim Stiefelschnüren zusah, fühlte sich mit seiner Beförderung selbst nicht recht wohl. Er konnte sich einfach der Überzeugung nicht erwehren, dass sie ihm zu früh zugefallen war, und deshalb hatte er das beschämende Gefühl, Macro, der ein so vollendeter Soldat war, wie man es nur sein konnte, nicht das Wasser reichen zu können. Cato fürchtete schon jetzt den Moment, wenn er so weit wiederhergestellt war, dass man ihm seine eigene Zenturie zuweisen würde. Man brauchte nicht viel Phantasie, um sich vorzustellen, wie Männer, die weit älter und erfahrener waren als er, darauf reagieren würden, dass nun ein Achtzehnjähriger das Kommando über sie führte. Gewiss, sie würden die Medaillen auf seiner Brustplatte sehen und wissen, dass er ein Mann mit gewissen Verdiensten war und sich Vespasians Achtung erworben hatte. Vielleicht bemerkten sie auch die Narben an seinem rechten Arm, die Catos Kampfesmut zusätzlich unter Beweis stellten, doch das alles änderte nichts an der Tatsache, dass er gerade erst das Mannesalter erreicht hatte und so jung war, dass er der Sohn so mancher dieser Männer sein könnte. Dieser Gedanke würde ihnen keine Ruhe lassen, und Cato wusste, dass sie ihn genau beobachten und keinen einzigen Fehler verzeihen würden. Nicht zum ersten Mal fragte er sich, ob es nicht eine Möglichkeit gab, unauffällig um eine Rückversetzung in seinen alten Rang zu bitten und in die bequeme Rolle als Macros Optio zurückzuschlüpfen.

Macro war inzwischen mit seinen Stiefelbändern fertig, stand auf und griff nach seinem scharlachroten Militärumhang.

»Komm schon, Cato! Auf die Beine. Los geht's.«

In den Korridoren vor den Krankenzimmern wimmelte es von Sanitätern und Verwundeten, während immer mehr Verletzte eintrafen. Wundärzte drängten sich durch, machten sich ein knappes Bild von den Verwundungen und ließen die tödlich Verletzten in den kleinen Saal an der hinteren Wand bringen, wo man sie so gut wie möglich bettete, bevor der Tod sie abrief. Der Rest wurde untergebracht, wo immer sich ein Plätzchen auftreiben ließ. Da Vespasian den Feldzug gegen die Hügelfestungen der Durotriges fortsetzte, war das Lazarett von Calleva längst bis an den Rand gefüllt, doch der neue, im Bau befindliche Lazarettblock war noch nicht fertig gestellt. Die fortgesetzten Überfälle auf die Nachschublinien brachten zusätzliche Patienten in das ohnehin überfüllte Gebäude, und inzwischen wurden die Männer schon auf einfachen Matten zu beiden Seiten des Korridors gebettet. Zum Glück war Sommer, sodass sie nachts wenigstens nicht froren.

Macro und Cato machten sich auf den Weg zum Haupteingang. Nur mit Tunika und Umhang bekleidet, die sich nicht von denen eines einfachen Soldaten unterschieden, trugen sie ihre Offiziersstöcke als Rangabzeichen, und die anderen Männer machten ihnen respektvoll Platz. Macro trug außerdem das Filzfutter seines Helms auf dem Kopf, einerseits um seine Wunde zu verbergen – er hatte die angeekelten Blicke der einheimischen Kinder satt –, überwiegend aber, weil die Narbe sonst an der frischen Luft schmerzte. Cato trug den Offiziersstock in der Rechten und hielt den linken Ellbogen abgewinkelt, um seine verletzte Seite zu schützen.

Der Lazaretteingang führte auf die Hauptstraße des befestigten Nachschublagers, das Vespasian in unmittelbarer Nachbarschaft zu Calleva errichtet hatte. Vor dem Eingang standen mehrere leichte Wagen, und vom letzten wurden noch immer Verwundete abgeladen. Auf den Ladepritschen lag ein Durcheinander herrenloser Ausrüstungsgegenstände in schmierigen Blutlachen.

»Die Gegner werden ganz schön ehrgeizig«, bemerkte Macro. »Das hier ist nicht das Werk eines kleinen Überfallkommandos. Sieht so aus, als würden sie mit einer richtigen Truppe zuschlagen. Sie werden von Mal zu Mal frecher. Wenn das so weitergeht, werden die Legionen bald ein richtiges Nachschubproblem bekommen.«

Cato nickte. Die Lage war ernst. General Plautius hatte sich bereits genötigt gesehen, eine Kette befestigter Lager anzulegen, um die langsamen Fuhrwerke der Nachschubkonvois zu beschützen. Mit jeder neuen Garnison, die angelegt wurde, standen weniger Soldaten für die Front zur Verfügung, und in diesem geschwächten Zustand würden die kämpfenden Truppen sich irgendwann als unwiderstehliches Ziel für Caratacus erweisen.

Die beiden Zenturionen eilten zum Lagertor, wo die kleine Garnison sich gerade eilig formierte. Die Männer hantierten an ihren Bändern und Gurten, während Zenturio Veranius, Kommandant der Garnison, wilde Beschimpfungen in die Barackeneingänge brüllte und mit dem Stock nach den Nachzüglern schlug, die, mit ihrer Ausrüstung kämpfend, auf ihre Kameraden zustolperten. Macro wechselte einen wissenden Blick mit Cato. Die Garnison bestand aus dem Ausschuss der Zweiten Legion, nämlich aus den Männern, die Vespasian auf seinem Blitzfeldzug ins Herzland der Durotriges nicht gebrauchen konnte. Die jämmerliche Qualität der Soldaten konnte einem erfahrenen Auge nicht entgehen und war eine herbe Beleidigung für Macros Berufsehre.

»Scheiße noch mal, wie muss dieses Chaos auf die Einheimischen wirken. Wenn das irgendwie aus Calleva raussickert, kapiert Caratacus, dass er jederzeit hier einmarschieren und Verica mit einem einzigen Arschtritt rausschmeißen kann.«

Verica, der greise Atrebateskönig, war seit der Landung der Legionen in Britannien vor einem Jahr mit den Römern verbündet. Es war ihm auch gar nichts anderes übrig geblieben. Im Austausch für seine Reinthronisation als König der Atrebates hatte er sich noch vor dem Vorrücken der Legionen gegen Caratacus' Hauptstadt Camulodunum zum Bündnis verpflichtet. Sobald der Feldzug sich auch gegen die feindlichen Stämme im Südwesten richtete, hatte Verica General Plautius die Stadt Calleva bereitwillig als Operationsbasis angeboten, so dass man dort das Nachschublager errichtete. Damit hatte Verica sich nicht nur die Gunst Roms gesichert, sondern besaß nun auch ein leicht zugängliches Schlupfloch für den Fall, dass die Atrebates sich von den romfeindlichen Stämmen dazu anstiften ließen, ihm die Gefolgschaft zu kündigen und die Seite zu wechseln.

Die beiden Zenturionen marschierten zu dem nach Calleva führenden Lagereingang. Vespasian hatte zum Schutz des Lagers zwar nur zwei Zenturien unter dem Kommando eines einzigen Offiziers zurückgelassen, doch das von Verteidigungswällen umschlossene Gelände war groß genug für mehrere Kohorten. Hinter dem Exerzierplatz lagen das Lazarett und die Gebäude des Hauptquartiers. Daneben erstreckten sich einige Reihen von Holzbaracken, und dahinter befanden sich die Speicher für Getreide und andere Vorräte, die die Legion für den Vorstoß nach Westen brauchte. Der Anführer der Briten, Caratacus, hatte das Land vor Plautius' heranrückenden Legionen verwüstet, so dass die römischen Truppen von langen Verbindungslinien abhingen, die bis zum großen Nachschublager in Rutupiae führten, wo die Römer zum ersten Mal britischen Boden betreten hatten.

Wieder einmal erschütterte Cato der Gegensatz zwischen dem geordneten Aufbau des römischen Lagers und dem chaotischen Durcheinander der Hütten, Scheunen, Viehställe und schmalen, schlammigen Gassen Callevas. Unter normalen Umständen hatte die Stammeshauptstadt an die sechstausend Einwohner, doch da der Feind im ganzen Königreich über Nachschubkolonnen und Bauernhöfe herfiel, war die Bevölkerung auf beinahe doppelte Größe angeschwollen. Die in den primitiven Bruchbuden Callevas zusammengepferchten Menschen wurden täglich hungriger und verzweifelter.

Als die beiden Zenturionen Callevas Haupttor erreicht hatten, drängte sich auf dem Wall eine gemischte Menge aus Einheimischen und Römern, die das sich weiter hügelabwärts abspielende Drama verfolgten. Abgesehen von den Garnisonssoldaten war das Imperium durch die erste Welle von Kaufleuten, Sklavenhändlern und Grundstücksmaklern vertreten, die auf einen raschen Gewinn hofften, bevor die neue Provinz zur Ruhe kam und die Einheimischen ihre Tricks durchschauten.

Jetzt drängelten sie mit den Atrebates um den besten Aussichtspunkt auf die Überreste der Nachschubkolonne, die sich der Sicherheit Callevas entgegenkämpfte. Cato fing den Blick des Optios auf, der die Wachmannschaft am Torhaus kommandierte, und hob zum Zeichen seines Ranges den Offiziersstock. Sofort kommandierte der Optio einige Leute ab, um den beiden Zenturionen den Weg zu bahnen, und die Soldaten machten sich mit typisch soldatischer Grobheit an ihre Aufgabe. Ohne jede Rücksicht auf Alter oder Geschlecht wurden die Einheimischen mit den Schildbuckeln beiseite gestoßen, und die Schreie der Überraschung oder des Schmerzes gingen sehr bald im allgemeinen wütenden Gebrüll unter.

»Jetzt mal langsam!«, schrie Cato über das Getöse hinweg und ließ seinen Offiziersstock auf den Schild des nächststehenden Legionärs niederkrachen. »Jetzt mal langsam, hab ich gesagt! Diese Menschen sind Roms Verbündete! Keine Tiere, verdammt noch mal. Kapiert?«

Der Legionär schlug vor dem Ranghöheren die Hacken zusammen und starrte auf einen Punkt oberhalb von Catos Schulter. »Ja, Herr!«

»Wenn ich noch einmal sehe, dass irgendeiner von euch so mit den Einheimischen umspringt, habt ihr für den Rest des Jahres Latrinendienst.« Cato beugte sich dichter zu dem Legionär und fuhr leise fort: »Dann steckt ihr wirklich in der Scheiße, oder?«

Der Mann bemühte sich, ein Grinsen zu unterdrücken, und Cato nickte. »Weitermachen.«

»Ja, Herr.«

Jetzt, als man gesehen hatte, dass die Grobheit der Soldaten bestraft wurde, beruhigten sich die Einheimischen, und die Legionäre gingen den beiden Zenturionen durch die Menge voran.

Macro stieß Cato in die Seite. »Was sollte denn das? Der Junge hat doch nur seine Arbeit gemacht.«

»Er wird nicht lange brauchen, um über die Kränkung hinwegzukommen. Gute Beziehungen zwischen uns und den Atrebates aufzubauen dauert dagegen wesentlich länger. Zerstört aber sind sie in null Komma nichts.«

»Mag sein«, räumte Macro widerwillig ein und erinnerte sich dann an das verstohlene Grinsen des Legionärs bei Catos letzter Bemerkung. Der kleine Scherz hatte den Groll des Mannes beträchtlich gemildert. »Jedenfalls hast du es auf die richtige Art gemacht.«

Cato zuckte mit den Schultern.

Sie traten in den schattigen Innenbereich des Torhauses und erklommen die Leiter zur Aussichtsplattform, die auf den dicken Deckenbalken ruhte. Als Cato sich durch die schmale Luke schob, erblickte er auf der einen Seite Verica und eine Hand voll Leibwächter. Cato grüßte den König, trat zur Palisade und blickte auf den Weg hinunter, der sich nordwärts der Tamesis entgegenschlängelte. In einer halben Meile Entfernung krochen sechs große Wagen, jeder mit vier Ochsen bespannt, langsam voran. Hilfstruppen umgaben den Zug mit einem kümmerlichen Geleitschutz, und eine kleine Gruppe berittener Kundschafter der Legion bildete die Nachhut. Cato sah eine Brustplatte im Sonnenlicht funkeln und musterte den Reiter, der seitlich an der Kolonne vorbeiritt.

»Ist das nicht der Legat?«

»Woher soll ich das denn wissen?«, gab Macro zurück. »Du hast die besseren Augen. Sag du es mir.«

Cato schaute noch einmal genau hin. »Ja! Das ist er tatsächlich.«

»Was hat der denn hier zu suchen?« Macro war ehrlich überrascht. »Der sollte doch bei der Legion sein und diesen verdammten Hügelfestungen die Hölle heiß machen.«

»Vermutlich will er wissen, wo sein Nachschub geblieben ist. Dabei muss er auf die Wagen gestoßen sein.«

»Das sieht unserem verdammten Vespasian ähnlich!«, meinte Macro lachend. »Der kann sich einfach aus keinem Kampf raushalten.«

Die Kolonne wurde zu beiden Seiten von feindlichen Fußtruppen verfolgt, unterstützt von einer Anzahl der schnellen Streitwagen, die von vielen britischen Stämmen noch immer geschätzt wurden. Ein steter Hagel von Pfeilen, Schleudergeschossen und Speeren drang auf die römische Kolonne ein. Unter Catos Augen traf ein Speer einen der Hilfssoldaten ins Bein, woraufhin der Mann seinen Schild fallen ließ und zu Boden stürzte. Der Söldner hinter ihm umging seinen verwundeten Kameraden einfach, und marschierte hinter seinen ovalen Schild geduckt ohne einen Blick zurück weiter.

»Das ist hart«, bemerkte Macro.

»Ja …«

Beide Männer litten unter ihrer Unfähigkeit, ihren Kameraden in irgendeiner Weise zur Seite zu stehen. Solange sie unter ärztlicher Obhut standen, waren sie im Lager einfach nur überflüssige Esser. Außerdem würde der Zenturio, dem die Garnison unterstellt war, sauer werden, wenn sie ihm irgendwie dazwischenfunkten.

Bevor die Kolonne den Verwundeten gänzlich hinter sich gelassen hatte, ließ einer der Ochsenführer sein Gespannpaar los und rannte zu dem Hilfssoldaten, der verzweifelt versuchte, sich den Speer aus dem Bein zu ziehen. Unter den Augen der Menschenmenge auf Callevas Torhaus packte der Ochsenführer den Speer und riss ihn heraus. Dann legte er sich den Arm des Verwundeten um die Schultern, und gemeinsam stolperte das Paar dem letzten Wagen hinterher.

»Das schaffen sie nicht«, sagte Cato.

Unter den verzweifelten Peitschenhieben der Fuhrleute zogen die Ochsen die rumpelnden Wagen auf Callevas sicheren Verteidigungswall zu, und der Abstand der beiden Männer zum letzten Wagen vergrößerte sich stetig, bis sie zwischen den Reihen der berittenen Nachhut verschwanden. Cato hielt angestrengt nach den beiden Ausschau.

»Hätte ihn liegen lassen sollen«, knurrte Macro. »Jetzt sind zwei Männer hinüber statt nur einer.«

»Da sind sie!«

Hinter der Nachhut aus Kundschaftern erblickte Macro jetzt das Paar, das noch immer hinter der Nachschubkolonne herstolperte. Dann sah er eine Gruppe von Briten, die auf diese leichte Beute zustürmten. Der Ochsenführer warf einen Blick über die Schulter und blieb unvermittelt stehen. Er zögerte nur einen winzigen Moment, ließ den Verwundeten los und rannte um sein Leben. Der Söldner sank in die Knie, die Hand dem Ochsenführer nachgestreckt, während der Feind heranstürmte. Im nächsten Moment verschwand er unter dem Ansturm bemalter Gestalten mit weiß gekalktem Haar. Einige der Briten rannten weiter, um den Ochsenführer einzuholen. Die jüngeren und daher schnelleren Männer verringerten den Abstand rasch und brachten den Mann mit einem Speerwurf in den Rücken zu Fall. Dann verschwand auch er unter den wilden Hieben der britischen Krieger.

»Ein Jammer.« Macro schüttelte den Kopf.

»Sieht so aus, als würden die anderen einen Angriff vorbereiten.« Cato beobachtete die größte Streitwagengruppe, in der auf dem vordersten Wagen eine hoch gewachsene Gestalt den Speer schwenkte, um die Aufmerksamkeit auf sich zu lenken. Er deutete mit einem Stoß seiner Speerspitze auf die Überreste der Nachschubkolonne, und die Briten stießen ihren Kriegsschrei aus und preschten los. Die Hilfstruppen schlossen die Reihen, bildeten aber nur eine jämmerlich dünne Gefechtslinie zwischen den Durotriges und den Wagen. Der Legat hatte sich wieder zu seinen berittenen Kundschaftern gesellt, die sich nun zum Schutz der rückwärtigen Front zu einer Angriffsformation auffächerten.

»Was treibt der da eigentlich, verdammt noch mal?«, entfuhr es Cato. »Man wird sie in Stücke hauen.«

»Vielleicht erkauft er den anderen gerade so viel Zeit, wie sie brauchen.« Macro drehte sich um und blickte zum Befestigungswall des Nachschublagers. »Wo bleibt denn die Garnison?«

In der Ferne kündete das Donnern von Hufen und der herausfordernde Ruf »Augusta!« den Angriff der berittenen Kundschafter an. Cato und Macro beobachteten krank vor Sorge, wie die Hand voll Reiter über das sonnenhelle Wiesenland auf die brüllende Angriffswelle der Briten zufegte. Einen Moment lang waren die beiden Seiten noch voneinander unterscheidbare Kräfte, Römer gegen Briten, doch dann war da nur noch ein wildes Getümmel von Männern und Pferden, während Kriegsgebrüll und Schmerzensschreie deutlich zu den hilflosen Zuschauern herüberdrangen. Eine Hand voll Berittener löste sich vom Feind und preschte zu den Wagen zurück.

»Ist der Legat noch dabei?«, fragte Macro.

»Ja.«

Das Opfer der Kundschafter hielt den Feind nur für kurze Zeit auf, doch inzwischen waren die Wagen und ihr Geleitschutz nur noch zweihundert Schritte vom Tor entfernt. Die Beobachter auf dem Wall brüllten Ermutigungen und fuchtelten aufgeregt mit den Armen.

Schon stürmten die Durotriges heran, eine wogende Masse aus Männern und Streitwagen, und kamen ihrer Beute immer näher. Die Hilfstruppen stellten sich tapfer dem Angriff entgegen. Wie dunkle Striche flogen die verbliebenen Wurfspeere im hohen Bogen durch die Luft und gingen über den Feinden nieder. Cato sah, wie ein Speer ein Streitwagenpferd am Kopf traf, worauf das Tier herumwirbelte und dabei den Streitwagen umwarf, der Fahrer und Speerwerfer unter sich zerquetschte. Doch die Briten stürmten unbeeindruckt weiter, warfen sich gegen die Schilde und Schwerter der Hilfstruppen und drängten sie auf die fliehende Wagenkolonne zu.

Plötzlich hörte Cato hinter sich den steten Marschtritt vieler Männer, drehte sich um und sah, wie die Spitze der Garnison durch Calleva auf das Tor zumarschierte. Unter seinen Füßen vernahm Cato das Knarren der Balken, als die Torflügel vor den Legionären aufgestoßen wurden.

»Wurde aber auch verdammt noch mal Zeit«, knurrte Macro.

»Meinst du, sie können noch was ausrichten?«

Macro beobachtete den verzweifelten Kampf am Ende des Wagenzuges und zuckte mit den Schultern. Vielleicht waren die Briten beim Anblick der Legionäre ja einen Moment lang verunsichert. In den letzten beiden Jahren hatten die Briten gelernt, die Männer hinter den scharlachroten Schilden zu fürchten, und das mit gutem Grund. Hier kämpften jedoch die ältesten der Veteranen, Lahme, die nicht länger mit ihren Kameraden Schritt halten konnten, und jene Simulanten, denen man nicht mehr zutraute, in einer wütenden Schlacht ihren Mann zu stehen. Falls der Feind das wahre Format dieser Männer erkannte, war alles verloren.

Die ersten Reihen der Garnison kamen nun unter dem Torhaus durch. Der Zenturio bellte einen Befehl, und die Kolonne formierte sich zu einer vier Mann tiefen Gefechtslinie um. Dann rückten die Männer vor. Die hinteren Reihen der Briten wandten sich der neuen Gefahr zu, und Schleuderer sowie Bogenschützen empfingen die Römer mit einem Hagel von Geschossen. Die Salve prallte jedoch an den Schilden ab, ohne Schaden anzurichten, das Geklapper verstummte, und nun rückte die feindliche Infanterie den Legionären entgegen. Keine der beiden Seiten stürzte sich ungestüm nach vorn: Die beiden Gefechtslinien trafen einfach zusammen, vom immer lauter anschwellenden Getöse klirrender Schwerter und dumpfer Schildschläge begleitet. Die Legionäre bahnten sich gnadenlos einen Weg durch die Durotriges und bewegten sich langsam auf den ersten Wagen zu.

Die Zenturie kämpfte sich stetig vorwärts, doch für die Zuschauer auf dem Wachturm war unübersehbar, dass sie immer langsamer vorankam. Dennoch erreichten die Legionäre das erste Ochsengespann und bahnten ihm eine so große Lücke durch die feindlichen Massen, dass der Wagen aus dem Getümmel auf die geöffneten Tore zufahren konnte. Der zweite und dritte Wagen folgten und die überlebende Geleitmannschaft gab sich alle Mühe, sich mit den Legionärskameraden zu vereinigen und die Reihen zu schließen. Vespasian saß ab und warf sich Seite an Seite mit seinen Männern in den Kampf. Einen Moment lang verlor Cato seinen Legaten aus den Augen und machte sich große Sorgen, dann aber tauchte Vespasians unverkennbarer roter Helmbusch aus dem wilden Getümmel glänzender Helme und blutig schimmernder Waffen auf.

Cato beugte sich über die Palisade und sah den ins Torhaus einfahrenden Wagen nach, die jeder mit strohumwickelten Amphorenstapeln beladen waren. Dann war also wenigstens etwas von dem Getreide und Öl gerettet worden. Mehr aber auch nicht. Die beiden letzten Wagen waren in britische Hände gefallen, und Cato sah ihre Kutscher und die Ochsenführer tot am Boden liegen; nun ging es nur noch um einen einzigen Wagen. Unter Catos Augen trieben die Briten die Römer langsam zurück.

»Schau dort!«, bemerkte Macro und zeigte auf eine etwas abseits gelegene Stelle. Der Anführer der Briten hatte den größten Teil seiner Streitwagen um sich versammelt und führte sie in einem großen Bogen um das Getümmel herum, ganz offensichtlich in der Absicht, die römischen Gefechtsreihen von hinten zu überrumpeln. »Wenn die unsere Jungs noch erwischen, brechen sie die Reihen auf.«

»Aufbrechen?«, schnaubte Cato. »Die werden unsere Männer in Stücke hauen ... Hoffentlich erkennen unsere Leute die Gefahr rechtzeitig.«

Unter der Wucht des britischen Angriffs wichen die römischen Reihen stetig zurück. Die Männer in der vordersten Reihe hatten genug mit Schwert und Schild zu tun, ganz in das Geschäft des Tötens vertieft, während ihre Kameraden dahinter sich nervös zum Tor umblickten und langsam dorthin zurückwichen. Plötzlich gaben die Streitwagenfahrer ihren Ponys mit wildem Triumphgebrüll die Peitsche und preschten auf die schmale Lücke zwischen den Legionären und dem Torhaus zu. Selbst von seinem erhöhten Beobachtungspunkt aus spürte Cato, wie der Boden unter den Hufen der Ponys und den Rädern der Streitwagen erbebte.

Der kommandierende Zenturio warf einen Blick auf die Streitwagen und brüllte eine Warnung. Sofort lösten sich die Legionäre und die Söldner vom Feind und flüchteten zum Tor, Vespasian unter ihnen. Oben auf dem Torhaus legte Verica die Hände trichterförmig an den Mund und rief den Männern, die die Palisade bemannten, einen Befehl zu. Die griffen nach ihren Wurfspeeren oder legten Pfeile ein, um den fliehenden Römern Feuerschutz zu geben. Die ersten Kämpfer hatten das Tor bereits erreicht, aber einige würden es nicht schaffen. Die ältesten unter den Soldaten quälten sich mit ihrer schweren Ausrüstung ab und fielen zurück. Die meisten hatten ihre Schwerter und Schilde von sich geworfen und rannten, so schnell sie konnten, immer wieder Blicke nach rechts werfend, von wo die Streitwagen heranrasten, von schäumenden Ponys mit geweiteten Nüstern und flatternden Mähnen gezogen; darüber sah man die wilden Gesichter der Wagenlenker und ihrer Speerkämpfer, die sich schon auf die bevorstehende Vernichtung der Römer freuten.

Als wahrer Zenturio hielt Veranius noch immer Schild und Schwert in der Hand und eilte neben seinen letzten Männern her, die er anbrüllte, schneller zu laufen. Als die Streitwagen bis auf zwanzig Schritte an ihn herangekommen waren, wurde ihm klar, dass sein Schicksal besiegelt war. Er blieb stehen, drehte sich zu den Wagen um, hob seinen Schild und hielt das Schwert auf Hüfthöhe. Mit einem elenden Gefühl sah Cato, wie der Zenturio einen Blick zum Torhaus warf und grimmig lächelte. Er nickte den Gesichtern, die sein letztes Gefecht bezeugten, einen Gruß zu, und wandte sich wieder zum Feind zurück.

Ein Schrei stieg auf und verstummte ganz plötzlich, als die Streitwagen die ersten Nachzügler erreichten und die Leiber der Legionäre trotz der schützenden Kettenpanzer einfach unter sich zermalmten. Veranius sprang vor und stieß sein Schwert dem vordersten Pony in die Brust, dann wurde auch er niedergetrampelt und verschwand im Getümmel aus gepanzerten Pferden und den Korbwänden der Streitwagen.

Die schweren Torflügel knirschten und fielen mit einem dumpfen Schlag zu, bevor man den Riegel in seine Halterung rammte. Die Streitwagen wurden vor dem Tor herumgerissen und Geschrei und das schrille Gewieher der Ponys stieg auf, als die Wurfspeere und Pfeile von Vericas Palisadenposten auf das dichte Getümmel unten niederregneten. Die Briten antworteten ihrerseits mit einem Geschosshagel, und unmittelbar unter Catos Beobachtungsplatz krachte ein Schleudergeschoss gegen die Palisade. Cato packte Macro bei der Schulter und zog ihn zur Leiter zurück.

»Hier können wir ohnehin nichts tun. Wir sind nur im Weg.«

Macro nickte und folgte ihm die Leiter hinunter.

Als sie auf den von Wagenspuren zerfurchten Platz direkt hinter dem Tor traten, sahen sie das Durcheinander von Wagen, Ochsen und überlebenden Legionären und Hilfssoldaten. Einige Männer hockten keuchend auf dem Boden. Wer noch auf den Beinen war, stützte sich auf einen Speer oder schnappte vorgebeugt nach Luft. Viele hatten noch nicht gemerkt, dass sie verwundet waren, und das Blut tropfte einfach auf den Boden. Vespasian stand am Rand, hatte sich, die Hände auf die Knie gestützt, vorgebeugt und atmete schwer. Macro schüttelte bedächtig den Kopf.

»Was für ein verdammtes, beschissenes Chaos ...«

3

Der Schlachtenlärm wurde rasch leiser, als die Durotriges sich zurückzogen. Zwar hatten sie den Römern und ihren verachteten atrebatischen Verbündeten eine blutige Schlappe beigebracht, doch ihnen war klar, dass jeder Versuch, die Befestigungswälle zu überwinden, nur eine Verschwendung von Menschenleben wäre. Mit lautem Hohngeschrei rannten sie außer Reichweite der Geschosse und setzten ihre Schmährufe bis zum Anbruch der Dämmerung fort. Als es immer dunkler wurde, verzogen sich die Durotriges; nur das leise Gerumpel der Streitwagenräder hallte noch eine Weile herüber, und dann versank Calleva in Stille und Dunkelheit.

Die Einheimischen, die das Torhaus und den Befestigungswall bemannten, kamen herunter und ließen sich erschöpft auf den Weg sinken. Nur einige wenige Wachposten blieben oben und hielten nach irgendwelchen Anzeichen Ausschau, ob die Durotriges ihren Abzug vielleicht nur vorgetäuscht hatten und im Schutze der Nacht heimlich zurückkommen würden. Als Verica aus dem Torhaus trat, wirkte er erschöpft. Die Bewegungen des alten, mageren Mannes waren unsicher und er hatte die Hand auf die Schulter eines seiner Leibwächter gestützt. Im flackernden Schein einer einzigen Fackel zog die kleine Gruppe langsam über die Hauptstraße zu den hohen, strohgedeckten Häusern der königlichen Umfriedung zurück. Entlang ihres Weges verstummten die Einwohner, sobald ihr König vorbeikam; in ihren vom orangeroten Flackern der Fackel beleuchteten Gesichtern stand Groll. Während Verica und sein Gefolge von Edelleuten gut genährt waren, litt sein Volk Hunger. Die meisten Getreide-Vorratsgruben waren leer, und innerhalb der Befestigungsmauern gab es nur noch einige wenige Schweine und Schafe. Außerhalb Callevas lagen viele Bauernhöfe verlassen oder waren niedergebrannt; ihre Bewohner waren entweder tot oder hatten in der Stadt Zuflucht gesucht.

Das Bündnis mit Rom hatte keinen der von Verica versprochenen Vorteile gebracht. Die Atrebates wurden keineswegs von den Legionen beschützt und hatten, so schien es, den Zorn aller Caratacus treuen Stämme auf sich gezogen. Kleine Plünderertrupps aus den Gebieten der Durotriges, der Dubonni, der Catuvellauni und sogar der wilden Silures schlüpften zwischen den vorrückenden Legionen durch und drangen tief ins Gebiet hinter der Front ein. Nicht nur wurden die Atrebates ihrer eigenen Nahrungsmittelvorräte beraubt, Rom blieb ihnen auch die versprochenen Getreidelieferungen schuldig, da die Nachschubkolonnen von Caratacus' Kriegern verfolgt und ausgeplündert wurden. Das wenige, was den Transport von Rutupiae überstand, kam ins Vorratslager der Zweiten Legion, und so kursierten unter den Bewohnern Callevas Gerüchte über Legionäre, die sich die Bäuche vollschlugen, während die Portion Gerstengrütze auf dem Teller ihrer Verbündeten immer kleiner wurde.

Dieser Groll entging Cato und Macro nicht, die inzwischen auf einer roh gezimmerten Bank vor den Toren des Lagers saßen. Ein Weinhändler aus Narbonensis hatte seinen Stand so nah wie möglich bei seiner Legionärskundschaft aufgebaut und unter einem ledernen Zeltdach zwei Bänke und eine improvisierte Theke aufgebaut. Macro hatte zwei Becher billigen Mulsumwein erstanden, und nun saßen die beiden Zenturionen da und beobachteten, wie der König der Atrebates mit seinen Leibwächtern vorbeizog. Die Torposten nahmen Haltung an, doch Verica warf ihnen nur einen kühlen Blick zu und stolperte weiter auf die königliche Umfriedung zu.

»Nicht gerade ein dankbarer Verbündeter«, grummelte Macro.

»Kannst du ihm das verdenken? Sein Volk scheint ihn ja noch mehr zu hassen als den Feind. Er wurde den Atrebates von Rom aufgezwungen, aber bis jetzt hat er seinen Leuten nichts als Leid gebracht, und wir können wenig tun, um ihm zu helfen. Kein Wunder, dass er uns mit Bitterkeit begegnet.«

»Trotzdem finde ich, der Saukerl könnte uns ein bisschen mehr Dankbarkeit entgegenbringen. Da rennt er zum Kaiser und heult ihm die Ohren voll, die Catuvellauni hätten ihn vom Thron gestoßen. Darauf macht Claudius sich sofort auf, dringt in Britannien ein und gibt Verica als Allererstes sein Königreich zurück. Mehr kann man wohl kaum verlangen.«

Cato starrte einen Moment lang in seinen Becher, bevor er antwortete. Wie üblich sah Macro die Dinge ausschließlich von ihrer allereinfachsten Seite. Es war zwar richtig, dass Vericas Appell an Rom ihm Vorteile gebracht hatte, doch ebenso gewiss war die Tatsache, dass die Notlage des alten Königs genau die richtige Gelegenheit für Kaiser Claudius und seinen Stab gewesen war, die schon nach einem militärischen Abenteuer gelechzt hatten. Der neue Kaiser brauchte einen Sieg, und die Legionen mussten von ihrer gefährlichen Begeisterung für politische Machenschaften abgelenkt werden. Seit Caesars erstem Versuch, die Grenzen des glorreichen römischen Reiches übers Meer auf die nebligen Inseln auszudehnen, war die Eroberung Britanniens jedem politischen Lenker Roms verlockend erschienen. Nun hatte Claudius die Gelegenheit, sich einen Namen zu machen, der den großen Taten seiner Vorgänger würdig war. Was spielte es für eine Rolle, dass Britannien längst nicht mehr das geheimnisvolle Land war, über das Caesar, der keine Gelegenheit ausließ, seinen Nachruhm zu mehren, so lebhaft in seinen Kommentaren geschrieben hatte. Bereits zu Augustus' Regierungszeit war Britannien in allen Richtungen von Händlern und Reisenden des Kaiserreichs durchquert worden. Es war nur eine Frage der Zeit, bis auch diese letzte Bastion der Kelten und der Druiden erobert und dem Provinzenbestand der Cäsaren hinzugefügt wurde.

Verica hatte unbeabsichtigt das Ende der traditionellen stolzen Unabhängigkeit der Insel herbeigeführt. Cato hatte Mitgefühl mit dem König und, wichtiger noch, mit seinem Volk. Sie waren zwischen die unaufhaltsam unter dem goldenen Adler vorrückenden Legionen einerseits und den grimmig verzweifelten Caratacus andererseits geraten, der mit seinem lockeren Bündnis britischer Stämme zu allem bereit war, um die Soldaten Roms von der britischen Küste zu vertreiben.

»Dieser Vespasian ist ganz schön verrückt!«, meinte Macro kichernd und schüttelte leise den Kopf. »Ein Wunder, dass er noch lebt. Hast du ihn gesehen? Er ist auf sie losgegangen wie so ein verdammter Gladiator. Der Mann ist verrückt.«

»Ja. Nicht gerade die vornehme Art für einen Angehörigen des Senatsadels.«

»Was ist denn mit ihm los?«

»Er meint wohl, sich beweisen zu müssen. Er und sein Bruder sind die ersten Angehörigen ihrer Familie, die in den Rang des Senatsadels aufgestiegen sind – was sie von den anderen Aristokraten, die ihre Zeit als Legat abdienen, deutlich unterscheidet.« Cato drehte sich zu Macro um. »Eigentlich eine erfrischende Abwechslung.«

»Du sagst es. Die meisten Legaten, unter denen ich gedient habe, hätten den Kampf gegen eine Horde von Barbaren für unter ihrer Würde gehalten.«

»Aber nicht unser Legat.«

»Richtig«, stimmte Macro zu und leerte seinen Becher. »Aber das wird ihm auch nicht viel helfen. Ohne Nachschub ist der Feldzug der Zweiten Legion für dieses Jahr bald zu Ende. Und du weißt, was mit Legaten passiert, die es nicht schaffen. Der arme Kerl wird als Verwalter irgendeines flohverseuchten afrikanischen Hinterlandes enden. So läuft es nun mal.«

»Mag sein. Aber ich wage die Vorhersage, dass andere Legaten dasselbe Schicksal teilen werden, wenn wir diesen Überfällen auf unsere Nachschublinien keinen Riegel vorschieben.«

Beide Männer verstummten eine Weile und dachten über die Folgen des feindlichen Strategiewechsels nach. Für Macro bedeutete er, dass die Essensrationen unerquicklich klein wurden und sie zurückweichen mussten. Die Legionen würden sich zurückziehen und bessere Schutzmaßnahmen für ihren Nachschub ergreifen müssen, bevor sie wieder zum Angriff übergingen. Schlimmer noch, General Plautius und seine Legionen würden sich die Stämme in unbarmher-

41

zigen Vernichtungsfeldzügen einen nach dem anderen vorknöpfen müssen. Dadurch würde die Eroberung nur noch im Schneckentempo vorankommen. Wahrscheinlich waren Cato und er selbst längst an Altersschwäche gestorben, bevor die vielen Stämme dieser rückständigen Insel endlich unterworfen waren.

Cato machte sich ganz ähnliche Gedanken wie sein Kamerad, ging aber bald zu einer strategischeren Ebene über. Die hier angestrebte Erweiterung des Reiches mochte durchaus unklug sein. Natürlich ergaben sich kurzfristige Vorteile für den Kaiser, der damit beim Volk Punkte sammelte. Doch obgleich die feindliche Hauptstadt Camulodunum in römische Hand gefallen war, hatte der Feind wenig Verhandlungsbereitschaft gezeigt, von einer Unterwerfung ganz zu schweigen. Seine Entschlossenheit schien sogar noch gewachsen: Unter der zielstrebigen Führung Caratacus' unternahmen die Briten jede nur denkbare Anstrengung, den Vormarsch der Legionen zu behindern. Das ganze Unternehmen erwies sich mit Gewissheit als wesentlich teurer, als der kaiserliche Generalstab jemals voraussahen konnte. Cato vermochte daraus nur eine einzige logische Schlussfolgerung zu ziehen, nämlich dass es an der Zeit war, den britischen Stämmen eine Tributzahlung und ein Bündnisversprechen abzuverlangen und die Insel zu verlassen.

Doch dazu würde es nicht kommen, solange die Glaubwürdigkeit des Kaisers auf dem Spiel stand. Man würde den Legionen und ihren Hilfskohorten niemals gestatten, sich von der Insel zurückzuziehen. Aber gleichzeitig würde man immer nur für die geringstmögliche Verstärkung sorgen, gerade genug, um gegenüber den Eingeborenen minimal im Vorteil zu bleiben. Wie immer schob die Politik alle anderen Notwendigkeiten beiseite. Cato seufzte.

»Haltung!«, zischte Macro und nickte zum Tor des Nachschublagers hinüber.

Im flackernden Schein der Kohlebecken zu beiden Seiten des Tors marschierte ein kleiner Trupp auf die Straße Callevas hinaus. Zuerst kamen vier Legionäre, dann Vespasian und dann nochmals vier Legionäre. Die kleine Einheit schlug die Richtung zu Vericas Umfriedung ein und stapfte unter den Blicken der beiden Zenturionen in die Dunkelheit davon.

»Was da wohl los ist?«, brummelte Cato.

»Ein Höflichkeitsbesuch?«

»Ich glaube kaum, dass der Legat mit einem herzlichen Empfang rechnen kann.«

Macro zuckte mit den Schultern, offensichtlich wenig darum besorgt, ob die Beziehungen zu einem der wenigen Stämme, die zu einem Bündnis mit Claudius bereit waren, sich nun herzlich gestalteten oder nicht. Ihm ging eine weit dringlichere Frage durch den Kopf.

»Noch ein Becher? Ich lade dich ein.«

Cato schüttelte den Kopf. »Besser nicht. Ich bin müde. Am besten kehren wir ins Lazarett zurück, bevor irgend so ein verdammter Sanitäter unsere Betten anderweitig vergibt.«

4

Trotz seiner Freude, den verzweifelten Kampf vor den Toren Callevas überlebt zu haben, war Vespasian finster gestimmt, als er den stinkenden Weg zu Vericas Umfriedung einschlug. Und nicht nur, weil er dem König übel nahm, wie unverschämt knapp er ihn herbeizitiert hatte. Sobald er hinter Callevas schützenden Toren wieder zu Atem gekommen war, hatte Vespasian die Überlebenden ins römische Lager geführt. Jeder verfügbare Mann war als Wachposten auf die

Wälle geschickt worden, um für den Fall bereit zu sein, dass die Durotriges einen ernsthafteren Angriff auf den Feind wagten. Im Lager musste der Legat sich mit einem Strom von rangniedrigen Offizieren befassen, die sich um seine Aufmerksamkeit drängten. Vespasian begab sich in die kleine Schreibstube des gefallenen Zenturios Veranius und ließ einen nach dem anderen vor. Das Lazarett war überfüllt, und der oberste Wundarzt der Legion forderte zusätzliche Männer an, um eine neue Abteilung einzurichten. Der Zenturio, der den Wagenzug kommandierte, verlangte, dass man ihm für die Rückfahrt zum Basislager an der Tamesis eine Kohorte der Zweiten Legion unterstellte.

»Ohne angemessenen Schutz kann ich die Verantwortung für den Nachschub nicht übernehmen, Herr«, verteidigte er sich.

Vespasian betrachtete den Offizier mit kalter Verachtung. »Die Verantwortung für den Nachschub hast du unter allen Umständen, und das weißt du auch.«

»Ja, Herr. Aber diese verdammten spanischen Hilfstruppen, die ich zugeteilt bekommen habe, sind nutzlos.«

»Ich hatte eben den Eindruck, dass sie ihre Sache durchaus gut machen.«

»Ja, Herr«, gab der Zenturio zu. »Aber es ist nicht dasselbe, wie von Legionären beschützt zu werden. Unsere schwere Infanterie jagt den Eingeborenen eine Heidenangst ein.«

»Möglich, aber ich kann keinen einzigen Mann entbehren.«

»Herr …«

»Keinen einzigen. Aber ich werde morgen beim General zusätzliche batavische Kavallerie anfordern. Bis dahin brauche ich ein vollständiges Inventar der hier gelagerten Vorräte, und dann mach alles an Wagen fahrbereit, was da ist.«

In der Erwartung zusätzlicher Erklärungen verharrte der Nachschubzenturio einen Moment lang schweigend, doch Vespasian nickte knapp zur Tür hin und winkte den nächsten Mann herein. Vespasians Priorität war, seine Männer an der Front so schnell wie möglich mit Nachschub zu versorgen. Unterdessen ritt bereits einer der Kundschafter mit dem Befehl zur Zweiten Legion zurück, zwei Kohorten nach Calleva zu entsenden. Das mochte eine überzogene Reaktion sein, doch Vespasian brauchte die Gewissheit, dass so viele Vorräte wie möglich vom Nachschublager zur Legion gelangten. Angesichts der massiven Plünderungen des Feindes war eine stete Versorgung sonst nicht zu garantieren.

Caratacus hatte ihn da in eine hübsche Zwickmühle gebracht: Falls er weiter vorrückte, schnitt man ihm den Nachschub ab; wenn er sich aber darauf konzentrierte, seine Nachschublinien zu schützen, geriet der Vormarsch ins Stocken. Weiter im Norden waren General Plautius' Kräfte schon gefährlich weit auseinander gezogen, und es waren beinahe keine Männer mehr übrig, um den Geleitschutz der Wagenzüge zu verstärken oder die Zwischenstationen und insbesondere das überlebenswichtige Depot hier in Calleva angemessen zu bemannen. Das Versagen der Garnison an diesem Nachmittag zeigte deutlich, was für eine erbärmliche Qualität die Legionäre hatten, die man für diese Aufgaben entbehren konnte. Im Moment brauchte Vespasian nichts dringender als zusätzliche Männer. Gesund und durchtrainiert. Doch er musste sich erbittert eingestehen, dass er sich ebenso gut den Mond wünschen könnte.

Dann gab es noch ein weiteres Problem. Der Kommandant der Garnison war tot. Veranius war ein durchaus passabler Offizier gewesen – zumindest für ein Kommando hinter der Front –, aber die Zweite Legion konnte es sich kaum leisten, den Feldzug gegen die Hügelfestungen um einen weiteren Zenturio zu schwächen. Die Todesrate unter den Zenturionen war wie immer hoch, da es ihre Pflicht war, den Männern in der Schlacht voranzugehen. Einige Zenturien wurden inzwischen bereits von Optios befehligt, was man ja nun keineswegs als zufrieden stellende Situation bezeichnen konnte ...

An diesem Punkt war ein Bote Vericas eingetroffen, der Vespasian aufforderte, ihn schnellstmöglich aufzusuchen.

Von all diesen Gedanken bedrückt, schritt Vespasian durch die dunklen Gassen Callevas, immer darauf bedacht, nicht in Schlamm und Dreck auszurutschen. Hier und da fielen aus den offenen Türen von Eingeborenenhütten Pfützen von orangefarbenem Licht auf den tief ausgefahrenen Weg. Drinnen erblickte Vespasian ums Herdfeuer versammelte Familien, doch nur die wenigsten von ihnen schienen zu essen.

Vor dem Legaten und seiner Eskorte ragte ein hohes Tor auf, und beim Klang der sich nähernden Schritte traten zwei atrebatische Krieger aus den dunklen Schatten. Sie machten ihre Speere mit den breiten, blattförmigen Spitzen stoßbereit, doch dann erkannten sie im Dämmerlicht den Legaten. Sofort traten sie zur Seite und einer der Posten zeigte auf das große, rechteckige Gebäude im hinteren Bereich der Umfriedung. Beim Überqueren des großen Vorplatzes blickte Vespasian sich aufmerksam um und registrierte die Ställe, die kleinen, strohgedeckten Lagerschuppen und einige lang gestreckte, niedrige Hütten in Fachwerkbauweise, aus denen laute, heisere Männerstimmen drangen. So also lebte der König der Atrebates – nicht zu vergleichen mit den Palästen der Könige im fernen Osten des Imperiums. Das hier war ein vollkommen anderes Zivilisationsniveau und im Grunde hätte Rom dieses Land einfach links liegen lassen können, überlegte Vespasian. Es würde sehr lange dauern, bis diese Briten einen Stand erreicht hatten, auf dem sie sich mit den weiter entwickelten Untertanen des Imperiums messen konnten.

Zu beiden Seiten des Eingangs von Vericas großem Haupthaus erhellten leise flackernde Fackeln die Dunkelheit. In ihrem Licht sah Vespasian zu seiner Überraschung, dass das Gebäude seit seinem letzten Besuch in Calleva einen Vorbau erhalten hatte. Der König der Atrebates strebte offensichtlich nach einem höheren Lebensstandard. Wenn man bedachte, wie viele der britischen Adligen Jahre des Exils in bequemen römischen Wohnhäusern verbracht hatten, war das auch nicht verwunderlich.

Jemand trat aus der eindrucksvollen Eingangshalle, ein junger Mann, vermutlich Anfang zwanzig. Er hatte das hellbraune Haar zurückgebunden, war breitschultrig und hoch gewachsen – mehr als eine Handbreit größer als Vespasian. Er trug eine kurze Tunika über karierten Beinkleidern und weichen Lederstiefeln, ein Kompromiss aus römischem und eingeborenem Kleidungsstil.

Der junge Mann nahm Vespasian mit einem ungezwungenen, freundschaftlichen Lächeln beim Arm. »Sei gegrüßt, Legat.« Sein Latein hatte einen ganz leichten Akzent.

»Kenne ich dich? Ich kann mich nicht erinnern ...«

»Wir sind einander noch nicht vorgestellt worden, Herr. Ich heiße Tincommius. Ich befand mich im Gefolge meines Onkels, als ich dir zur Begrüßung entgegenritt ... beim Eintreffen deiner Legion zu Beginn des Frühjahrs.«

»Ich verstehe«, erwiderte Vespasian mit einem Nicken, obgleich er sich nicht im Geringsten an den Mann erinnerte. »Im Gefolge deines Onkels?«

»Verica«, erklärte Tincommius mit bescheidenem Lächeln. »Unser König.«

Vespasian betrachtete den Mann noch einmal genauer. »Du sprichst ein recht gutes Latein.«

»Ich habe einen großen Teil meiner Jugend in Gallien verbracht, Herr. Ich zerstritt mich mit meinem Vater, als er den Catuvellauni Bündnistreue gelobte. Daher verließ ich die

Insel und ging zu meinem Onkel ins Exil ... Wenn es dir recht ist, deine Leibwache hier zurückzulassen, könnte ich dich direkt zum König führen.«

Vespasian befahl seinen Leuten, auf ihn zu warten, und folgte Tincommius durch die hohen Eichentüren. Sie traten in einen eindrucksvollen Saal mit einem hohen, gewölbten Strohdach, das von riesigen Balken gestützt wurde. Tincommius bemerkte, dass Vespasian beeindruckt war.

»Der König hat in seiner Zeit im Exil eine gewisse Vorliebe für die römische Architektur entwickelt. Dieser Bau ist erst vor einem Monat fertig geworden.«

»Es ist gewiss ein Gebäude, das eines Königs würdig ist«, antwortete Vespasian höflich und folgte Tincommius in die Mitte des Saals.

Tincommius wandte sich nach rechts, sich achtungsvoll verneigend, und Vespasian folgte seinem Vorbild. Verica saß allein auf einem Herrschaftspodium. Auf einem kleinen Tisch in Reichweite waren Teller und Schüsseln mit erlesenen Speisen gedeckt. Ein elegantes, eisernes Kohlebecken, in dem gerade ein Stoß Scheite zischend und knackend von der Glut erfasst wurde, stand neben Verica auf dem Boden. Der König winkte die beiden heran, und Vespasian trat mit seinen genagelten, laut hallenden Stiefeln auf den König der Atrebates zu. Obgleich Verica fast siebzig war, die Haut runzlig und das lange Haar grau, leuchteten seine Augen hell. Er war hoch gewachsen und hager und machte immer noch einen so gebieterischen Eindruck, dass man sah, was für eine Achtung gebietende Gestalt er im Zenit seiner Macht gewesen sein musste.

Verica aß das kleine Gebäckstück in seiner Hand langsam auf und wischte dann die Krümel auf den Boden. Mit einem Räuspern machte er seine Kehle frei.

»Ich habe dich rufen lassen, um mit dir über die heutigen Vorfälle zu sprechen, Legat.«

»Das hatte ich mir gedacht, Herr.«

»Du musst diesen feindlichen Überfällen ins Territorium der Atrebates ein Ende setzen. Das darf keinen Tag länger so weitergehen! Nicht nur deine Nachschubkolonnen werden angegriffen, der Feind hat auch mein Volk von seinen Höfen vertrieben.«

»Das verstehe ich, Herr.«

»Mitgefühl füllt keinem den Magen, Legat. Warum können wir nicht einen Teil der Vorräte aus deinem Nachschublager bekommen? Ihr habt massenhaft Nahrungsmittel gelagert, und trotzdem weigerte euer Zenturio Veranius sich, uns irgendwelche Vorräte zu überlassen.«

»Das geschah auf meinen Befehl. Möglicherweise braucht meine Legion alles, was sich im Lager befindet.«

»Alles? Es muss viel mehr da sein, als ihr jemals verbrauchen könnt. Mein Volk aber leidet hier und jetzt Hunger.«

»Ich hege keinen Zweifel, dass der Feldzug noch lange dauern wird, Herr«, entgegnete Vespasian. »Und ich hege keinen Zweifel, dass wir bis zum Ende des diesjährigen Feldzugs noch weitere Vorräte an die Durotriges verlieren werden. Außerdem muss ich natürlich schon die Vorräte für ein zusätzliches vorgeschobenes Lager einplanen, das wir für den Winter errichten werden.«

»Und was ist mit meinem Volk?« Vericas Hand bewegte sich zu einem Teller mit honiggetränkten Datteln. »Ihr könnt meine Leute nicht verhungern lassen.«

»Wenn wir die Durotriges besiegt haben, können deine Leute auf ihre Höfe zurückkehren. Aber ohne Essen im Bauch können meine Truppen den Feind nicht schlagen.«

Die Diskussion hatte sich festgefahren, und beide Seiten wussten es. Schließlich brach Tincommius das Schweigen.

»Legat, hast du schon darüber nachgedacht, was passieren könnte, wenn du unserem Volk nichts zu essen gibst? Was, wenn die Atrebates sich gegen Verica erheben?«

Über diese Frage hatte Vespasian tatsächlich schon nachgedacht, denn die Folgen einer solchen Erhebung wären äußerst beunruhigend. Wenn die Atrebates Verica absetzten und sich den anderen Stämmen auf Seiten Caratacus' anschlossen, wären General Plautius und seine Legionen von der Nachschubbasis in Rutupiae abgeschnitten. Wenn dann vor, hinter und zwischen den römischen Truppenteilen Feinde lagen, würde Plautius sich zurückziehen und in Camulodunum Schutz suchen müssen. Falls aber auch noch die Trinovantes, eingeschüchtert wie sie waren, sich von dem Aufstand der Atrebates ermutigen ließen, konnte nur noch ein Wunder Plautius und seine Legionen vor dem Schicksal bewahren, das General Varus und seine drei Legionen beinahe vierzig Jahre zuvor in den Tiefen Germaniens zuteil geworden war.

Vespasian ließ sich seine Bedenken nicht anmerken und sah Tincommius scharf an. »Hältst du es für wahrscheinlich, dass dein Volk sich gegen den König erhebt?«

»Nicht gegen den König. Gegen Rom«, erwiderte Tincommius. Dann lächelte er. »Im Moment murren die Leute nur. Aber wer weiß, wozu ein richtig hungriger Mensch fähig ist?«

Vespasians Miene regte sich nicht, als Tincommius fortfuhr: »Hunger ist nicht die einzige Gefahr. Es gibt einige Adlige, die unser Bündnis mit Rom alles andere als wohlwollend betrachten. Schon jetzt kämpfen Hunderte unserer besten Krieger Seite an Seite mit Caratacus. Rom sollte die Loyalität der Atrebates nicht für eine Selbstverständlichkeit halten.«

»Verstehe.« Vespasian lächelte schwach. »Du drohst mir.«

»Nein, mein teurer Legat!«, mischte Verica sich ein. »Nicht im Geringsten. Du musst dem Jungen verzeihen. Junge Menschen neigen zu Übertreibungen, nicht wahr?

Tincommius hat nur die Möglichkeit eines Zwischenfalls, so unwahrscheinlich dieser auch wirken mag, sehr deutlich betont.«

»Nun gut.«

»Wie dem auch sei, du solltest wissen, dass meine Position ernstlich bedroht ist und dass jemand das vielleicht ausnutzen könnte, wenn ihr mein Volk weiter hungern lasst.«

Jetzt war die Spannung zwischen den drei Männern fühlbar, und Vespasians Zorn über den unverhüllten Erpressungsversuch drohte, sich in einem äußerst undiplomatischen Strom von Beschimpfungen zu entladen. Er zwang sich, seine Gefühle zu unterdrücken und die Lage unter einem anderen Aspekt zu betrachten. Es war schlimm genug, dass die Atrebates bezüglich des Bündnisses mit Rom gespalten waren; da wäre es ein Fehler, sich auch noch die Beziehungen zu den wohlgesonnenen Atrebates zu verderben.

»Was wollt ihr eigentlich von mir?«

»Gib uns etwas von euren Vorräten ab«, antwortete Tincommius.

»Unmöglich.«

»Dann gib uns genug Männer, um diese Plünderer zur Strecke zu bringen.«

»Das ist ebenfalls unmöglich. Ich kann keinen einzigen Mann entbehren.«

Tincommius zuckte mit den Schultern. »Dann können wir die Loyalität unseres Volks nicht garantieren.«

Jetzt biss sich die Katze wieder in den Schwanz, und Vespasian musste sich erneut mühsam beherrschen. Es musste doch einen Ausweg geben. Plötzlich kam ihm ein Gedanke.

»Warum jagt ihr diesen Plünderern eigentlich nicht selber nach?«

»Mit welchen Leuten denn?«, fuhr Verica ihn an. »Dein General gesteht mir fünfzig Mann unter Waffen zu. Das ist kaum genug, um die königliche Umfriedung zu bewachen, von den Wällen Callevas ganz zu schweigen. Was könnten fünfzig Mann gegen eine Truppe ausrichten, wie sie heute eure Nachschubkolonne angegriffen hat?«

»Dann zieh zusätzliche Männer ein. Ich werde General Plautius ersuchen, die Beschränkung deiner Schutztruppe vorläufig auszusetzen.«

»Das ist ja alles schön und gut«, erwiderte Tincommius ruhig, »aber wir haben kaum noch Krieger. Viele haben sich lieber Caratacus angeschlossen, als ihre Waffen niederzulegen. Nur einige wenige sind Verica treu geblieben.«

»Dann fangt mit diesen an. Es muss doch noch viel mehr Männer geben, die Rache an den Durotriges üben wollen – all jene, deren Höfe von den feindlichen Plünderern zerstört wurden.«

»Das sind Bauern«, erklärte Tincommius geringschätzig. »Die haben keine Ahnung vom Kämpfen. Sie haben nicht einmal richtige Waffen. Die würden niedergemetzelt.«

»Dann bildet sie aus! Ich kann euch mit Waffen aus unserem Bestand versorgen – sobald die Erlaubnis des Generals da ist –, genug für tausend Mann. Das reicht bei weitem, um es mit diesen Plünderern aufzunehmen ... Es sei denn, die Atrebates hätten Angst.«

Tincommius lächelte bitter. »Ihr tapferen Römer mit euren Rüstungen, euren riesigen Schilden und all euren technischen Raffinessen. Was wisst ihr schon von Mut?«

Verica hüstelte. »Wenn ich einen Vorschlag machen dürfte ...«

Die beiden wandten sich dem alten Mann auf dem Thron zu. Vespasian nickte zustimmend. »Bitte.«

»Mir ist der Gedanke gekommen, dass du uns einige deiner Offiziere geben könntest, um unsere Männer nach Art der römischen Armee zu trainieren. Schließlich werden wir ja mit euren Waffen kämpfen. So viele Männer kannst du doch gewiss entbehren – wenn es hilft, unser beider Problem zu lösen?«

Vespasian überdachte diesen Vorschlag. Er klang vernünftig. Calleva würde sich eigenständig schützen können, und eine solche Truppe würde vielleicht tatsächlich die Verbindungslinien der Legion sicherer machen. Es lohnte sich, dafür einige Offiziere abzustellen. Er sah Verica an und nickte. Der König lächelte.

»Natürlich würde eine solche Truppe genügend Proviant benötigen, um Aussicht auf Erfolg zu haben ... Wie du schon sagtest, Legat: Mit leerem Magen taugen Soldaten nichts.«

»So ist es, Majestät«, schloss Tincommius sich an und fügte mit zynischem Unterton hinzu: »Ich wage zu behaupten, dass die Aussicht auf eine anständige Mahlzeit für einen steten Zufluss von Rekruten sorgen wird. Und ein voller Bauch ist der Lust zur Rebellion erstaunlich abträglich.«

»Jetzt aber Moment mal.« Vespasian hob abwehrend die Hand, um nicht am Ende mehr zuzusagen, als er halten konnte. Er war wütend auf den alten Mann, der es geschafft hatte, ihn in diese Position zu manövrieren, doch seine Argumentation war schlüssig. Vielleicht funktionierte der Plan sogar, vorausgesetzt natürlich, General Plautius stimmte der Bewaffnung der Atrebates zu. »Das ist ein interessanter Vorschlag. Ich muss darüber nachdenken.«

Verica nickte. »Natürlich, Legat. Aber nicht zu lange, hm? Man braucht eine Weile, um Männer auszubilden, und für ein wirksames Eingreifen bleibt uns nur noch wenig Zeit. Teile mir deine Entscheidung morgen mit. Du kannst gehen.«

»Ja, Herr.«

Vespasian machte zackig kehrt und marschierte unter den schweigenden Blicken der beiden Briten nach draußen. Erschöpft, wie er war, hatte er es eilig, die beiden loszuwerden und sich an einen ruhigen Ort zurückzuziehen, wo er den Vorschlag einmal gründlich überdenken konnte, ohne Gefahr zu laufen, vom raffinierten König der Atrebates noch weiter manipuliert zu werden.

5

»Führe das Schwert bitte nach oben, Zenturio.« Der Wundarzt reichte Cato die Waffe. Der nahm sie in die Rechte und folgte der Aufforderung. Die Strahlen der Morgensonne schimmerten auf der Klinge.

»Gut so. Strecke es so weit wie möglich vor und halte es dann so.«

Cato blickte seinen ausgestreckten Arm entlang und schnitt vor Anstrengung, die Klinge oben zu halten, eine Grimasse; die Schwertspitze schwankte hin und her und bald begann auch sein Arm zu zittern.

»Jetzt nach rechts, Herr.«

Cato führte den Arm in einem Bogen zur Seite und der Arzt duckte sich darunter weg. Macro zwinkerte Cato zu, als der Arzt sich in sicherer Entfernung von der Klinge wieder aufrichtete.

»Gut, auf dieser Seite machen die Muskeln keine Probleme! Und wie fühlt deine andere Seite sich an?«

»Angespannt«, presste Cato zwischen zusammengebissenen Zähnen hervor. »Fühlt sich so an, als würde irgendwas ganz übel gezerrt.«

»Schmerzhaft?«

»Sehr.«

»Du kannst das Schwert jetzt herunternehmen, Herr.« Der Arzt wartete, bis das Schwert wieder in der Scheide steckte, und kam dann zurück. Cato stand mit entblößter

Brust vor ihm, und der Wundarzt strich mit dem Finger über die wulstige, rote Narbe, die um Catos linke Brustseite herumführte und hinten fast bis zum Rückgrat reichte. »Die Muskeln unter dem Narbengewebe sind ziemlich verhärtet. Du musst sie dehnen. Das braucht viel Übung. Und es wird wehtun, Herr.«

»Das ist mir egal«, antwortete Cato. »Im Moment will ich nur wissen, wann ich wieder zur Legion zurückkehren kann.«

»Ähm ...« Der Wundarzt verzog das Gesicht. »Das könnte eine Weile dauern und, offen gesagt, du solltest dir keine allzu großen Hoffnungen machen.«

»Was willst du damit sagen?«, fragte Cato ruhig, aber eindringlich. »Ich *werde* mich doch erholen.«

»Aber gewiss, Zenturio. Natürlich. Es ist nur so, dass du vielleicht Mühe haben wirst, mit dem linken Arm einen Schild zu halten, und die zusätzliche Belastung beim Führen eines Schwertes könnte auf der linken Seite zu einem Muskelriss führen. Du würdest schreckliche Schmerzen erleiden.«

»Ich habe schon andere Schmerzen erlitten.«

»Ja, Herr. Aber dann wärest du fast ein Krüppel. Ich sage das nicht gerne, Herr, aber deine Laufbahn in der Armee ist möglicherweise zu Ende.«

»Zu Ende?«, gab Cato leise zurück. »Ich bin erst achtzehn ... Das ist unmöglich.«

»Ich sagte ja auch nicht, dass sie zu Ende *ist*, Herr. Nur, dass sie möglicherweise zu Ende sein *könnte*. Wenn du tüchtig übst und dich ganz besonders auf diese Seite konzentrierst, kannst du vielleicht wieder in den aktiven Dienst zurückkehren.«

»Ich verstehe ...« Cato fühlte sich elend. »Danke.«

Der Wundarzt lächelte mitfühlend. »Nun, dann gehe ich jetzt.«

»Ja …«

Als die Tür zu war, streifte Cato seine Tunika über und ließ sich aufs Bett sinken. Er fuhr sich mit der Hand durch die dunklen Locken. Es konnte nicht wahr sein. Er hatte noch nicht einmal zwei Dienstjahre unter dem Adler hinter sich und war gerade erst befördert worden, und jetzt sagte ihm der Wundarzt, alles sei so gut wie vorüber.

»Der soll mal sein Maul halten«, meinte Macro in einem unbeholfenen Versuch, seinen Freund zu trösten. »Du brauchst einfach nur etwas Übung, um wieder in Form zu kommen. Wir arbeiten zusammen daran, und ehe du dich versiehst, bist du so weit, dass du vor deiner eigenen Zenturie stehen kannst.«

»Danke.«

Macro meinte es nur gut, und trotz seiner Verzweiflung war Cato ihm dankbar. Er richtete sich auf und zwang sich zu einem Lächeln. »Dann sollte ich besser mal so schnell wie möglich mit dem Üben anfangen.«

»So ist es recht!«, antwortete Macro strahlend und wollte noch etwas Ermutigendes hinzufügen, als es heftig an der Tür klopfte.

»Herein!«, schrie Macro.

Die Tür öffnete sich und ein Kavalleriekundschafter trat zackig ins Krankenzimmer.

»Die Zenturionen Lucius Cornelius Macro und Quintus Licinius Cato?«

»Dieselben.«

»Der Legat lässt euch rufen.«

»Jetzt?« Macro blickte stirnrunzelnd durch die geöffneten Fensterläden. Die Sonne stand schon seit einigen Stunden über dem Horizont. Er sah Cato mit hochgezogenen Augenbrauen an. »Sag ihm, dass wir sofort kommen.«

»Ja, Herr.«

Als der Kundschafter die Tür hinter sich geschlossen hatte, griff Macro eilig nach seinen Stiefeln und versetzte Cato einen Knuff. »Auf geht's, Junge.«

Vespasian zeigte auf die Sitzbank vor dem Tisch, wo er gerade sein Frühstück zu sich nahm. Dort stand ein Teller mit kleinen Brotlaiben, eine Schale Olivenöl und ein Krug Fischsauce. Macro begegnete Catos Blick und zuckte enttäuscht mit den Schultern. Wenn so das Essen eines Legaten aussah, konnte man sich seinen Ehrgeiz eigentlich sparen.

»Nun«, begann Vespasian und beträufelte ein Stück Brot mit Fischsauce, »wie weit seid ihr beiden wiederhergestellt? Seid ihr zu leichtem Dienst fähig?«

Während der Legat ein Stück Brot abriss und sich in den Mund steckte, wechselte Macro einen kurzen Blick mit Cato. »Wir sind dem wieder ziemlich gewachsen, Herr. Werden wir zur Legion zurückgeschickt?«, fragte Macro hoffnungsvoll.

»Nein. Zumindest jetzt noch nicht.« Vespasian musste lächeln, wie eilig der Zenturio es hatte, wieder in den Kampf zurückzukehren. »Ich brauche zwei gute Männer für eine andere Aufgabe. Etwas, das für den Erfolg unseres Feldzugs sehr wichtig ist.«

Cato runzelte die Stirn. Bei der letzten Sonderaufgabe, die man ihm und Macro zugewiesen hatte, wären sie beinahe ums Leben gekommen. Der Legat deutete seine Miene vollkommen richtig.

»Oh, es ist nicht so etwas wie letztes Mal. Nichts Gefährliches. Oder zumindest wahrscheinlich nichts Gefährliches.« Vespasian biss ein weiteres Stück Brot ab und kaute. »Es sollte nicht einmal nötig sein, dass ihr Calleva verlasst.«

Cato und Macro entspannten sich.

»Wozu braucht ihr uns denn nun, Herr?«, hakte Macro nach.

»Ihr wisst, dass Zenturio Veranius gestern gefallen ist?«

57

»Ja, Herr. Wir haben es vom Torhaus aus beobachtet.«
Macro war einen Moment lang in Versuchung, mit einem
Nachsatz der Trauer Ausdruck zu verleihen, die man vermutlich von ihm erwartete. Doch es widerstrebte ihm, sich
dazu herzugeben, umso mehr, als er Veranius nie sonderlich
geschätzt hatte.

»Er war der einzige Offizier, den ich für das Kommando
dieser Garnison entbehren konnte.«

In diesem Satz lag ein unausgesprochenes Urteil, und
Macro war leicht überrascht, dass der Legat seine Meinung
über den verstorbenen Zenturio teilte.

»Jetzt brauche ich also einen neuen Garnisonskommandanten. Diese Aufgabe solltest du auch in deiner Gene-
sungszeit durchführen können.«

»Ich, Herr? Kommandant des Nachschublagers?« Macros Überraschung war mehr als deutlich zu sehen. Dann
erfüllte ihn die Aussicht auf sein erstes unabhängiges Kommando mit warm glühendem Stolz. »Danke, Herr. Ja, ich
würde mich freuen – mich geehrt fühlen –, diese Aufgabe zu
übernehmen.«

»Das ist ein Befehl, Macro«, erwiderte Vespasian trocken. »Keine Einladung.«

»Oh, sicher.«

»Es gibt noch etwas.« Der Legat machte eine kurze Pause. »Ich möchte, dass ihr beide, du und Cato, hier in Calleva
eine kleine Truppe für den König ausbildet. Ich denke da an
eine doppelte Kohorte.«

»Zwei Kohorten?« Cato hob überrascht die Augenbrau-
en. »Das sind ja mehr als neunhundert Mann. Wo sollen
wir die denn hernehmen, Herr? Ich bezweifle, dass es hier in
Calleva genug Männer gibt, die geeignet wären.«

»Dann soll Verica den Aufruf verbreiten. Ich glaube
kaum, dass es euch in der gegenwärtigen Lage an Freiwilligen fehlen wird. Sobald sie sich melden, sucht ihr die Geeig-

neten aus, unterrichtet sie in unserer Art der Kriegsführung und übernehmt dann die Rolle des Kommandanten, wobei ihr Verica persönlich verantwortlich seid.«

Macro kaute auf der Lippe.

»Hältst du das denn für klug, Herr? Den Atrebates Waffen zu geben? Ich dachte zumindest, der General verfolge die Politik, die Stämme zu entwaffnen. Selbst die mit uns verbündeten Stämme.«

»Das stimmt«, räumte Vespasian ein, »aber die Lage hat sich geändert. Ich kann keine zusätzlichen Männer entbehren, um Calleva zu beschützen oder mich mit diesen Überfällen auf unsere Nachschubkolonnen zu befassen. Da bleibt mir keine andere Wahl, als mich der Atrebates zu bedienen. Ihr fangt also so bald wie möglich mit der Ausbildung an. Ich muss noch heute zur Legion zurückkehren. Ich habe General Plautius eine Botschaft bezüglich unserer Pläne geschickt und ihn um die Erlaubnis ersucht, Vericas Männer mit Waffen aus unserem Nachschublager auszurüsten. Bildet sie aus und gebt ihnen zu essen, aber bewaffnet sie erst, wenn die Zustimmung des Generals da ist. Verstanden?«

»Ja, Herr«, antwortete Macro.

»Glaubt ihr, dass ihr der Aufgabe gewachsen seid?«

Macro hob die Augenbrauen und wiegte den Kopf. »Ich denke, wir können etwas aus ihnen machen. Kann nicht versprechen, dass Truppen für die vorderste Front daraus werden.«

»Wenn sie nur Verica und seinen Leuten ein Gefühl der Sicherheit geben und dafür sorgen, dass diese verdammten Durotriges es sich zweimal überlegen, bevor sie unsere Konvois angreifen. Sorgt aber vor allen Dingen dafür, dass Verica nichts zustößt. Sollte er abgesetzt werden oder sterben, werden die Atrebates sich möglicherweise gegen uns erheben. In diesem Fall ... müssten wir unter Umständen die Eroberung der Insel abbrechen. Ihr könnt euch vorstellen, wie erfreut Rom darauf reagieren würde. Der Kaiser wäre sehr unzufrieden mit uns.« Vespasian sah die beiden Zenturionen eindringlich an, um seiner Warnung mehr Nachdruck zu verleihen. Sollte Britannien verloren gehen, würde es keine Gnade für die direkt verantwortlichen Offiziere geben: den Legaten der Zweiten Legion und die beiden Zenturionen, die er mit der Verteidigung Callevas und dem Schutz des atrebatischen Königs beauftragt hatte. »Sorgt also dafür, dass Verica am Leben bleibt, meine Herren. Mehr verlange ich nicht von euch. Erledigt den Auftrag ordentlich und dann könnt ihr beide zur Legion zurückkehren, sobald ihr wieder vollständig einsatzfähig seid.«

»Ja, Herr.«

»Nun gut.« Vespasian schob den Teller zur Seite und stand auf. »Vor meiner Rückkehr zur Legion habe ich noch einiges zu erledigen. Ich möchte, dass ihr sofort das Quartier hier bezieht und das Kommando über die Garnison übernehmt. Was die andere Angelegenheit betrifft, so müsst ihr zur königlichen Umfriedung gehen und einen von Vericas Ratgebern aufsuchen. Tincommius heißt er. Sagt ihm, was ihr braucht, und er wird das Notwendige veranlassen. Er wirkt durchaus verlässlich. Nun gut, bei der nächsten sich bietenden Gelegenheit suche ich euch wieder auf. Viel Glück.«

Als Vespasian den Raum verlassen hatte, setzten Macro und Cato sich an den Tisch.

»Das gefällt mir nicht«, meinte Cato. »Der Legat geht ein Risiko ein, wenn er diese Eingeborenen bewaffnet. Wie loyal werden sie zu Verica stehen? Wie weit können wir ihnen vertrauen? Du hast ja gesehen, wie sie sich auf der Straße verhalten. Für Rom hat keiner etwas übrig.«

»Stimmt. Aber noch weniger für die Durotriges. Cato, denk darüber nach. Wir haben die Chance bekommen, eine eigene Armee aufzubauen und zu führen.«

»Es wird Vericas Armee sein und nicht die unsere.«

»Wenn wir mit ihnen fertig sind, sind sie nur noch formell gesehen Vericas Leute.«

Cato sah den erregten Schimmer in den Augen seines Freundes und wusste, dass es im Moment keinen Sinn hatte, ihm zu widersprechen. Cato sah voraus, dass die Ausbildung eines einheimischen Aufgebots weit schwieriger sein würde als das Training der Legionsrekruten. Man musste so vieles bedenken und die Sprache war nicht das kleinste Problem. Während der Monate in Calleva hatte er sich ein paar keltische Grundkenntnisse angeeignet, doch Cato wusste, dass er die schnellstmöglich vertiefen musste, wenn er wollte, dass die eingeborenen Freiwilligen ihn verstanden. In einer Hinsicht hatte Macro Recht: Es bot sich ihnen eine aufregende Chance. Sie konnten das Lazarett verlassen und die ersten behutsamen Schritte zurück zu einem normalen Soldatenleben tun.

6

Die Sonne war noch nicht über die Mauern des Nachschublagers geklettert, als Zenturio Macro aus dem Hauptquartier trat. Er steckte in seiner vollständigen Uniform, von den Stiefeln mit dem genagelten Sohlenprofil über die versilberten Beinschienen und das Kettenhemd mit dem Brustschmuck der Orden bis zum Helm mit dem imposanten Helmbusch, der im Schatten der Befestigungswälle düster schimmerte. In der Hand trug er einen Offiziersstock aus Rebenholz, Symbol des ihm vom Kaiser, dem Senat und dem römischen Volk verliehenen Rechts, römische Bürger, deren körperliche Unversehrtheit ansonsten heilig war, zu züchtigen. Er drehte den Stock zwischen den Fingern der

rechten Hand, als er auf die schweigende Menge der Eingeborenen zuging, die auf dem Exerzierplatz des Lagers versammelt war. Seit sich die Nachricht über die Bildung von
Eingeborenenkohorten von der atrebatischen Hauptstadt
aus verbreitet hatte, waren zusätzlich zu den Männern Callevas auch Tausende von Freiwilligen aus dem Umland her-
beigeströmt, um sich mustern zu lassen.

Nachdem Macro wegen einer Kopfwunde beinahe zwei
Monate im Lazarett zugebracht hatte, tat es ihm gut, wieder
zur vertrauten Routine des Zenturiolebens zurückzukehren. Nein, verbesserte er sich, von gelegentlichen mörderi-
schen Kopfschmerzattacken abgesehen tat es ihm nicht einfach nur gut, es war verdammt noch mal ein wunderbares
Gefühl. Mit stolzgeschwellter Brust trat er zufrieden pfei-
fend auf seine neuen Rekruten zu.

Zenturio Cato stand auf der einen Seite der Menge und
unterhielt sich mit Tincommius. Cato trug heute zum ersten
Mal Uniform und Ausrüstung eines Zenturios, und Macro
fand, dass sie ihm kein bisschen besser stand als die des Optios. Cato war groß und dünn, und das Kettenhemd schien
eher von dem jungen Mann herabzuhängen als ihm am Leib
zu sitzen. Den Offiziersstock hielt er äußerst unbeholfen,
und man konnte sich nur schwer vorstellen, dass Cato ihn
einem widerspenstigen Legionär oder auch nur einem Eingeborenen über den Rücken schlagen würde. Catos Gene-
sungszeit im Krankenhaus hatte seinem ohnehin mageren
Körper nicht gut getan und daran, dass seine Beinschienen
sich hinten sogar leicht überlappten, sah man deutlich, dass
seine Beinmuskeln geschrumpft waren.

Im Gegensatz dazu war Tincommius offensichtlich bei
bester Gesundheit, und obgleich er Cato sogar noch über-
ragte, war er gleichzeitig kräftig gebaut und sah so aus, als
wäre er sowohl gewandt als auch stark. Der junge atrebatische Edelmann hatte von seinem König die Aufgabe erhal-

ten, den Zenturionen als Übersetzer und auch als Berater zur Seite zu stehen, und er war eifrig darauf bedacht, von den Römern zu lernen. Tincommius konnte nur ein oder zwei Jahre älter sein als Cato und als Macro auf die beiden jungen Männer zuschritt, sah er erfreut, dass sie miteinander über irgendetwas lachten. Sollte Cato sich ruhig mit Tincommius anfreunden, dann blieb es Macro erspart. Der ältere Zenturio hegte ein instinktives Misstrauen gegenüber den meisten Fremden und allen Barbaren.

»Meine Herren!«, rief er. »Wir sind nicht zum Witzereißen hier. Wir haben eine Aufgabe zu erledigen.«

Cato wandte sich seinem Vorgesetzten zu und nahm Haltung an. Zwar bekleideten beide Männer nun den gleichen Rang, doch das Dienstalter gab den Ausschlag, und so würde Cato immer unter Macro stehen, es sei denn, der Jüngere erhielte durch irgendeine Laune des Schicksals das Kommando über eine Kohorte der Hilfstruppen oder würde zur Ersten Kohorte der Zweiten Legion versetzt, doch war für viele Jahre weder mit dem einen noch mit dem anderen zu rechnen.

»Bist du bereit, Junge?« Macro zwinkerte Cato zu.

»Ja, Herr.«

»Gut!« Macro klemmte sich den Stock unter den Arm und rieb sich die kräftigen Hände. »Dann wollen wir sie mal Aufstellung nehmen lassen. Tincommius, wer von diesem Haufen hat irgendeine militärische Erfahrung?«

Tincommius wandte sich der Menge zu und nickte. Am Rand stand überheblich eine kleine Gruppe von Männern, vielleicht zwanzig oder dreißig Mann, alle im besten Mannesalter.

»Sie gehören unserer Kriegerkaste an und sind von Kindheit an im Umgang mit Waffen geübt. Sie können auch reiten.«

»Gut. Das ist schon einmal ein Anfang. Tincommius?«

»Ja?«

Macro beugte sich näher zu ihm. »Nur ein Wort zu den Formalitäten. Von jetzt an nennst du mich ›Herr‹.«

Die Augenbrauen des atrebatischen Adligen schossen erstaunt nach oben. Zu Macros tiefster Verärgerung warf Tincommius Cato einen fragenden Blick zu.

»Du schaust mich an, wenn ich mit dir rede! Verstanden?«

»Ja.«

»Ja, was?«, fragte Macro mit einem drohenden Unterton in der Stimme. »Ja, was?«

»Ja, Herr.«

»Das ist schon besser! Und jetzt vergiss es nicht mehr.«

»Ja ... Herr.«

»Na gut. Die anderen – welche Erfahrungen bringen sie mit?«

»Keine, Herr. Es sind zum größten Teil Bauern. Kräftig und ausdauernd dürften sie sein, aber ihre Kampferfahrung beläuft sich darauf, mal den Fuchs aus dem Hühnerstall zu vertreiben.«

»Nun, dann wollen wir sehen, wie kräftig und ausdauernd sie wirklich sind. Wir können uns nur leisten, die Besten zu nehmen, daher sollten wir die Untauglichen gleich aussortieren. Eure Krieger werden uns helfen, die anderen aufzustellen. Ruf sie her. Cato, hast du die Markierungspflöcke?«

»Ja, Herr.« Cato stieß mit dem Stiefel gegen einen kleinen Sack.

»Und warum sind sie dann noch nicht an Ort und Stelle?«

»Entschuldigung, Herr. Ich kümmere mich sofort darum.«

Macro nickte knapp, woraufhin Cato sich den Beutel schnappte und sich etwas von den einheimischen Freiwilligen entfernte. Er blieb stehen, kramte in dem Beutel und zog einen nummerierten Pflock hervor, den er in den Boden stieß. Dann ging Cato zehn Schritte weiter, setzte den nächsten Pflock und so fort, bis er zwei Reihen zu zehn Pflöcken gesteckt hatte; genug für den ersten Schub von zweihundert Mann. In den nächsten Tagen würden die Zenturionen aus der weit größeren Schar von Freiwilligen, die Vericas Aufruf gefolgt waren, zwölf Zenturien à achtzig Mann rekrutieren, alles in allem neunhundertsechzig Mann. Das Versprechen guter Verpflegung hatte gereicht, um Männer aus dem ganzen Königreich herbeizulocken.

»Tincommius!«

»Ja, Herr.«

»Stelle einen eurer Krieger bei jedem dieser Pflöcke auf. Sag ihnen, sie sind von jetzt an meine Abteilungsführer. Nimm dann je neun Mann aus dem großen Haufen und reihe sie hinter dem ersten Mann auf. Verstanden?«

»Ja, Herr.«

»Sehr gut. Dann los.«

Macro wartete geduldig, während Tincommius die Freiwilligen zu den Pflöcken führte und Cato seine Schutzbefohlenen durch Schieben und Drücken in die richtige Position manövrierte. Bis alle an Ort und Stelle standen, war die Sonne schon ein gutes Stück über den Befestigungswall gestiegen, und Macros auf Hochglanz polierter Helm schimmerte in ihrem Licht, als er sich den Atrebates zuwandte. Zu seiner Rechten stand Tincommius, um die Worte des Zenturios weiterzugeben. Zu Macros Linken hatte Cato stramme Haltung angenommen.

»Erstens!«, brüllte Macro und hielt dann inne, damit Tincommius übersetzen konnte. »Wann immer ich den Befehl ›Aufstellen‹ gebe, nehmt ihr genau den Platz ein, an dem ihr jetzt steht. Prägt ihn euch ein! … Zweitens, im Moment ist das hier ein Sauhaufen! Wir müssen diese Reihen gerade ausrichten.«

Tincommius zögerte einen Moment. »Soll ich das wirklich alles übersetzen, Herr?«

»Natürlich, verdammt noch mal! Los jetzt!«

»Na gut.« Offensichtlich beherrschte Tincommius dieses volkstümliche Register nicht recht. Er rief etwas auf Keltisch, was von den Freiwilligen mit brüllendem Gelächter aufgenommen wurde.

»RUHE!«, brüllte Macro. Die Freiwilligen verstummten sofort, auch ohne Übersetzung. »Nun gut, jeder Mann streckt seinen rechten Arm vor sich aus, so wie ich. Legt eurem Vordermann die Hand auf die Schulter. Wenn das nicht klappt, stellt euch so hin, dass es geht.«

Kaum war Tincommius mit Übersetzen fertig, setzten die Einheimischen sich in Bewegung, wobei ein leises Gemurmel entstand.

»SCHWEIGEND!«

Nun stellten sie sich wortlos in Position, alle bis auf einen armen Kerl, der Macro beinahe sofort ins Auge stach.

»Du da! Versuchst du, mich zu verarschen? Rechter Arm, habe ich gesagt, NICHT DER LINKE, VERDAMMT NOCH MAL! Cato! Bring ihn auf Trab!«

Der rangniedrigere Zenturio eilte zum Gegenstand von Macros Ärger hinüber. Der Kelte war klein und untersetzt und hatte einen dümmlichen Ausdruck des Nichtverstehens im Gesicht. Cato widerstand der Versuchung, ihn mit einem Lächeln zu begrüßen, und schob den linken Arm des Mannes nach unten. Er klopfte ihm auf die rechte Schulter. »Der hier!«, sagte Cato auf Keltisch.

»Rechter Arm … rechter Arm. Kapiert? Rechter Arm hoch!« Cato machte es ihm vor und der Eingeborene nickte wie ein Idiot. Cato lächelte und trat einen Schritt zurück, bevor er es erneut versuchte. »Reihen gerade! … Nein, den rechten Arm, sagte ich! Wie alle anderen!«

»Was treibst du eigentlich, Zenturio Cato?«, schrie Macro und stürmte herbei. »Hier! Aus dem Weg mit dir! Mit solchen Trotteln wird man nur auf eine Art fertig.«

Macro stellte sich vor den Atrebates, der noch immer lächelte, nun schon deutlich nervöser.

»Was gibt es hier zu grinsen? Hältst du mich vielleicht für komisch?«, fragte Macro und grinste seinerseits. »Tatsächlich? Na, dann wollen wir doch mal sehen, für *wie* komisch du mich hältst!«

Er hob den Offiziersstock und ließ ihn auf den linken Arm des Mannes niedersausen.

»LINKER ARM!«

Der Mann schrie vor Schmerz auf, doch bevor er noch irgendwie reagieren konnte, schlug Macro ihm mit dem Stock auf die andere Seite.

»RECHTER ARM! … Und jetzt wollen wir doch mal sehen, ob wir schon was gelernt haben … Linker Arm!«

Der Eingeborene streckte eilends den linken Arm in die Luft.

»Rechter Arm!«

Der eine Arm schoss hinunter und der andere flog hinauf.

»Bravo, Kumpel! Wir machen schon noch einen Soldaten aus dir. Mach weiter, Zenturio Cato.«

»Ja, Herr.«

Als sich die Freiwilligen endlich zu Macros Zufriedenheit aufstellen konnten, kam die Zeit, ihre körperliche Tüchtigkeit zu prüfen. Abteilung um Abteilung verfielen die Atrebates in einen steten Trab um das befestigte Lager herum. Cato und Macro standen einander diagonal gegenüber und trieben die einzelnen Abteilungen an, wenn sie die Ecke umrundeten und in die nächste Bahn einbogen. Nicht lange, und die Abteilungen lösten sich zu einem ununterbrochenen Strom von Männern auf, die das Lager keuchend und schnaufend wieder und wieder umrundeten. Wie Macro erwartet hatte, zogen die keltischen Krieger bald zusammen mit den besten anderen Läufern zur Spitze vor und setzten sich immer weiter vom Rest ab.

»Das ist kein Wettrennen!«, brüllte Macro, die Hand trichterförmig an den Mund gelegt. »Cato! Sag ihnen, ich will sehen, wie lange sie durchhalten. Sie sollen langsamer laufen.«

Den ganzen Vormittag trieb Macro sie an. Nach einer Weile gaben die Ersten auf: die Schwächsten und die, die zu alt waren, um mitzuhalten. Sie wurden sofort zu den Lagertoren gebracht und weggeschickt. Die meisten nahmen ihre Ablehnung gelassen. Einige schämten sich offensichtlich und reagierten mit verdrossenen Bemerkungen. Die anderen quälten sich Runde um Runde weiter, viele mit einem Ausdruck grimmiger Entschlossenheit im Gesicht.

Mittags kam Macro quer über den Exerzierplatz zu Cato geschlendert.

»Ich glaube, das reicht. Wir geben diesem Schwung etwas zu essen, lassen sie ausruhen und schauen uns die nächste Partie an. Gib mir so bald wie möglich Bescheid, wie viele noch übrig sind.«

Cato bedeutete den an ihm vorbeilaufenden Freiwilligen nun mit einem Wink stehen zu bleiben und machte Zählstriche auf einer Schiefertafel, bevor er sie zum Hauptquartiersgebäude weiterschickte, wo einige Legionäre der Garnison Fladenbrot und Becher mit verdünntem Wein austeilten. Als der letzte Mann davongestolpert war, erstattete Cato Bericht.

»Es sind noch vierundachtzig.«

»Ist irgendeiner von Tincommius' Kriegern ausgeschieden?«

»Kein einziger.«

»Beeindruckend. Bin gespannt, wie sie sich in voller Rüstung halten. Und jetzt schauen wir uns den nächsten Schwung an.«

So ging es die nächsten drei Tage weiter, bis Macro seine zwei Kohorten beisammen hatte. Am Abend des dritten Tages traf eine Kohorte der Zweiten Legion ein, um die Nachschubkolonne zur Legion zu eskortieren. Jeder Wagen, den Macro in die Finger bekommen konnte, war bereitgestellt und mit Vorräten beladen worden. Damit konnte Vespasian seinen Feldzug einige Wochen fortsetzen, doch die Männer im Nachschublager hingen nun von der Ankunft des nächsten Konvois aus Rutupiae ab, der in weniger als zwanzig Tagen erwartet wurde. Auf dem letzten Wegstück vom befestigten Lager an der Tamesis nach Calleva konnte zum Schutz nur eine kleine Eskorte entbehrt werden. Wenn keine Unterstützung aus Calleva kam, war es sehr gut möglich, dass die Kolonne von den Kundschaftern der Durotriges entdeckt wurde und in einen Hinterhalt geriet. Da nun mit den Vorräten im Lager tausend Mäuler zusätzlich zu stopfen waren, würden die beiden Kohorten ihren Unterhalt verdienen müssen.

»Wir werden nicht rechtzeitig fertig«, stellte Cato an diesem Abend fest, als sie in Macros Quartier bei Tisch saßen und kaltes Huhn aßen.

Macro und Tincommius blickten von ihren Tellern auf. Macro schluckte den letzten Bissen runter und wischte sich mit dem Handrücken das Fett von den Lippen. »Wenn wir nicht die Erlaubnis bekommen, Waffen auszugeben, dann nicht. Man kann nicht Männer losschicken, die mit Stöcken und Sensen bewaffnet sind – das wäre Mord.«

»Und was machen wir nun?«, fragte Tincommius.

»Wir fangen mit der Ausbildung an. Wir haben noch Tragestangen fürs Marschgepäck im Bestand. Die lasse ich von den Zimmerleuten auf die richtige Länge bringen.

Dann können wir zumindest mit den grundlegenden Schwertübungen anfangen.«

Tincommius nickte und wischte seinen Teller mit dem letzten Brotstück sauber. Dann schob er den Teller weg. »Und jetzt, wenn du gestattest, Herr, muss ich für die Nacht in die Umfriedung des Königs zurück.«

»Wieso?«

»Der König hat einen Teil seines Gefolges zu einem Trinkgelage zusammengerufen.«

»Ein Gelage?«

»Nun ja, es wird einen Hundekampf geben, ein paar Ringkämpfe und ein paar Geschichten. Aber überwiegend wird gezecht.«

»Sei auf jeden Fall zum Morgengrauen zurück. Beim ersten Tageslicht beginnen wir mit der Ausbildung.«

»Ich werde da sein, Herr.«

»Das würde ich dir auch raten.« Macro nickte bedeutungsvoll zu seinem Offiziersstock, der in einem Winkel lehnte.

»Soll das dein Ernst sein?«, fragte Tincommius. »Du würdest tatsächlich ein Mitglied der königlichen Familie schlagen?«

»Das solltest du besser ernst nehmen, alter Junge. Die Disziplin der Legion gilt für alle oder keinen. So ist das eben – und so muss es auch sein, wenn wir mit diesen verdammten Durotriges fertig werden wollen.«

Tincommius sah den Zenturio einen Moment lang durchdringend an und nickte dann langsam. »Ich werde vor Tagesanbruch zurück sein.«

Als die beiden Römer allein waren, schob Macro seinen Stuhl vom Tisch zurück und klopfte sich auf den Bauch. Ein kräftiger Rülpser veranlasste Cato, stirnrunzelnd aufzublicken.

»Was denn?«

»Nichts, Herr. Tut mir Leid.«

Macro seufzte. »Da ist dieses ›Herr‹ schon wieder. Ich dachte, du hättest das überwunden.«

»Reine Gewohnheitssache.« Cato lächelte schwach. »Aber ich arbeite daran.«

»Das solltest du auch.«

»Was soll das heißen?«

»Das heißt, dass du in den letzten Tagen ein bisschen wenig Rückgrat gezeigt hast. Wenn du mir helfen willst, diese Atrebates so auszubilden, dass sie dem Feind gewachsen sind, musst du an deiner Technik arbeiten.«

»Ich werde mich bemühen.«

»Bemühen ist nicht genug, Junge. Männer für den Krieg auszubilden ist kein Kinderspiel. Du musst vom ersten Tag an hart mit ihnen umspringen. Für jeden Fehler, den sie machen, musst du sie hart bestrafen. Sei so grausam und gemein, wie du nur kannst, denn andernfalls sind sie deinetwegen im Nachteil, wenn sie dem Feind dann wirklich begegnen.« Macro sah ihn eindringlich an, um sicherzugehen, dass Cato ihn verstanden hatte. Dann lächelte er. »Außerdem willst du nicht, dass sie dich hinter deinem Rücken ein Weichei nennen, oder?«

»Wohl kaum.«

»Genau die richtige Haltung. So entschieden wie immer. Nun gut, die Waffenübungen beginnen morgen. Du übernimmst das. Ich muss noch Papierkram erledigen. Garnisonskommandant sein ist ein richtiger Scheißjob. Ich muss die Unterbringung und Verproviantierung von Vericas Leuten regeln. Ich lasse Zelte an sie austeilen, die sie dann innen am Befestigungswall entlang aufstellen können. Dann muss ich sichergehen, dass die Lagerbestandslisten auf dem allerneuesten Stand sind, bevor wir Tuniken und Stiefel an die Atrebates ausgeben. Sonst stellt mir so ein verdammter Schreiber im imperialen Generalstab noch irgendwelche

Abweichungen in Rechnung. Diese verdammten Revisoren.«

Cato kam ein naheliegender Gedanke und seine Augen leuchteten auf. »Wäre es dir vielleicht lieber, wenn ich mich um die Liste kümmere? Dann könntest du das Waffenüben machen.«

»Nein! Verdammt, Cato, du bist jetzt ein Zenturio, also benimm dich gefälligst wie einer. Außerdem sprichst du ihre Sprache ein bisschen. Morgen gehst du da raus und zeigst es ihnen. Du kannst dir von ein paar Männern helfen lassen, aber ansonsten bist du jetzt auf dich selbst gestellt, Junge ... So, ich bin weg. Und du legst dich am besten auch gleich hin.«

»Sobald ich mit Essen fertig bin.«

Als er dann allein am Tisch saß, war Cato der Appetit vergangen. Morgen würde er vor tausend Männern stehen und ihnen erklären, wie man mit dem Kurzschwert der Legionen kämpfte. Tausend Männer! Davon waren einige wesentlich älter oder kampferfahrener als er, und es gab wohl keinen unter ihnen, dem es nicht übel aufstoßen würde, Befehle von einem Zenturio entgegenzunehmen, der diesen Rang erst seit zwei Monaten bekleidete und gerade erst das Erwachsenenalter erreicht hatte. Er würde sich wie ein Hochstapler vorkommen, das wusste er jetzt schon, und seine größte Angst war, dass die meisten Männer auf dem Exerzierplatz das in null Komma nichts durchschauen würden.

Dazu kam noch, dass ihn die letzten drei Tage enorm erschöpft hatten. Nach den zwei Monaten Rekonvaleszenz war er stark geschwächt. Seine Seite tat schrecklich weh und allmählich zweifelte Cato, ob sie mit noch so vielen Übungen jemals wieder in Ordnung kommen würde.

7

Cato räusperte sich und wandte sich den Freiwilligen zu. Auf der einen Seite des Exerzierplatzes standen einhundert Atrebates, ordnungsgemäß formiert, wie sie es gelernt hatten. Vor ihnen hatten zehn Legionäre der Garnison Aufstellung genommen, die aufgrund ihrer Waffengewandtheit ausgewählt und von Cato zu Unterausbildern bestimmt worden waren. Wenn diese hundert im Laufe des Vormittags ihre Lektion gelernt hatten, würden sie sich aufteilen und das Erworbene an die anderen atrebatischen Rekruten weitergeben. Da nur Tincommius als Dolmetscher zur Verfügung stand, war die Waffenausbildung auf andere Weise nicht zu leisten. Cato wandte sich Tincommius zu.

»Bereit?«

Tincommius nickte und bereitete sich aufs Übersetzen vor.

»Heute werdet ihr das Gladius, das Kurzschwert der Legionen, kennen lernen. Manche behaupten, das Schwert sei unsere Geheimwaffe. Doch eine Waffe ist einfach ein Werkzeug wie jedes andere auch. Was aber ein Werkzeug von einer Waffe unterscheidet, ist die Person, die damit umgeht. Das Kurzschwert ist an sich nicht gefährlicher oder ungefährlicher als jedes andere Schwert. Wenn es nicht richtig eingesetzt wird, ist es dem Kavallerieschwert oder den langen Schwertern, die ihr Kelten führt, sogar unterlegen. Im Zweikampf fehlt es ihm an Reichweite, doch im Kampfgetümmel gibt es keine bessere Waffe.«

Cato griff nach seinem Schwert und erinnerte sich gerade noch rechtzeitig, dass er es nicht mehr auf der rechten Seite trug wie bisher als Optio. Mit einem Lächeln packte er den Elfenbeingriff, zog ihn aus der Scheide und hob das Schwert so hoch, dass jeder es sehen konnte.

»Das Schwert hat eine Eigenschaft, die sofort ins Auge sticht, nämlich seine schmal zulaufende Spitze. Es ist ganz besonders für eine bestimmte Art des Einsatzes ausgelegt – den Stoß. Von diesem Moment an ist die wichtigste Regel, die ihr verinnerlichen müsst: Ein paar Zoll Spitze sind gefährlicher als eine noch so lange Schneide. Das kann ich euch nur zu gerne aus persönlicher Erfahrung bestätigen. Vor wenigen Monaten war jemand so dumm, eine Hiebwaffe gegen mich einzusetzen. Er ist jetzt tot und ich bin noch hier.«

Cato hielt inne, damit sie sich diese Geschichte richtig zu Gemüte führen konnten, und während er Tincommius' Übersetzung verfolgte, überkam ihn die Erinnerung an den Angriff des Druiden und den schrecklichen Schmerz, als die Sichel ihm in die Rippen gedrungen war. Cato fühlte sich mehr als Hochstapler denn je. Wenn diese Dummköpfe wüssten, was für eine Angst er ausgestanden hatte. Mit zusammengebissenen Zähnen versuchte er, die Erinnerung aus seinen Gedanken zu vertreiben. Schließlich war der Druide zu seinen dunklen Göttern gegangen, während Cato noch lebte. Hätte der Druide stattdessen eine Stichwaffe benutzt, stünden die Dinge vielleicht anders.

Tincommius hatte geendet und wartete auf Catos Fortsetzung.

»Vielleicht sieht diese Waffe nicht sonderlich beeindruckend aus, doch wenn ihr einmal in geschlossener Formation steht, euer Schild schon Kontakt mit dem Körper des Feindes hat und eure Gesichter nur noch ein paar Zoll von ihm entfernt sind, werdet ihr ihren wahren Wert erkennen. Hört euren Ausbildern genau zu, lernt, das Kurzschwert auf unsere Art zu führen, und bald werden diese Schweinehunde von Durotriges nur noch eine böse Erinnerung sein!«

Die Übersetzung der letzten Bemerkung wurde mit einem Ausbruch von Jubel aufgenommen, und Cato war klug genug, das den Leuten eine Weile durchgehen zu lassen, bevor er mit erhobener Hand Ruhe einforderte.

»Ich weiß, dass ihr unbedingt sofort loslegen wollt, doch bevor ihr mit der echten Waffe kämpfen dürft, müsst ihr die grundlegenden Techniken lernen, genau wie wir Legionäre in unserer Ausbildungszeit. In der Schlacht müsst ihr auf eure Fähigkeit vertrauen können, eure Waffe mühelos und ausdauernd zu führen. Darum beginnt ihr eure Ausbildung mit diesen hier ...«

Cato trat zu einem Karren und warf die Lederplane zurück. Drinnen lagen Bündel von Stöcken, ungefähr auf die Länge eines Kurzschwerts zurechtgeschnitten, aber dicker und schwerer, was durchaus beabsichtigt war. Wie bei allen Übungsgegenständen, die im Verlauf der Ausbildung eingesetzt wurden, sollte damit nicht nur die Technik, sondern auch die Kraft trainiert werden. Falls diese Männer dann irgendwann einmal mit dem richtigen Schwert ausgerüstet wurden, würde es ihnen sofort leicht fallen, die handlichere Waffe zu führen. Cato nahm einen der kurzen Stöcke heraus und hob ihn hoch, damit die Freiwilligen ihn richtig sehen konnten. Wie erwartet, ging ein enttäuschtes Stöhnen durch die Reihen, und er lächelte. Genau das Gleiche hatte auch er einmal empfunden.

»Diese Dinger sehen nach nicht viel aus, aber ich kann euch versichern, dass selbst ein Stoß mit so einem Übungsstab noch ganz schön wehtut! Und jetzt, stillgestanden!« Er wandte sich einer Gruppe von Legionären zu, die an der Ecke der nächstgelegenen Wohnbaracke lehnten. »Figulus! Bring deine Ausbilder her!«

Die Legionäre trabten herbei und nahmen jeweils Übungswaffen für fünf Kampfpaare. Figulus, ein Brocken von Mann aus Narbonensis, war von Cato ausgewählt worden, um als sein Optio zu fungieren.

»Bleibt bei den Grundlagen«, rief Cato ihnen in Erinnerung. »Blockieren, Parieren, Zustechen und Ausfallschritt nach vorn, das reicht für heute.«

Die Legionäre traten zu den ihnen zugewiesenen Unterabteilungen und teilten die Waffen aus. Während Figulus und die anderen Ausbilder ihren Schülern die richtige Körperhaltung beibrachten, ging Cato, begleitet von Tincommius, der, wo nötig, beim Übersetzen half, von einer Gruppe zur anderen. Die Rekruten standen in Reihen da und ahmten die Bewegungen der Legionäre so gut wie möglich nach. Wie immer, wenn Rekruten trainiert wurden, hallte der Platz vom Gebrüll der Ausbilder wider, die ihren Schützlingen am liebsten mit Tritten und Schlägen gut zuredeten. Cato, der Macros Ratschlag vom Vorabend nicht vergessen hatte, hielt sich zwar zurück und griff nicht ein, hoffte aber, dass seine Gegenwart die Ausbilder zumindest von grundlosen Brutalitäten abhalten würde.

Ein plötzliches Schmerzgeheul ließ Cato und Tincommius zu einer anderen Gruppe eilen. Der Ausbilder stand über einem auf dem Boden liegenden Rekruten und schlug noch auf dessen Rücken ein, als sich der Zenturio durch die Reihen der Atrebates schob, um sich die Sache anzusehen.

»Was ist denn Scheiße noch mal mit dir los?«, brüllte der Ausbilder. »Wie einfach soll ich es denn noch machen, du Vollidiot! Einfach blockieren, parieren, zustechen und Schritt nach vorn! Du musst nicht alles selbst erfinden!«

»Was ist hier los?«

Der Ausbilder nahm Haltung an. »Dieser Drecksack will mich verarschen, Herr. Tut so, als könnte er sich diese vier ganz einfachen Dinge nicht merken.«

»Verstehe.« Cato nickte und blickte auf die am Boden kauernde Gestalt hinunter. Der Mann drehte langsam den Kopf und sah verlegen grinsend zum Zenturio auf.

»O nein! Nicht du schon wieder. Wie heißt du?«, fragte Cato auf Keltisch.

»Bedriacus.«

»Bedriacus, aha. Du musst mich ›Herr‹ nennen.«

Der Mann grinste wieder, den Mund voll schief stehender Zähne. Er nickte und zeigte mit dem Finger auf sich. »Bedriacus, Herr! Bedriacus, Herr!«

»Ja, danke. Ich denke, das sollte jetzt klar sein.« Cato lächelte zurück und wandte sich wieder Tincommius zu. »Weißt du irgendetwas über ihn?«

»O ja. Er ist ein Jäger. Hat seine Familie bei einem Überfall der Durotriges verloren. Er selbst hat schwer verletzt überlebt.«

»Und hat einen Dachschaden«, murmelte der Ausbilder.

»Genug!«, schnauzte Cato ihn an. Er stupste Tincommius an. »Ich bin mir nicht sicher, ob er der Sache gewachsen ist.«

»Er ist gut. Insbesondere mit einer Klinge in der Hand. Gestern habe ich gesehen, wie er ein paar von unseren Kriegern zu Boden geworfen hat.«

»Kraft ist nicht alles.«

»Nein, gewiss nicht. Aber dieser Mann hier will Rache. Und die hat er verdient.«

Cato nickte verständnisvoll. Der Wunsch, Rache zu nehmen, konnte ein ungeheuer mächtiger Antrieb sein, und der Zenturio hatte genug vom blutigen Werk der Durotriges und ihrer Druiden gesehen, um Mitgefühl mit ihren Opfern zu empfinden.

»Die steht ihm zu. Wenn es möglich ist, ihn auszubilden, nehmen wir ihn. Ausbilder!«

»Jawohl, Herr!«

»Du kannst weitermachen, Marius.«

Cato bemerkte plötzlich, dass am Haupttor des Lagers etwas vor sich ging. Man hatte einen Reitertrupp eingelassen, der nun auf den Exerzierplatz zutrabte. Es waren Atrebates, doch Cato erkannte nur ein einziges Gesicht.

»Verica. Was macht der denn hier?«

»Er möchte sehen, wie es mit der Ausbildung läuft«, antwortete Tincommius.

Cato warf ihm einen kalten Blick zu. »Das hättest du auch früher sagen können.«

»Tut mir Leid. Gestern Abend hatte er irgend so was erwähnt. Aber es ist mir gerade erst wieder eingefallen.«

»Na gut …« Cato versetzte Tincommius einen Knuff gegen die Schulter. »Auf geht's.«

Sie ließen die Rekruten stehen und gingen dem König der Atrebates und seinem Gefolge entgegen. Verica zügelte sein Pferd und stieg langsam ab, bevor er seinen Stammesgenossen und Cato einen Gruß zuwinkte. Tincommius betrachtete seinen Onkel mit unübersehbarer Sorge.

»Alles in Ordnung, Junge. Bin nur ein bisschen steif. Das ist normal in meinem Alter«, beruhigte ihn der König lächelnd. »Nun, Zenturio Cato, wie macht sich meine Armee? … Was wollt ihr denn um Himmels willen mit diesen Stöcken? Wo sind ihre Waffen?«

Cato hatte diesen Moment vorhergesehen und seine Antwort parat. »Die Männer befinden sich in der Ausbildung, Majestät. Sie erhalten richtige Waffen, sobald sie so weit sind.«

»Ach ja?« Die Entttäuschung des alten Mannes war nicht zu übersehen. »Und wann wird das sein?«

»Schon bald, Majestät. Deine Untertanen lernen schnell.«

»Können wir eine Weile zusehen?«

»Natürlich, Majestät. Es wäre uns eine Ehre. Wenn ihr mir bitte folgen wollt …«

Verica gab seinem Gefolge einen Wink und sie saßen gehorsam ab und folgten langsam ihrem König.

Cato beugte sich zu Tincommius und flüsterte ihm zu: »Halte ihn auf jeden Fall von der Gruppe fern, in der Bedriacus ist.«

»In Ordnung.«

Verica ging langsam um den Exerzierplatz herum, beobachtete die Übungen mit offensichtlichem Interesse und blieb gelegentlich stehen, um eine Bemerkung zu machen oder Cato eine Frage zu stellen. Als sie wieder bei der ersten Gruppe angelangt waren, nahm einer von Vericas Gefolgsleuten, ein dunkelhaariger Mann, dessen Brust unter dem Reitermantel nackt war, einem der Rekruten das Übungsschwert aus der Hand. Der Ausbilder wollte gerade protestieren, als er sah, dass Cato kaum merklich den Kopf schüttelte. Der Dunkelhaarige betrachtete den Stab geringschätzig und lachte.

»Wer ist das?«, flüsterte Cato Tincommius zu.

»Artax. Noch einer von den Neffen des Königs.«

»Eine große Familie?«

»Hast du eine Ahnung«, erwiderte Tincommius mit einem Seufzer. Im selben Moment fuhr Artax Cato an: »Warum gibst du unseren Kriegern Spielzeug, statt sie zu lehren, wie man den Feind tötet?«

Artax ging auf Cato zu und schleuderte ihm den Stab spöttisch grinsend vor die Füße. Catos Miene zeigte keine Regung, als Artax ihn von Kopf bis Fuß musterte und dann mit hohntriefender Stimme bemerkte: »Kein Wunder, dass die Römer ihren Männern Spielzeug geben, wenn ihre Offiziere ja auch fast noch Knaben sind.«

Cato spürte, wie sein Herz schneller schlug, und konnte ein Lächeln nicht unterdrücken. »Dann würde ich gerne einmal sehen, ob du Manns genug bist, mit diesem Spielzeug umzugehen.«

Artax beugte sich lachend vor, um Cato auf die Schulter zu klopfen, doch Cato war zu schnell für ihn. Er trat zurück, öffnete die Schließe seines scharlachroten Umhangs und reichte ihn Tincommius. Dann hob er das Übungsschwert vom Boden auf und wog es in seiner Schwerthand.

Artax setzte wieder ein höhnisches Grinsen auf, schlüpfte ebenfalls aus seinem Umhang und nahm dem nächstbesten Rekruten den Kampfstab aus der Hand. Die Umstehenden traten zurück, um Platz zu machen, und Cato ging tiefer und nahm seine Kampfstellung ein.

Artax sprang sofort mit einem wilden Schrei vor und hieb von oben auf Cato ein. Die Atrebates jubelten Artax aus voller Kehle zu, als er Cato Schritt um Schritt zurückdrängte. Cato blockte jeden Hieb gelassen ab und steckte die Erschütterungen im Arm mit zusammengebissenen Zähnen weg. Als er sich ein ungefähres Bild von der Reaktionsgeschwindigkeit seines Gegners gemacht hatte, passte er den Moment ab, in dem dieser den Arm zum nächsten Schlag hob, und täuschte einen Angriff auf seine Kehle an. Artax riss den Kopf zurück und stieß zum Ausgleich den Bauch vor. Der Zenturio führte die Spitze seines Stabs nach unten und rammte sie Artax kräftig in den Magen. Artax' Bauch war muskelbepackt, aber dennoch keuchte er angesichts des schmerzhaften Stoßes auf und taumelte zurück.

Der Zenturio senkte den Schwertarm, da er seinen Beweis geführt hatte. Zumindest dachte er das. Doch Artax warf sich wild mit der Waffe ausholend wutbrüllend auf Cato. Cato wusste, dass sein Gegner ihn diesmal ernsthaft verletzen wollte. Und alle anderen wussten es ebenso. Die Atrebates jubelten Artax zu und Cato hörte, wie die Ausbilder ihn ihrerseits mit Zurufen ermutigten. Verica und Tincommius standen am Rand und schauten schweigend zu.

Das scharfe Krachen von Holz auf Holz klang Cato in den Ohren und plötzlich fühlte er einen brennenden Schmerz in der Brust, als Artax Catos Abwehr umging und den Römer auf die verletzte Seite schlug. Cato schnappte nach Luft, wich zurück und konnte den nächsten Angriff nur mit Mühe und Not parieren. Artax trat einen Schritt zurück und wandte sich halb zu seinen Stammesgenossen um, um ihren Beifall zu genießen. Catos Atem kam in flachen Stößen, der Schmerz in seiner Seite war zu schrecklich, um richtig durchzuatmen. Sein Blick glitt über die jubelnden Atrebates und plötzlich wurde ihm klar, was für ein Narr er gewesen war. Er hatte zugelassen, dass sein Stolz die Ausbildung dieser Männer in Gefahr brachte. Wenn er jetzt nachgab, würden sie nie wieder Vertrauen in die römische Art der Kriegsführung fassen. Ohne die Ausbildung hatten diese Männer aber nicht die geringste Chance gegen die Durotriges. Der Schmerz in seiner Seite wurde immer schlimmer, aber er musste das Risiko eingehen und den Kampf, mit welchem Ausgang auch immer, so schnell wie möglich zu Ende bringen.

»Artax!«

Der Adlige wandte sich Cato wieder zu, etwas überrascht, von Cato herangewinkt zu werden. Er zuckte mit den Schultern und machte sich ein weiteres Mal bereit. Diesmal war Cato der Angreifer, und mit seinem schnellen, tief geführten Vorstoß überrumpelte er den Gegner. Artax sprang zurück und parierte verzweifelt eine rasche Folge von Hieben. Dann brachte Cato Artax mit einer doppelten Finte aus dem Rhythmus. Der erste Stoß traf den Briten erneut in den Magen. Als Nächstes kamen die Rippen an die Reihe, und der dritte Schlag brach Artax die Nase. Das Blut spritzte heraus und Artax kniff vor Schmerz die Augen zusammen. Den letzten Stoß rammte Cato dem Gegner in die Lenden, und Artax krümmte sich und ging mit einem tiefen Stöhnlaut zu Boden.

Entsetzt von dieser plötzlichen Wendung verstummten die Atrebates. Cato stand hoch aufgerichtet da und trat von seinem besiegten Gegner zurück. Er blickte sich zu den Freiwilligen um und hob den Kampfstab.

»Eben habe ich euch gesagt, ein paar Zoll Spitze sind gefährlicher als eine noch so lange Schneide. Da habt ihr den

Beweis.« Er deutete auf Artax, der auf dem Boden lag und sich krümmte.

Es folgte ein Moment unbehaglichen Schweigens, doch dann grüßte einer der Krieger Cato mit erhobenem Stab. Ein anderer stieß einen Hochruf aus und bald jubelte die ganze Gruppe von Fechtschülern ihm zu. Cato blickte unverwandt zurück, zunächst herausfordernd, doch dann lächelte er. Sie hatten die Lektion begriffen. Er ließ den Jubel noch eine Weile zu und winkte dann mit beiden Händen ab.

»Ausbilder! Weiter geht's!«

Während die Atrebates mit ihren Schwertübungen fortfuhren, hievten zwei Männer aus dem Gefolge des Königs Artax auf sein Pferd und hielten ihn dort fest, während Verica wieder aufsaß. Dann lenkte der König sein Pferd zu Cato hinüber und lächelte ihm zu.

»Meinen Dank, Zenturio. Das war äußerst – lehrreich. Ich bin mir sicher, dass meine Männer in guten Händen sind. Gib mir Bescheid, wenn ich dir irgendwie helfen kann.«

Cato neigte den Kopf. »Danke, Majestät.«

8

In den nächsten Tagen erhielten die Rekruten jeden Tag Unterricht in den Grundregeln des Schwertkampfs. Cato hatte veranlasst, dass am Rande des Exerzierplatzes eine Reihe dicker Holzpfosten eingerammt wurde, und wenn die Rekruten daran das Fechten übten, hallte der monotone Rhythmus der dumpfen Schläge durchs ganze Lager. Die fortgeschritteneren Fechter wurden paarweise eingeteilt und lernten die korrekte Folge von Angriff und Verteidigung im Kampf Mann gegen Mann.

Cato ging zusammen mit Tincommius die Ausbildungs-
gruppen ab, um die Fortschritte zu verfolgen und seine
Männer kennen zu lernen. Langsam wurde ihm mit Hilfe
des atrebatischen Edelmannes der örtliche Dialekt vertrau-
ter, und er entdeckte zu seiner Freude, dass er sich gar nicht
so sehr vom Keltisch der Iceni unterschied, das er zu Beginn
des Jahres aufgeschnappt hatte. Und mit Ausnahme von Bedriacus reagierten die Rekruten ihrerseits schon recht flüs-
sig auf lateinische Kommandos. Darauf hatte Macro be-
standen; wenn die Männer erst einmal dem Feind gegenüberstanden, war an Übersetzung nicht mehr zu denken.

Je mehr Cato von Bedriacus zu sehen bekam, desto hoff-
nungsloser erschien ihm der Fall. Wenn es diesem Mann
nicht gelang, die grundlegenden Regeln militärischen Lebens zu begreifen, würde er seinen Kameraden eher eine
Last denn eine Hilfe sein. Doch Tincommius beharrte darauf, dass der Jäger seinen Wert noch beweisen würde.

»Du hast ihn nicht bei der Arbeit gesehen, Cato. Der
Mann kann jeder Spur folgen. Und mit dem Messer ist er
unbesiegbar.«

»Mag sein, aber wenn er nicht lernt, wie man in einer
Formation bleibt und die richtige Folge von Schlägen aus-
führt, können wir ihn nicht gebrauchen. Wir kämpfen
schließlich gegen Männer und nicht gegen Tiere.«

»So manch einer hält die Durotriges für schlimmer als
Tiere«, entgegnete Tincommius achselzuckend. »Du hast ja
gesehen, wie sie unser Volk behandeln.«

»Ja«, antwortete Cato leise. »Ja, das habe ich ... War das
schon immer so?«

»Erst, seit sie unter dem Einfluss der Druiden des Dunklen Mondes stehen. Seitdem kapseln sie sich zunehmend
von den anderen Stämmen ab. Caratacus' Verbündete sind
sie nur, weil sie Rom noch mehr hassen als alles andere.
Falls die Legionen Britannien verlassen, werden die Duro-

triges über ihre Nachbarstämme herfallen, bevor noch euer letztes Segel am Horizont verschwunden ist.«

»Falls wir Britannien verlassen?« Der Gedanke belustigte Cato. »Hältst du das denn für denkbar?«

»Die Zukunft steht in Staub geschrieben, Cato. Der leiseste Lufthauch kann sie ändern.«

»Sehr poetisch«, gab Cato zurück. »Doch Rom haut seine Zukunft in Stein.«

Tincommius lachte einen Moment lang über die schlagfertige Entgegnung, wurde dann aber schnell wieder ernst. »Ihr haltet euch wirklich für ein vom Schicksal auserwähltes Volk, nicht wahr?«

»Das bringt man uns von der Wiege an bei, und die Geschichte hat es noch nicht widerlegt.«

»Das könnte man auch Hochmut nennen.«

»Schon, aber nur einmal.«

Tincommius sah Cato forschend an. »Und daran glaubst du?«

Cato zuckte mit den Schultern. »Ich glaube nicht so recht ans Schicksal. Noch nie. Was in der Welt geschieht, ist eine Folge menschlichen Handelns. Kluge Menschen schaffen sich ihr eigenes Schicksal, soweit es in ihrer Macht liegt. Alles andere ist Glück und Zufall.«

»Das ist eine sonderbare Sichtweise«, entgegnete Tincommius stirnrunzelnd. »Für uns gibt es Geister und Götter, die jeden Aspekt unseres Lebens lenken. Ihr Römer habt ebenfalls viele Götter. Und an die glaubt ihr doch, oder?«

»Götter?« Cato hob die Augenbrauen. »Es kommt mir so vor, als würden in Rom jeden Tag neue erfunden. Anscheinend sind wir nie zufrieden, bis wir wieder etwas Neues haben, woran wir glauben können.«

»Du bist ein merkwürdiger …«

»Einen Moment mal«, unterbrach ihn Cato. Er beobachtete einen riesenhaften, über und über tätowierten atrebatischen Krieger, der unter lautem Kriegsgebrüll mit dem Übungsschwert auf einen Trainingspfosten eindrosch. »He du! Dich meine ich! Stillgestanden!«

Der Krieger blieb heftig atmend stehen, und Cato nahm ihm das Übungsschwert aus der Hand und trat an den Pfosten.

»Du sollst damit zustoßen. Das ist doch kein Beil.«

Cato zeigte die vorgeschriebene Abfolge und warf dem Krieger das Schwert wieder zu, der aber den Kopf schüttelte und wütend entgegnete: »Das ist keine ehrenhafte Art zu kämpfen!«

»Nicht ehrenhaft?« Cato unterdrückte ein Lachen. »Was ist denn am Kämpfen ehrenhaft? Mir ist es egal, wie du dabei aussiehst, Hauptsache, du bringst Feinde um.«

»Ich kämpfe zu Pferd, nicht zu Fuß«, spie ihm der Krieger entgegen. »Ich habe nicht das Kämpfen gelernt, um Seite an Seite mit Bauern zu fechten.«

»Ach, wirklich?« Cato wandte sich an Tincommius. »Was ist denn so Besonderes an ihm?«

»Er gehört der Kriegerkaste an und ist von Kind an mit dem Kampf zu Pferd vertraut. In dieser Hinsicht sind sie recht empfindlich.«

»Ich verstehe«, erwiderte Cato nachdenklich, dem bewusst war, wie viel Respekt die keltische Reiterei bei den Legionen genoss. »Haben wir noch weitere Krieger wie ihn unter uns?«

»Ja. Vielleicht ein paar Dutzend.«

»Gut, ich werde darüber nachdenken. Wenn wir anfangen, die Durotriges zu jagen, werden wir ein paar berittene Kundschafter gut gebrauchen können.«

»Sa!«, antwortete der Krieger und machte mit grimmigem Lächeln die Geste des Halsabschneidens.

In diesem Moment bemerkte Cato einen weiteren Mann in der Gruppe und erstarrte. Aus den Reihen der Rekruten blickte ihm Artax finster entgegen. Sein Gesicht war grün und blau geschlagen und die gebrochene Nase geschwollen.

»Tincommius, was macht der hier?«

»Artax? Lässt sich zusammen mit den anderen ausbilden. Er ist heute Morgen zu uns gestoßen. Der Mann ist vollkommen darauf versessen, die römische Kampftechnik zu erlernen. Anscheinend hast du einen ziemlichen Eindruck auf ihn gemacht.«

»Haha, sehr komisch.«

Cato sah den Mann eine Weile an und Artax starrte zurück, die Lippen zu einem Strich zusammengepresst. Der Zenturio war sich nicht recht sicher, ob ihm daran gelegen war, einen Mann in seiner Kohorte zu wissen, den er so öffentlich gedemütigt hatte. In der Brust des stolzen und hochmütigen Briten musste es zwangsläufig kochen. Vorläufig war es jedoch diplomatischer, Vericas Neffen in die Kohorte aufzunehmen. Außerdem mochte seine Persönlichkeit, wenn er sich freiwillig gemeldet hatte, ja noch eine ganz andere Seite aufweisen. Vielleicht empfand er den Wunsch, sein Versagen auszugleichen und seinen Stolz zurückzugewinnen. Vielleicht, überlegte Cato. Aber auf jeden Fall war es angebracht, ihm gegenüber zumindest vorläufig misstrauisch zu bleiben.

Nachmittags übernahm Macro die Ausbildung und lehrte die Rekruten die Grundlagen des Marschierens in Formation. Wie immer war es mühsam, Beinen, die so etwas nicht gewöhnt waren, den Gleichschritt beizubringen, doch selbst die Briten konnten nach einer Woche mit relativ wenig Verwirrung marschieren, anhalten, kehrtmachen und die Richtung ändern.

Der Tag endete immer mit einem Eilmarsch um Calleva herum, Runde um Runde, bis die Dämmerung hereinbrach. Dann wurden die Männer ins Lager zurückgeführt und erhielten abteilungsweise ihre Rationen, die sie selbst zubereiten mussten. Die frühe Nachtruhe war jener Teil des strikten Tagesablaufs, den die Eingeborenen am schlechtesten ertrugen. Sobald die Trompete zur zweiten Wache blies, schritten die Ausbilder die Zeltreihen entlang, brüllten die Männer an, zum Schlafen ins Zelt zu gehen, und kippten die Kochtöpfe über allen Feuern aus, die nicht sofort gelöscht wurden. Die langen Abende, an denen die Kelten zechten und sich mit heiserer Stimme Geschichten und derbe Anekdoten erzählten, wie es bei ihnen Brauch war, gehörten der Vergangenheit an. Männer, die eine harte Ausbildung durchliefen, brauchten ihre Nachtruhe, und Macro war nicht zum Nachgeben bereit, als Tincommius die bitteren Beschwerden einiger seiner Krieger weitergab.

»Nein!«, entgegnete Macro fest. »Wenn wir jetzt weich werden, geht die Disziplin zum Scheißloch runter. Es ist hart, aber nicht härter als nötig. Wenn sie sich beschweren, dass sie zu früh schlafen gehen müssen, sind sie offensichtlich nicht müde genug. Morgen endet das Üben mit einem Lauf um Calleva statt eines Marsches. Das sollte dann reichen.«

So war es, doch wenn Cato morgens seine Runden ging, entdeckte er noch immer einen versteckten Groll in den Mienen der Männer. Irgendetwas fehlte. In den beiden Kohorten war eine unbestimmbare Unverbundenheit, ein Mangel an Zusammenhalt zu spüren. Eines Abends nach der ersten Woche besprach er das Thema mit Macro und Tincommius.

»Wir machen irgendetwas nicht ganz richtig.«

»Was meinst du damit?«, knurrte Macro. »Es läuft doch bestens.«

»Wir haben den Auftrag, zwei Kohorten auszubilden, und wir haben unser Bestes gegeben. Aber sie brauchen noch etwas anderes.«

»Was denn?«

»Du hast gesehen, wie diese Männer sind. Sie lernen bereitwillig, unsere Waffen auf unsere Art zu gebrauchen und sich in einer Formation zu bewegen. Aber sie empfinden sich nicht als ein zusammengehöriger Truppenteil. Wir haben unsere Legionen, unsere Adlerstandarten und das Gefühl, in einer Tradition zu stehen. Sie haben nichts dergleichen.«

»Was schlägst du vor?«, entgegnete Macro spöttisch. »Dass wir ihnen einen Adler geben?«

»Ja. Etwas in der Art. Eine Standarte. Eine für jede Kohorte. Das wird ihnen helfen, sich als Einheit zu fühlen.«

»Mag sein«, räumte Macro ein. »Aber keinen Adler. Adlerstandarten sind der Legion vorbehalten. Es muss etwas anderes sein.«

»Schon gut.« Cato nickte und wandte sich an Tincommius. »Was würdest du vorschlagen? Gibt es Tiere, die deinem Stamm heilig sind?«

»Jede Menge.« Tincommius begann, sie an den Fingern abzuzählen: »Eule, Wolf, Fuchs, Keiler, Hecht, Wiesel ...«

»Wiesel?«, unterbrach ihn Macro lachend. »Was ist denn verdammt noch mal an einem Wiesel heilig?«

»Wiesel – schnell und schlank, König von Strom und Uferbank«, stimmte Tincommius an.

»Oh, na großartig. Ich sehe es richtig vor mir: Erste Kohorte atrebatischer Wiesel. Da bepinkelt sich der Feind doch vor Lachen.«

Tincommius wurde rot.

»Na ja, das Wiesel brauchen wir ja nicht zu nehmen«, entgegnete Cato rasch, bevor Macro noch mehr Porzellan zerschlagen konnte. »Mir gefallen Wolf und Keiler. Das hat was von Wildnis und Gefahr. Was meinst du, Tincommius?«

»Die Wölfe und die Keiler ... klingt gut.«

»Und du, Macro?«

»Bestens.«

»Gut, dann lasse ich heute Abend Standarten anfertigen. Mit deiner Erlaubnis?«

Macro nickte. »Einverstanden.«

Draußen vor der Tür erklangen Schritte, und jemand klopfte an.

»Herein!«

Ein Schreiber trat ins Licht der Öllampen. Er trug eine versiegelte Schriftrolle in der Hand.

»Was ist das?«

»Nachricht des Generals, Herr. Der Bote ist gerade eingetroffen.«

»Hierher!« Macro griff nach der Schriftrolle, erbrach das Siegel und betrachtete die Nachricht, während seine Gefährten schweigend warteten. Macro konnte inzwischen zwar einigermaßen lesen, empfand es aber immer noch als anstrengend und brauchte daher eine Weile, um die in der übermäßig verschnörkelten Sprache der Stabsoffiziere verfasste Nachricht des Generals zu verstehen.

»Nun«, erklärte Macro nach einer Weile gedehnt, »abgesehen von ein paar Vorbehalten bezüglich des Umfangs unserer Operationen und Mahnungen, nicht zu viele Männer unter Waffen zu stellen, hat der General uns anscheinend die Erlaubnis gegeben, die, ähm, Wölfe und Keiler zu bewaffnen.«

9

Etwa dreißig Meilen westlich von Calleva blickte Vespasian auf eine von Rauchwolken umfangene Hügelkuppe. Die Hügelfestung hatte einen Durchmesser von kaum zweihundert Schritten und war die kleinste, die bisher von der Zweiten Legion geschleift worden war. Doch der Feind hatte die Lage geschickt gewählt: ein steiler Hügel in einer Flussschleife. Die nicht vom Fluss geschützten Seiten waren mit Gräben und Erdwällen, dicken Palisaden und einer erfinderischen Bandbreite gefährlicher Hindernisse befestigt gewesen, von denen einige mit Sicherheit, wenn auch plump, römischen Vorbildern nachempfunden waren. Diese Hindernisse mochten primitive Imitate sein, aber dennoch hatten sie einige der unvorsichtigeren Legionäre, die die Befestigung gegen Mittag angriffen, außer Gefecht gesetzt.

Ein steter Strom von Verwundeten auf dem Weg zum Verbandsplatz unmittelbar hinter dem Wall des römischen Marschlagers zog am Legaten vorbei: Männer mit zerfleischten Füßen, denen die mit Widerhaken bewehrten Spitzen von Fußangeln durch die Stiefelsohlen gedrungen waren. Andere Soldaten hatten tiefe Wunden im Leib, weil sie von ihren nachrückenden Kameraden nichtsahnend in die Spitzen von Pfostenverhauen gedrängt worden waren. Weitere Verwundete waren in dem Geschosshagel, den die Verteidiger des Festungstors verbissen auf die Angreifer hatten niedergehen lassen, von allem Möglichen getroffen worden, von Speeren, Pfeilen, Steinen, alten Kochtöpfen und Tierknochen bis hin zu Tonscherben. Schließlich gab es noch die Verwundeten, die im Nahkampf mit dem Feind verletzt worden waren. Diese Männer trugen die üblichen Stich-, Hieb- und Prellwunden, die von Speer, Schwert und Keule stammten.

Erst vor zwei Tagen hatte die Legion ihr Lager kurz vor dem äußeren Verteidigungsgraben aufgeschlagen, und schon zählte sie über achtzig Ausfälle – umgerechnet eine ganze Zenturie. Die vollständigen Verlustzahlen würden Vespasian auf seinem Feldschreibtisch erwarten. Das war auch der Grund, weshalb er so lange auf die brennende Hügelfestung starrte. Wenn die Durotriges so weitermachten, blutete seine Truppe aus, und dann war die Legion bald zu schwach, um ihren Feldzug unabhängig von General Plautius' Hauptarmee fortzusetzen. Das wäre ein bitterer Schlag für Vespasian, der darauf hoffte, sich mit dieser Operation einen Namen zu machen, bevor seine Legatenzeit bei der Armee zu Ende ging. Wenn er bei seiner Rückkehr nach Rom seine politische Laufbahn voranbringen wollte, musste er einen Ruf als erfolgreicher Heerführer vorweisen. Seine Familie war erst vor kurzem in den Rang der Senatsfamilien aufgestiegen, und so hatte er keinen Zugang zum Netzwerk des alten Adels. Es machte Vespasian deshalb immer wieder wütend, dass Männer mit weit geringeren Fähigkeiten als er selbst in ihrer Laufbahn schneller vorankamen und größere Verantwortung erhielten. Das war nicht nur ungerecht, überlegte er verärgert, sondern auch ineffizient und würde zum Niedergang des Kaiserreichs führen. Um der gottgewollten Herrschaftsstellung Roms willen musste das System sich ändern ...

Die Hügelfestung war die siebte Siedlung, die von der Legion erobert und geschleift worden war. Zwar hatten dafür zwei Tage ausgereicht, doch einige Details wären sicherlich zu verbessern. Einer Hand voll Feinden war es gelungen, in der ersten Belagerungsnacht durch die Wachpostenkette zu schlüpfen. Das war sehr ärgerlich, und der Dienst habende Optio war augenblicklich degradiert worden. Nächstes Mal, so beschloss der Legat, würde er jedes denkbare Schlupfloch mit einer Palisade versperren.

Außerdem war der Munitionsvorrat seiner Artillerie zu knapp gewesen, um den Feind mit einem wirklich zerstörerischen und demoralisierenden Sperrfeuer zu überziehen. Es war den Katapulten und Wurfmaschinen zwar gelungen, die Verteidigungsanlagen um das Haupttor zu beschädigen und eine Anzahl feindlicher Krieger niederzustrecken, doch die Bresche war nicht groß genug gewesen. Als die Erste Kohorte angriff, war sie auf einen weit entschlosseneren Widerstand gestoßen als erwartet. Nächstes Mal würde er die Legion zurückhalten, bis die Artillerie in der Lage war, mit einem vernichtenden Sperrfeuer den Widerstandswillen des Feindes zu brechen.

Er warf sich vor, den Angriff überstürzt zu haben, und war ehrlich genug sich einzugestehen, dass der Ehrgeiz, seinen Namen mit einer langen Siegesliste genannt zu wissen, ihn zum Angriffsbefehl verführt hatte. Für diesen Ehrgeiz hatten Männer mit ihrem Blut bezahlt. Der Legat ging rasch zu einem anderen Problem über, um sich von seiner Selbstkritik abzulenken. Im Schlussgefecht um das Tor waren die Durotriges nicht weniger fanatisch gewesen als in ihren ganzen Verteidigungsvorbereitungen. Als die aufgebrachten Legionäre dann endlich das Tor durchbrachen und ins Innere der Festung stürzten, hatten sie im Zorn alles niedergemetzelt. Männer, Frauen und Kinder – alle waren erschlagen worden.

Vespasian hielt das für eine schreckliche Verschwendung. Das nächste Mal würde er darauf bestehen, möglichst viele Gefangene zu machen. In Rom, wo unter Bürgern, die mehr Geld als Geschmack besaßen, zur Zeit barbarischer Schick en vogue war, erzielte man für einen gesunden Kelten Spitzenpreise. Vespasians Beuteanteil würde ihm ein kleines Vermögen einbringen. Und ebenso seinen Männern, wenn sie ihren Blutdurst nur lange genug zügeln konnten, um zu merken, wie vergänglich das Vergnügen an Vergewaltigung und Plünderung war, während der Gewinn aus dem Sklavenhandel eine willkommene Ergänzung zu ihren Pensionsgeldern darstellen könnte. Wenn die Legion die nächste Hügelfestung einnahm, würde er den Zenturionen Befehl geben lassen, ihre Männer zurückzuhalten. Eine weitere Verschwendung wertvoller Menschenleben, seien es nun Römer oder Briten, würde es nicht geben.

Nur die Schafe, Rinder und ein paar Schweine hatten den römischen Angriff überlebt. Das Vieh wurde jetzt den Hügel hinunter zum Lager getrieben. Die Tiere würden ihre ehemaligen Besitzer nicht lange überleben, denn die Legionäre freuten sich auf das inzwischen so seltene, frisch gebratene Fleisch. Vespasian war froh über diese Ergänzung der Nahrungsvorräte. Doch bald würde die Legion eine Kette weit größerer Festungen angreifen und dann hing Vespasian wieder von stetigen Nachschublieferungen aus dem Depot in Calleva ab.

Das war derzeit sein drängendstes Problem. Da Caratacus die Nachschublinien der Legion immer wieder mit schnellen, beweglichen Truppen überfiel, würden Vespasians Truppen vielleicht gezwungen sein, sich von dem zu ernähren, was das Land ihnen bot. Schlimmer noch, die Materialverluste wären nicht mehr auszugleichen, und Waffen oder Ausrüstungsgegenstände, die in der Schlacht oder durch normalen Verschleiß unbrauchbar wurden, könnten nicht mehr ersetzt werden. Alles hing davon ab, dass König Verica und die Atrebates ihre Seite des Vertrags mit Rom einhielten und ein sicheres Passieren der Nachschubkolonnen garantierten. Die beiden Kohorten, die jetzt in Calleva aufgestellt wurden, würden dieses Problem vielleicht kleiner machen und Vespasian einen Teil seiner Sorgen von den Schultern nehmen. Bei Zenturio Macro wusste der Legat diese Aufgabe in guten Händen – und übrigens auch bei Zenturio Cato.

Bei der Erinnerung daran, wie er den jungen Mann vor einigen Monaten von seiner Beförderung unterrichtet hatte, lächelte Vespasian. Cato hatte im Lazarett des Nachschublagers Calleva im Bett gelegen und kaum die Tränen des Stolzes zurückblinzeln können. Er war ein äußerst viel versprechender Soldat und hatte die Hochschätzung des Legaten immer wieder gerechtfertigt. Es würde interessant sein, den jungen Mann dabei zu beobachten, wie er mit den Anforderungen seines neuen Rangs zurechtkam. Cato war noch nicht einmal zwanzig Jahre alt, und wenn er wieder zur Zweiten Legion stieß, würde er zum ersten Mal das Kommando über die achtzig Mann einer Zenturie erhalten; damit hatte er dann eine der herausforderndsten Aufgaben vor sich, die das Leben in der Legion bereithielt.

Vespasian erinnerte sich deutlich an die schmerzliche Befangenheit, mit der er sich vor vierzehn Jahren nach seiner Ernennung zum Tribun dem ersten ihm unterstellten kleinen Patrouillentrupp vorgestellt hatte. Die grimmigen Veteranen hatten sich seine Rede kommentarlos angehört, aber aus ihrer Verachtung für seine Unerfahrenheit keinen Hehl gemacht. Erfahrung besaß Cato wenigstens, und das würde sein Selbstvertrauen stärken. In seiner kurzen Dienstzeit unter dem Adler hatte Cato schon mehr Kämpfe erlebt als so mancher Legionär in seinem ganzen Leben. Zudem hatte der junge Mann das Glück gehabt, von Zenturio Macro ins Armeeleben eingeführt zu werden. Macro war so robust und zuverlässig wie Cato intelligent und einfallsreich; die beiden ergänzten einander gut.

Der Legat war sich sicher, dass die beiden Zenturionen Vericas Männer gut ausbilden würden. Doch er wünschte sich, sie wieder bei sich in der Zweiten Legion zu haben. Wenn die beiden Offiziere sich vollständig von ihren Wunden erholt hatten und die Nachschublinien sicher waren, würde er sie sofort nachkommen lassen. Eine Legion konnte nur so gut sein wie die Zenturionen, die ihr in den Kampf vorangingen. Vespasian wollte, dass die Zweite gut war, eine Eliteeinheit – und das bedeutete, dass er Männer von Macros und Catos Format bestmöglich einsetzen musste.

Unter seiner Leinentunika rann ihm der Schweiß den Körper hinunter.

»Scheiße, was für eine Hitze!«, brummte er.

Einer der Stabstribunen hob den Kopf und blickte zum Legaten herüber, doch Vespasian winkte ab, als wedelte er ein lästiges Insekt beiseite. »Es ist nichts ... Vielleicht gehe ich später schwimmen.«

Beide Männer blickten sehnsüchtig den Hang zum Fluss hinunter, der nur eine Viertelmeile entfernt war. Auf der grünen Uferbank lagen nackte Männer, während andere im schimmernden Wasser schwammen.

»Ich würde für mein Leben gerne schwimmen gehen«, murmelte der Tribun und wischte sich mit dem Handrücken den Schweiß von der Stirn.

»So mancher da unten hätte fast sein Leben geopfert. Sollen sie ihren Spaß haben. Aber hier gibt es noch Arbeit.« Vespasian wies mit einem Kopfnicken auf die Überreste der Hügelfestung. »Sorge dafür, dass der Abriss weitergeht. Bei Einbruch der Nacht darf nichts mehr übrig sein. Nichts, was sich mühelos neu befestigen ließe.«

»Jawohl, Herr.«

Es war zwar schon später Nachmittag, doch die Sonne brannte gnadenlos auf die Legionäre herunter, die auf dem Hügel schufteten. Die wenigen Eingeborenenhütten, die von den Brandpfeilen der Artillerie zerstört worden waren, waren inzwischen angezündet worden. Jetzt organisierten die Zenturionen Arbeitstrupps, um die Palisade niederzureißen und die Pfosten in den Verteidigungsgraben zu werfen. Bald würden von der Hügelfestung nur noch ein paar qualmende Balken und die zugeschütteten Befestigungsringe zu sehen sein wie eine Narbe in der Landschaft. Zum Schluss war dann lediglich die verblassende Erinnerung der Legionäre übrig, die die Siedlung zerstört und alle ihre Einwohner getötet hatten.

Vespasian nickte zufrieden angesichts der Fortschritte, wandte sich dann ab und machte sich auf den Rückweg zum Hauptquartier. Im Lager waren nur wenige Männer zu sehen, da fast jeder, der dienstfrei hatte, sich vor der brennenden Sonne in den Schatten der Lederzelte zurückgezogen hatte, die in ordentlichen Reihen am Hauptweg entlang standen. Vespasian wusste, dass die ziegenledernen Mannschaftszelte selbst mit geöffneten Zeltklappen stickig sein mussten. Deshalb hatte er den abgelösten Kohorten die Erlaubnis erteilt, im Fluss baden zu gehen – die Männer sollten sich ruhig erholen. Außerdem diente das der Sauberkeit. Für jemanden, der in Rom mit der Gewohnheit aufgewachsen war, regelmäßig zu baden, war der säuerliche Gestank schmutziger, schwitzender Männer ziemlich abstoßend. Daher konnte man sich nur freuen, wenn die Männer Gelegenheit bekamen, ihre Kleider und sich selbst zu waschen. Außerdem bedrängte der oberste Wundarzt der Legion den Legaten ständig, die Männer zu mehr Hygiene anzuhalten. Die Soldaten sollten sich so oft wie möglich waschen. Aesclepus behauptete, dadurch ließen sich die krankheitsbedingten Ausfälle reduzieren. Aber da dieser Arzt den etwas übertriebenen ärztlichen Praktiken aus dem Osten anhing, konnte man nichts anderes von ihm erwarten. Nicht, dass Vespasian kein Vertrauen in die östliche Medizin gehabt hätte, aber wie die meisten Römer glaubte er nun einmal, dass im Osten des Reiches alle korrupt, zügellos und weibisch wären.

Die Männer der Hauptquartierswache standen in voller Rüstung und strammer Haltung auf ihrem Posten. Vespasian fragte sich, wie sie die Hitze überhaupt aushielten, und im Vorbeigehen sah er, dass ihnen der Schweiß übers Gesicht lief. Drinnen im Zelt war die Luft sogar noch heißer und stickiger als draußen und der Schatten bot keinerlei Erholung. Vespasian winkte seinen Kammerdiener heran.

»Ich möchte Wasser. Aus dem Fluss. Sorge dafür, dass es vom Lager aus gesehen flussaufwärts geschöpft wird. Außerdem meine leichteste Tunika, die seidene. Lass dann jemanden meinen Schreibtisch nach draußen tragen und ein Sonnensegel darüber aufspannen. Schnellstmöglich.«

»Jawohl, Herr.«

Als der Mann gegangen war, stand Vespasian bewegungslos da, während sein Leibsklave die Schnallen seiner Rüstung löste und ihm den Brustharnisch abnahm. Die dicke Militärtunika darunter war schweißdurchtränkt und Vespasian packte sie ungeduldig am Saum und zog sie über den Kopf. Draußen vor dem Zelt hörte er, wie die Männer seinen Feldschreibtisch heranschleppten und das Sonnensegel aufspannten. Es gab zu viel zu tun, und als sein Leibsklave ihn fragte, ob er Waschwasser wolle, schüttelte er den Kopf.

»Bring mir einfach nur die Tunika.«

»Jawohl, Gebieter.«

Die Seide fühlte sich angenehm an – sie war weich und glatt und duftete nach dem Zitronenöl, das seine Frau ihm aus Rom geschickt hatte. Nachdem er das schweißverklebte Haar kurz mit einem Leinentuch trockengerubbelt hatte, trat Vespasian aus dem Zelt und nahm am Schreibtisch Platz. Auf der einen Seite saß ein Schreiber mit gezücktem Stift, während den Legaten auf der anderen Seite ein sauber geordneter Stapel von Schriftrollen und Wachstafeln erwartete. Daneben standen ein schlichter Krug und Becher aus Terra Sigillata. Vespasian schenkte sich Wasser ein und leerte das kühle, erfrischende Getränk genüsslich auf einen Zug. Nachdem er sich einen zweiten Becher eingeschenkt hatte, machte er sich an die Arbeit.

Zunächst beschäftigte er sich mit den Verlustlisten und den Mannstärkeberichten der Einheit. Die Krankenliste der Dritten Kohorte wirkte außergewöhnlich lang, und er notierte sich auf ein Wachstäfelchen, den Kommandanten dieser Kohorte auf einen kleinen Schwatz herzubestellen. Es war unwahrscheinlich, dass Hortensius eine so große Anzahl dienstunfähiger Männer aus Milde durchgehen ließ. Vespasian kannte den Ruf des Mannes als Schinder, und obgleich der Legat eiserne Disziplin befürwortete, konnte er unnötige Härte und Grausamkeit nicht unterstützen. Er seufzte. Das würde kein angenehmes Gespräch werden. Die meisten Legaten dienten nur ein paar Jahre und es mochte anmaßend wirken, dass Vespasian den weit erfahreneren Zenturio in Fragen der Disziplin belehrte, doch wenn das die Ursache des überhöhten Krankenstandes war, konnte der Legat nicht zulassen, dass der Zenturio die Männer unter seinem Kommando misshandelte. Falls aber nicht, was war dann der Grund? So oder so musste Vespasian es herausfinden und sich des Problems annehmen.

Vespasian warf einen raschen Blick auf die neuesten Vorrats- und Inventarlisten, zeichnete sie mit einem schnellen Schriftzug ab und schob sie zu seinem Schreiber hinüber.

»Leg das ab. Die Speerspitzen werden knapp – setz das mit auf unsere nächste Nachschubanforderung.«

»Jawohl, Herr.«

Als Nächstes las Vespasian die jüngste Botschaft aus Calleva. Zenturio Macro berichtete, dass er genügend Männer rekrutiert hätte, um zwei Kohorten zu bilden. Die Ausbildung hatte begonnen und trotz der Sprachprobleme machten die römischen Ausbilder erfreuliche Fortschritte. Vespasian hatte die Kopie einer an Zenturio Macro adressierten Botschaft empfangen, in der dieser die Genehmigung erhielt, seine Einheimischenkohorten zu bewaffnen, und der Legat war noch immer überrascht von dieser bereitwilligen Zustimmung des Generals. Plautius benötigte zwar dringend Verstärkung, um die Nachschublinien südlich der Tamesis zu sichern, doch es war nicht üblich, Einheimische für den Dienst in ihrer eigenen Provinz zu rekrutieren. In der Vergangenheit waren als treu geltende einheimische Stämme ihren römischen Verbündeten mehr als einmal heimtückisch in den Rücken gefallen. Trotz Vericas teilweise echter, teilweise auch nur zur Schau gestellten Vorliebe für alles Römische hatte der atrebatische König den Makel des Barbarischen doch nicht ganz abgeschüttelt. Vespasian verfasste rasch eine Antwort an Macro, in dem er ihn für seine Anstrengungen lobte und den Zenturio aufforderte, ihm jedes Zeichen der Illoyalität unter den Atrebates sofort zu melden.

»Kopiere das für unsere Unterlagen und lass es dann beim ersten Tageslicht nach Calleva abgehen.«

»Jawohl, Herr.«

Schließlich nahm der Legat sich die Berichte der Kundschafter vor. Die kleine berittene Zusatztruppe, welche die Legion begleitete, verrichtete sowohl Kundschafter- als auch Botendienste und bildete außerdem eine kleine Kavalleriereserve. Die Kundschafter hatten die Umgebung der Hügelfestung abgeritten, und die Berichte der Schwadronskommandanten lieferten detaillierte Informationen über geografische Gegebenheiten, die in die von Vespasians Schreibern angefertigten Landkarten peinlich genau eingetragen wurden. Die Kundschafter erstatteten auch Bericht, wenn sie auf einheimische Dörfer oder Höfe stießen. Die Bewohner wurden dann entweder bestochen oder mit Gewalt dazu gezwungen, Informationen über alle von ihnen beobachteten feindlichen Truppenbewegungen zu liefern.

Vespasian beugte sich über den Tisch und las die letzten Berichte äußerst sorgfältig durch. Dann wandte er sich wieder einem früheren Bericht zu, der sein wachsendes Misstrauen zu bestätigen schien. Es gab kaum Zweifel: Caratacus zog seine Kräfte weiter nördlich zusammen, und zwar noch diesseits der Tamesis. Schlimmer noch, einige Eingeborene behaupteten, ihn persönlich unter den feindlichen Truppen gesehen zu haben, die in das Gebiet strömten. Und doch hatte Vespasian von General Plautius die Botschaft empfangen, dass die Hauptarmee des Feindes dem General selbst und seinen drei Legionen gegenüberläge.

Vespasian kratzte sich stirnrunzelnd am Kinn. Was führte der verschlagene Caratacus nur im Sinn?

10

Das aufgeregte Gemurmel der Atrebates, die ihre neue Ausrüstung untersuchten, erfüllte das ganze Lager. Den Vormittag hatten Macro und Cato mit dem Quartiermeister an seinem Schreibtisch im Hauptquartiersgebäude verbracht, wo er sorgfältig die Identifikationsstempel aller Ausrüstungsstücke notierte, die das Depot verließen. Silva hatte seinen Rang erhalten, weil er Ordnung liebte und alles schriftlich festhielt; in einem anderen Leben wäre er vielleicht ein fähiger Jurist geworden. Jeder der Atrebates erhielt aus dem riesigen Ausrüstungsbestand ein Schwert mit Schwertscheide, einen Gürtel, Militärstiefel, eine Tunika, einen Helm und einen Schild. Zusätzliche Panzer waren nicht vorhanden und statt des Rechteckschilds der Legionäre bekamen sie die von den Hilfstruppen benutzte ovale Ausführung. Sie hätten auch Wurfspeere erhalten, aber irgendein Stümper in den Schreibstuben von Rutupiae hatte vergessen, zusammen mit den Eisenspitzen und den Holzschäften auch die Befestigungsstifte mitzuschicken.

»Warte nur, bis ich das Arschloch in die Finger kriege«, grollte Macro. »Den nagle ich mit den Eiern am Boden fest.«

Cato zuckte mitfühlend zusammen.

»Ich kann nichts dafür«, meinte Silva achselzuckend mit der Unerschütterlichkeit eines Mannes, der weiß, dass er seine Unschuld beweisen kann. »Der Fehler muss einem Schreiber im Armeehauptquartier unterlaufen sein. Wahrscheinlich sind die Stifte doch irgendwo bei uns im Depot und wurden nur mit falscher Bezeichnung versandt. Ich werde ein paar von meinen Leuten auf die Suche schicken.«

Macro nickte befriedigt. »Das Training mit den Wurfspeeren können wir im Moment ohnehin noch aufschieben und uns vorläufig auf die Grundlagen konzentrieren. Sind die Standarten fertig?«

Cato nickte.

»Woraus hast du sie anfertigen lassen?«

»Tincommius hat ein paar Holzschnitzereien in die Hände bekommen, Verzierungen von Giebelscheiben.«

»Von Giebelscheiben? Wem gehörten sie denn?«

»Er sagte, Verica werde sie nicht vermissen.«

»Ach ja? Na, großartig.«

»Jedenfalls haben wir jetzt einen Wolfskopf und einen Eberkopf. Na ja, eigentlich ist es ein Schwein. Aber ich habe zwei Zeltheringe als Hauer einsetzen und die Köpfe vergolden lassen. Sie sehen gut aus. Ich habe sie auf zwei überschüssige Vexilationsstandarten gesetzt und die Lederbehänge mit der Aufschrift Atrebates I und Atrebates II versehen.«

Macro musterte ihn kalt. »Du hast Vexilationsstandarten verwendet – wie für ein römisches Sonderkommando?«

»Ich war in Eile.«

»Aber die hat der Kaiser mit eigener Hand berührt.« Macro war geschockt. »Scheiße! Wenn irgendjemand davon erfährt …«

»Ich sag's keinem, wenn du auch die Klappe hältst.«

Macro konnte sich nur mit Mühe beherrschen. »Cato, ich schwöre dir, wenn du dich nicht immer noch von dieser verdammten Wunde erholen müsstest, dann würde ich dir deinen verdammten Schädel einschlagen … Also komm«, fuhr er dann in resigniertem Tonfall fort, »schauen wir uns die Dinger an.«

Cato schloss die Ausgabelisten in einer Truhe ein und folgte seinem Vorgesetzten auf den Exerzierplatz. Dort herrschte ein wildes Durcheinander. Die Ausbilder eilten von einem ihrer Schüler zum nächsten, um Riemen festzuziehen und den Leuten zu zeigen, auf welcher Seite man das Schwert trug, wobei sie alle, die sich über schlecht sitzendes Schuhwerk beklagten, konsequent überhörten.

Macro ließ ihnen noch einen Moment, um ihre Ausrüstung zu ordnen, und holte dann tief Luft.

»AUFSTELLEN!«

Inzwischen waren die Atrebates an den Vorgang gewöhnt und die farbigen Pflöcke nicht mehr nötig. Sie eilten an ihren jeweiligen Platz und stellten sich hinter ihrem Unterabteilungsführer auf, wobei sie automatisch auf den richtigen Abstand zu ihren Nachbarn achteten. Jede Zenturie bestand aus zehn Unterabteilungen und wurde von einem Legionär geführt, den Macro ausgewählt hatte. Eine Kohorte setzte sich also aus zehn solchen Zenturien zusammen.

»Was sind denn das für Clowns?« Macro zeigte auf einige kleine Gruppen von Kriegern zu beiden Seiten des Exerzierplatzes.

»Kavalleriekundschafter, Herr.«

»Kavalleriekundschafter … Fehlt ihnen da nicht, ähm, irgendwas?«

Tincommius trat neben Macro. »Verica hat mir Pferde versprochen. Sie werden morgen hier eintreffen.«

»Bestens.«

»Und ich habe mit ihm über diese Standarten gesprochen. Ich dachte, es wäre vielleicht gut für den Kampfgeist, wenn der König sie selbst überreicht. Ich habe ihn benachrichtigt, dass wir für die Zeremonie bereit sind. Er wird gleich kommen.«

»Das wäre umwerfend freundlich von ihm«, stimmte

Macro sarkastisch zu. »Habt ihr schon jemanden als Standartenträger im Sinn?«

»Ich hätte eine Idee«, erwiderte Cato. »Bedriacus.«

Tincommius lachte ungläubig. »Bedriacus?«

»Warum nicht? Du hast selbst gesagt, dass er stark ist und nicht leicht zurückweicht.«

»Ja, aber …«

»Und außerdem bringt er dann die Formation nicht durcheinander.«

Das war das entscheidende Argument, und Tincommius nickte zustimmend.

»Nun gut«, fuhr Macro fort. »Das ist der eine. Der ist dann also in deiner Kohorte, Cato. Und wer noch?«

»Wie wäre es mit Tincommius für deine Kohorte?«

»Ich?« Der atrebatische Prinz blickte unglücklich drein. »Warum ich, Herr?«

»Macro könnte einen Übersetzer brauchen, oder?«

»Reite nur darauf herum«, grummelte Macro.

»Ich fühle mich geehrt«, brachte Tincommius heraus.

»Dann wäre das also geklärt, und da ich hier der ranghöchste Offizier bin, nehme ich die erste Kohorte der Atrebates mit dem Keiler als Standarte.«

Cato berührte ihn am Arm. »Da kommt der König, Herr.«

Verica kam zu Fuß durchs Haupttor. Hinter ihm schritt eine kleine Versammlung atrebatischer Edelleute im besten Staat. Ganz im Sinne keltischer Prachtentfaltung herrschten leuchtende Farben, faszinierende Muster und schimmerndes Gold vor. Macro taxierte ganz automatisch den Wert der Schmuckstücke.

»He, Cato«, flüsterte er. »Meinst du, die Durotriges putzen sich genauso heraus?«

Cato lächelte nachsichtig und stieß Tincommius an. »Das ist nur ein Scherz. Bring die Standarten her. Sie stehen direkt hinter der Tür meines Schreibzimmers.«

Während Verica langsam an den in Reih und Glied stehenden Männern vorbeiging, eindeutig beeindruckt von ihrer uniformierten Erscheinung, eilte Tincommius zum Hauptquartiersgebäude. Zurück kam er in würdevollerem Schritt, eine Standarte über jede Schulter gelegt. Verica beendete seine Inspektion und trat zu den beiden Zenturionen.

»Meinen Glückwunsch, Zenturio Macro! Die Männer sehen beeindruckend aus.« Er senkte die Stimme. »Aber kämpfen sie auch so gut, wie sie paradieren? Nach deiner professionellen Einschätzung?«

»Sie sind nicht schlechter als die anderen Männer, die ich bisher ausgebildet habe. Aber noch nie musste ich meine Leute so früh aufs Schlachtfeld werfen. Die meisten von ihnen sind nie in die Nähe eines Kampfes gekommen.« Macro zuckte nachdenklich mit den Schultern. »Ich kann es nicht wirklich sagen. Wir müssen es abwarten, Majestät.«

»Dann wollen wir hoffen, dass ihr nicht zu lange warten müsst«, erwiderte Verica lächelnd. »Nun gut. Lasst uns mit der Zeremonie fortfahren.«

Verica drehte sich zu seinen beiden Kohorten um, holte tief Luft und begann zu sprechen. Cato war überrascht von der sonoren Stimme des Königs, und auch wenn er nicht jedes Wort verstand, klang die Rede doch wunderbar. In seiner Blütezeit musste Verica unter den Briten eine sehr eindrucksvolle Figur abgegeben haben. Doch an dem Vortrag war etwas Vertrautes, das Cato nicht sofort einordnen konnte, und so durchstöberte er sein Gedächtnis nach einem Echo des Gefühls, das ihn dabei überkam. Dann dämmerte es ihm; dies hier war keine natürliche Begabung, sondern die Anwendung griechischer Rhetorik vor einem anderen kulturellen Hintergrund. Cato betrachtete den König der Atrebates mit wachsendem Respekt. Ein Mann mit vielen Talenten und zudem außerordentlich lernfähig.

Verica beendete die Ansprache an seine Truppe mit gefühlvoll bebender Stimme. Cato bemerkte, dass Tincommius mit ausdrucksloser Miene zu Boden starrte. Auch Macro entging das nicht und er sah Cato mit hochgezogener Augenbraue fragend an. Doch Cato zweifelte nicht an dem jungen atrebatischen Edelmann; vor seiner ersten Schlacht war er selbst genauso nervös gewesen. Mit dem Kampf kommt auch der Mann. Er war sich fast sicher, dass Tincommius sich gut halten würde.

Sobald Verica seine Rede beendet hatte, brüllten die Truppen spontan Beifall, zogen ihre Schwerter und stießen sie hoch in die Luft, so dass Cato zu einem Dickicht von schimmernden Klingen aufblickte.

»Und jetzt die Standarten, bitte!«, rief Verica über die Schulter.

»Hierher damit!«, befahl Macro, dem klar wurde, was für ein albernes Bild es abgäbe, wenn Tincommius dem König die Standarten reichte, nur um eine davon sofort zurückzuerhalten. Tincommius gehorchte und trat zur Seite, während Macro dem König den stabilen Schaft mit dem Keilerkopf mit aller Förmlichkeit übergab, deren er fähig war. Verica ergriff den Schaft und stieß ihn in die Luft, was die Männer zu noch lauterem Jubel veranlasste. Als das begeisterte Geschrei verebbte, trat Tincommius vor, neigte den Kopf vor seinem Onkel und streckte die Hand aus. Die letzten Rufe verstummten und die Männer sahen gebannt zu, wie ihr König seinem Neffen feierlich die Standarte überreichte, Tincommius dann bei der Schulter ergriff und ihn herzlich auf beide Wangen küsste. Die Standarte mit beiden Händen fest umklammernd, machte Tincommius kehrt und marschierte auf seinen Platz an der Spitze der Keilerkohorte.

Macro reichte dem König die Standarte mit dem Wolfskopf und Cato brüllte: »Bedriacus! Vortreten!«

Es folgte ein Moment der Stille, bevor der Mann hinter

Bedriacus dem Jäger einen sanften Stoß gab. Bedriacus trat vor und marschierte, so steif er nur konnte, auf seinen König zu. Doch in dem Moment, als die Standarte in seine Obhut überging, verzog sich sein Gesicht zu einem breiten Lächeln, und die schiefen Zähne schimmerten in der Sonne. Er drehte sich zur Wolfskohorte zurück, hob die Standarte impulsiv hoch über den Kopf und bewegte sie auf und nieder. Neuer Jubel brandete auf und Bedriacus rannte zu seinen Kameraden zurück.

»Sicher, dass diese Wahl klug war?«, knurrte Macro.

»Wie gesagt, so kann er keinen Unsinn anstellen. Und jetzt, da er das Ding in der Hand hat, wird man es ihm wohl nur über seine Leiche wieder abnehmen können.«

»Damit magst du Recht haben.«

Cato bemerkte plötzlich einen schlammbespritzten Krieger, der sich zwischen den Edelleuten zu seinem König durchdrängte. Als er Verica erreicht hatte, beugte er sich vor, damit dieser ihn bei dem Jubel noch verstehen konnte. Verica hörte aufmerksam zu und winkte den Mann davon, sobald er seine Botschaft ausgerichtet hatte. Er wandte sich mit erregt funkelnden Augen den beiden Zenturionen zu.

»Ihr werdet meine Männer wohl früher auf die Probe stellen können, als wir dachten.«

Macro hatte sich schon gedacht, um was es ging, und konnte seine Erregung nicht verbergen. »Die Durotriges sind unterwegs!«

Verica nickte. »Der Kundschafter hat einen Tagesritt südlich von hier einen feindlichen Trupp entdeckt. Sie sind bestimmt hinter der nächsten Nachschubkolonne her.«

»Darauf kannst du wetten.« Die Aussicht auf einen Kampf fegte alles Bemühen um Etikette weg. »Wie viele?«

»Allenfalls fünfhundert, wie der Kundschafter sagte. Überwiegend Infanterie, außerdem ein paar Pferde und Streitwagen.«

»Wunderbar!« Macro schlug sich mit der Faust in die Hand. »Einfach fantastisch!«

11

»Das ist wohl der beste Ort für einen Hinterhalt, den ich je gesehen habe«, meinte Macro, der, die Hände in die Hüften gestemmt, die Umgebung der Furt besichtigte. »Und es ist auch gerade noch so früh am Tag, dass es eine saubere Sache wird.«

»Hatte mir gedacht, dass du einverstanden bist«, erwiderte Cato lächelnd.

Sie standen mit Tincommius am Rande eines Waldes, der sich über einen kleinen Hügel zog. Unter ihnen neigte sich die Landschaft zum Weg hinab, den die Durotriges entlangziehen würden, um die Nachschubkolonne zu überfallen. Jenseits des Weges wurde das in einer Flussschleife gelegene Land immer sumpfiger. Eine halbe Meile zu ihrer Rechten näherte sich der mäandrierende Fluss dem Weg und erzeugte eine natürliche Engstelle. Zu ihrer Linken lag die Furt, und dahinter führte der Weg einen niedrigen Hügel hinauf. Gerade erstieg die letzte Zenturie von Catos Kohorte diesen Hügel und verschwand kurz darauf hinter dem Kamm. Cato hatte ihnen befohlen, den Fluss ein Stück weiter flussabwärts zu überqueren, um keine Spuren an der Furt zu hinterlassen. Macros Kohorte hatte sich unter den Bäumen versteckt; die Kundschafter verbargen sich mit ihren Pferden hinter dem Wald, um im richtigen Moment durchs Tal heranzugaloppieren und die Falle zu schließen. Die berittenen Kundschafter hatten die besten Pferde aus Vericas Stallungen erhalten und würden fliehende Feinde mühelos einholen.

»Die Schufte kommen hier allenfalls schwimmend raus«, bemerkte Macro und wandte sich grinsend an Cato. »Du brauchst dich natürlich keineswegs verpflichtet zu fühlen, sie flussabwärts zu verfolgen.«

Cato lief rot an. »Ich habe einfach keine Gelegenheit gehabt, es richtig zu lernen. Das weißt du genau.«

»Ich frage mich nur, ob du jemals die Gelegenheit dazu finden wirst. Ich habe schon Katzen gesehen, die sich bereitwilliger unter Wasser tauchen ließen als du.«

»Irgendwann einmal, Macro, das schwöre ich dir.«

»Du kannst nicht schwimmen?« Tincommius war überrascht. »Ich dachte, das könntet ihr Legionäre alle.«

Cato lächelte schmallippig. »Ausnahmen bestätigen die Regel.«

»He!« Macro verdrehte den Hals nach rechts. Ein Kundschafter bog um den Hügel und galoppierte tief über die flatternde Mähne seines Pferdes gebeugt auf sie zu. Als er näher kam, eilten Macro und die anderen den Hang hinunter ihm entgegen. Der Mann riss sein Pferd herum und brachte es zum Stehen. Er sprach sehr schnell auf Keltisch und schnappte zwischendurch nach Luft. Als er geendet hatte, stellte Tincommius ihm eine kurze Frage und schickte ihn dann in die Deckung des Waldes. Der Kundschafter saß ab und führte sein Pferd den Hang hinauf außer Sichtweite.

»Und?«, fragte Macro.

»Sie sind noch zwei Meilen entfernt und marschieren in einer einzigen Kolonne, aber mit einer kleinen Kavallerievorhut, die einige hundert Schritte vor der Haupttruppe reitet. Etwa fünfhundert Mann, genau wie erwartet.«

»Cato, du musst diese Reiter abfangen, bevor sie Alarm schlagen können.«

»Das wird knifflig.«

»Ich würde mich gerne mit ihnen befassen.« Tincommius schlug auf den Griff seines Dolchs.

»Du?«, fragte Cato. »Warum?«

»Ich möchte den ersten Stoß für mein Volk führen.«

»Nein.« Macro schüttelte den Kopf. »Dir fehlt die entsprechende Ausbildung. Wahrscheinlich würdest du die Sache verbocken. Außerdem brauche ich dich in meiner Nähe, zum Übersetzen.«

Tincommius senkte den Blick und zuckte mit den Schultern. »Wie du wünschst, Herr.«

»Also dann, Cato.« Macro klopfte ihm auf die Schulter. »Zurück zu deinen Leuten. Du weißt, was zu tun ist. Sorge dafür, dass wir sie auf beiden Seiten der Furt erwischen. Bis dann.«

Cato lächelte, wandte sich um und lief den Weg zur Furt hinunter, während die anderen wieder zu ihrem Versteck im Wald hochstiegen. Seit seiner Rückkehr in den Dienst schmerzte Catos Körperseite immer stärker, und der rasche Querfeldeinmarsch der letzten zwei Tage, um die Durotriges abzufangen, hatte die Sache sogar noch schlimmer gemacht.

Cato trat platschend in das flache Wasser am Rande der Furt und watete durch den Fluss. Am anderen Ufer kam er tropfnass heraus und rannte den Weg zu dem niedrigen Hügel hinauf, der zusammen mit der gegenüber liegenden Erhebung den Fluss einfasste. Hinter der Hügelkuppe hatte sich seine Zenturie schon wie befohlen parallel zum Fluss aufgestellt.

»Legt euch hin!«, schrie er auf Keltisch, und die Atrebates ließen sich ins lange Gras fallen, nun unsichtbar.

»Bedriacus! Zu mir!«

Die Standarte mit dem Wolfskopf hob sich aus dem Gras, gleich darauf vom Grinsegesicht des Jägers gefolgt. Er eilte zu seinem Zenturio und Cato bedeutete ihm, sich neben ihm niederzukauern und dann geduckt mit ihm zum Hügelkamm zurückzuhuschen. Oben angelangt, ließ er sich am Wegesrand auf den Bauch fallen. Bedriacus legte sich neben ihn und deponierte die Standarte behutsam an seiner Seite. Cato nahm seinen Helm mit dem allzu auffälligen Helmbusch ab, legte ihn hin, stemmte sich auf die Ellbogen und suchte mit den Augen den Weg jenseits der Furt ab. Einen Moment lang wanderte sein Blick den Waldrand entlang, wo Macros Kohorte versteckt lag, doch er entdeckte keinerlei Bewegung. Alle waren gut versteckt, und die Landschaft lag so friedlich da, dass die misstrauischen Durotriges wohl keinen Verdacht schöpfen würden.

Die Sonne stand tief am Himmel und die schlanken Grashalme, die sich im leisen Wind wiegten, waren in einen orangefarbenen Schimmer getaucht. Doch das Tageslicht würde noch ein paar Stunden halten und die Durotriges würden längst ausgelöscht sein, bevor die Dunkelheit Schutz zum Entkommen bot.

Es verging wohl eine halbe Stunde, bis die Kundschafter der feindlichen Armee eine halbe Meile vor der Furt auftauchten. Während dieser Zeit hatte Bedriacus vollkommen bewegungslos dagelegen, nur seine Augen waren beim Absuchen der Umgebung in rastloser Bewegung gewesen. Allmählich wuchs Catos Vertrauen in den Jäger. Cato spürte eine winzige Berührung am Arm und schaute sich nach Bedriacus um. Der deutete mit einem ganz leichten Nicken flussaufwärts, und Cato spähte angestrengt in diese Richtung, bis er die fernen Gestalten entdeckte. Auf dem Weg kamen zwei Reiter langsam um den Hügel herum. Sie näherten sich der Furt äußerst vorsichtig und schauten sich nach allen Seiten um.

»Bedriacus …«, flüsterte Cato.

»*Sa?*«

Cato zeigte auf die Kundschafter, machte eine Geste des Halsabschneidens und deutete auf eine Stelle unmittelbar hinter dem Hügelkamm. Bedriacus lächelte sein Zahnlückenlächeln, nickte, schlängelte sich davon und versteckte sich hinter einem stacheligen Grasbusch unmittelbar am Wegesrand. Dann lag er wieder vollkommen bewegungslos da.

Aufmerksam durchs Gras spähend, beobachtete Cato die Kundschafter, wie sie in gerade einmal hundert Schritt Entfernung langsam ans jenseitige Ufer der Furt heranritten. Sie hielten an, wechselten ein paar Worte und zeigten nach hinten, wo die Haupttruppe der Durotriges bald auftauchen musste. Dann ließen beide Männer sich von ihren Pferden gleiten und führten sie über das kiesige Ufer ins flache Wasser. Während die Pferde das Maul in die träge, im Licht schimmernde Strömung senkten, watete einer der Kundschafter ein paar Schritte flussabwärts, schnürte seinen Hosenbund auf und pinkelte mit einem erleichterten Seufzer, der bis zu Cato zu hören war, in einem hohen, goldenen Bogen in den Fluss. Als er fertig war, blieb er noch einen Moment lang flussabwärts blickend stehen, zog dann seine Kniehosen hoch und schnürte den Bund wieder zu. Er watete zum Flussufer zurück, setzte sich neben seinen Kameraden und spähte über die Furt. Cato zwang sich, bewegungslos liegen zu bleiben. Die Sonne stand hinter den Kundschaftern tief am Himmel und beleuchtete die Hügelkuppe, so dass jede plötzliche Bewegung leicht zu entdecken wäre. Doch die Zeit schleppte sich dahin und die Kundschafter ließen keinerlei Anzeichen von Misstrauen erkennen.

In der Ferne schimmerte plötzlich etwas auf, und Cato ließ die Augen weiter flussaufwärts wandern. Eine Kolonne von Streitwagen rumpelte den Weg entlang, die tief stehende Sonne brach sich funkelnd in den glänzenden Bronzehelmen der Krieger, die die kleinen, einachsigen Wagen bemannten. Vierzehn Streitwagen bogen um den Hügel, bevor die ersten Fußtruppen in Sicht kamen. Da die Sonne fast direkt hinter den Feinden stand, musste Cato die Augen zusammenkneifen, um ihre Ausrüstung zu erkennen. Erfreut bemerkte er, dass sie zum größten Teil nur leicht bewaffnet waren und auch kaum Helme besaßen. Die Schilde hatten sie über den Rücken gehängt und trugen unterschiedliche Waffen, zum größten Teil Schwerter und Speere, und außerdem große Proviantaschen mit der Marschverpflegung. Die Nachhut der losen Kolonne wurde von einer kleinen Gruppe schwerer bewaffneter Krieger gebildet, und dahinter folgten anderthalb Dutzend berittener Männer. Wenn die Atrebates so kämpften, wie sie ausgebildet waren, und in Reih und Glied blieben, sollten sie damit fertig werden können.

Sobald die Kundschafter sahen, dass die Kolonne kam, standen sie rasch auf, bestiegen ihre Pferde und durchquerten die Furt. Cato zog den Kopf ein, wandte sich Bedriacus zu und zischte. Der Jäger begegnete dem Blick des Zenturios und nickte. Cato setzte den Helm auf und schnürte die Riemen mit vor Aufregung ungeschickten Fingern zu, bevor er sich tief ins Gras presste. Er hörte die Stimmen der Kundschafter, die sich in ihrem melodischen Keltisch völlig unbefangen unterhielten. Der Klang der Stimmen wurde vom steten Hufschlag und dem Schnauben eines der beiden Pferde untermalt. Als die Krieger noch näher heran waren, spürte Cato das Hämmern seines Herzens und merkte zu seiner Überraschung, dass der Schmerz in seiner Seite verschwunden war. Er zog behutsam das Schwert aus der Scheide und packte den Schild fester. Die Kundschafter klangen jetzt so nahe, dass sie gewiss nur noch wenige Schritte entfernt sein konnten. Doch die Zeit schien sich endlos zu dehnen und er beobachtete eine von der orangefarbenen Glut der sinkenden Sonne angestrahlte Biene, die über seinen Kopf hinwegsummte.

Dann fielen dunkle Schatten über den Hügelkamm und

verkündeten das unmittelbare Kommen der beiden Durotriges. Gewiss würden sie Cato gleich entdecken. Und wenn nicht Cato, dann Bedriacus oder irgendeinen Hinweis auf die Hunderte von Männern, die weiter hügelabwärts lauerten. Doch dann begriff Cato, dass seine Kohorte im Schatten lag und die Augen der Kundschafter sich nach dem gleißenden Licht auf der Sonnenseite des Hügels erst an die veränderten Lichtverhältnisse anpassen mussten. Er hörte, wie die Kundschafter an ihm vorbeiritten. Jetzt mussten sie fast bei Bedriacus angelangt sein. Catos Gedanken rasten. Warum schlug der Jäger verdammt noch mal nicht zu? Was …

Vom Weg her erklang ein Keuchen, ein Pferd wieherte, ein Mann holte Luft, um zu schreien, und ein Körper schlug dumpf auf dem Boden auf. Als Cato sich auf die Knie erhoben hatte, war schon alles vorüber. In zwanzig Fuß Entfernung zog Bedriacus gerade den zweiten Kundschafter vom Pferd. Der Mann war bereits tot: Aus seinem Kinn ragte der Griff eines Dolches, dessen Spitze in seinem Gehirn steckte. Sein Kamerad bewegte sich noch einen Moment lang zuckend im Gras, aus seiner durchschnittenen Kehle quoll stoßweise Blut und spritzte in scharlachroten Tropfen über die grünen Büschel. Dann war er still.

Bedriacus riss seinen Dolch aus dem Schädel des Kundschafters, wischte die Klinge am langen Haar des Getöteten sauber und blickte zu seinem Zenturio auf. Cato nickte lobend und deutete auf die Pferde, die vor Schreck über das plötzliche Auftauchen des Jägers nervös scheuten. Bedriacus ging langsam auf sie zu, redete flüsternd auf sie ein und strich ihnen sanft mit den Fingern über die seidigen Flanken, bis er die Zügel packen konnte.

»Nach hinten«, flüsterte Cato auf Keltisch.

Der Jäger nickte, schnalzte mit der Zunge, führte die Tiere zwischen den versteckten Legionären hindurch und ließ sie laufen. Wie auch immer er es geschafft hatte, die Tiere zu beruhigen – die Wirkung hielt an, denn sie grasten gelassen im üppigen Gras am Wegesrand. Bedriacus trabte zu Cato zurück, griff nach der Wolfsstandarte und verbarg sich wieder neben seinem Kommandanten im hohen Gras.

Das Gerumpel der Streitwagenräder klang nun deutlich von der anderen Seite der Furt herüber, und sobald Cato das erste Plätschern hörte, drehte er sich zu seinen Leuten um, legte die Hand trichterförmig an den Mund und rief, so laut er es wagte: »Kohorte! Aufstehen!«

Beinahe fünfhundert Mann erhoben sich aus dem langen Gras und stellten sich lautlos auf, die ovalen Schilde der Hilfstruppen fest in der Hand. Das lauter gewordene Geplatsche in der Furt verriet, dass nun die Infanterie den Fluss überquerte. Das Gerumpel der Streitwagen war dagegen nicht mehr zu hören. Sie hatten wohl, wie von Cato erwartet, Halt gemacht. Die Furt bot einen ausgezeichneten Platz für ein Nachtlager: eine trockene, vor Blicken recht gut geschützte Stelle mit reichlich Wasser für Menschen und Pferde.

»Schwerter ziehen! Bereit zum Vormarsch!«

Cato wandte sich wieder Bedriacus zu. »Bleib vorerst noch hier.«

Der Jäger nickte. Cato schlich sich den Weg hinauf und reckte den Hals, um die Lage an der Furt zu überblicken. Die halbe Kolonne der Durotriges hatte den Fluss inzwischen überquert. Die Wagenlenker spannten bereits die Pferde aus, während ihre Mannschaft sich am Flussufer um einen kleinen, stiernackigen Mann mit blonden Zöpfen geschart hatte, der ihnen offensichtlich Anweisungen für den Abend erteilte. Er ließ den Blick über seine Männer gleiten und verharrte plötzlich, den Blick starr in Catos Richtung, denn er hatte den scharlachroten Helmbusch des Zenturios gesehen, der in den Strahlen der untergehenden Sonne leuchtete.

»Verdammt!« Cato schlug sich wütend mit dem Schwert gegen den Schenkel. Er stand auf und war nun für die Männer bei der Furt deutlich zu erkennen. Durch die Reihen der Durotriges ging eine Welle erschreckter Rufe. Die Männer, die noch die Furt durchwateten, blieben beim Anblick der im Sonnenlicht schimmernden, in eine blinkende Rüstung gekleideten Gestalt auf dem Hügelkamm erschreckt stehen.

»Kohorte!«, brüllte Cato seinen Befehl. »Vorwärts!«

Die sechs Zenturien der Atrebates marschierten den Hang hinauf und walzten dabei das lange Gras unter ihren Füßen nieder. Dann traten sie aus dem Schatten und bildeten mit ihren roten Mänteln eine schimmernde Front entlang des Hügelkamms, wobei die Standarte mit dem vergoldeten Wolfskopf in der Sonne loderte, als stünde sie in Flammen. Unten bei der Furt hatte der Anführer der Durotriges sich schnell von seinem Schreck erholt und brüllte Befehle. Schon versuchten die Streitwagenlenker in verzweifelter Eile, die Pferde wieder einzuspannen. Die Infanteriekolonne stolperte weiter durch die Furt, und am Ufer verteilten sich die Krieger und beobachteten ängstlich die näher rückende Front aus Schilden.

Am Waldrand jenseits der Furt bemerkte Cato jetzt ebenfalls Bewegung. Macros Kohorte strömte den Hügel hinunter, nahm unten beim Weg Aufstellung und ließ so die Falle für die Durotriges zuschnappen. Zunächst bemerkten die Durotriges die neue Bedrohung gar nicht, so sehr waren sie vom Anblick der Krieger, die Reihe um Reihe in Catos Gefolge den Hügel hinunter auf sie zumarschierten, in Bann geschlagen. Dann aber erklangen Rufe, man zeigte nach hinten, und immer mehr Krieger sahen sich um. Aus dem wirren Haufen von Männern, Pferden und Streitwagen stieg ein Stöhnen auf.

Cato verlangsamte seinen Schritt und fügte sich, Bedriacus im Gefolge, in eine Lücke in der vordersten Reihe seiner

Kohorte. Die Durotriges waren nun nur noch zwanzig Schritt entfernt, eine Masse dunkler Gestalten, die sich vor dem glitzernden Fluss silhouettenartig abhoben. Cato deckte sich mit dem Schild und hob das Schwert, zum Stoß bereit.

»Wölfe! Zum Angriff!«

Unter Kampfgebrüll rannten die Reihen der Atrebates das letzte Stück des Hangs hinunter und prallten in die verwirrte Masse der Feinde. Sofort war die Luft von Schmerzensschreien und dem scharfen Klirren sich kreuzender Schwerter erfüllt. Der Zenturio rammte seinen Schild gegen die dicht gedrängten Leiber und stieß sein Kurzschwert durch die Lücke zwischen seinem Schild und dem Schild seines atrebatischen Nebenmannes. Die Klinge traf auf Widerstand und federte zurück, doch Cato stieß nun energisch zu. Er hörte das Aufstöhnen des Gegners, mit dem ihm der letzte Atem entfuhr, und schon riss der Römer sein Schwert wieder frei, an dessen Griff vorbei das Blut auf seinen Arm spritzte. Zu seiner Rechten brüllte der atrebatische Krieger seinen Schlachtruf, rammte einem Feind den Schildbuckel ins Gesicht und erledigte den Mann mit einem Stoß in den Hals. Einen Moment lang spürte Cato Stolz, dass die intensive Ausbildung der letzten Wochen Früchte getragen hatte und die Kelten wie Römer kämpften.

Cato stieß wieder zu, spürte, dass sein Schlag pariert wurde, und warf sich, von seinem Schild gedeckt, nach vorn. Ihm war bewusst, dass die atrebatischen Reihen links und rechts von ihm stetig vorandrängten, aber dennoch musste er dafür sorgen, dass der Schwung des ersten Angriffs erhalten blieb. Wenn sie stetig vorrückten, würden sie den Feind vernichten.

»Vorwärts, Wölfe!«, schrie Cato mit schriller, fast schon hysterischer Stimme. »Vorwärts! Auf sie! Los!«

Die Männer zu beiden Seiten nahmen den Ruf auf und

übertönten damit die Schreckensschreie der Durotriges. Cato spürte einen Gefallenen unter sich, hob vorsichtig den Fuß und setzte ihn über den gefällten Gegner hinweg, um den nächsten Stoß zu führen.

»Römer!«, schrie Bedriacus von hinten, und Cato spürte an einem Druck gegen seine Waden, dass der am Boden hingestreckte Feind sich umdrehte. Cato hatte gerade noch Zeit für einen Blick nach unten und sah, dass der Durotrige sich zähnefletschend vom Boden hochstemmte und mit einem Dolch gegen ihn ausholte. Plötzlich aber durchlief den Mann ein Beben und er brach zusammen, vom spitzen Ende der Wolfsstandarte unmittelbar unterhalb des Schlüsselbeins getroffen und durchbohrt.

Cato blieb keine Zeit, sich bei dem Jäger zu bedanken, da er vollkommen damit beschäftigt war, die Durotriges zur Furt zurückzutreiben. Über die Köpfe der Gegner hinweg war jetzt Macros Kohorte zu sehen, die sich von hinten auf die feindlichen Truppen stürzte und die berittenen Krieger auseinander trieb und niedermähte, bevor sie an Flucht auch nur denken konnten.

Plötzlich brach eine riesige Gestalt zwischen den Durotriges hervor: ein älterer Krieger mit einem Kettenpanzer über seinem leichten Kittel. Er holte mit dem Schwertarm hoch aus, und am Zenit ihres Bogens angekommen blitzte die lange Klinge in der Sonne auf. Als sie nach unten zischte, stürzte sich Cato unter dem Schlag hinweg auf den Gegner, um ihm das Kurzschwert in die Brust zu rammen. Der Kettenpanzer fing den Stoß jedoch ab, und der Krieger keuchte nur laut auf, als die Luft aus seiner Lunge wich. Dennoch verlor der Schlag des Gegners dadurch geringfügig an Kraft, und da Cato so dicht an ihn herangesprungen war, zischte das Schwert über seine Schulter hinweg. Stattdessen krachte der Schwertgriff nun seitlich gegen seinen Helm und drückte den Helmbusch flach. Catos Kiefer schlugen dröhnend zusammen, und einen Moment lang sah er Sterne und ging zu Boden.

Er hörte einen Schrei, blinzelte und sah allmählich wieder klarer. Der feindliche Krieger lag mit gespaltenem Schädel neben ihm. Cato blickte auf und sah Artax über sich stehen. Ihre Augen begegneten sich und die Klinge des atrebatischen Edelmannes bewegte sich auf Catos Kehle zu. Einen Moment lang verengten sich Artax' Augen, und Cato begriff mit eiskalter Gewissheit, dass der Atrebate zustoßen und sich hier auf dem Schlachtfeld, wo der Tod des Zenturios nichts Verwunderliches wäre, an Cato rächen würde. Doch im selben Moment, als Cato alle Muskeln anspannte, um Artax' Hieb auszuweichen, grinste der Atrebate und winkte spöttisch mit der Klinge. Dann drehte er sich um und verschwand im Schlachtgetümmel.

Cato schüttelte den Kopf, rappelte sich auf und drang weiter vor. Unter ihm spritzte Wasser auf und Cato merkte, dass sich die Wolfskohorte bis zur Furt vorgekämpft hatte. Noch eine letzte Anstrengung und der Kampf war vorüber. Jetzt konnte er sogar Macro hören, der im Kampfesrausch triumphierend seine Befehle brüllte, während er die hintere Front der Gegner niedermetzelte. Inzwischen konnte Cato durch die aufgebrochenen Reihen der Durotriges schon die roten Schilde und Tuniken der anderen Kohorte leuchten sehen. Einer der Feinde blickte Cato plötzlich an, warf sein Schwert in den Fluss und flehte kniend um Gnade. Bevor der Zenturio noch reagieren konnte, stieß der atrebatische Krieger zu seiner Rechten dem Mann das Schwert in die Brust. Cato blickte sich um und sah, dass immer mehr Durotriges törichterweise die Waffen senkten und versuchten, sich zu ergeben. Doch die Atrebates waren im Blutrausch und stachen sie trotzdem nieder.

»Halt!«, schrie Cato verzweifelt über den Schlachtenlärm hinweg. »Wolfskohorte! Halt! AUFHÖREN!«

Als der Krieger zu seiner Rechten sein nächstes Opfer niederstechen wollte, verpasste Cato ihm mit der flachen Schwertklinge einen Schlag auf den Arm und schleuderte ihm die Klinge aus der Hand.

»Genug!«

Von den Befehlen ihrer römischen Offiziere zur Ordnung gerufen, kamen die Atrebates allmählich wieder zur Besinnung. Die überlebenden Durotriges kauerten am Boden oder hatten sich ins tiefere Wasser geflüchtet und standen bis zur Brust in der blutrot gefärbten Strömung.

»Cato! Cato, Junge!« Da war Macro, das strahlende Gesicht blutverschmiert. An seiner Seite hielt Tincommius die Keilerstandarte hoch, eine klaffende Wunde im Oberarm. »Wir haben es geschafft!«

Doch Cato blickte flussabwärts, wo eine kleine Gruppe von Durotriges am Ufer entlang flüchtete.

»Noch nicht ganz, Herr. Schau, dort!«

Macro folgte seiner Aufforderung. »Gut, verfolge sie mit deinen Männern. Ich räume unterdessen hier auf.«

Cato machte kehrt und watete ans Ufer der Furt zurück, wobei er darauf achtete, nicht über die im Wasser treibenden Leichen zu stolpern. Auf festem Boden angelangt, zerrte er Bedriacus aus dem Getümmel und legte die Hand trichterförmig an den Mund.

»Wölfe! Wölfe! Zu mir!«

Seine Abteilungsführer eilten gehorsam herbei, doch die Atrebates hatten begonnen, die Leichen ihrer Gegner zu verstümmeln.

»Wölfe!«, rief Cato erneut.

»Was, zum Teufel, treiben die da?«, murmelte Figulus. »Oh, nein ...«

Cato drehte sich um und sah einen seiner Männer, der die Leiche eines Feindes am Haar gepackt hatte und mit dem Kurzschwert gerade die letzten Halssehnen durchtrennte.

Sich umblickend erkannte Cato, dass viele seiner Leute auf dieselbe Weise beschäftigt waren. Er schaute wieder auf die flüchtenden Durotriges.

»Zenturio Cato!«, brüllte Macro von der Furt her. »Auf was wartest du, verdammt noch mal? Ihnen nach!«

Cato rannte zu seinen Männern zurück, packte den erstbesten Krieger am Arm und stieß ihn in Richtung des fliehenden Feindes. »LOS! BEWEGUNG!«

Einige der anderen Atrebates blickten auf, begriffen seine Absicht und rannten dem Feind hinterher, die abgeschnittenen Köpfe unter den Arm geklemmt.

»Verdammt noch mal!«, explodierte Cato. »Lasst die Köpfe für später zurück.«

Sie beachteten ihn nicht und nahmen die Verfolgung am Flussufer entlang auf. Das Gesicht vor Abscheu verzogen, hielt Cato einen Mann auf und zerrte ihm den Kopf aus den Händen. Der atrebatische Krieger knurrte warnend und hob drohend das Schwert.

»Tincommius!«, rief Cato, ein Auge auf den Krieger geheftet. »Komm her!«

Der atrebatische Edelmann drängte sich zwischen den Männern der Kohorte hindurch auf Cato zu.

»Sag ihnen, sie sollen die Köpfe liegen lassen.«

»Aber das ist Tradition.«

»Scheiß auf die Tradition!«, brüllte Cato. »Die Durotriges entkommen. Sag unseren Männern, sie sollen die Köpfe fallen lassen und die Verfolgung aufnehmen.«

Tincommius gab Catos Befehl an die Kohorte weiter, doch die einzige Reaktion war ein verärgertes Gemurmel. Inzwischen hatten die Durotriges fast eine Viertelmeile Vorsprung und waren in der Dämmerung kaum noch zu erkennen.

»Na gut«, fuhr Cato verzweifelt fort. »Sag ihnen, sie können die Köpfe behalten, die sie jetzt schon haben. Wir kommen zurück und holen den Rest, das schwöre ich.«

Zufrieden mit diesem Kompromiss ließen die Wölfe die verstümmelten Leichen und die wenigen Gefangenen unter der Obhut ihrer Kameraden von der Keilerkohorte zurück. Die abgeschnittenen Köpfe unter die Arme geklemmt und von Cato geführt, dem Bedriacus auf den Fersen folgte, nahmen sie die Verfolgung der Durotriges auf.

Die meisten der flüchtenden Durotriges hatten die Streitwagen bemannt und waren von ihrer schweren Ausrüstung behindert. Trotz ihres Vorsprungs verringerte sich der Abstand allmählich, während Cato, der hinter den Fliehenden hersprintete, sich ständig nach seinen Männern umschaute, ob sie auch Schritt hielten. Wer nicht mit einer Siegestrophäe belastet war, blieb dicht bei ihm, eifrig darauf bedacht, ebenfalls ein sichtbares Zeichen seines Anteils am endgültigen Sieg zu erwerben. Der Rest eilte mit Schild, Schwert und einem oder mehreren Köpfen beladen hinterher. Es gab keinen Uferpfad, und die Durotriges, darunter auch der Anführer mit den blonden Zöpfen, stolperten verzweifelt vorwärts. Einige der Fliehenden waren verwundet und fielen zurück.

Schließlich hatte Cato den hintersten Nachzügler eingeholt. Er zwang sich mit hämmerndem Herzen, noch schneller zu laufen, und machte sich bereit, dem Flüchtenden das Schwert zwischen die Schulterblätter zu stoßen. Als ihn nur noch wenige Schritte von seinem Gegner trennten, blickte der Mann sich um, und seine Augen weiteten sich vor Entsetzen. Er übersah eine kleine Stelle, wo die Uferböschung abgerutscht war, stolperte und fiel hilflos zu Boden. Der Zenturio durchbohrte ihn mit der Klinge und setzte die Verfolgung fort.

Noch einige weitere Nachzügler wurden niedergestreckt, dann rückten die Männer der Wolfskohorte der letzten Gruppe von Fliehenden, die im schwindenden Tageslicht lange Schatten über die grasige Uferbank warfen, unaufhaltsam näher. Schließlich merkten die Feinde, dass das

Spiel aus war, und ihr Anführer bellte seinem Trupp einen Befehl zu. Die Fliehenden stellten sich ihren Verfolgern und schlossen keuchend die Reihen.

Cato und seine Leute waren nicht weniger außer Atem, als sie die Hand voll Krieger umzingelten, die sich, hinten vom Flussufer gedeckt, in einem engen Halbkreis aufgestellt hatten. Die Feinde waren offensichtlich erfahrene Kämpfer und zudem entschlossen, angesichts ihres bevorstehenden Endes so viele Atrebates wie möglich mit in den Tod zu nehmen.

Cato wollte ihnen dennoch eine Überlebenschance bieten. Er zeigte auf den Anführer und deutete nach unten.

»Gib auf«, rief er keuchend auf Keltisch. »Lass deine Waffen fallen.«

»Scheißkerl!« Der feindliche Anführer spuckte aus und schrie Cato dann etwas Unverständliches zu. Was auch immer es bedeutete, es lieferte den Atrebates einen Vorwand zum Angriff und sie stürzten sich in einer scharlachroten Woge vor. Cato schloss sich an, und Bedriacus neben ihm brüllte seinen Schlachtruf. Der untersetzte gegnerische Anführer ließ sein beidhändig geschwungenes Schwert im Bogen niedersausen, und der erste Atrebate, der sich den Ruhm sichern wollte, ihn zu Fall zu bringen, wurde fast in zwei Stücke zerhauen, als die schwere Klinge seinen Schild durchschlug, seinen Arm abtrennte und tief in seine Eingeweide eindrang. Noch mehrere Atrebates wurden von dem kleinen Haufen gepanzerter durotrigischer Krieger niedergestreckt, doch der Ausgang stand von vornherein fest. Einer nach dem anderen gingen die Durotriges zu Boden. Schließlich war nur noch ihr Anführer übrig, blutüberströmt und erschöpft.

Cato schob sich vor, baute sich vor dem Krieger mit den blonden Zöpfen auf, hob den Schild und machte das Schwert zum entscheidenden Stoß bereit. Sein Gegner maß den hageren Römer mit hasserfülltem Blick und fletschte verächtlich die Zähne. Genau wie von Cato vorhergesehen, holte er mit dem Langschwert aus, um den römischen Feind in Stücke zu hauen. Der Zenturio warf sich nach unten und krachte gegen die Beine des Mannes. Der stürzte kopfüber hin und fiel Bedriacus vor die Füße. Ein wildes Triumphgeheul ausstoßend rammte der Jäger dem Feind das Kurzschwert mit einem dumpfen Knirschen in den Schädel. Ein Beben durchlief den am Boden Hingestreckten, dann lag er still da.

Während Cato erschöpft aufstand, säbelte Bedriacus am mächtigen Hals des Anführers herum, der sich nicht ganz so leicht durchtrennen ließ. Cato blickte sich unterdessen nach der Furt um, die beinahe eine halbe Meile entfernt lag. Er war so müde, dass jeder Atemzug schmerzte, und ein Schwindelgefühl überkam ihn. Als er wieder aufblickte, versuchte Bedriacus gerade, den Kopf mit den Zöpfen an der Querstrebe der Standarte festzubinden.

»Nein!«, schrie Cato wütend. »Nicht an meiner Standarte, verdammt noch mal!«

12

Die Siegesnachricht verbreitete sich rasch in den matschigen Gassen Callevas, sobald der von Macro geschickte Bote Verica die Nachricht aufgeregt überbracht hatte. Als die beiden Kohorten sich dem Haupttor näherten, erblickten sie eine große Menschenmenge, die sich davor versammelt hatte. Beim Anblick der Kohorten brach die Menge in lauten Jubel aus. Endlich hatten die Durotriges, die in den letzten Monaten so viel Elend und Kummer verursacht hatten, eine Schlappe einstecken müssen. In Wirklichkeit handelte

es sich ja nur um ein kleines Scharmützel, doch ein verzweifeltes Volk neigt dazu, auch den kleinsten Sieg zu feiern.
Und so jubelten die Leute, als die Kolonne sich Calleva näherte. Ein kurzes Stück hinter den beiden Kohorten rumpelten die Wagen des Nachschubkonvois, den die Durotriges
hatten abfangen wollen. Der Wagenzug hatte sich am Morgen nach dem Kampf mit den Kohorten vereinigt.

An der Spitze der Keilerkohorte marschierte Macro stolz
auf das Tor zu. Er hatte seine Zweifel am Format dieser Eingeborenen gehegt, doch ihre Leistungen waren durchaus
respektabel. Die meisten waren vor wenigen Wochen noch
Bauern gewesen und hatten nie etwas Gefährlicheres ge-
schwungen als eine Hacke. Jetzt aber hatten sie ihre Feuer-
taufe hinter sich und würden ihm vielleicht irgendwann sogar Hochachtung abnötigen. Das durotrigische Überfall-
kommando war praktisch ausradiert worden. Nur eine
Hand voll Feinde hatten sich retten können, indem sie bei
Einbruch der Nacht flussabwärts davonschwammen.
Nachdem es den römischen Offizieren gelungen war, die
Männer unter Kontrolle zu bringen und das Gerangel um
Kopftrophäen zu unterbinden, waren noch fünfzig Gefangene verblieben. Besonders gnadenlos waren die Atrebates
mit der Hand voll ehemaliger Krieger ihres eigenen Stam-
mes verfahren, die sie unter den Feinden entdeckt hatten.
Von diesen war kaum einer verschont worden.

Für die atrebatischen Abtrünnigen war das, was sie als
Vericas feiges Bündnis mit Rom betrachteten, einfach nicht
zu verwinden. Daher hatten sie ihren Stamm im Stich gelassen und sich zu Caratacus' rasch anschwellenden Truppen
geflüchtet. Diese fanden begeisterten Zulauf bei den Kriegern, die der vergangenen Glorie des keltischen Volkes noch
immer die Treue hielten. Die Gefangenen waren mit den
Hälsen an einem langen Seil festgebunden, und stolperten
mit auf den Rücken gefesselten Armen in zwei Reihen zwi-

schen den Kohorten vorwärts. Macro hoffte zwar, sie an die in Calleva wartenden Sklavenhändler verkaufen zu können, war aber realistisch genug, um zu wissen, dass die Atrebates sich mit ziemlicher Sicherheit ein blutiges Vergnügen daraus machen würden, sich gründlich an den Gefangenen zu rächen. Was für eine Verschwendung, dachte Macro mit einem Seufzer, wo doch unversehrte, arbeitsfähige Sklaven auf den gallischen Märkten Spitzenpreise erzielten. Vielleicht ließ sich Verica ja überreden, dem Mob nur die Schwachen und Verletzten vorzuwerfen und die Gesunden für ein gewinnbringenderes Schicksal aufzusparen.

Macro wandte sich wieder Tincommius zu. Der junge Edelmann hielt die schimmernde Keilerstandarte mit feierlichem Blick so hoch er konnte.

»Ein richtig begeisterter Empfang.« Macro nickte zur Menschenmenge beim Tor hinüber.

»Dieser Haufen würde alles bejubeln, was ...«

Macro musste über den Zynismus des jungen Mannes lächeln. »Geh und frag Cato, ob er nicht zu uns kommen will. Wir sollten diesen Empfang eigentlich gemeinsam genießen.«

Tincommius trat aus der Reihe und trabte die Kolonne aus schwankenden roten Schilden entlang nach hinten, wobei er die fröhlichen Frotzeleien der Männer, an denen er vorbeikam, einfach überging. Als er den jüngeren Zenturio an der Spitze der Wolfskohorte erreicht hatte, nickte er Bedriacus einen Gruß zu und fiel neben Cato in Gleichschritt.

»Zenturio Macro lässt fragen, ob du nicht an seiner Seite durch das Tor einziehen möchtest.«

»Nein.«

»Nein?« Tincommius hob fragend die Augenbrauen.

»Richte ihm meinen Dank aus, aber meiner Meinung nach sieht es besser aus, wenn ich zusammen mit meiner Kohorte einmarschiere.«

»Er findet, dass du den Beifall nicht weniger verdient hast als er.«

»Und alle diese Männer.« Cato fand es völlig verständlich, dass Macro diesen Moment des Triumphs genießen wollte. Verständlich, aber politisch unklug. »Richte Zenturio Macro meinen Respekt aus, aber ich werde an der Spitze meiner eigenen Männer nach Calleva einziehen.«

Tincommius zuckte mit den Schultern. »Jawohl, Herr. Wie du wünschst.«

Als Tincommius zu seiner Einheit zurückkehrte, schüttelte Cato den Kopf. Es war wichtig, dass Verica und die Atrebates dies als ihren eigenen Sieg betrachteten. Jetzt war nicht die Zeit, um anlässlich eines kleinen Sieges in Triumphgefühlen zu schwelgen, auch wenn die Aussicht, als Held bejubelt zu werden, irgendeinem memmenhaften Anteil in ihm durchaus gefiel.

Dies war zudem ein leichter Sieg gewesen, weil der Feind sich in Sicherheit gewiegt hatte. Offensichtlich hatten die Plünderer sich schon daran gewöhnt, ungehindert durchs Gebiet der Atrebates zu streifen. Sie wussten inzwischen, dass sie für die Legionen zu schnell waren, während die Atrebates ihnen praktisch keinen Widerstand entgegensetzen konnten, und so verwunderte es nicht, dass die Bande so arglos in die Falle getappt war. Ein erfolgreicher Hinterhalt war das eine, doch wie würden sich seine nur oberflächlich ausgebildeten Männer gegen eine feindliche Front behaupten, die es auf eine echte Schlacht abgesehen hatte? Wie schnell würden die jetzt Begeisterten dann den Mut verlieren? Ihre Prahlereien würden ihnen im Hals stecken bleiben. Eiskalte Furcht würde sich ihrer Phantasie bemächtigen und all das dunkle Entsetzen zum Vorschein bringen, mit dem Männer unmittelbar vor einer Schlacht zu kämpfen hatten.

Jetzt, da er in den Rang eines Zenturios aufgestiegen war,

war Catos ständige Selbstbekrittelung schlimmer denn je. Trotz der ausgelassenen Feierstimmung, die ihn von allen Seiten umbrandete, fühlte Cato eine bittere Melancholie und musste sich zu einem Lächeln zwingen, als er sich umdrehte und Bedriacus' albernem Grinsen begegnete, der die Wolfsstandarte hoch über dem Kopf hin und her schwenkte.

Die Kohorte marschierte nun zwischen den aufgeregten Zuschauern hindurch und Vericas Leibwächter hatten alle Mühe zu verhindern, dass ihr König im Gedränge angerempelt wurde. Der Jubel hallte in Catos Ohren, rotbackige Gesichter strahlten ihn an und raue Hände klopften ihm auf die Schultern. Der Versuch, irgendeine Art von Marschordnung aufrechtzuerhalten, scheiterte endgültig, und die Männer der beiden Kohorten vermischten sich mit dem Rest ihres Stammes. Hier und dort hielten stolze Krieger die Köpfe ihrer Feinde hoch, damit Freunde und Verwandte sie bewundern konnten. Sosehr Cato die Männer inzwischen mochte und in gewisser Weise auch bewunderte, überkam ihn bei dieser Zurschaustellung doch eine leichte Übelkeit. Wenn die Insel erst einmal befriedet war, ließen die Atrebates sich vielleicht zu zivilisierteren Sitten bewegen, doch vorläufig musste man die merkwürdigen keltischen Kriegsgebräuche eben hinnehmen.

In der Menge ertönte plötzlich ein Schrei, der in ein grelles Jammergeheul überging. Eine Frau stand mit vor den Mund geschlagener Hand da und biss sich auf den Daumen, während sie mit aufgerissenen Augen auf einen Kopf starrte, den einer von Catos Leuten den Zuschauern triumphierend entgegenreckte. Wieder schrie sie auf und versuchte mit einem plötzlichen Satz, die blutverklebten Haare zu packen. Der Krieger hob den Kopf so hoch, dass sie ihn nicht mehr erreichen konnte, und lachte. Die Frau zerrte jammernd an seinem Arm, bis er sie mit der freien Hand zu Boden stieß. Dort brach sie in ein Schluchzen aus, das tief aus ihrem Inneren aufstieg, umklammerte zitternd den Saum der Tunika des Kriegers und flehte ihn an.

»Worum geht es da?«, fragte Cato.

Wie alle anderen hatte auch Tincommius die Konfrontation beobachtet. »Anscheinend ist es das Haupt ihres Sohnes. Sie möchte es bestatten.«

»Und der Krieger möchte es als Trophäe?« Cato schüttelte traurig den Kopf. »Das ist hart.«

»Nein«, schimpfte Tincommius. »Es ist entehrend. Hier, halt das mal.«

Er drückte Cato die Keilerstandarte in die Hand und trat zwischen die Frau und den Krieger, der noch immer den abgeschnittenen Kopf hochhielt. Tincommius zerrte den Arm des Mannes nach unten und redete wütend auf ihn ein, wobei er immer wieder auf die Frau deutete. Der Krieger verbarg das Haupt hinter seinem Rücken und antwortete nicht weniger wütend und empört. Unterdessen scharten sich die Leute um die Streitenden und unterstützten den Krieger mit Zurufen, obgleich einige, wie Cato bemerkte, still blieben und sich damit unausgesprochen auf Tincommius' Seite stellten. Der atrebatische Prinz war nicht in der Stimmung, irgendeinen Mangel an Respekt vor seinem Rang zu dulden, und schlug dem Krieger unvermittelt die Faust ins Gesicht. Die Umstehenden wichen zurück, als der Krieger nach hinten taumelte und Tincommius ihn noch einmal kräftig in den Bauch trat, um einem Gegenangriff vorzubeugen. Während der Mann noch um Luft rang und seinen Angreifer mit offenem Mund wild anstarrte, löste Tincommius gelassen seine Finger aus dem verkrusteten Haar des abgeschnittenen Hauptes und hielt ihn der Frau behutsam hin. Die rührte sich einen Moment lang nicht und griff dann mit schmerzverzerrtem Gesicht nach dem, was von ihrem Sohn übrig geblieben war. Ohne ihren Kummer zu beachten, schrien fast alle Zuschauer wütend auf Tincommius ein.

»GENUG!«, brüllte Cato, zog sein Schwert und hob die Standarte hoch über den Kopf, um sich Beachtung zu verschaffen. »RUHE!«

Der Geschrei verstummte und die Beteiligten sahen Cato feindselig an, wütend über seine Einmischung, fürchteten aber die Römer zu sehr, um ihn mit Widerspruch herauszufordern. Cato ließ die Augen über die Umstehenden wandern und mahnte sie mit seinem energischen Blick zur Ruhe, bevor er seine Aufmerksamkeit der am Boden sitzenden Frau zuwandte, die das Haupt in ihrem Schoß wiegte und die kalten Wangen streichelte.

Beim Anblick der Frau empfand Cato ihren herzzerreißenden Schmerz qualvoll mit. Dann schluckte er, riss sich zusammen und blickte wieder zur Menge auf. Er musste diese Menschen zufriedenstellen und ihnen um des römischen Bündnisses mit den Atrebates willen geben, was sie wollten, wie sehr es ihm auch widerstreben mochte.

»Tincommius!«

»Zenturio?«

»Gib diesem Krieger das Haupt zurück.«

Tincommius runzelte die Stirn. »Was? Was hast du gesagt?«

»Gib dem Mann das Haupt zurück. Es ist seine Trophäe.«

Tincommius deutete mit dem Finger auf die Frau. »Es ist *ihr* Sohn.«

»Nicht mehr. Tu, was ich dir sage.«

»Nein.«

»Ich befehle es«, erklärte Cato ruhig und trat so nah an Tincommius heran, dass ihre Gesichter nur noch zwei Handbreit voneinander entfernt waren. »Ich befehle es dir – sofort.«

Einen Moment lang las Cato in den frappierend blauen Augen die Entschlossenheit, ihm die Stirn zu bieten. Dann aber atmete Tincommius tief durch, wandte den Blick ab und sah in die Gesichter der Umstehenden. Er nickte langsam und sagte: »Wie du befiehlst, Zenturio Cato.«

Der atrebatische Prinz kehrte sich zu der Frau um, redete ihr freundlich zu und streckte die Hand aus. Sie sah ihn entsetzt an, noch immer die Wangen ihres Sohnes streichelnd, und schüttelte dann den Kopf »Na!«

Tincommius hockte sich neben sie, sprach weiter leise auf sie ein, deutete mit einem Kopfnicken auf Cato und löste ihre Hände von dem Kopf. Sie sah den Zenturio mit einem Blick eiskalten, fanatischen Hasses an, doch dann merkte sie, dass der Kopf ihr aus den Händen genommen wurde. Mit einem Schrei wollte sie ihn wieder packen, doch Tincommius schob sie mit seiner freien Hand zu Boden und stieß dem Krieger mit der anderen Hand die grässliche Trophäe entgegen. Der Mann konnte seine Überraschung, den Kopf nun doch zurückzubekommen, nicht verbergen, und hob die Trophäe sofort hoch in die Luft; bei dieser Geste brüllte die Menge triumphierend auf.

Die Frau streckte ein letztes Mal verzweifelt die Hand nach dem Haupt aus, doch Tincommius hielt sie am Boden fest und plötzlich drehte sie sich zu ihm um und spuckte ihm ins Gesicht. Der atrebatische Prinz zuckte überrascht zurück und mit einem letzten wütenden Knurren rollte die Frau sich auf dem Boden zusammen und weinte bitterlich. Cato zog Tincommius vom Schauplatz weg.

»Es musste sein. Wir hatten keine Wahl. Du hast doch die Reaktion der Menge gesehen.«

Tincommius wischte sich den Speichel von der Stirn, bevor er antwortete.

»Aber es war ihr Sohn. Sie hatte das Recht, ihm diese Ehre zu erweisen.«

»Selbst nachdem er sein Volk verraten hatte? Und damit auch sie?«

Tincommius schwieg einen Moment lang. Dann nickte er langsam. »Du hast wohl Recht. Es war vermutlich unvermeidlich. Ich hatte nur das Gefühl …«

»Ich weiß, was für ein Gefühl du hattest.«

»Wirklich?« Tincommius sah ihn einen Moment lang verblüfft an, fasste sich jedoch schnell wieder und nickte. »Vermutlich versteht sogar ein Römer, was Trauer bedeutet.«

»Da kannst du sicher sein.« Cato lächelte matt. »Und jetzt nimm die Standarte und geh wieder zu Macro.«

Zum Glück gab es keine weiteren Szenen dieser Art, als Cato und Bedriacus sich durchs Getümmel zum Stadttor Callevas drängten. Auf der einen Torseite stand Verica auf einem Wagen, von seinem Gefolge und der königlichen Leibwache umgeben. Cato erblickte die Keilerstandarte, die sich stockend auf Verica zuarbeitete, drehte sich zu Bedriacus um und zeigte auf den atrebatischen König.

»Komm mit!«

Der Jäger nickte, und bevor Cato ihn aufhalten konnte, pflügte er durch die Menge und schob die Leute grob beiseite, um seinem Zenturio einen Pfad zu bahnen. Einen Moment lang befürchtete Cato, die Stimmung könnte umschlagen, aber die Atrebates waren viel zu gut gelaunt, um irgendetwas übel zu nehmen. Zur Feier des Sieges hatte man in Calleva schon kräftig getrunken, und die heimkehrenden Soldaten gaben sich alle Mühe, das Versäumte nachzuholen und sprachen den Krügen mit einheimischem Bier, die herumgereicht wurden, tüchtig zu. Trotz der Bemühungen des Jägers dauerte es ziemlich lange, bis Cato endlich zu Macro und Tincommius durchkam. Cato war erleichtert, als er schließlich aus dem dichten Gedränge herausgelangte und zwischen den Schilden der Leibwächter zu König Verica durchschlüpfen konnte.

»Zenturio Cato!«, sagte Verica mit einem Lächeln und hob grüßend die Hand. »Meine herzlichsten Glückwünsche zu eurem Sieg.«

»Es ist dein Sieg, Majestät. Deiner und der deines Volkes. Deine Leute haben ihn verdient.«

»Ein hohes Lob aus dem Mund eines römischen Offiziers.«

»Gewiss, Majestät. Ich bin mir sicher, dass die Männer auch künftig meinen Stolz auf sie rechtfertigen werden.«

»Natürlich. Aber jetzt müssen wir sie erst einmal feiern lassen.« Verica wandte sich Macro zu. »Wenn ihr euch ausgeruht habt, würde ich gerne die ganze Geschichte hören. Bitte seid heute Abend meine Gäste im Königssaal.«

Macro neigte den Kopf. »Es ist uns eine Ehre, Majestät.«

»Sehr schön, also bis dahin.«

Man half Verica vom Wagen herunter. Er wandte sich dem Tor zu und seine Leibwache stellte sich rasch um ihn auf und bahnte ihm einen Weg durch die Menge.

»Los jetzt«, sagte Macro, nachdem er den Befehl an die Kohorten ausgegeben hatte, sich am nächsten Morgen im römischen Lager zu versammeln. »Wir müssen die Wagen ins Lager schaffen, bevor die Eingeborenen wieder so weit zur Vernunft kommen, dass sie die Lieferung plündern.«

Als Macro und Cato den Konvoi nach Calleva hineingeleitet hatten, wurde rasch deutlich, dass viele der Atrebates sich keineswegs in Feierlaune befanden. Vor einigen Hütten hockten kleine Gruppen von Männern und starrten schweigend die Wagen an, die über die ausgefahrenen Straßen zum römischen Lager rumpelten. Nur die Kinder schienen die Spannungen im gespaltenen Calleva nicht zu bemerken, und sie rannten glücklich neben den Wagen her und neckten lachend die Fahrer. In der Stadt hatte sich das Gerücht verbreitet, dass ein Teil der Vorräte an die Bewohner ausgegeben würde, und selbst die Kinder freuten sich darauf, bald etwas in den Bauch zu bekommen.

Als sie Macro und Cato entdeckten, eilten sie zu den beiden Zenturionen, die die Durotriges besiegt hatten, umdrängten sie und plapperten in ihrem singenden Keltisch auf sie ein.

»Schon gut! Schon gut!« Macro hob grinsend die Hände. »Seht ihr? Ich habe nichts für euch. Absolut gar nichts!«

Catos finstere Miene hatte alle bis auf die unerschrockensten Kinder abgeschreckt, und auch die starrte er so böse an, dass sie endlich begriffen und sich lieber an Macro hielten.

»Warum denn so niedergeschlagen? He, Cato!«

Cato blickte sich um. »Niedergeschlagen?«

»Du siehst aus wie einer, der gerade einen Kampf verloren hat, aber ganz und gar nicht wie ein Sieger! Komm schon, Junge. Feiere mit uns.«

»Später.«

»Später? Warum denn nicht jetzt?«

»Herr.« Cato deutete mit einem Nicken auf die Kinder.

Eines von ihnen war besonders wagemutig und fingerte begehrlich an einem von Macros silbernen Orden herum.

»Also wirklich, du kleiner Gauner!« Macro verpasste dem Jungen eine schallende Ohrfeige. »Was hast du dir eigentlich dabei gedacht, du Zwerg? Ich meine übrigens euch alle! Ihr habt euren Spaß gehabt, und jetzt verpisst euch!«

Er fegte sie mit kräftigen Armbewegungen beiseite, so dass einige unter schrillem Gekreische der Länge nach hinfielen. Die anderen hielten sich außer Reichweite und kicherten, als er ihnen eine Grimasse schnitt. »Grrrr! Weg hier, bevor der böse Römerriese euch zum Abendessen frisst.«

Als die Kinder ihn weiter verfolgten, gewann Macros Erschöpfung die Oberhand über seine Gutmütigkeit und er drehte sich um und zog sein Schwert. Beim Anblick der blitzenden Klinge flohen die Kinder schreiend in die schmalen Gassen zwischen den Hütten.

»Schon besser«, knurrte Macro befriedigt. »Aber die geben wirklich nicht leicht auf, diese Bälger.«

»Schuld daran sind die Eltern«, erwiderte Cato mit humorlosem Lächeln. »So langsam, wie der Feldzug des Generals vorankommt, würde es mich nicht überraschen, wenn diese Kinder als Erwachsene selber noch mit uns gegen die Durotriges kämpfen müssen. Oder aber, sie kämpfen dann gegen uns.«

Macro blieb stehen und sah den jüngeren Zenturio an. »Du bist aber wirklich in einer beschissenen Stimmung, oder?«

Cato zuckte mit den Schultern. »Ich habe nur nachgedacht. Das ist alles. Kümmere dich einfach nicht darum.«

»Nachgedacht?« Macro hob die Augenbrauen und schüttelte dann traurig den Kopf. »Jedes Ding hat seine Zeit und das gilt auch fürs Nachdenken, mein Junge. Jetzt aber sollten wir feiern, genau wie unsere Leute. Gerade du solltest feiern.«

Cato hob erstaunt die Augenbrauen. »Ich?«

»Du hast bewiesen, dass diese Quacksalber sich geirrt haben. Noch vor ein paar Wochen sah es so aus, als würde man dich wegen deiner Verletzung entlassen. Wenn sie dich nur in Aktion hätten sehen können! Lass uns also feiern. Sobald wir diese Wagen sicher ins Depot geleitet haben, werden wir beide, du und ich, uns einen ordentlichen Schluck genehmigen. Ich geb einen aus.«

Cato hatte Mühe, sich nicht anmerken zu lassen, dass er bei der Aussicht auf eines von Macros Zechgelagen eher zurückschreckte. Im Gegensatz zu seinem Freund, der durch nichts zu verwüsten war und jeden Alkoholexzess mühelos wegsteckte, stiegen Wein und Bier Cato sofort zu Kopf, und danach litt er tagelang an den Folgen. Bei aller Erleichterung darüber, dass die Wundärzte sich geirrt hatten, gab es einiges, was auch weiterhin seine Aufmerksamkeit verlangte.

»Wir müssen sofort einen Bericht an den Legaten und an den General schicken, Herr. Außerdem sind wir heute Abend bei Verica eingeladen.«

»Scheiß auf Verica. Los, besaufen wir uns.«

»Das geht nicht«, beharrte Cato geduldig. »Wir dürfen Verica auf keinen Fall beleidigen. Vespasians Befehle sind da völlig eindeutig.«

»Verdammte Befehle.«

Cato nickte mitfühlend und versuchte dann, das Thema zu wechseln. »Außerdem müssen wir über die Leistung unserer Männer nachdenken.«

»Was gibt es da nachzudenken? Wir haben die Durotriges platt gemacht.«

»Diesmal schon. Doch wenn wir ihnen nächstes Mal gegenüberstehen, ist der Überrumpelungsvorteil weg.«

»Die Jungs haben ihre Sache gut gemacht«, protestierte Macro. »Sind an den Feind rangegangen, als wären sie alte Hasen. Na ja, vielleicht nicht wie echte Berufssoldaten – an die Legionen werden sie niemals heranreichen.«

»Genau. Und das bereitet mir Sorgen. Sie haben zu viel Selbstvertrauen. Das kann gefährlich werden. Sie brauchen mehr Übung.«

»Aber klar doch!« Macro schlug ihm auf die Schulter. »Und wir sind genau die richtigen Leute, um dafür zu sorgen. Also, wir werden sie in Grund und Boden drillen, bis sie den Tag verfluchen, an dem sie geboren wurden. Am Ende werden sie so gut sein wie die anderen Hilfssoldaten, die unter dem Adler Dienst tun. Das lass dir gesagt sein.«

»Hoffentlich.« Cato zwang sich zu einem Lächeln.

»Genau die richtige Einstellung! Und jetzt lass uns ins Lager zurückkehren und schauen, ob wir nicht ein oder zwei Krüge Wein auftreiben können.«

13

Verica kehrte von der ausgelassen feiernden Menschenmenge direkt in seine königliche Umfriedung zurück und rief seine Berater und die vertrauenswürdigsten Mitglieder seiner Familie zu sich. Er wartete, bis auch der letzte Küchensklave den Raum verlassen hatte, bevor er das Wort ergriff. Seine Zuhörerschaft saß an einer langen Tafel und beobachtete den König gespannt. Mehrere Krüge mit Wein standen für die Versammelten bereit und jeder Geladene hatte einen Weinbecher vor sich. Verica wollte zwar, dass sie die Lage mit klarem Kopf besprachen, doch es sollte sich auch jeder so ehrlich wie möglich äußern, und ein ordentlicher Schluck Wein war ein probates Mittel, um die Zunge zu lösen.

Neben seinem Rat weiser Männer, der aus den ältesten und geachtetsten atrebatischen Adligen bestand, war auch die draufgängerische Jugend vertreten, nämlich durch die jungen Edelleute Tincommius, Artax und Cadminius, den Hauptmann der königlichen Leibwache. Verica brauchte ein möglichst breites Meinungsspektrum all jener Anhänger, auf deren Loyalität seine Herrschaft beruhte. Die jungen Männer wirkten aufgeregt und auch recht beeindruckt, dass man sie zu einer so wichtigen Beratung hinzugezogen hatte.

Nachdem die Tür zugefallen war, entstand eine kurze Pause, bevor Verica das Wort ergriff. Er wusste, wie sehr ein Moment erwartungsvollen Schweigens die Konzentration fördert.

Dann räusperte er sich und begann: »Bevor wir uns dem eigentlichen Thema dieser Versammlung zuwenden, möchte ich euch einen Eid schwören lassen, dass alles, was an diesem Nachmittag besprochen wird, nicht aus diesen Wänden hier hinausdringt. Schwört jetzt!«

Seine Gäste legten die Hände auf ihre Dolchgriffe und stimmten ein gemeinsames Gemurmel an. Ein oder zwei wirkten durch die Anweisung ein wenig gekränkt.

»Nun gut, so lasst uns beginnen. Inzwischen wisst ihr alle, dass beim Hinterhalt auch einige atrebatische Gefangene gemacht wurden. Die meisten von euch waren dabei, als die Kohorten empfangen wurden. Vielleicht habt ihr die unglückselige Szene beobachtet, als eine Frau das Haupt ihres Sohnes unter den Kriegstrophäen entdeckte.«

Cadminius musste bei dieser Erinnerung grinsen, und ein grausames Gefühl der Belustigung über die grässliche Entdeckung der Frau brachte andere zum Kichern. Vericas Gesicht blieb, abgesehen von seinen Augen, die sich bei diesem Gelächter bestürzt und missbilligend weiteten, ausdruckslos. Als es wieder ruhig geworden war, beugte er sich leicht vor.

»Meine Herren, das ist überhaupt nicht komisch. Wenn Angehörige unseres Volkes sich gegenseitig umbringen, ist das kein Grund zur Freude.«

»Aber Majestät«, protestierte ein alter Krieger. »Der Mann hat uns verraten. All diese Männer haben uns verraten. Sie haben ihr Schicksal verdient, und diese Frau sollte sich schämen, um einen Sohn zu trauern, der sich gegen sein eigenes Volk und seinen eigenen König gekehrt hat.«

Diesen Worten folgte ein zustimmendes Gemurmel, doch Verica gebot mit einer Handbewegung Ruhe.

»Ich stimme dir zu, Mendacus. Aber was ist mit dem Volk da draußen? Mit den Bewohnern Callevas und der Gebiete jenseits unserer Stadtmauern? Wie viele von denen werden uns zustimmen? Gewiss nicht alle. Woran liegt es, dass so viele von ihnen für Caratacus kämpfen? Und damit gegen uns und unsere römischen Verbündeten. Beantworte mir diese Frage!«

»Solche Männer sind Narren, Majestät«, antwortete

Mendacus. »Heißsporne. Junge Männer, die sich leicht zu allem Möglichen hinreißen lassen …«

»Narren?« Verica schüttelte traurig den Kopf. »Sie sind keine Narren. Es ist nicht leicht, dem eigenen Vok den Rücken zu kehren. Wer sollte das besser wissen als ich?«

Der König hob die Augen und musterte die Tischgesellschaft. Seine Scham spiegelte sich in ihren Mienen wider. Als Caratacus vor einigen Jahren Calleva angegriffen hatte, war Verica geflohen, um sein Leben zu retten. Wie ein Feigling war er in der Nacht davongelaufen und hatte die Römer um Schutz angefleht. Diese hatten erkannt, dass ihnen der alte Mann vielleicht noch nützlich werden würde, und hatten ihn wohlwollend bei sich aufgenommen. Doch eine solche Gastfreundschaft hatte ihren Preis. Zum gegebenen Zeitpunkt wurde die Gegenleistung eingefordert, und Narcissus hatte ihm eindeutig klargemacht, dass Rom als Preis für die Rückeroberung seines Throns ewigen Gehorsam verlangte. Nicht mehr und nicht weniger. Verica hatte bereitwillig zugestimmt, wie es ihm selbst und Narcissus von vornherein klar gewesen war. Bei der Landung der Legionen in Britannien war Verica folglich dabei gewesen. Man hatte ihm sein Königreich auf einer römischen Schwertspitze zurückgereicht, und die vielen, die an ihren catuvellaunischen Oberherren festhielten, waren ins Exil geflüchtet oder im Kampf gefallen.

Die meisten der Männer, die jetzt um den Tisch versammelt waren, hatten rasch verstanden, wie nutzlos es war, der eisernen Macht der Legionen Widerstand zu leisten. Als der ehemalige König von vier römischen Kohorten durch das Tor und die verwinkelten Gassen Callevas in die königliche Umfriedung geleitet worden war, waren sie ihm entgegengegangen, um ihn willkommen zu heißen. Doch kaum ein Jahr zuvor hatten sie Verica als schwache und feige Marionette Roms verurteilt. Inzwischen hatten sie Stolz und

Prinzipien heruntergeschluckt und waren ebenfalls Marionetten. Was sie genau wussten.

Verica lehnte sich zurück und fuhr fort: »Diese Männer, die wir Verräter nennen, handeln aus persönlicher Überzeugung. Sie haben ein Ideal – etwas, das, wie ich hinzufügen könnte, heute Abend an diesem Tisch nicht sehr häufig vertreten ist ...« Verica forderte jeden der Männer heraus, ihm in die Augen zu sehen und ihm zu widersprechen. Doch nur Artax begegnete dem herausfordernden Glanz in den Augen des Königs. Verica nickte ihm ein Lob zu und fuhr fort: »Diese Männer glauben an ein Band, das die Kelten über alle Stammesgrenzen hinweg verbindet. Sie glauben an eine größere Treue als nur den blinden Glauben an ihren König.«

Cadminius schüttelte den Kopf: »Welche Treue könnte denn wichtiger sein?«

»Treue gegenüber der Rasse, der Kultur und dem Blut, dem wir entstammen. Ist das nicht eine Treue, für die es zu kämpfen lohnt? Und auch zu sterben? Nun ...?«, schloss Verica seine Rede gelassen.

In der Rhetorik des alten Königs lag etwas Bezwingendes, das einige der Männer am Tisch tief berührte. Einige waren sogar kühn genug, zustimmend zu nicken. Doch Tincommius sah seinen Onkel mit einem berechnenden Blick an.

»Worauf willst du hinaus, Majestät?«

»Was denkst du? Will ich überhaupt auf etwas hinaus? Ich möchte euch nur erklären, warum einige Mitglieder unseres Stammes sich dafür entschieden haben, uns den Rücken zu kehren, ihre Familien im Stich zu lassen und für Caratacus zu kämpfen. Wir müssen zu verstehen versuchen, was sie dazu treibt, wenn wir verhindern wollen, dass solche Gedanken sich weiter ausbreiten.«

»Müssen wir auch unser Bündnis mit Rom neu überdenken?«, fragte Tincommius leise.

Rundum reagierte man mit einem bestürzten Aufkeuchen auf diese erstaunlich freimütige Frage. König Verica sah Tincommius an und langsam verzogen seine Lippen sich zu einem Lächeln.

»Warum denn?«, fragte Verica seinen Stammesgenossen. »Warum sollte ich das überdenken wollen?«

»Ich sagte nicht, dass du das willst, sondern nur, dass wir alle Möglichkeiten in Betracht ziehen müssen, die sich uns bieten. Das ist alles ...«

Tincommius brach ab, als er merkte, dass alle anderen ihn anstarrten.

»Nun denn, befassen wir uns mit der Frage«, meinte Verica mit gleichmütiger Stimme. »Welche Möglichkeiten bieten sich uns überhaupt? Ich würde es zu schätzen wissen, wenn jeder seine Meinung offen ausspricht. Wir müssen alle denkbaren Standpunkte gründlich durchleuchten, selbst wenn wir uns am Ende des Abends anders entscheiden. Nun, Tincommius, welche Möglichkeiten gibt es, deiner ... bescheidenen Meinung nach?«

Der junge Mann merkte, dass der König ihn hereingelegt hatte, und versuchte, sich seine Verärgerung nicht anmerken zu lassen, als er nach einer kurzen Denkpause antwortete.

»Majestät, ganz offensichtlich ist die grundlegende Wahl die zwischen Caratacus und Rom. Neutralität ist unmöglich.«

»Warum?«

»Caratacus würde unsere Neutralität vielleicht respektieren, weil sie ihn nichts kosten, dem römischen Feldzug aber schaden würde. Rom dagegen würde unsere Neutralität niemals dulden, da die Hauptnachschublinien der Legionen durch unser Gebiet laufen. Daher müssen wir uns für eine der Seiten entscheiden, Majestät.«

Verica nickte. »Und wir haben uns entschieden. Die Frage, meine Herren, lautet nun, haben wir uns für die richtige Seite entschieden? Wird Rom diesen Krieg gewinnen?«

Die Adligen überlegten einen Moment lang, dann stemmte Mendacus die Ellbogen auf den Tisch und räusperte sich. »Majestät, du weißt, dass ich die Legionen habe kämpfen sehen. Ich war letzten Sommer am Mead Way bei ihrem vernichtenden Sieg über Caratacus dabei. Sie sind unbesiegbar.«

Verica lächelte. Mendacus war tatsächlich dabei gewesen – und hatte, wie einige der anderen im Raum, an Caratacus' Seite gekämpft. Auch Verica war dort gewesen, allerdings auf der anderen Seite des Flusses, zusammen mit Tincommius. Doch all das war nun Vergangenheit. Nach seiner Reinthronisation hatte Verica auf Befehl von Narcissus Milde walten lassen und die adligen Rebellen wieder am Hof aufgenommen. Er hatte seine Zweifel, ob diese Entscheidung damals klug war, doch Narcissus war eisern geblieben. Der kaiserliche Sekretär hatte die römische Großherzigkeit demonstrativ unter Beweis stellen wollen. Also hatte Verica den Adligen ihre Ländereien zurückgegeben und ihnen verziehen. Er blickte in die Runde und sah dann wieder Mendacus an.

»Unbesiegbar, sagst du?«

»Keiner ist unbesiegbar!«, schnaubte Artax verächtlich. »Nicht einmal deine Römer.«

»›Deine Römer‹«, wiederholte Mendacus mit erstaunt hochgezogenen Augenbrauen. »Nachdem *du* kürzlich unter zwei römischen Zenturionen gedient hast, dachte ich eigentlich, du würdest dich ihnen zugehöriger fühlen.«

»Was willst du damit sagen, alter Mann? Was wirfst du mir vor? Ich diene König Verica und keinem anderen. Willst du etwa etwas anderes behaupten?«

»Ich hatte mich nur gefragt, wie erfolgreich deine Ausbildung war«, hakte Mendacus geschickt nach. »Wie weit du … romanisiert worden bist.«

Artax ließ die Faust so heftig auf den Tisch krachen, dass einige Trinkbecher umkippten. »Nach draußen! Wir gehen auf der Stelle nach draußen, du alter Schurke! Du und ich. Das werden wir bald geklärt haben.«

»Friede! Meine Herren, bitte … bitte«, griff Verica müde ein. Die Spaltungen zwischen den atrebatischen Edelleuten hatten sich wegen der Ereignisse der letzten Jahre hoffnungslos verkompliziert, und es führte zu nichts, sich gegenseitig anzuschwärzen. Mehr denn je war nun ein tief schürfendes, zielgerichtetes Denken erforderlich. Verica starrte Artax wütend an, bis dieser den Blick senkte und sich mit verdrossener Miene auf seinen Platz zurückfallen ließ. Erst dann fuhr Verica fort.

»Der Sinn unserer Versammlung besteht darin, eine Möglichkeit zu finden, wie unser Volk in Frieden leben kann, oder zumindest in so viel Frieden wie möglich. Ich weiß, dass es Meinungsverschiedenheiten zwischen uns gibt. Macht euch von erlittenen Ungerechtigkeiten und alten Streitigkeiten frei. Konzentriert euch auf die gegenwärtige Situation. Wenn ich einmal zusammenfassen darf:

Derzeit dienen wir Rom, und Rom scheint den Kampf zu gewinnen. Doch, wie Artax schon andeutete, bedeutet das nicht, dass Rom letzten Endes auch wirklich Sieger bleiben wird. Die Römer wurden in der Vergangenheit schon besiegt, und man wird sie zweifellos auch in Zukunft besiegen. Was würde es für uns bedeuten, wenn Caratacus die Legionen schlüge? Ich bezweifle, dass wir von den Catuvellauni viel Gnade erwarten könnten. Doch wenn es irgendwann so aussieht, als würden die Römer besiegt oder zum Rückzug gezwungen, könnten wir unser Bündnis mit ihnen lösen und uns Caratacus anschließen. Dann wären wir in einer perfekten Position, um den Römern einen tödlichen Dolchstoß in den Rücken zu versetzen. Bei der Aufteilung der Beute unter den Stämmen hätten wir damit eine günstige Ausgangslage.

Natürlich besteht die Möglichkeit, dass wir die Seiten wechseln und die Römer dann doch noch den Krieg gewinnen. In diesem Fall wäre es aus mit uns und unserem Volk. Rom würde kein Mitleid kennen, da bin ich mir sicher.« Verica senkte die Stimme, um seinen letzten Worten Nachdruck zu verleihen. »Wir alle würden zur Strecke gebracht und hingerichtet. Unseren Familien würde man das Land wegnehmen und sie würden versklavt. Denkt darüber nach ... Nun, was sollen wir tun?«

»Du hast Rom dein Wort gegeben«, gab Artax zu bedenken. »Du hast einen Vertrag mit den Römern geschlossen und durch Schwur besiegelt. Das ist es doch gewiss, was zählt, Majestät?«

Tincommius schüttelte den Kopf. »Nein. Entscheidend ist der Ausgang des Kampfes zwischen Rom und Caratacus. Nur das zählt.«

»Weise gesprochen, mein Junge«, bestätigte Verica mit einem Nicken. »Nun denn, wer wird gewinnen?«

»Rom«, erklärte Mendacus. »Darauf würde ich mein Leben verwetten.«

»Das hast du schon«, gab Tincommius lächelnd zurück. »Aber ich nehme an, dass die Wahrscheinlichkeiten sich allmählich umkehren.«

»Ach, tatsächlich?« Mendacus verschränkte die Arme vor der Brust und lächelte zurück. »Was veranlasst dich zu dieser Überzeugung? Aus welcher enormen militärischen Erfahrung schöpfst du denn deine Weisheit? Nun, sage es uns. Wir sind ganz Ohr.«

Tincommius war zu klug, den Köder zu schlucken. »Nach Beweisen brauchen wir nicht lange zu suchen. Warum ist Rom denn wohl bereit, unsere beiden Kohorten zu bewaffnen und auszubilden, wenn ihnen nicht eigene Leute fehlen? Die Armee hat sich überdehnt. Ihre Nachschublinien sind verwundbarer als je zuvor und Caratacus kann beinahe ungestraft Überfallkommandos weit hinter die Front der römischen Legionen schicken.«

»Ich dachte, ihr hättet vor ein paar Tagen ein solches Kommando geschlagen?«

»Wir haben einen einzigen Trupp geschlagen. Doch wie viele davon mag es noch geben? Wie viele kann Caratacus noch losschicken? Die Überfälle häufen sich immer mehr. Was auch immer die Legionen in der Schlacht leisten, sie sind nicht stärker als ihre Nachschublinien. Zerstört man die, werden General Plautius bald Nahrung und Waffen ausgehen. Die Legionen werden sich zur Küste zurückziehen müssen und dabei auf Schritt und Tritt belästigt werden. Bis sie schließlich verbluten.«

Mendacus lachte. »Wenn die Niederlage der Römer so offensichtlich ist, warum kämpfst du dann für sie?«

»Sie sind unsere Verbündeten«, erklärte Tincommius schlicht. »Wie Artax bereits erläuterte, hat unser König einen Vertrag mit ihnen geschlossen, und an den müssen wir uns halten. Es sei denn, der König ändert seine Meinung …«

Alle blickten verstohlen zum König hinüber, doch Verica starrte über die Köpfe der Versammelten hinweg auf die sich dunkel unter den Dachsparren abzeichnenden Balken. Er schien die letzte Bemerkung nicht gehört zu haben und es entstand ein unbehagliches Schweigen, in dem nur das leise Geraschel und gelegentliche Räuspern der auf eine Antwort wartenden Adligen zu hören war. Schließlich wechselte Verica einfach das Thema.

»Es gibt noch etwas anderes zu bedenken. Wie auch immer meine Entscheidung über das Bündnis mit Rom ausfallen mag, bleibt abzuwägen, wie die anderen Adligen und unser Volk darauf reagieren werden.«

»Dein Volk wird nach deinem Willen handeln, Majestät«, antwortete Mendacus. »Das hat es geschworen.«

Ein Ausdruck der Belustigung zuckte über Vericas durchfurchtes Gesicht. »Dein Verlangen, nach meinem Willen zu handeln, war recht kurzlebig, würdest du nicht auch sagen?«

Mendacus wurde rot vor Verlegenheit und mühsam beherrschtem Zorn. »Ich spreche jetzt als einer deiner treuesten Diener. Darauf hast du mein Wort, Majestät.«

»Oh, wie ungemein beruhigend«, murmelte Artax.

»Durchaus.« Verica nickte. »Bei allem Respekt vor deinem Wort, Mendacus, weiß ich doch, dass viele unserer besten Krieger unser Bündnis mit Rom nicht gerne sehen, und dasselbe gilt für viele unserer Untertanen. Ich bin alt, aber keineswegs dumm. Ich weiß, was die Leute sagen. Ich weiß, dass es einige Adlige gibt, die bereits Ränke schmieden, um mich zu stürzen. Alles andere wäre erstaunlich und ich fürchte, es wird nur eine Frage der Zeit sein, bis sie die Gelegenheit ergreifen, ihre Pläne in die Tat umzusetzen. Wer weiß, wie viele von unseren Kriegern sich ihnen anschließen würden? Aber wenn ich mich auf Caratacus' Seite stellte, wäre mein Thron dann sicherer? Das bezweifle ich sehr ...«

Mendacus wollte etwas sagen, doch Verica gebot ihm mit einer Handbewegung Einhalt. »Nein. Kein Wort mehr über die Treue meiner Untertanen.«

Mendacus hatte schon den Mund geöffnet, doch dann siegte sein gesunder Menschenverstand über den Speichellecker in ihm, und er klappte ihn so würdevoll wie möglich wieder zu und zuckte resigniert mit den Schultern.

Unterdessen fuhr der König fort: »Ich denke, der einzuschlagende Kurs ist mir heute Abend klarer geworden, meine Herren. Das Festhalten an unserem Bündnis mit Rom scheint mir das Beste für unser Volk. Vorläufig werden wir uns daher bemühen, den Kaiser und seine Legionen nach besten Kräften zu unterstützen.«

»Und was ist mit jenen, die sich gegen das Bündnis stellen, Majestät?«, fragte Tincommius.

»Es ist an der Zeit, ihnen zu zeigen, dass es jeden, der meine Entscheidungen nicht respektiert, teuer zu stehen kommt.«

»Warum willst du ihnen Leid zufügen, Majestät? Es ist doch gewiss nur eine kleine Minderheit. So klein, dass wir sie einfach ignorieren können.«

»Die Feinde des Königs sind niemals so unbedeutend, dass man sie ungestraft übersehen dürfte«, fuhr Verica ihn an. »Diese Lehre ist mich teuer zu stehen gekommen. Nein, ich habe eine Entscheidung gefällt und kann keinen Widerstand dulden. Vor kurzem habe ich meinen Gegnern Frieden zu vorteilhaften Bedingungen angeboten. Wenn ich ihnen jetzt noch das Geringste durchgehen lasse, wirke ich diesmal nicht gnädig, sondern schwach. Ich muss General Plautius zeigen, dass die Atrebates Rom absolut treu sind. Und ich muss meinem Volk zeigen, was ihm zustößt, wenn es sich mir jemals widersetzt.«

»Und wie willst du das tun, Herr?«, fragte Tincommius. »Mit welchen Mitteln kannst du das erreichen?«

»Heute Abend nach dem Festschmaus werden wir eine kleine Vorführung veranstalten. Ich habe da eine Idee. Danach, das kann ich euch versichern, muss ein Mann schon sehr tapfer sein, um mich und meine Autorität noch einmal herauszufordern.«

14

»Was hältst du davon?«

»Ich bin noch nicht ganz durch«, murmelte Cato und blickte kurz von dem Berichtsentwurf auf, den Macro diktiert hatte. Wenn man sah, wie viel in dem Bericht durchgestrichen und neu geschrieben war, hatte der Schreiber wohl seine Mühe damit gehabt. Cato wünschte, Macro hätte vor der Erstellung dieses Berichts, der, mit einer Kopie für den General, an Vespasian gehen würde, nicht ganz so viel getrunken. Inzwischen ging bereits die Sonne unter, und als sie nun im matten Schein der Ölleuchten am Holztisch in Macros Büro saßen, ließ die Wirkung des Weins allmählich nach. Zumindest so weit, dass sie die Berichte durchgehen konnten. Macros Beschreibung des Hinterhalts war fast übertrieben knapp, doch die wesentlichen Fakten sprangen klar ins Auge. Ihre beiden Vorgesetzten würden zufrieden sein, wenn sie das Dokument lasen. Nur der letzte Abschnitt bereitete Cato Sorgen.

»Bei diesem Teil bin ich mir nicht recht sicher.«

»Bei welchem Teil?«

»Hier, wo du die Lage in Calleva beschreibst.«

»Was stimmt denn nicht?«

»Na ja«, Cato machte eine kurze Pause des Nachdenkens. »Ich glaube, die Situation ist ein bisschen komplizierter, als du es darstellst.«

»Kompliziert?« Macro runzelte die Stirn. »Was ist denn daran kompliziert? Wir haben die Bevölkerung auf unserer Seite und Verica suhlt sich im Ruhm seiner Truppen. Die Dinge könnten nicht besser stehen. Unsere Verbündeten sind glücklich, wir haben dem Feind ordentlich eins verpasst und es ist kein einziger Römer dabei ums Leben gekommen.«

Cato schüttelte den Kopf. »Nach dem, was ich heute beobachtet habe, können wir wohl kaum davon ausgehen, dass viele Atrebates glücklich sind.«

»Es gibt ein paar ewige Nörgler und dieses kreischende alte Weib, von dem du mir erzähltest. Aber das ist wohl kaum Anlass zur Sorge vor einem Aufstand, oder?«

»Nein«, räumte Cato ein, »aber wir wollen auch nicht, dass Plautius einen falschen Eindruck erhält.«

»Und wir wollen den General nicht mit ein paar Unzufriedenen behelligen, wenn er fest entschlossen ist, die Legionen gegen Caratacus zu werfen. Cato, alter Junge, in der Armee dieses Mannes kommt man nur vorwärts, wenn man alles ein bisschen zu optimistisch sieht.«

»Ich sehe lieber alles ein bisschen zu realistisch«, entgegnete Cato trocken.

»Ganz wie du willst.« Macro zuckte mit den Schultern. »Aber erwarte nicht, dass du irgendwann noch einmal befördert wirst. Also, wenn du sonst keine Änderungswünsche hast, dann werfen wir uns jetzt in Schale und gehen feiern.«

Die königliche Umfriedung war von Fackeln entlang der Palisade hell erleuchtet. Jeder Adlige und jeder Krieger, der nur ein Minimum an Achtung genoss, sowie die angesehensten der ausländischen Händler und Kaufleute waren zu Vericas Fest geladen worden. Als Cato das Gewimmel der Leute betrachtete, die zum Königssaal strömten, fühlte er sich richtig ärmlich. Er und Macro trugen ihre besten Tuniken, doch bei aller Gepflegtheit konnte sich der schlichte Stoff einfach nicht mit den exotischen Webmustern der einheimischen Kelten oder den feinen Stoffen der Kaufleute und ihrer Frauen messen. Der einzige Luxus, den die militärische Garderobe eines Zenturios gestattete, waren Macros Hals- und Armreif. Gerade Letzterer war ein besonders schönes Stück, was nicht weiter verwundern konnte, da er einmal Togodumnus, Caratacus' Bruder gehört hatte. Macro hatte Togodumnus beinahe ein Jahr zuvor im Zweikampf getötet. Besagter Schmuck zog sofort die bewundernden Blicke von Vericas anderen Gästen auf sich. Cato für sein Teil besaß nur seine Orden und versuchte sich mit dem Gedanken zu trösten, dass der Charakter eines Menschen mehr bedeutete als alles, was man zur Demonstration des eigenen Wertes kaufen konnte.

»Da wird aber tüchtig gefeiert«, meinte Macro. »Es sieht so aus, als wäre halb Calleva hier.«

»Aber nur die besser betuchte Hälfte, würde ich meinen.«

»Und wir.« Macro zwinkerte ihm zu. »Keine Sorge, Junge, ich habe noch nie einen Zenturio getroffen, der bei einem Feldzug nicht zu Wohlstand gekommen wäre. Das ist doch der Hauptgrund, aus dem Rom Krieg führt – damit die Legionen genug Beute bekommen und zufrieden bleiben.«

»Und nicht etwa auf die Idee verfallen, politische Ambitionen zu entwickeln.«

»Wenn du es sagst. Ich persönlich kümmere mich einen Scheiß um die Politik. Das ist das traditionelle Hobby der Aristokraten, aber nicht von uns braven Fußsoldaten. Ich will nur genug zusammenkriegen, um mich später auf einen hübschen, kleinen Landsitz in Kampanien zurückzuziehen, und dann noch so viel übrig haben, dass ich meine letzten Jahre stockbesoffen verdämmern kann.«

»Na, dann mal viel Glück.«

»Danke. Ich hoffe nur, dass ich heute Abend schon ein bisschen üben kann.«

Am Eingang des Königssaals wurden sie von Tincommius empfangen. Der atrebatische Prinz hatte seine Armeetunika abgelegt und einen wunderschön gemusterten einheimischen Umhang über Beinkleider und Stiefel gezogen. Er begrüßte die römischen Gäste mit einem Lächeln und winkte sie herein.

»Trinkst du einen mit uns?«, fragte Macro.

»Vielleicht später, Herr. Im Moment habe ich Wachdienst.«

»Was? Keine freie Nacht, um mit uns anderen zu feiern?«

»Schon gut«, erwiderte Tincommius lachend. »Wenn alle

Gäste eingetroffen sind. Aber jetzt muss ich euch leider erst mal auf Waffen durchsuchen.«

»Uns durchsuchen?«

»Alle, Herr. Tut mir Leid, aber Cadminius nimmt das sehr ernst.«

»Cadminius?« Cato hob erstaunt die Augenbrauen. »Wer ist denn das? Der Name sagt mir nichts.«

»Er ist der Hauptmann der Leibwache. Verica hat ihn ernannt, während wir unterwegs waren.«

»Was ist denn mit dem Vorgänger passiert?«

»Anscheinend bei einem Unfall gestorben. Ist besoffen vom Pferd gefallen und hat sich den Schädel eingeschlagen.«

»Tragisch«, murmelte Cato.

»Ja, sicher. Und jetzt, Herr, wenn du gestattest ...?«

Tincommius durchsuchte beide und gab ihnen dann, respektvoll zurücktretend, den Weg in Vericas Festsaal frei. Die kühle Abendluft wich sofort einem warmen Dunst. Auf beiden Seiten des Saals brannte je ein großes Feuer in einem Kohlebecken und tauchte den Saal in ein orangefarben flackerndes Licht, das sonderbare Schatten an die Wände warf, als wären die Gäste in einen langsamen, komplizierten Tanz verwickelt. Man hatte eine hufeisenförmige Tafel aufgebaut, vor der lange Sitzbänke standen. Einzig Verica residierte auf einem mit Schnitzereien verzierten Thron am Kopfende des Saals, nahe bei dem einen der Feuer, vor den anderen herausgehoben. Links und rechts von ihm standen seine Leibwächter, bewaffnet und aufmerksam.

»Unser guter alter Verica scheint kein Risiko eingehen zu wollen.« Macro musste fast schreien, um das laute Geplauder und betrunkene Gelächter der Gäste zu übertönen.

»Wer könnte ihm das verübeln?«, gab Cato zurück. »Er ist alt und nervös und möchte vermutlich friedlich in seinem Bett sterben.«

Macro, der sich nach etwas zu trinken umsah, hörte gar nicht hin. »Oh, verdammt!«

»Was denn?«

»Es gibt mal wieder nur dieses beschissene Bier. Verfluchte Barbaren.«

Cato spürte plötzlich, dass jemand Großes hinter ihm stand, und fuhr herum. Ein riesenhafter Krieger mit langem blondem Haar und kräftigem Gesicht betrachtete die beiden Römer neugierig. Er hatte schmale Augen, die den Widerschein des Feuers einfingen und wie Schlitze glühten.

»Kann ich dir helfen?«

»Ihr Römer?« Er hatte einen starken Akzent, war aber zu verstehen. »Römer, die Königmänner führen?«

»Genau«, antwortete Macro strahlend. »Die Zenturionen Lucius Cornelius Macro und Quintus Licinius Cato, zu deinen Diensten.«

Der Brite runzelte die Stirn. »Lucelius …?«

»Egal, alter Junge. Halten wir es einfach – Macro und Cato, das reicht für den Moment.«

»Ah ja! Diese Namen brauche ich. Kommt.« Ohne eine Reaktion auf diese unvermittelte Aufforderung abzuwarten, machte der Brite kehrt und marschierte zum Thron am Kopfende des Saals, wo der König, den Trinkbecher in der Hand, auf seinem Thron saß und an einer gebratenen Lammkeule knabberte. Bei Catos und Macros Anblick warf er das Bratenstück beiseite und setzte sich lächelnd auf, während zwei riesige Jagdhunde sich auf die angebissene Keule stürzten und um ihren Besitz rauften.

»Da seid ihr ja!«, rief Verica den beiden Zenturionen zu. »Meine Ehrengäste.«

»Majestät.« Cato neigte den Kopf. »Du lobst uns zu sehr.«

»Unsinn. Ich befürchtete schon, ihr hättet zu viel mit eurem Papierkram zu tun, um zum Fest zu kommen. Aus meinen Jahren im Exil weiß ich, dass ihr Römer fanatische Berichteschreiber seid.« Verica lächelte. »Aber jetzt hat Cadminius euch ja gefunden. Seid herzlichst willkommen. Wenn das Essen aufgetragen wird, gibt es zwei Plätze für euch an der Königstafel. Falls wir heute noch so weit kommen.« Er wandte sich an Cadminius und sagte etwas in strengem Ton, das den Hauptmann der Wache ganz offensichtlich kränkte. Auf Befehl seines Herrn eilte er zu einer kleinen Tür auf der rückwärtigen Seite des Saals. Durch die schmale Öffnung erhaschte Macro einen Blick auf schweißglänzende, bis zur Hüfte nackte Männer, die Spanferkel über großen Herdfeuern brieten. Nach den Tagen rationierter Verköstigung im Feld lief Macro bei der Aussicht auf einen saftigen Schweinebraten das Wasser im Munde zusammen.

»Sag mir, Zenturio Macro, was sind deine nächsten Pläne für meine Kohorten?«

»Pläne?« Macro runzelte die Stirn. »Ich denke, wir machen mit der Ausbildung weiter. Sie sind noch ein bisschen ungeschliffen.«

»Ungeschliffen?« Verica blickte etwas unglücklich drein.

»Nichts, was mit ein bisschen hartem Drill nicht zu beheben wäre«, fuhr Macro eilig fort. »Nicht wahr, Cato?«

»Jawohl, Herr. Man kann einen Soldaten schließlich niemals genug drillen.«

Macro schoss ihm einen warnenden Blick zu; das hier war nicht der richtige Moment für Ironie. »Man kann die Männer gar nicht genug drillen. So bleiben sie kampfbereit und können dem Feind jederzeit entgegentreten. Den Nutzen wirst du bald genug sehen, Majestät.«

»Zenturio, ich will Soldaten haben – und keine dressierten Hündchen. Ich will Soldaten aus einem einzigen Grund: damit sie meine Feinde töten …, wo immer diese auch sein mögen.« Mit einer winzigen Bewegung seiner schlanken Hand deutete er auf das Gewimmel im Königssaal.

Cato spürte, wie ihm bei den Worten des Königs ein Schauder den Rücken hinunterlief. Er warf einen raschen Blick auf die Gesichter der nächststehenden Gäste und fragte sich, wie viele von ihnen wohl Verrat gegen ihren Führer im Herzen trugen. Verica hatte die Veränderung in der Miene des jungen Offiziers bemerkt und lachte leise.

»Beruhige dich, Zenturio! Zumindest heute Abend werde ich wohl kaum in großer Gefahr schweben, dank eures Sieges über die Durotriges und ihre Verbündeten. Genießen wir die Ruhepause, solange wir können. Ich wollte mich nur erkundigen, ob ihr Feldzugspläne gegen die Durotriges im Sinn führt.«

»Feldzug?« Macro war bestürzt. »Es gibt keinen Feldzug, Majestät. Der Hinterhalt war eine einmalige Gelegenheit – ein glücklicher Zufall, den wir so gut wie möglich ausnutzten. Mehr nicht. Die Kohorten, deine Kohorten, wurden nur aufgestellt, um Calleva und die Nachschubkonvois zu beschützen, Majestät.«

»Doch sie haben ihren Wert im Feld unter Beweis gestellt. Warum sollten wir das nicht nutzen? Warum nicht sie direkt gegen den Feind werfen? Warum nicht?«

»Majestät, so einfach ist das nicht.«

»Einfach?« Vericas Lächeln erlosch unvermittelt.

Cato schluckte nervös und mischte sich ein, um Macro eventuelle Unannehmlichkeiten zu ersparen.

»Zenturio Macro will damit sagen, dass die Kohorten zunächst dafür ausgebildet werden müssen, eine anspruchsvollere Aufgabe zu übernehmen. Dieser Sieg ist nur der erste von vielen, und wenn die Wölfe und die Keiler in den Krieg ziehen, kannst du versichert sein, dass sie deine Feinde vernichten und die Grenzen deines Ruhms erweitern werden.«

Macro starrte ihn mit offenem Mund an, doch Verica lächelte nun wieder und schien zufrieden mit der Aussicht, die der junge Zenturio ihm eröffnet hatte.

»Nun gut, meine Herren! Nachher werde ich vielleicht einen Trinkspruch auf den fortgesetzten Erfolg der Partnerschaft meines Volks mit Rom ausbringen. Doch da kommt Cadminius zurück. Das Essen dürfte jetzt fertig sein – das rate ich ihm zumindest. Würdet ihr jetzt bitte euren Platz dort an der Tafel einnehmen? Ich setze mich gleich zu euch.«

Die beiden Zenturionen verbeugten sich und gingen zum erhöhten Tisch am Kopfende der Tafel.

»Was war denn das, verdammt noch mal?«, zischte Macro. »Was denkst du dir eigentlich? Diese beiden Kohorten sind zum Dienst in der Garnison und zum Schutz der Konvois bestimmt. Und das war's. Mit denen wird er kein Reich erobern und schon gar keine richtige Schlacht gewinnen.«

»Natürlich nicht«, stimmte Cato zu. »Für wie dumm hältst du mich eigentlich?«

»Aber du sagtest doch …«

»Ich habe gesagt, was er hören wollte, das ist alles. Er wird seine Meinung ohnehin rasch ändern, sobald seine Leute wieder zu murren beginnen. Dann wird er froh sein, wenn seine Kohorten ganz in seiner Nähe bleiben.«

Macro starrte seinen jungen Kameraden wütend an. »Ich hoffe bloß, dass du dich nicht irrst und ihm damit Flausen in den Kopf gesetzt hast.«

Cato lächelte. »Kein auch nur halbwegs vernünftiger Mensch hört auf den Rat eines jungen Menschen, den man noch kaum einen Mann nennen kann.«

»Allerdings«, knurrte Macro. »Damit hast du Recht.«

15

Endlich brachten die Küchensklaven das Essen, schnaufend unter der Last der am Spieß gebratenen Schweine. Cadminius ließ vor Erleichterung die Schultern sacken, dass sein Herr nun nicht mehr ungeduldig mit dem Fuß klopfte, sondern stattdessen das dampfende Bratenstück mit der knusprigen Kruste, das gerade für ihn abgeschnitten wurde, erwartungsvoll beäugte. Verica hatte seinen Thron verlassen und lag im römischen Stil auf einer Couch, von der aus er den ganzen Saal überblicken konnte, während seine Ehrengäste die restlichen drei Seiten der Tafel einnahmen. Sie stand auf einer erhöhten Plattform, damit der König und seine Ehrengäste den besten Blick auf die Unterhaltungseinlagen des Abends hatten. Macro und Cato hatten die Ehrenplätze zu Vericas Rechter erhalten, während die verbliebenen Plätze von den atrebatischen Edelleuten und einem rundlichen griechischen Kaufmann mit geöltem und parfümiertem Haar eingenommen wurden. Neben Cato saß Artax, von Cadminius flankiert. Catos und Artax' Augen begegneten sich kurz und Cato erkannte den gleichen verdrossenen Hochmut, den der junge Edelmann auch schon bei ihrer ersten Begegnung im römischen Lager an den Tag gelegt hatte. Tincommius, der inzwischen von seinem Wachdienst am Eingang befreit war, hatte sich ebenfalls zu ihnen gesellt.

Während sie darauf warteten, dass Verica den ersten Bissen nahm, stieß Cato Tincommius leicht an: »Hast du eine Ahnung, was für eine Abendunterhaltung es geben wird?«

»Nein. Der alte Knabe hat nichts durchsickern lassen. Aber ich denke, Cadminius weiß Bescheid. Deshalb war er den ganzen Nachmittag so nervös – er möchte sichergehen, dass die große Publikumsüberraschung auch wirklich gelingt.«

»So lange werde ich wohl kaum durchhalten, wenn ich nur noch einen Moment länger auf mein Essen warten muss ...«

Es entstand eine spürbare Spannung im Saal, während die Gäste des Königs schweigend darauf warteten, dass ihr Gastgeber den ersten Bissen nahm. Erst dann durften sie selbst von ihren voll geladenen Tellern essen. Mit theatralischer Anmut führte der alte König ein Stückchen Schweinebraten zum Mund und knabberte an einer Ecke. Hinter ihm hob einer der Leibwächter die königliche Standarte, hielt sie einen Moment lang oben und stellte sie mit einem dumpfen Krachen auf den Boden zurück. Sofort nahmen die Gäste ihre Gespräche wieder auf, stopften sich gleichzeitig mit Braten voll und spülten das Ganze mit Bier hinunter. Cato hob sein Trinkhorn und betrachtete das Gebräu: Es war dunkel honigfarben und an den Rändern kräuselte sich Schaum. Bei dem süßen Malzgeruch wurde Cato fast übel. Wie konnten die Briten dieses Zeug nur trinken?

»Was auch immer du tust«, flüsterte Macro ihm zu, »halt dir beim Schlucken nicht die Nase zu. Ertrage es mannhaft.«

Cato nickte und stählte sich für den ersten Schluck. Die Bitterkeit kam überraschend und war eigentlich gar nicht unangenehm. Vielleicht gab es ja doch eine Zukunft für das britische Bier. Er stellte den Becher zur Seite und machte sich über ein grob abgesäbeltes Stück Schweinefleisch her.

»Gut!« Er nickte Macro zu.

»Gut? Das is' einfach fantastisch.«

Eine Zeit lang herrschte Schweigen an der Königstafel, da alle nach dem langen Warten gierig aßen. Verica, der älter und kultivierter war als seine Edelleute, hielt den Braten recht vornehm in der Hand und knabberte mit seinen verbliebenen Zähnen das Fleisch nach und nach ab. Doch bald verließ ihn der Appetit, und so wischte er sich die fettigen

Finger an dem langen Fell seiner Jagdhunde ab, hob sein Trinkhorn und blickte zu den Römern hinüber.

»Auf unsere römischen Freunde, auf ihren Kaiser Claudius und auf einen schnellen Sieg über alle, die so dumm sind, sich dem römischen Vormarsch entgegenzustellen.«

Verica wiederholte den Trinkspruch auf Keltisch und seine Worte wurden von den anderen Gästen am Tisch aufgegriffen –, wenn auch nicht alle von ihnen gleichermaßen begeistert dreinblickten, wie Cato mit einem Seitenblick auf Artax feststellte. Auf Vericas Stichwort hob Cato das Horn an die Lippen.

»Du musst es in einem Zug leeren«, flüsterte Tincommius.

Cato nickte, und als alle ihr Horn leerten, zwang auch er sich dazu, unterdrückte den Würgereiz, den der kräftige Geschmack des Gebräus auslöste, und biss die Zähne zusammen, um Sediment und andere feste Bestandteile am Boden des Horns auszufiltern. Mit dem Handrücken wischte er sich dann den Mund ab und stellte das beinahe leere Gefäß auf den Tisch zurück.

Verica nickte billigend und gab einem seiner Diener ein Zeichen, die Trinkhörner nachzufüllen, bevor er Macro, der gerade ein Stück Kruste mit den Zähnen vom Fleisch riss, bedeutungsvoll anblickte.

»Herr«, murmelte Tincommius.

»Was? Was ist denn?«

»Du musst jetzt die Geste erwidern.«

»Was? Welche Geste?«

»Einen Trinkspruch ausbringen.«

»Oh!« Macro spuckte die Kruste aus und hob sein Trinkhorn. Alle sahen ihn erwartungsvoll an und plötzlich merkte Macro, dass ihm einfach kein passender Spruch einfiel. Er blickte flehend zu Cato, doch sein Freund schien Artax zu beobachten und seine Notlage nicht einmal zu bemerken. Macro leckte sich rasch über die Lippen, hüstelte und begann stammelnd: »N-nun gut. Auf König Verica ... seine edlen Kohorten ... und seinen interessanten Stamm.«

Bei Tincommius' Übersetzung runzelten die Einheimischen angesichts der sonderbar unbeholfenen Wortwahl die Stirn. Macro, der an solche geselligen Zeremonien nicht gewöhnt war, wurde vor Verlegenheit rot. Er bemühte sich, in einem angemesseneren Stil fortzufahren.

»Mögen die Atrebates ihren römischen Verbündeten lange die Treue halten. Mögen sie ihren Nutzen aus einem schnellen Sieg über die barbarischen Stämme der Insel ziehen.«

Macro hob den Becher und strahlte die anderen Gäste an. Außer Verica wirkten alle unangenehm berührt. Artax trank demonstrativ nur einen winzigen Schluck aus seinem Horn, bevor er es wieder hinstellte und den Braten auf seinem Terra-Sigillata-Teller wütend anstarrte.

Als die anderen Gäste sich wieder abwandten, flüsterte Cato: »Das hätte man auch geschickter formulieren können.«

»Dann rede doch das nächste Mal selbst.«

Der griechische Händler stellte sein Trinkhorn behutsam auf den Tisch zurück und begann eine leise Unterhaltung mit seinem Nachbarn, womit er den Mann geschickt vom angespannten Schweigen, das an der Tafel entstanden war, ablenkte. Verica verzehrte gerade ein paar winzige Gebäckteilchen und machte Macro mit einem Wink auf sich aufmerksam.

»Interessanter Trinkspruch, Zenturio.«

»Majestät, ich wollte niemanden beleidigen. Ehrlich gesagt hat man mich noch nie zu so etwas aufgefordert – zumindest nicht vor einem König. Ich wollte einfach nur sagen, dass mir unser Bündnis am Herzen liegt und ich mich auf die Zukunft freue – das ist alles.«

»Natürlich«, antwortete Verica diplomatisch. »Das war ja auch keine Kränkung. Zumindest war ich nicht gekränkt, wenngleich ich nicht für einige der Hitzköpfe in meiner Verwandtschaft sprechen kann.« Er nickte lachend zu Artax hinüber. »Und der junge Tincommius dort – während meiner Exiljahre war sein Vater keineswegs ein Freund Roms. Tincommius hat eine Weile gebraucht, um einzusehen, dass sein Vater sich irrte. Und jetzt schau ihn dir an.«

Cato sah, dass der Prinz vor Verlegenheit errötete, bevor er auf Lateinisch antwortete: »Damals war ich jünger, Majestät, und leichter zu beeinflussen. Seit ich mehr über die Römer gelernt und an ihrer Seite gekämpft habe, achte ich sie und weiß das, was sie den Atrebates bieten, zu schätzen ...«

»Aber was bieten sie eigentlich den Atrebates?«, unterbrach ihn der griechische Kaufmann. »Mich interessiert deine Meinung. Aus berufenem Munde, sozusagen.«

»Ich dachte, ein Grieche müsste das wissen.«

Der Kaufmann lächelte Tincommius an. »Verzeih mir, aber wir leben schon zu lange unter römischer Herrschaft, um uns an frühere Zeiten zu erinnern. Und da es mich ein Vermögen kostet, Handelsverbindungen mit der neuen Provinz aufzubauen, würde ich einfach gerne wissen, wie die Einheimischen die Dinge sehen. Wenn es dir nichts ausmacht, junger Mann?«

Tincommius blickte sich unbehaglich am Tisch um und wich Macros neugierigem Blick schnell wieder aus.

»Tincommius, sprich«, drängte Verica ihn sanft.

»Majestät, wie du selbst habe auch ich einige Jahre in Gallien verbracht und gesehen, was du sahst: die großen Städte mit all ihren Wundern. Du hast mir von dem endlosen Netzwerk der Handelswege erzählt, die das Imperium verbinden, und von dem Wohlstand, der auf diesem Wege die letzten Winkel des Imperiums erreicht. Vor allem aber, so erklärtest du mir, gibt es eine Ordnung. Eine Ordnung, die keine Streitigkeiten duldet und ihre Untertanen zwingt, in Frieden miteinander zu leben, wenn sie nicht mit schrecklichen Konsequenzen rechnen wollen. Darum wird Rom die Oberhand gewinnen.«

Macro beobachtete Tincommius genau. Der Mann wirkte durchaus ehrlich. Doch bei diesen Briten wusste man das nie so recht, überlegte Macro und leerte ein weiteres Trinkhorn mit Bier.

»Solange ich mich erinnern kann, haben die Atrebates gegen andere Stämme gekämpft«, fuhr Tincommius fort. »Immer schon gegen die Durotriges und nun auch gegen die Catuvellauni, die dich so grausam vom Thron vertrieben, Herr.«

Bei dieser taktlosen Erinnerung an seinen Hinauswurf durch Caratacus und seinen Stamm runzelte Verica die Stirn.

»Ich kannte es nie anders. Krieg war unsere Lebensart, und so war es bei allen keltischen Stämmen dieser Insel. Darum leben wir in solch armseligen Hütten und werden niemals ein eigenes Reich haben. Wir haben kein gemeinsames Ziel, und so müssen wir uns an jemanden binden, der eines hat – an den Kaiser.«

»Obgleich Caratacus sich in dieser Hinsicht gar nicht so schlecht schlägt!«, fiel Macro mit leicht schleppender Stimme ein. Cato zählte rasch nach und stellte erschreckt fest, dass Macro inzwischen schon bei seinem vierten Horn Bier war – zusätzlich zum Wein, den sie den Nachmittag über gebechert hatten. Macro nickte Tincommius zu. »Ich meine, schau doch, wie viele Stämme er bisher schon gegen uns vereinigt hat. Wenn wir den Schurken nicht schnell zur Strecke bringen, wer weiß, welchen Ärger wir noch von ihm zu erwarten haben?«

»Gewiss!« Der Kaufmann lächelte ölig. »Aber wir wollen ja niemanden in der irrigen Annahme bestärken, der Feind hätte irgendeine realistische Chance, wenn er die Legionen herausfordert, nicht wahr, Zenturio? Nun frage ich mich, was wohl der andere römische Offizier denkt?«

Cato, der bei Macros Worten peinlich berührt zu Boden geblickt hatte, hob nun den Kopf und merkte, dass alle ihn erwartungsvoll ansahen. Er schluckte nervös und zwang sich zu einer kurzen Pause, um nicht unversehens mit irgendetwas Dummem herauszuplatzen. »Ich spreche in dieser Angelegenheit nur mit geringer Autorität. Ich diene seit nicht einmal zwei Jahren unter dem Adler.«

Der Händler sah ihn erstaunt an. »Was – und schon Zenturio?«

»Jawohl, und ein guter«, bestätigte Macro mit einem Nicken und hätte vielleicht noch mehr gesagt.

Doch Cato fuhr eilig fort: »In dieser Zeit habe ich gegen die Germanen gekämpft, sowie gegen die Catuvellauni, die Trinovantes und die Durotriges. Sie alle sind hervorragende Krieger, genau wie die Atrebates. Doch keiner dieser Stämme kann den Legionen die Stirn bieten. Wenn eine Nation die Waffen gegen Rom erhebt, ist der Ausgang vorhersehbar. Mag sein, dass Rom einmal einen kurzfristigen Rückschlag hinnehmen muss oder ein Feind seine Niederlage durch einen Partisanenkampf verzögert, wie Caratacus ihn jetzt führt. Doch die Legionen werden immer die Oberhand behalten und jeden feindlichen Stützpunkt unter ihren Stiefelabsätzen zermalmen. Am Ende wird Caratacus die Schlacht nicht gewinnen können. Es wird niemand mehr da sein, der neue Männer, neue Waffen und vor allem Nahrung und Unterkunft stellen könnte.«

Cato machte eine Pause, damit Tincommius seine Worte für alle übersetzen konnte, die wenig oder kein Latein sprachen. Artax schnaubte verächtlich und schüttelte den Kopf.

»Ich will damit die Stämme dieser Insel nicht abwerten«,

fuhr Cato fort. »Ganz im Gegenteil, inzwischen bewundere ich sie in vieler Hinsicht.« Vor seinen inneren Augen blitzte plötzlich ein Bild der schauerlichen Trophäen auf, die die Männer beim Hinterhalt erbeutet hatten. »Unter ihnen sind viele großartige Krieger, doch genau das ist auch ihre Schwäche. Eine Armee aus vielen Kriegern kann wenig ausrichten, solange sie nicht zu einer einzigen Einheit mit einem gemeinsamen Ziel verschmolzen ist, die gemeinsam handelt und sich einem einzigen Willen unterwirft. Daher werden die Legionen Caratacus schlagen. Und genau deshalb werden sie auch jeden anderen schlagen, der sich ihnen entgegenstellt. Inzwischen sollte Caratacus wissen, dass er nicht siegen kann. Er sollte wissen, dass er das Leiden der Stämme durch seinen Widerstand nur vergrößert, und das macht mich traurig ...«

»Das macht dich traurig?«, unterbrach ihn Verica. »Du trauerst um deinen Feind?«

Cato nickte. »Ja, Majestät. Frieden ist mein höchstes Ziel. Ein Frieden, aus dem sowohl Rom als auch die Kelten ihren Vorteil ziehen. Der Frieden wird so oder so kommen, aber nur zu Roms Bedingungen. Je länger einige andere Stämme an ihrem Widerstand festhalten und die Veränderungen ablehnen, die du und die Atrebates inzwischen akzeptieren, desto länger werden alle Beteiligten leiden. Widerstand ist zwecklos. Nein, schlimmer als zwecklos. Es ist unmoralisch, weiterzumachen und Leid zu verursachen, wenn man genau weiß, dass man unterliegen wird.«

Nach der Übersetzung von Catos Worten folgte ein kurzes Schweigen.

Dann sprach Artax: »Ich frage mich, ob es nicht zunächst mal unmoralisch ist, uns zu so einer Entscheidung zu zwingen. Warum ist Rom an unseren Küsten gelandet? Wozu braucht das Imperium unsere erbärmlichen Hütten, da es doch selbst riesige Städte und unermesslichen Reichtum sein

Eigen nennt? Warum versucht Rom, uns das Wenige wegzunehmen, das wir besitzen?« Artax sah ihn feindselig an.

»Ihr mögt jetzt wenig besitzen, aber schließt euch dem
Imperium an, so werdet ihr in Zukunft mehr haben«, antwortete Cato.

Artax lachte bitter. »Ich bezweifle, dass Rom aus Wohl-
tätigkeit hier ist.«

Cato lächelte. »Zur Zeit magst du Recht haben. Aber
vielleicht wirst du noch erleben, dass sich auf dieser Insel
dank Rom vieles zum Besseren wendet.«

Tincommius runzelte die Stirn. »Aber ich verstehe noch
immer nicht, warum Rom eigentlich hierher gekommen ist,
wenn das Imperium dabei nichts gewinnt.«

»Politik«, erklärte Macro. »Die verdammte Politik. Der
Adel erhält die Möglichkeit, sich ein bisschen mit Ruhm zu
bekleckern. Die kriegen einen hübschen Eintrag in den Geschichtsbüchern, während wir normalen Soldaten unseren
Kopf hinhalten. So ist das nun mal.«

»Dieser Krieg dient also nur dazu, Kaiser Claudius gut
dastehen zu lassen?«

»Natürlich.« Macro wirkte erstaunt über die Naivität
des britischen Prinzen. »Außerdem«, fuhr er dann mit mahnend erhobenem Zeigefinger fort, »wieso glaubst du eigentlich, dass es bei euch irgendwie anders wäre? Darum geht es
doch bei jedem Krieg – dass zum Schluss einer von den
Schurken besser dasteht. Und jetzt, wo ist das verdammte
Bier? Sklave! Her damit!«

Während Macro darauf wartete, dass ihm nachge-
schenkt wurde, wechselte Cato eilig das Thema.

»Majestät, wann bekommen wir denn diese geheimnisvolle Unterhaltungseinlage zu sehen, die du für uns vorbereitet hast?«

»Geduld, Zenturio. Erst müssen wir essen.« Verica nickte zu einigen adligen Damen hinüber, die an einem Nach-

bartisch saßen und sich angeregt unterhielten. »Nicht, dass die eine oder andere dieser Hübschen nicht mehr weiteressen möchte, wenn sie sieht, was ich für euch bereithalte.«

Als die letzten Teller von den Küchensklaven abgeräumt worden waren, forderte Cadminius die Gäste zum Aufstehen auf, damit die Sklaven die langen, aufgebockten Tische an die Wände schieben konnten. Verica begab sich auf seinen erhöhten Thron, der ihm einen seiner Würde angemessenen Blick über den ganzen Saal bot, und wer mit ihm an der Königstafel gesessen hatte, gesellte sich zur Schar der übrigen Gäste, die sich an den abgeräumten Tischen verteilt hatten. Aus der Küche kamen weitere Krüge mit Bier, während die Gäste schon jetzt so betrunken waren, dass die verräucherten Dachsparren von ihrem Gegröle widerhallten. Die Kelten blieben unter sich, und die Ausländer bildeten eine kleine, auffällige Gruppe nahe bei Vericas Thron. Nur Tincommius war bei ihnen geblieben. Artax und die anderen hochrangigen Adligen hatten sich ihren Freunden unter den Kriegern angeschlossen und tranken mit ihnen um die Wette. Einige Krieger, die weniger vertrugen, lagen schon unter den Tischen, während andere sich gegen die Steinwände des Saals erbrachen.

»Euer König hat wirklich Ahnung vom Feiern.« Macro blickte sich anerkennend um. »Jetzt bin ich aber mal gespannt auf das Programm.«

»Es geht schon los«, verkündete Tincommius. »Schau dort.«

Die Flügel der Haupttür schwangen auf und einige Leibwächter schoben einen abgedeckten Wagen in die Saalmitte. Immer aufgeregter klang das Gelärme der Menge, und alle versuchten, einen guten Platz zu ergattern. Als sich unter der Wagendecke irgendetwas heftig bewegte, knirschten die Räder auf dem Steinboden und Cato hörte einen grollenden

Grunzlaut. Schließlich wurden die Decken zurückgezogen, und beim Anblick zweier Käfige keuchten die Gäste freudig überrascht auf. Im größeren war ein riesiger Keiler gefangen, außer sich vor Angst und Wut. Im kleineren Käfig befanden sich drei hochbeinige Jagdhunde, die den Keiler mit gesträubtem Haar wütend anknurrten. »Das wird bestimmt lustig!« Strahlend leerte Macro sein Horn. »Seit Camulodunum habe ich keinen anständigen Tierkampf mehr zu sehen gekriegt.«

Cato nickte.

Während einige der Leibwächter die Käfige vom Wagen hoben, entzündeten andere Fackeln. Dann bildeten sie einen losen Kreis um das hintere Wagenende, wobei der Fackelschein die improvisierte Arena in helles Licht tauchte. Als alles bereit war, gab Cadminius das Zeichen, die Käfige zu öffnen. Als Erstes kam der Keiler, der von eigens zu seiner Kontrolle abgestellten Männern mit Speerstößen dirigiert wurde. Das massige Tier stampfte auf eine Lücke zwischen den Fackelträgern zu. Diese rückten sofort zusammen und schwenkten die knisternden Fackeln vor seiner Schnauze, bis er sich, aus tiefer Kehle grunzend, in die Mitte des Saals zurückzog und die wilde Gesellschaft von Betrunkenen augenrollend anstarrte. Die Hunde wurden an Leinen aus ihrem Käfig geführt, und da sie sich sofort auf den Keiler stürzen wollten, erforderte es die ganze Kraft der Hundeführer, die wild zerrenden Tiere zurückzuhalten. Der Keiler beäugte sie nervös und wiegte sich dabei hin und her, als tanzte er zu irgendeiner langsamen Musik. Die Hundeführer zerrten die Hunde zu sich, lösten die Leinen und hielten die Tiere dann an den Halsbändern fest.

Verica ließ seinen Trinkbecher so laut auf die Armlehne seines Throns krachen, dass es das Stimmengewirr der lachend ihre Wetten abschließenden Gäste übertönte. Diese verstummten gehorsam, und dann waren nur noch das erstickte Winseln der Hunde und das Knistern der Fackeln zu hören. Verica erhob sich von seinem Thron und seine Stimme trug durch den ganzen Saal. Cato flüsterte Macro eine Übersetzung zu.

»Er enschuldigt sich für die Hunde, aber auf die Schnelle waren keine Wölfe aufzutreiben. Er möchte mit diesem Kampf die Wolfs- und die Keilerkohorte und ihre Kommandanten ehren. Der Sieger des Kampfes wird Gelegenheit erhalten, die abendliche Unterhaltung mit einer weiteren Darbietung abzuschließen.«

»Eine weitere Darbietung?« Macro wandte sich Tincommius zu. »Was meint er damit?«

Tincommius zuckte mit den Schultern. »Keine Ahnung. Ehrlich.«

»Na ja, solange der alte Junge uns was Anständiges bietet«, erwiderte Macro.

Verica hob den Arm, ließ ihn einen Moment lang in der Luft verharren und führte ihn dann in einer schwungvollen Geste nach unten. Die Hundeführer gaben die Halsbänder frei und brachten sich eilig hinter dem Fackelkreis in Sicherheit. Unter dem Gebrüll der Menge stürzten die Jagdhunde sich auf den Keiler, der sich noch immer auf den Beinen wiegte, aber vorne tiefer gegangen war und das Maul aufgerissen hatte, um seinen Angreifern schreckliche Wunden zuzufügen.

Der vorderste der angreifenden Hunde machte einen Satz, um den Keiler bei der Kehle zu packen und ihm die Gurgel aufzureißen. Doch der Keiler erwischte ihn zuerst und stieß ihn mit der Schnauze beiseite wie einen Sack Federn. Der Hund krachte laut jaulend auf den Steinboden. Die Menge schrie auf: ein sonderbar misstönender Chor von Stöhnlauten, wenn jemand auf die Hunde gesetzt hatte, und von Jubelrufen, wo auf den Keiler gewettet worden war. Die beiden anderen Hunde verhielten sich so intelligent, wie es ihrer

Rasse entsprach, schwenkten seitlich ab und nahmen den Keiler in die Zange, wobei sie immer wieder Scheinangriffe führten, plötzlich vorschossen und in die Luft schnappten. Der Keiler drehte sich langsam im Kreis, die Hauer gesenkt und bereit, jeden Hund, der in seine Reichweite kam, mit einem Schlenkern des Kopfes aufzuschlitzen.

»Es gibt keine zwei Hunde auf dieser Welt, die es schaffen könnten, dieses Monster zu töten!«, schrie Macro über das Gebrüll der Menge hinweg. Cato nickte zustimmend; der erste Hund versuchte noch immer vergeblich, wieder auf die Beine zu kommen.

»Sei dir da nicht so sicher, Herr!«, rief Tincommius zurück. »Hast du diese Rasse schon einmal in Aktion gesehen?«

Macro schüttelte den Kopf.

»Sie kommen von jenseits des Meeres.«

»Gallien?«

»Nein. Die andere Richtung. Ich glaube, ihr Römer nennt diese Insel Hibernia.«

»Ich habe schon davon gehört«, schwindelte Macro.

»Es soll dort so ungastlich sein, dass vermutlich nicht einmal ein Römer auf den Gedanken käme, das Land zu erobern. Aber man züchtet dort gute Jagdhunde. Wie diese drei hier. Einen solchen Kampf hat dieser Keiler gewiss noch nicht erlebt.«

»Hast du Lust auf eine Wette?«

»Was ist der Einsatz?«

»Wein. Ich brauche unbedingt irgendwas, um diesen Biergeschmack runterzuspülen.«

»Bisher scheint er dich ja nicht gestört zu haben.«

Macro legte dem jungen Kelten freundlich den Arm um die Schultern und schnappte sich den nächstbesten Bierkrug. »Ein Soldat trinkt alles, solange es nur blau macht. Egal was, alter Junge. Selbst diesen Mist hier. Prost!«

»Ich setze eine Amphore Wein auf die Hunde, Herr«, erklärte Tincommius und entzog sich beiläufig dem Arm des Zenturios.

»Die Wette gilt.« Macro hob den Krug an die Lippen und tat einen so tiefen Zug, dass ihm zu beiden Mundwinkeln ein braunes Rinnsal herauslief.

Der erste Hund hatte sich endlich wieder aufgerappelt und zwischen die anderen beiden gestellt, die nur auf eine Gelegenheit lauerten, sich vorzustürzen und in den Keiler zu verbeißen. Der musste seine Aufmerksamkeit nun dreiteilen, und sein großer, dunkler Kopf pendelte ständig hin und her. Cato beobachtete das Schauspiel mit sonderbar gemischten Gefühlen. Er war ein paar Mal im Zirkus in Rom gewesen und hatte dort auch schon blutige Tierkämpfe gesehen. Sie waren ihm jedoch immer irgendwie abstoßend erschienen, auch wenn er sich von der Stimmung im Publikum hatte mitreißen lassen und die spannenden Kämpfe ihn an sich auch begeisterten. Doch hinterher hatte er sich immer beschmutzt und beschämt gefühlt. Jetzt löste der Kampf zwischen Jagdhunden und Keiler in ihm dieselbe Mischung aus zwanghaftem Interesse und Scham aus.

Ein schmerzliches Jaulen war zu hören, als der verletzte Hund einen Scheinangriff auf das Bein des Keilers machte, beim Rückzug aber zu langsam war und von den Hauern erfasst wurde. Diesmal blieb er mit aufgeschlitztem Bauch dort liegen, wo er hingefallen war, Bauch und Brust blutig aufgerissen. Schimmernde Eingeweide quollen heraus und sammelten sich in einer schmierigen Blutlache, während der Hund in einem kläglichen Versuch, noch einmal hochzukommen, mit den Läufen zuckte.

Macro schlug sich auf den Oberschenkel. »Ich schmecke schon den Wein auf der Zunge!«

Der Keiler wollte dem gefallenen Gegner den Rest geben, stapfte zu ihm und holte wieder nach dem verwundeten

Hund aus. Doch damit besiegelte er seinen eigenen Untergang. So schnell, dass nur ein grauer Schatten zu sehen war, sprang einer der beiden anderen Hunde auf seinen Rücken und verbiss sich in seinem borstigen Nacken. Der dritte Hund sprang den Keiler von der Seite an und fasste ihn an der Kehle. Sofort senkte der Keiler den Kopf und versuchte verzweifelt, seine Angreifer abzuschütteln, doch die mächtigen Kiefer ließen nicht los und zermalmten seine Gurgel. Langsam verlor das Tier an Kraft und sein verzweifeltes Stampfen wurde immer schwächer. Schließlich schwankte der Keiler einen Moment lang hin und her, dann gaben seine Beine nach und er brach zusammen, noch immer beide Hunde an der Kehle. Die Menge brach in Jubelgebrüll aus und übertönte dabei das Aufstöhnen derjenigen, die auf den Keiler gesetzt hatten.

»Verdammt!«, schrie Macro. »Was ist das für ein Keiler? Der Kampf war manipuliert, verdammt!«

Tincommius lachte. »Soll ich meinen Wein morgen früh abholen, Zenturio?«

»Tu, was du willst.«

Cato beachtete sie nicht weiter und sah gleichzeitig angeekelt und fasziniert zu, wie die Hunde dem Keiler die Kehle zerfetzten, so gründlich und unaufhaltsam, wie es ihnen wohl jahrelang beigebracht worden war. Als der Keiler endgültig tot war, traten die Hundeführer in den Kreis zurück und nahmen ihre Tiere vorsichtig wieder an die Leine. Der tote Hund wurde in den Wagen gelegt, und dann mühte sich ein halbes Dutzend Leibwächter damit ab, den schlaffen Körper des Keilers auf den aufgeschlitzten Kadaver seines ehemaligen Feindes zu hieven. Schließlich rumpelte der Wagen wieder aus dem Saal und erneut erhob sich erregtes Gemurmel in der Menge, die nun auf die abschließende Vorführung des Abends wartete.

Nach einer kurzen Pause kehrten die Leibwächter in den

Saal zurück. Zwischen je zwei Wächtern ging immer ein an Händen und Füßen gefesselter Gefangener. Insgesamt waren es acht. Die Gefangenen wurden auf die eine Seite des Saals gezerrt, in die unmittelbare Nähe der auf den Tischen sitzenden Gäste. Die Jagdhunde hatte man auf die andere Seite gebracht. Das Blut troff ihnen von den Lefzen und ihre Flanken hoben und senkten sich nach dem wilden Kampf noch immer heftig.

»Was soll denn das?«, fragte Macro, an Cato gewandt. »Das sind doch verdammt noch mal unsere Gefangenen!«

Cato betrachtete die Gefangenen genauer. »Ich kenne sie. Das sind die Atrebates unter unseren Gefangenen. O nein. Er hat doch gewiss nicht vor …« Cato erbleichte.

»Was?«, fragte Macro. »Was ist denn los? Von wem sprichst du überhaupt?«

Verica war wieder aufgestanden, und seine Gäste, deren Augen zwischen dem König der Atrebater und den gefesselten, ängstlich zu den Hunden blickenden Gefangenen hin und her wanderten, mussten diesmal nicht um Ruhe gebeten werden. Verica begann zu sprechen. Diesmal war seine Stimme ohne jede Wärme, und von der ehemaligen Gastfreundlichkeit war nichts mehr zu spüren.

»Diese Verräter müssen sterben. Wären sie Durotriges, hätte man ihnen vielleicht ein weniger schreckliches Schicksal zugedacht. Doch wer sich gegen seinen eigenen Stamm kehrt, der ihm das Leben gab und dafür Treue bis zum Tod fordert, für den kann es keinen leichten Tod geben. Daher werden sie wie Hunde sterben und man wird ihre Leichen für die Aasfresser auf Callevas Abfallhaufen werfen.«

»Das kann doch nicht sein Ernst sein«, flüsterte Cato Tincommius zu. »Oder?«

»Nicht mit meinen Gefangenen, verdammt noch mal«, fügte Macro empört hinzu.

Doch bevor sie noch recht protestieren konnten, sprang

jemand aus der Menge vor und stürmte auf die freie Fläche zwischen den Jagdhunden und dem elenden Haufen der Gefangenen. Artax deutete auf die Gefesselten und wandte sich mit sonorer, gebieterischer Stimme an den König und seine Gäste.

»Was sagt er?«, fragte Macro.

Cato verstand einige Wörter, doch Artax war leidenschaftlich erregt und nicht mehr ganz nüchtern, was den Wortschwall schwer verständlich machte. Cato packte Tincommius beim Arm und deutete mit einem Nicken auf Artax.

»Er kennt diese Männer«, erklärte Tincommius. »Der eine ist sein Halbbruder. Ein anderer ist ein Vetter seiner Frau. Er möchte, dass sie verschont bleiben. Keiner von unseren Stammesgenossen sollte auf diese Weise sterben.«

Ringsum begleitete zustimmendes Gemurmel Artax' Worte, doch Verica deutete mit bebendem Finger auf die Gefangenen und erwiderte in einem Tonfall der Empörung: »Sie werden sterben. Wir müssen an all denen ein Exempel statuieren, die sich gerne auf die Seite der Feinde der Atrebates und Roms schlagen würden. Diese Lektion muss gelernt werden. Jeder, der auch nur mit dem Gedanken spielt, seinen König zu verraten, muss wissen, welch schreckliche Rache er herausfordert.«

Der König erhielt laute Beifallsrufe aus der Menge und ein leerer Trinkbecher flog quer durch den Saal und traf einen der Gefangenen am Kopf. Artax schüttelte bei den Worten des Königs den Kopf und hob dann erneut die Stimme zum Protest. Tincommius übersetzte für die beiden Römer.

»Er fleht den König an, von seinem Vorhaben abzulassen, da eine so schreckliche Tat das Volk gegen ihn aufbringen wird.«

Verica brüllte Artax wütend nieder und gab Cadminius ein Zeichen, den Edelmann hinauszuwerfen. Selbst als der

Hauptmann der Leibwache ihn schon gepackt hatte und zum Eingang des großen Saals beförderte, schrie ihm Artax noch seinen Widerspruch entgegen. Gleich darauf ging Cadminius zu den Gefangenen hinüber, nahm den Erstbesten bei der Kette, mit der seine Handgelenke zusammengebunden waren, und zerrte ihn in die Mitte des Saals. Der Gefangene wehrte sich verzweifelt gegen seine Fesseln und schrie um Hilfe. Die Hundeführer leinten die Jagdhunde ab und machten sie mit einem Fingerschnippen auf sich aufmerksam.

Dann wurde das Opfer den Hunden gezeigt und es folgte ein Moment grauenvollen Schweigens, in dem selbst der Gefangene verharrte, der die Hunde wie erstarrt anstierte. Dann kam das Kommando und die Hunde stürzten sich auf den hilflosen Mann. Der schrie schrill auf, als die Hunde bei dem Versuch, ihm an die Kehle zu springen, sein Gesicht verletzten. Darauf klangen die Schreie halb erstickt, und schließlich war nur noch ein röchelndes Gewimmer zu hören. Dann war Ruhe. Der Mann lag schlaff da und die Hunde zerrten seine Leiche herum, als wäre sie eine Übungspuppe aus Stroh.

In der Menge wurden Jubelrufe laut. Doch als Cato sich umblickte, war unübersehbar, dass viele Gäste von Grauen erfüllt waren und schweigend zusahen.

»Scheiße …«, murmelte Macro. »Scheiße … so sollte ein Mann nicht sterben müssen.«

»Nicht einmal ein Verräter?«, fragte Tincommius bissig.

Die Hundeführer zogen die Hunde von der Leiche zurück. Jetzt, da ihre Mordlust geweckt war, war das keine leichte Aufgabe. Zwei Männer schleppten die Leiche beiseite, während Cadminius das nächste Opfer auswählte und in die Mitte schleifte, wo die Blutlache auf den Steinfliesen zeigte, wo der erste Mann gestorben war. In der Hoffnung, dass der König doch noch seine Absichten ändern würde, blickte Cato zu Verica. Doch der Ausdruck kalter Befriedigung in Vericas Zügen war für alle unübersehbar.

Cato versetzte Macro einen Stoß und stand auf. »Ich muss hier weg. Ich kann das nicht mit ansehen.«

Macro wandte sich ihm zu, und zu seiner Überraschung stellte Cato fest, dass das Schauspiel selbst für diesen abgebrühten Veteran mehr war, als er verkraften konnte.

»Warte, ich komm mit, Junge.«

Benebelt von dem vielen Bier, das er den Abend über getrunken hatte, stemmte Macro sich vom Tisch hoch und sortierte mühsam seine Beine. »Hilf mir mal. Tincommius, wir sehen dich morgen im römischen Lager.«

Ohne den Blick vom Schicksal des zweiten Mannes abzuwenden, deutete Tincommius ein zustimmendes Nicken an.

Cato legte sich Macros Arm um die Schultern und machte sich auf den Weg zum Haupteingang, wobei er sich so weit wie möglich von den Hunden entfernt hielt, die gerade das nächste Opfer anfielen. Draußen angekommen, riss Macro sich von Cato los, entfernte sich torkelnd ein paar Schritte, beugte sich vor und übergab sich. Während Cato auf Macro wartete, verließ ein steter Strom von atrebatischen Edelleuten den Saal, bemüht, ihr Gefühl von Entsetzen und Abscheu zu verbergen, während hinter ihnen erneutes Geschrei die Luft zerriss.

16

»Wann genau ist das hier eingetroffen?« General Plautius warf den Bericht auf den Schreibtisch seines Obersekretärs. Der entrollte das Pergament, drehte es richtig herum und ließ im Licht einer Öllampe den Finger über die obersten Zeilen wandern, bis er das Registrierungszeichen fand.

»Nur einen Moment bitte, Herr«, antwortete er und stand auf.

Der General nickte, wandte sich ab und sah durch den Zelteingang nach draußen. Der Himmel war bewölkt, und obwohl die Sonne gerade erst untergegangen war, war es schon ziemlich dunkel. Dunkel und schwülwarm. Die Luft war unangenehm drückend und ließ nach den zurückliegenden sonnigen Tagen einen Wetterumschwung befürchten. Ein Unwetter würde zwar die unangenehm aufgeladene Atmosphäre entspannen, aber möglicherweise auch seine Transportfuhrwerke bedenklich lange aufhalten. Was das Wetter anging, gehörte diese grässliche Insel wohl zu den schlimmsten Orten, an denen er während seiner militärischen Laufbahn gekämpft hatte. Zwar gab es weder die lange, brutale Kälte der germanischen Winter noch die sengende Hitze der syrischen Ebenen, doch man fühlte sich hier auf eine ganz eigene Weise unbehaglich.

Das Problem mit Britannien war, dass es auf der Insel grundsätzlich mehr oder weniger feucht war, überlegte der General. Nach ein paar Stunden Regen verwandelte sich der Boden in schlüpfrigen Matsch, und jeder Versuch, auch nur eine kleine Truppe von Männern und Fahrzeugen über Land zu bewegen, ließ nur zu bald einen zähen Sumpf entstehen, in dem die Marschierenden bei jedem Schritt versanken und der alles mit einer hartnäckigen Schmutzschicht überzog. Wohlgemerkt, das betraf den festen Boden. Plautius hatte inzwischen genug von den britischen Flussniederungen gesehen, um zu wissen, wie undurchdringlich diese für seine Truppen sein konnten. Die Eingeborenen dagegen hatten ihr Wissen um die örtlichen Gegebenheiten ausgenutzt und in der riesigen, feuchten Niederung westlich des Oberlaufs der Tamesis an den wenigen festen Stellen vorgeschobene Lager errichtet. Von diesen Basislagern aus schickte Caratacus seine Plünderertrupps zwischen der dünnen Kette römischer Befestigungen hindurch. Sie griffen die römischen Nachschubkolonnen an, zerstörten Höfe und Siedlungen der mit Rom verbündeten Stämme und versuchten sich, wenn der Ehrgeiz ihnen zu Kopfe stieg, sogar einmal an einer römischen Patrouille oder einer kleineren Befestigung.

Die Eroberer starben den Tod der tausend kleinen Wunden und Plautius hatte inzwischen sein gesamtes politisches Kapital beim Kaiser aufgebraucht; von jetzt an konnte er kaum noch mit Verstärkung rechnen. Was aber doch noch an Truppen nach Britannien kam, war unweigerlich von Narcissus' knapper und sarkastischer Forderung begleitet, Caratacus rasch niederzuwerfen. Die letzte dieser Botschaften hatte den General mit ihrer höflich formulierten Stichelei in eiskalte Wut versetzt: »Mein lieber Aulus Plautius, falls du deine Armee in den nächsten paar Monaten nicht brauchst, würde es dich dann stören, sie mir eine Weile auszuleihen?«

Der General knirschte mit den Zähnen, erbost über die Lässigkeit, mit der die arroganten Bürokraten in den marmorgetäfelten Schreibstuben ihre Befehle losschickten, ohne den realen Bedingungen, unter denen die weit verstreute Armee um den Erhalt oder die Ausdehnung der Imperiumsgrenzen kämpfte, die geringste Beachtung zu schenken. Dann straffte Plautius die Schultern und schlug sich mit der Faust in die geöffnete Hand.

An den entlang der Zeltwand aufgestellten Schreibtischen waren noch eine Hand voll Sekretäre beschäftigt und blickten bei diesem Ausbruch auf. Plautius funkelte sie wütend an.

»Wohin, zum Teufel, ist dieser verdammte Sekretär verschwunden? Du da!«

»Jawohl, Herr?«

»Setz deinen Arsch in Bewegung und such ihn.«

»Jawohl, Herr.«

Plautius blickte dem davoneilenden Mann nach und rieb sich die Schulter. Die Feuchtigkeit war ihm im Winter scheußlich in die Gelenke gekrochen, und gelegentlich machte sich noch immer ein ziehender Schmerz in Schultern und Knien bemerkbar. Plautius sehnte sich nach der verlässlichen, warmen Sonne seiner Villa in Stabiae. Endlose Sommertage, die er mit Frau und Kindern am Meer verbrachte. Er wunderte sich lächelnd, dass ihn plötzlich ein solches Heimweh überfiel. Es war beinahe vier Jahre her, seit er zuletzt im Sommer mit ihnen zusammengewesen war – als er damals kurzfristig nach Rom beordert worden war, um über die Lage an der Donau zu berichten, hatte er die Gelegenheit beim Schopf ergriffen und sich ein paar freie Tage gegönnt. Die Kinder hatten sich damals ununterbrochen gezankt, einander die Spielsachen aus den Händen gerissen und jeden Erwachsenen in Hörweite mit ihrem Geschrei und Wutgebrüll genervt. Nur wenn sie einem Kindermädchen anvertraut waren, hatten die Eltern Zeit gehabt, einander ihre ungeteilte Aufmerksamkeit zu schenken. Plautius' bevorstehende Rückkehr zur Legion hatte diesen wenigen Tagen etwas quälend Dringliches verliehen und er hatte seiner Frau geschworen, so bald wie möglich endgültig nach Hause zu kommen.

Jetzt befand er sich schon wieder im nächsten Feldzug, und der war noch lange nicht zu Ende. Höchstwahrscheinlich würde er an Altersschwäche sterben, bevor die Briten aufgaben. Er würde seine Kinder nicht heranwachsen sehen und nicht einmal das Alter mit seiner Frau genießen können.

Der Gedanke an seine Familie erfüllte ihn mit einer schmerzlichen Sehnsucht. Zu Beginn des Jahres hatten seine Frau und seine Kinder versucht, zu ihm nach Britannien zu kommen, doch die Folgen waren so katastrophal gewesen, dass eine zweite Reise nach Britannien vollkommen ausgeschlossen war.

Plautius wusste, dass er mit seiner körperlichen und seelischen Kraft beinahe am Ende war. Für diese Aufgabe wäre ein jüngerer Mann erforderlich, jemand, der genug Energie hatte, sie zu Ende zu führen und dafür zu sorgen, dass Caratacus endgültig besiegt, die britische Armee vernichtet und das Land so gründlich eingeschüchtert wurde, dass es sich Rom unterwarf. Ein Mann wie Legat Vespasian, überlegte Plautius.

Vespasian hatte die Ernennung zum Legionskommandanten zwar ein paar Jahre später als üblich erhalten, hatte diese Verzögerung aber durch seinen hartnäckigen und zielstrebigen Stil wettgemacht. Deshalb hatte Plautius Vespasian und seine Zweite Legion dazu ausgewählt, im südlichsten Teil Britanniens selbstständig zu operieren. Bisher hatte der Legat das Vertrauen seines Vorgesetzten mehr als gerechtfertigt, war tief ins feindliche Gebiet vorgestoßen und hatte eine Hügelfestung nach der anderen eingenommen. Das Problem war allerdings, dass Vespasian sich als fast schon zu erfolgreich erwies. Indem er seinen Nachschubkolonnen weit vorauseilte, hatte er seine kaum noch geschützten Verbindungslinien dem Risiko fortgesetzter feindlicher Überfälle preisgegeben. Plautius hatte ihn eine Zeit lang gezügelt und ihm befohlen, auch die verbliebenen Hügelfestungen im Grenzbereich der Atrebates einzunehmen, bevor die Zweite Legion nach Süden weiterzog, um die große Insel vor der Südküste zu unterwerfen. Wenn Vespasian diesen nächsten Schritt tat, würde sich der Abstand zwischen den beiden römischen Kräften weiter vergrößern. Vespasian war sich dieser Gefahr ebenfalls bewusst und hatte dieser Sorge zuletzt in einem Bericht Ausdruck verliehen. Alles hing jetzt davon ab, dass die Atrebates Rom weiterhin die Treue hielten.

In der Ferne war leises Donnergrollen zu vernehmen und Plautius blickte über die wellenähnlichen Zeltreihen zum Horizont, wo ein schwaches Wetterleuchten den Wetterumschwung ankündigte. Plötzlich wehte ein kühler Wind und ließ die Falten der Zeltklappe leise rascheln. Plautius würde einen guten Blick auf das herannahende Unwetter haben. Sein Hauptquartier war auf einem kleinen Hügel in der Mitte des Lagers errichtet worden. Der Leiter des Bautrupps hatte den Platz als ungeeignet verwerfen wollen, da er in zu großer Entfernung von der Kreuzung der zwei Lagerhauptwege lag, doch Plautius wollte über seine Legionen, die Palisade und das nach Westen abfallende Hügelland hinwegschauen können. In der Ferne war am Hang eines dicht bewaldeten Berges ein Getüpfel von Lichtern zu sehen.

Das war das Lager des feindlichen Kommandanten Caratacus. Seit Tagen lagerten die beiden Armeen nun schon in mehreren Meilen Entfernung voneinander, und nur die Kundschafter lieferten sich im Niemandsland dazwischen gelegentlich kleinere Geplänkel. Plautius wusste, dass der schlaue Caratacus bei einem Angriff ganz einfach zurückweichen und die Legionen noch weiter hinter sich herziehen würde. Und immer so weiter, mit der Folge, dass Caratacus seine Nachschublinien immer weiter verkürzen konnte, während Plautius die seinen noch weiter ausdehnen musste. Daher hatte Plautius seinen Vorstoß vorläufig unterbrochen und baute die Kette von Befestigungen aus, die seine Flanken und seinen Rückzugsweg schützten. Erst danach würde er mit seinen Legionen weiter vorstoßen und die Briten zurücktreiben. Irgendwann würde er sie in den hintersten Winkel ihres Territoriums gedrängt haben, und dann mussten sie sich zum Kampf stellen. Dann aber würden die Römer sie vollständig vernichten.

Das war zumindest der Plan, dachte Plautius mit einem

bitteren Lächeln. Aber wie oft lief eine militärische Operation schon nach Plan? Vor ein paar Tagen hatte er einen Besorgnis erregenden Bericht von Vespasian erhalten, dass sich im Süden der Tamesis eine zweite britische Armee sammelte. Möglicherweise hatte Caratacus die Absicht, die beiden Armeen zu vereinigen, und in diesem Fall würde er versuchen, Plautius zu entschlüpfen und in einem Eilmarsch nach Süden zu ziehen, um Vespasian zu vernichten. Oder fühlte der Brite sich sogar stark genug, die römische Hauptarmee anzugreifen? Das war reines Wunschdenken, schalt Plautius sich selbst. Er durfte Caratacus auf keinen Fall unterschätzen und schon gar nicht im Lichte des Dokuments, das er eben auf den Schreibtisch seines Obersekretärs geworfen hatte: ein weiterer Bericht, diesmal von jenem Zenturio, dem Vespasian das Kommando der winzigen Garnison in Calleva übertragen hatte.

Zenturio Macro berichtete von einem Scharmützel, das er unlängst gegen eines der feindlichen Überfallkommandos gewonnen hatte. Das hatte der General gerne gelesen. Dann war er jedoch zu dem Abschnitt gelangt, in dem der Zenturio über die Lage in Calleva berichtete. Obgleich Macro sich bemühte, beiläufig zu klingen, war Plautius' nach Abschluss der Lektüre äußerst beunruhigt.

»Herr!«

General Plautius drehte sich um, als der Obersekretär durch den Hintereingang des Zeltes kam.

»Nun?«

»Vor fünf Tagen, Herr.«

»Fünf Tage?«, fragte Plautius leise. Hinter ihm zuckte ein Blitz über das entvölkerte, von seinen Bewohnern verlassene Land. Gleich darauf krachte der Donner, und der Sekretär zuckte zusammen.

»Quintus, könntest du mir bitte erklären, warum man mir das hier erst mit fünf Tagen Verspätung vorlegt?«

»Es erschien mir als ein Bericht von untergeordneter Bedeutung, Herr.«

»Hast du ihn gelesen?«

»Jawohl, Herr.«

»Alles?«

Der Sekretär schwieg einen Moment lang. »Ich weiß es nicht mehr, Herr.«

»Aha. Das ist keine gute Leistung Quintus, oder?«

»Nein, Herr.«

Der General fixierte ihn einen Moment lang, bis der Sekretär beschämt die Augen senkte.

»Achte darauf, dass du von jetzt an jeden Bericht vollständig liest. Einen solchen Schnitzer werde ich kein zweites Mal dulden.«

»Jawohl, Herr.«

»Und jetzt hol mir Tribun Quintillus.«

»Tribun Quintillus, Herr?«

»Caius Quintillus. Er stieß vor wenigen Tagen zur Neunten. Du wirst ihn wohl in der Offiziersmesse finden. Ich möchte mich so bald wie möglich in meinen Privaträumen mit ihm besprechen. Geh jetzt.«

Der Sekretär eilte aus dem Zelt, nur zu froh, dem General so schnell zu entkommen.

Während Plautius ihm durch den Zelteingang nachsah, wunderte er sich selbst über seine Milde. Noch vor ein paar Jahren hätte er den Mann für einen solchen Fehler zum gemeinen Soldaten degradiert. Er wurde wohl allmählich weich. Ein weiterer Beweis für seine nachlassenden Kräfte als Feldherr.

Als Tribun Quintillus den Bericht las, war das Unwetter direkt über dem Lager. Durch einen Spalt in der Zeltklappe konnte man das grelle Zucken der Blitze sehen. Immer, wenn das blendend helle Licht aufleuchtete, schienen die

Regentropfen in der unheimlich bleichen Welt draußen still in der Luft zu hängen wie gewichtslose Scherben aus funkelndem Glas. Sobald ein Blitz erloschen war, krachte der Donner so laut nieder, dass die Trinkbecher, die zwischen den beiden Offizieren auf dem Tisch standen, klapperten. Dann waren nur noch das Heulen des Windes und das Getrommel des Regens auf dem ledernen Zeltdach zu hören.

General Plautius betrachtete den Tribun, der den Kopf über die Schriftrolle gebeugt hatte und den Bericht aufmerksam studierte. Quintillus entstammte einer der älteren Adelsfamilien, die immer noch große Ländereien südlich Roms in Besitz hatte. Der Tribun war der Letzte in einer Generationenfolge von Aristokraten, die sich im Senat verdient gemacht hatten. Seine Berufung zur Neunten Legion war der Dank für ein großes, zinsfreies Darlehen, das Quintillus' Vater General Plautius einige Jahre zuvor gewährt hatte. Doch diese Ernennung war mehr als das Begleichen alter Schulden. Der Tribun pflegte Verbindungen mit dem kaiserlichen Hof, und darum bemühte ein Aristokrat sich nur, wenn er von Ehrgeiz getrieben war. Nun gut, überlegte Plautius, ein ehrgeiziger Mensch war normalerweise auch ein skrupelloser Mensch – und genau so einen brauchte der General jetzt.

»Das ist wirklich äußerst interessant«, erklärte Quintillus, legte die Schriftrolle auf den Tisch zurück und nahm in derselben eleganten Bewegung seinen Becher in die Hand. »Aber darf ich fragen, was das mit mir zu tun hat, Herr?«

»Alles. Du reitest beim ersten Tageslicht nach Calleva.«

»Calleva?« Einen winzigen Moment lang zuckte Überraschung über die feinen Gesichtszüge des Tribuns, verschwand aber sofort wieder unter einer Maske vollkommener Gleichgültigkeit. »Nun, warum nicht? Es ist gewiss nett, sich die Eingeborenenkultur einmal anzuschauen, bevor wir sie auslöschen ...«

»Gewiss«, gab Plautius lächelnd zurück. »Aber bemühe dich, bei der Begegnung mit den Einheimischen den Eindruck zu vermeiden, dass ein Bündnis mit Rom einfach nur ein anderes Wort für Kapitulation ist. Das schlucken sie nicht so gerne.«

»Ich werde mein Bestes geben ...«

»... oder bei dem Versuch ums Leben kommen.« Das Lächeln des Generals war erloschen und jetzt war die ernsthafte Natur ihrer Unterhaltung nicht mehr zu verkennen. Quintillus trank einen Schluck, setzte den Becher ab und sah seinen Vorgesetzten aufmerksam an.

»Man sagt dir eine gewisse Raffinesse nach, Quintillus. Und genau so jemanden brauche ich für diese Aufgabe. Ich hoffe, dass dieser Ruf auch verdient ist.«

Der Tribun nickte bescheiden.

»Gut. Wie ich mich erinnere, bist du erst vor ein paar Tagen hier eingetroffen.«

»Vor zehn Tagen, Herr.«

»Zehn Tage. Das ist nicht besonders viel Zeit, um dich mit den Gegebenheiten hier vertraut zu machen.«

»Nein, Herr«, räumte Quintillus ein.

»Nun, egal. Narcissus spricht sehr überzeugt von dir.«

»Das ist ungewöhnlich großzügig von ihm.«

»Ja ... wirklich ungewöhnlich. Aus diesem Grund habe ich dich ausgewählt. Ich brauche ein gutes Paar Augen und Ohren in Calleva. Zenturio Macro verleiht seiner Sorge darüber, wie fest König Verica auf dem Thron sitzt, naturgegebenermaßen nicht gerne Ausdruck. Er genießt sein unabhängiges Kommando und will nicht, dass ihm irgendein Vorgesetzter im Nacken sitzt. Gerechterweise muss man sagen, dass er seine Aufgabe ausgezeichnet erledigt. Er hat eine Truppe bunt zusammengewürfelter atrebatischer Freiwilliger zusammengestellt, die bereits jetzt einen Sieg über die Durotriges errungen hat. Eine wirklich schöne Leistung.«

»Ja, Herr. So klingt es.« Der Tribun nickte wohlwollend zu Macros Bericht hinüber. »Muss ein guter Offizier sein, und die Männer, die er ausgebildet hat, sind anscheinend so ernst zu nehmen, wie das bei Eingeborenen möglich ist.«

Der General bedachte ihn mit einem kühlen Blick. »Herablassung ist ein gefährlicher Luxus. Diese harte Lektion musste ich von den Briten lernen.«

»Wenn du es sagst, Herr.«

»Allerdings. Und du solltest meinen Rat nicht in den Wind schlagen.«

»Aber natürlich nicht, Herr.« Quintillus neigte den Kopf.

»Sehr klug von dir ... Macros Erfolg hat mich in eine etwas schwierige Lage gebracht. Die Sache ist die: König Verica ist ein alter Mann. Ich bezweifle, dass er den nächsten Winter überlebt. Nach dem Bündnis mit Rom ist es ihm bisher noch gelungen, sein Volk bei der Stange zu halten. Doch es gibt Mitglieder seines Stammes, die uns nicht sehr zugeneigt sind.«

»Ist das nicht immer so?«

»Leider ja. Das Problem ist nun, dass diese Unzufriedenen recht einflussreich sind und vielleicht einen Kandidaten stellen werden, wenn der Ältestenrat des Stammes zur Wahl von Vericas Nachfolger zusammentritt. Sollte dieser Mann Erfolg haben ...«

»Dann säßen wir in der Patsche, Herr.«

»Allerdings. Nicht nur hätten wir dann einen feindselig gesinnten Stamm im Rücken, sondern Zenturio Macro hätte diesen Leuten auch noch die Mittel verschafft, unseren Nachschublinien ernsthaften Schaden zuzufügen.«

»Hat er mit der Ausbildung und Bewaffnung dieser Kohorten etwa seine Vollmachten überschritten, Herr?«

»Ganz und gar nicht. Er handelte auf Befehl von Legat Vespasian.«

»Dann ist also der Legat verantwortlich?«

»Nein, er erbat und erhielt meine Zustimmung zur Aufstellung der Kohorten.«

»Ich verstehe«, antwortete der Tribun taktvoll.

»Das Problem ist, dass Zenturio Macro sich nicht besonders offen über die geteilten Loyalitäten unserer atrebatischen Freunde geäußert hat.«

»Du könntest ihm befehlen, die Kohorten aufzulösen und ihre Waffen zu konfiszieren.«

»Das ist praktisch kaum durchführbar. Du kennst diese Briten nicht so gut wie ich. Man kann einem britischen Krieger kaum etwas Entehrenderes antun, als ihm seine Waffen wegzunehmen. Das Tragen von Waffen ist ihr angeborenes Recht. Eine Entwaffnung könnte einen Aufstand auslösen. Außerdem würden wir vielleicht Vericas Gefolgschaftstreue verlieren.«

»Da ist ja alles ziemlich unentwirrbar«, erwiderte der Tribun nachdenklich. »Man fragt sich, warum es überhaupt so weit kommen konnte. Narcissus wird das wissen wollen.«

Plautius beugte sich über den Tisch. »Dann sag deinem Freund Narcissus, er soll mir mehr Truppen schicken. Hätte ich gleich zu Beginn mehr Hilfstruppen bekommen, hätten wir uns niemals auf Verica verlassen oder diese beiden Kohorten aufstellen müssen.«

»Entschuldigung, Herr«, antwortete Quintillus ruhig. »Das war eine Bemerkung und keine Kritik. Es tut mir Leid, wenn ich damit einen falschen Eindruck erweckt habe. Es handelt sich tatsächlich um eine komplizierte Angelegenheit.«

»Gelinde ausgedrückt. Verstehst du jetzt, warum ich ein klares Bild der Vorgänge in Calleva brauche? Ich muss wissen, ob wir das Risiko eingehen können, die Kohorten bestehen zu lassen. Solltest du zu dem Urteil kommen, dass sie eine Gefahr für uns darstellen könnten, wirst du sie auflösen und darauf vertrauen müssen, dass wir mit den Folgen fertig werden. Außerdem muss ich wissen, ob die Atrebates auch unter einem neuen König zu ihrem Vertrag mit uns stehen würden. Sollte der Verdacht aufkeimen, dass der Stamm zu Caratacus überläuft, müssen wir sofort handeln.«

»Das ist eine ziemliche Aufgabe für einen einzigen Mann«, bemerkte Quintillus nachdenklich.

»Du wirst nicht ganz auf dich gestellt sein. Einer der einheimischen Adligen wird von mir bezahlt. Er steht Verica nahe und wird dir nach Kräften behilflich sein. Die Einzelheiten bekommst du später.«

»In Ordnung, Herr.« Tribun Quintillus sah den General aufmerksam an. »Welche Machtbefugnis verleihst du mir für diesen Auftrag?«

Plautius griff nach einer Schriftrolle, die neben seinem Stuhl lag, und reichte sie Quintillus. Die Schriftrolle war um einen hölzernen Amtsstab gewickelt, von Kaiser Claudius' Hand berührt und mit dem Siegel des Generals versehen. »Zunächst einmal sollst du nur beobachten und mir das Beobachtete mitteilen. Wenn es dir nötig scheint, zu handeln, kannst du dich auf die Befugnisse eines Prokurators berufen. In diesem Falle wird das ganze atrebatische Gebiet von Rom übernommen und als Provinz verwaltet. Du bist dann bevollmächtigt, Vespasians Kräften die Annektierung von Vericas Königreich zu befehlen.«

»Das ist eine beträchtliche Verantwortung«, erwiderte Quintillus nachdenklich. »Der Legat wird nicht begeistert sein, wenn er das erfährt.«

»Wenn wir Glück haben, wird er es überhaupt nicht erfahren müssen.«

17

Noch Tage nach dem Bankett herrschte im römischen Lager eine angespannte Stimmung. Die Ausbildung ging zwar diszipliniert weiter und selbst Cato registrierte erfreut, dass Bewegungsabläufe und Waffentechnik der Rekruten sich verbesserten. Gleichzeitig spürte er aber, dass sie abgelenkt waren und eine spannungsgeladene Atmosphäre wie eine dunkle Wolke über ihnen hing. Daher hielt Cato sie möglichst ununterbrochen auf Trab, um ihre Gedanken auf etwas anderes als das schreckliche Schauspiel zu lenken, das ihr König seinen Gästen beim Bankett geboten hatte. Zu allem Unglück hatte Verica die Köpfe seiner Opfer auch noch auf Pfähle gesteckt und stellte sie zu beiden Seiten des Haupttors zur Schau. Die verstümmelten Leichen waren einfach in den Verteidigungsgraben vor der Palisade geworfen worden, den wilden Tieren zum Fraß.

Diese grausamen Mahnzeichen des Preises, den die Herausforderer des Königs bezahlt hatten, ließen jede offene Diskussion über das Bündnis zwischen den Atrebates und Rom verstummen. Stattdessen wechselten nun jene, die einander noch vertrauten, hier und da ein paar kurze Bemerkungen und verstummten sofort in einer Mischung aus Misstrauen und Schuldgefühl, sobald jemand sich näherte. Wenn Cato nun durch die schlammigen Gassen Callevas ging, bemerkte er dieses Phänomen immer wieder, und wo vorher nur eine Andeutung von Groll zu spüren gewesen war, konnte man nun in vielen Gesichtern eine sorgfältig kontrollierte Feindseligkeit erkennen.

Diese blieb auch nicht auf die Einwohner der Stadt beschränkt. Die Männer der beiden Kohorten waren ebenfalls gespalten in diejenigen, die das elende Ende der Verräter als gerecht empfanden, und eine greifbare Minderheit, die den

Mund hielt und dadurch wortlos Kritik an Verica übte. Auch stumm erregten sie noch die Aufmerksamkeit einiger ihrer Kameraden. Wie die Ausbilder berichteten, war es bereits einige Male zu Handgreiflichkeiten gekommen. Zum Glück war das meistens außerhalb der Dienstzeit geschehen und konnte als kleinere Disziplinlosigkeit übergangen werden. Doch einmal war auch während einer Waffenübung unter Macros Aufsicht eine kleine Schlägerei ausgebrochen. Die fünf Beteiligten waren im Lager vor versammelter Mannschaft bestraft worden.

Die Männer der Wolfs- und der Keilerkohorte hatten auf dem Exerzierplatz hufeisenförmig Aufstellung nehmen müssen, um die Bestrafung ihrer Kameraden zu verfolgen. Cato stand angespannt neben Macro und zwang sich mit zusammengebissenen Zähnen, nicht bei jedem der Schläge zusammenzuzucken, die zwei der Ausbilder abwechselnd auf Rücken und Gliedmaßen der sich am Boden Krümmenden niedersausen ließen. Macro zählte mit gleichmütiger Stimme die Zahl der Schläge ab und gebot jeweils bei zwanzig Einhalt. Danach trugen zwei Sanitäter die Opfer ins Lazarett.

Als der dritte Mann zur Bestrafung vorgeführt wurde, beugte Tincommius sich zu Macro hinüber.

»Ich verstehe das nicht, Herr«, flüsterte er. »Erst prügelt ihr sie und dann verarztet ihr sie. Welchen Sinn hat denn dann die Bestrafung?«

»Welchen Sinn?« Macro hob die Augenbrauen. »Sie müssen bestraft werden. Aber die Armee kann nicht zulassen, dass sie dann ihre Pflicht nicht mehr erfüllen. Diese Männer sind immer noch Soldaten. Wir müssen sie so bald wie möglich wieder kampffähig haben.«

»Herr?« Einer der Ausbilder deutete mit dem Kopf auf den Mann zu seinen Füßen.

Macro straffte die Schultern und brüllte: »Bestrafung durchführen!«

Die beiden Legionäre schlugen nun auf den am Boden Liegenden ein, und die krachenden Hiebe der Rebstöcke trieben ihm die Luft aus der Lunge, bis er mit zusammengebissenen Zähnen keuchend stöhnte. Das knotige Holz schnitt immer tiefer ins nackte Fleisch und hinterließ blutige Striemen. Macro zählte die Schläge mit so lauter Stimme ab, dass jeder der schweigenden Zuschauer es hören konnte.

»Zwölf! … Dreizehn! … Vierzehn!«

Cato fragte sich, warum Macro das Stöhnen und Schreien der Männer, die nackt, den Kopf mit den Armen schützend, auf dem blutverschmierten Boden lagen, so ungerührt ließ. Der junge Zenturio hatte sich schon oft über die harte Armeedisziplin gewundert, die selbst für kleine Übertretungen während der Dienststunden überaus schmerzhafte und demütigende Strafen bereithielt. Geld- und Arbeitsstrafen waren kaum vorgesehen, stattdessen aber viele brutale Züchtigungen. Cato hegte jedoch die Vermutung, dass die Männer williger auf ein System reagieren würden, das sie nicht nur als Lasttiere behandelte, die in den Krieg getrieben wurden. Schließlich konnte man mit Menschen vernünftig reden, und durch besonnenes Anführen ließ sich gewiss ebenso viel Leistung erreichen wie durch Grausamkeit.

Er hatte Macro einmal bei einem Krug Wein mit dieser Überlegung konfrontiert, doch der Veteran hatte nur gelacht. Für Macro war die Sache einfach. Die Disziplin war hart, um die Männer hart zu machen und ihre Aussichten im Kampf gegen den Feind zu verbessern. Behandelte man die Jungs freundlich, wäre das am Ende ihr Tod. Sprang man dagegen grausam mit ihnen um, blieben sie hart und hatten eine annehmbare Chance, die vielen Jahre des Legionsdienstes zu überleben.

Als Cato beobachtete, wie der dritte Mann von den Sanitätern weggetragen wurde, kamen ihm Macros Worte wieder lebhaft in den Sinn. Nun wurde der vierte Mann herangeschleift und Cato gefror das Blut in den Adern, als Bedriacus vor den beiden Legionären und ihren blutverschmierten Schlagstöcken auf dem Boden landete. Der Jäger hob den Kopf und lächelte, als er dem Blick seines Kommandanten begegnete. Einen Moment lang zuckte es um Catos Mundwinkel. Das geschah ganz automatisch, doch zu Catos Glück gelang es ihm sofort wieder, seinem Gesicht einen kalten, strengen Ausdruck zu verleihen. Bedriacus runzelte einen Moment lang die Stirn, doch da landete der erste Schlag auf seinen Schultern. Sofort verzerrten sich seine hässlichen, wettergegerbten Gesichtszüge vor Schmerz und er stieß einen schrillen Schrei aus. Cato zuckte zusammen.

»Reiß dich zusammen«, ermahnte Macro ihn ruhig. »Du bist verdammt noch mal ein Offizier. Benimm dich also wie einer ... Drei! ... Vier!«

Cato hielt die Arme an den Leib gepresst und zwang sich zum Hinsehen, während die Schläge in einem stetigen Rhythmus auf der nackten Haut landeten. Ein verholzter Knoten in einem der beiden Schlagstöcke ließ die Haut über dem einem Schulterblatt aufplatzen; aus der Wunde floss Blut. Cato spürte, wie es ihn würgte und tief in seinen Eingeweiden das Bedürfnis aufstieg, sich zu erbrechen. Beim zehnten Schlag starrte Bedriacus Cato mit weit aufgerissenen Augen an, den Mund halb offen, und stieß ein grässliches, schrilles Heulen aus. Dieses Geheul wurde jedesmal von einem kurzen Keuchen unterbrochen, wenn der nächste Schlag die Luft aus seiner Lunge presste. Endlich war Macro bei zwanzig angelangt. Cato spürte einen Schmerz in den Handflächen und stellte fest, er hatte die Hände so fest zu Fäusten geballt, dass die Knöchel weiß waren. Er zwang sich zu Gelassenheit und sah zu, wie zwei Sanitäter sich über den malträtierten Briten beugten. Bedriacus lag vollkommen schlaff da; sie hoben ihn ungeschickt hoch und machten sich mit ihm auf den Weg zum Lazarettblock. Seine Augen waren weit aufgerissen und starrten wie die eines wilden Tieres, während das schreckliche, gepresste Gewimmer noch immer tief aus seiner Kehle aufstieg.

Nun wurde der letzte Kandidat herangeführt. Tincommius fuhr hoch und wandte sich eilig an Macro.

»Nicht ihn. Du kannst ihn nicht durchprügeln lassen!«

»Halt den Mund!«

»Herr, ich flehe dich an! Er ist ein Blutsverwandter des Königs.«

»Halt den Mund! Zurück an deinen Platz.«

»Du kannst nicht …«

»An deinen Platz oder du bist auch dran.«

Tincommius spürte, wie ernst dem Zenturio die Drohung war, und trat zurück. Artax wurde ohne viel Federlesen auf den Boden geworfen. Er blickte auf, mit Augen, die vor bitterem Trotz glühten. Bevor Macro den Befehl zum ersten Schlag geben konnte, spuckte Artax vor den beiden Zenturionen aus. Macro blickte gelassen auf den feuchten, dunklen Fleck im Staub.

»Für diesen Mann dreißig Schläge. Bestrafung beginnen!«

Im Gegensatz zu Bedriacus nahm Artax die Prügel ohne einen Laut hin. Er presste die Lippen zusammen, und vor Anstrengung, den Wogen von Schmerz zu widerstehen, traten ihm fast die Augen aus den Höhlen. Er sah Macro unverwandt an und atmete mit geweiteten Nasenflügeln und kurzen, lauten Schnauflauten. Als es vorbei war, stand er steifbeinig auf und wehrte die Hilfe der beiden Sanitäter unwirsch ab. Ein wütender Blick traf Cato und dann starrte er wieder Macro an. Der Veteran erwiderte seinen Blick mit kalten, ausdruckslosen Augen. Artax wandte sich ab und ging taumelnd zum Lazarettblock hinüber.

»Bestrafung beendet!«, brüllte Macro. »Zurück zum Übungsplatz!«

Die beiden Kohorten wurden Zenturie für Zenturie entlassen und von ihren römischen Ausbildern wieder zum endlosen Drill aus Exerzieren und Waffenübungen zurückgeführt. Cato beobachtete die Männer genau und spürte mit seiner besonderen Empfindsamkeit eine ganz unterschwellige Stimmungsänderung, als bewegten sie sich jetzt da, wo zuvor ein gebändigter Energiestrom geflossen war, nur noch marionettenhaft.

Macro sah Artax einen Moment lang nach und murmelte: »Der ist ein zäher Brocken. Der Bursche ist nicht kleinzukriegen.«

»Mag sein«, antwortete Cato ruhig, »aber ich bin mir nicht sicher, wie weit man ihm trauen kann. Insbesondere nach dieser Tracht Prügel.«

»Richtig!« Tincommius nickte.

Der kritische Tonfall entging Macro nicht und er fuhr die beiden mit einem dünnlippigen Lächeln an: »Ihr beiden Experten denkt also, ich hätte ihn nicht bestrafen sollen?«

Cato zuckte mit den Schultern. »Experten?«

»Verzeihung. Einen Moment lang dachte ich, ihr müsstet Experten in der Kunst des Führens und Disziplinierens sein. Ich meine, ich diene ja erst seit schlappen sechzehn Jahren unter dem Adler. Das zählt natürlich nichts neben eurer enormen Erfahrung …«

Macro hielt inne, um Cato seine Verlegenheit richtig auskosten zu lassen. Der junge Zenturio musste einmal wieder aufs rechte Maß zurückgestutzt werden. Macro war ehrlich genug, sich einzugestehen, dass Cato ihm an Intelligenz weit überlegen war und Großes leisten würde, falls er lange genug überlebte. Doch es gab nun einmal Zeiten, in denen die Erfahrung mehr Gewicht hatte als Bildung und Erziehung, und ein weiser Mann sollte sich dessen zumindest bewusst sein.

Macro lächelte. »Artax wird das nichts anhaben, glaub

mir. Ich kenne den Typ: stark genug, dass man sie nicht brechen kann, und stolz genug, um einem beweisen zu wollen, dass man Unrecht hat.«

»Er ist nicht irgendein Typ, Herr«, widersprach Tincommius. »Artax ist ein königlicher Prinz und nicht irgendein gemeiner Soldat.«

»Solange er unter mir dient, ist er ein gemeiner Soldat. Er kassiert seine Hiebe genau wie alle anderen auch.«

»Und was, wenn er beschließt, den Dienst zu quittieren? Wenn du Artax verlierst, verlierst du mit ihm ein Viertel oder sogar die Hälfte der Männer.«

Jetzt lächelte Macro nicht mehr. »Falls er desertiert, gilt für ihn das Gleiche wie für jeden anderen Fahnenflüchtigen, und dafür kennst selbst du die Strafe, Cato.«

»Steinigung …«

Macro nickte. »Bei einem Römer würde ich da keinen Moment zögern und bei irgend so einem Kelten, der sich selbst zu wichtig nimmt, erst recht nicht.«

Bei der Aussicht auf einen solch unehrenhaften Tod für seinen Verwandten blickte Tincommius entsetzt drein. »Du kannst einen königlichen Prinzen nicht wie einen Kleinkriminellen behandeln!«

»Ich habe dir gerade gesagt, solange Artax in meiner verdammten Armee dient, ist er ein Soldat. Nicht mehr und nicht weniger.«

»In deiner Armee?« Tincommius hob eine Augenbraue. »Komisch, ich dachte, die Kohorten dienen Verica.«

»Und Verica dient Rom!«, blaffte Macro ihn an. »Damit seid ihr, du und deine Leute, meinem Kommando unterworfen, und nenn mich gefälligst Herr, wenn du mit mir sprichst.«

Tincommius öffnete den Mund, verblüfft, dass man so mit ihm sprach. Cato bemerkte, dass der junge Edelmann die Hand an den Griff seines Dolches legte, und griff rasch ein.

»Der Zenturio will damit sagen, dass alle Verbündeten Roms am besten damit fahren, wenn sie sich an die erprobten Traditionen der römischen Armee halten. Dadurch sind die Regeln einfach, und die Zusammenarbeit zwischen den Legionen und ihren verbündeten Kameraden klappt reibungsloser.«

Nun starrten sowohl Tincommius als auch Macro ihn stirnrunzelnd an.

»Ich weiß, was ich sagen will«, erklärte Macro kühl, »aber verdammt noch mal, bei dir weiß ich's nicht. Was *willst* du jetzt eigentlich sagen, Cato?«

»Ich versuche Tincommius dahin gehend zu beruhigen, dass wir dieselben Interessen haben. Und dass wir stolz sind, so gute Krieger anzuführen, im Dienst König Vericas – und Roms. Das ist alles.«

»So klang es aber nicht – Herr«, wandte Tincommius ein. »Es klang eher so, als wären wir eure Diener oder sogar Sklaven.«

»Sklaven!« Macro lachte frustriert auf. »Was hat das denn verdammt noch mal mit Sklaven zu tun? Ich rede von Disziplin, das ist alles. Ich mache euren Burschen das Leben nicht extra schwer. Ich behandele sie nicht anders, als ich auch unsere eigenen Leute behandeln würde. Oder etwa nicht, Cato?«

»Das ist richtig.«

»Na also! Siehst du?«

Tincommius zuckte die Schultern. »Ich sehe es nicht gerne, dass man mit meinen Leuten wie mit Tieren umspringt, Herr.«

»Sie kämpfen nur wie Tiere«, sagte Macro lachend. »Und das machen sie verdammt gut!«

»Du klingst, als wärest du stolz auf uns, Zenturio.«

»Stolz? Natürlich bin ich verdammt stolz. Sie haben diesen Durotriges ordentlich heimgeleuchtet. Es fehlt ihnen lediglich der letzte Schliff, glaub's mir. Aber wenn Cato und ich mit der Ausbildung fertig sind, hast du den gefährlichsten Haufen Kelten im ganzen Land.«

Tincommius nickte zustimmend.

»Jetzt zufrieden?«

»Ja, Herr. Entschuldige die Kritik.«

»Ich lasse es diesmal durchgehen. Und jetzt geh am besten den Ausbildern helfen. Ihr Briten mögt ja die geborenen Kämpfer sein, aber in den Fremdsprachen echte Nieten. Also los, verzieh dich.«

Nachdem Tincommius gegangen war, stach Macro Cato wütend den Finger in die Brust. »Widersprich mir nie wieder in seiner Gegenwart!«

»Nein, Herr.«

»Nenn mich nicht Herr.«

»Entschuldigung.«.

»Und entschuldige dich nicht andauernd, verdammt noch mal!«

Cato machte den Mund auf, schloss ihn wieder und nickte.

»Und jetzt, Cato, was sollte das eigentlich? Dieser Stuss von wegen Kameraden, den du eben abgelassen hast?«

»Ich dachte nur, wir sollten angesichts der gespannten Stimmung in Calleva betonen, dass die Keiler und die Wölfe als Vericas Kohorten aufgestellt wurden.«

»So sagen wir ihnen das natürlich«, stimmte Macro zu. »Aber jeder Idiot sieht doch, dass es einfach zwei ganz normale Hilfskohorten im Dienste Roms sind.«

»Pass auf, wem du so was sagst. Vor jemandem wie Artax würde ich das niemals in den Mund nehmen.«

»Oder vor diesem Tincommius!«, blaffte Macro ihn an. »Wobei ich natürlich sehe, dass er dich … Schau mal, ich bin doch kein Volltrottel, Cato. Aber letztendlich bilden wir sie aus, bewaffnen sie und geben ihnen zu essen. Darum gehören sie uns.«

»Die meisten von ihnen dürften das wohl anders sehen.«

»Dann sind sie Dummköpfe. Und jetzt hör auf, dir Sorgen zu machen.«

»Und wenn jemand wie Artax sich dagegen wehrt, seine Befehle von einem Römer entgegenzunehmen?«

»Nun, damit befassen wir uns, wenn es so weit ist«, schloss Macro ungeduldig. »Ich hab jetzt einen Stoß Unterlagen zu prüfen, und du machst mit der Ausbildung weiter.«

Doch Cato blickte über Macros Schulter zum Lagertor. Eine kleine Reitergruppe war gerade eingeritten. Sie wurden von einer hoch gewachsenen Gestalt im scharlachroten Mantel angeführt, die auf einem prachtvoll glänzenden Rappen saß. Macro drehte sich um und folgte dem Blick des Rangniedrigeren. Einer der Reiter setzte sein Pferd in Bewegung und trabte zu den beiden Zenturionen herüber.

»Deine Augen sind besser als meine. Wer ist das da drüben beim Tor?«

»Keine Ahnung«, antwortete Cato. »Ich habe ihn noch nie zuvor gesehen.«

»Nun, wir werden es gleich erfahren.« Macro nickte zu dem Reiter hinüber, der sein Tier ein paar Schritte vor den beiden Offizieren zügelte und sich elegant zu Boden gleiten ließ. Der Mann musterte sie kurz und salutierte vor Macro.

»Herr! Tribun Quintillus lässt grüßen und wünscht auf der Stelle den Lagerkommandanten zu sprechen.«

»Wer ist denn dieser Tribun Quintillus?« Macro deutete mit herausfordernd gehobenem Kopf zum Tor hinüber.

»Kommt aus dem Hauptquartier, Herr. Auf Befehl des Generals. Wenn du jetzt bitte schnellstmöglich den Tribun aufsuchen würdest, Herr …?«

»Ja«, knurrte Macro. »Natürlich.«

Der Reiter salutierte, saß wieder auf und trabte zu seinem Vorgesetzten zurück.

Macro wechselte einen raschen Blick mit Cato und

spuckte auf den Boden. »Was kommt mir denn dieser verdammte Tribun in die Quere?«

18

»Ihr habt großartige Arbeit geleistet«, lobte Tribun Quintillus. »Alle beide.«

Macro rutschte unbehaglich auf seinem Stuhl herum, während Cato bescheiden lächelte. Von der Reaktion zumindest des jüngeren Zenturios ermutigt, fuhr der Tribun mit seinem aalglatten aristokratischen Akzent in seiner Lobeshymne fort:

»General Plautius war ganz begeistert von eurem Bericht.«

Macro hätte sich eigentlich in diesem Lob, das von ganz oben kam, sonnen müssen. Vor dem Fenster war der Himmel strahlend blau und die Vögel sangen, ohne sich im Geringsten von dem wilden Gebrüll des Drills auf dem Exerzierplatz stören zu lassen. Er hatte seine Unabhängigkeit genossen, hatte erfolgreich eine eigene kleine Armee aufgestellt und ausgebildet und sie zu einem großartigen Sieg über den Feind geführt. Die Welt müsste jetzt eigentlich für ihn in Ordnung sein. Und so wäre es auch, würde nicht dieser Tribun vor ihm sitzen.

»So begeistert, dass er dich hierher schickte, um der Sache auf den Grund zu gehen … Herr.«

Die Bitterkeit in Macros Stimme war so klar wie der Sommerhimmel, und der Mund des Tribuns wurde noch ein bisschen schmäler, doch gleich darauf lächelte er wieder und schüttelte den Kopf. »Ich wurde nicht hierher geschickt, um euch nachzuspionieren, Zenturio. Und ich habe auch nicht den Befehl, hier die Kontrolle zu übernehmen. Also keine Sorge. Das Depot, die Garnison und die beiden Eingeborenenkohorten unterstehen noch immer deinem Kommando. Nach der Leistung, die ihr und eure Männer erbracht habt, wäre eine Veränderung ganz unangemessen, und der General würde sie nicht dulden. Er mag seine Helden und weiß, dass man Erfolg belohnen muss, um mehr Erfolg zu haben.«

Macro war mit dieser Antwort nicht völlig zufrieden und nickte knapp. Er hatte in seiner Laufbahn genug Erfahrung mit Tribunen gesammelt, um zu wissen, dass sie Politik mit der Muttermilch einsogen. Einen oder zwei hatte er kennen gelernt, die mehr Soldat als Politiker waren. Doch solche Männer bildeten die Ausnahme. Die anderen hatten nur ihre Karriere im Sinn und waren ständig darauf aus, sich bei Narcissus, dem obersten Beamten des kaiserlichen Generalstabs, ins rechte Licht zu rücken. Narcissus war immer auf der Suche nach jungen Aristokraten, denen es gelang, politisches Talent mit moralischer Geschmeidigkeit zu verbinden.

Entsprechend stand Macro praktisch allen Tribunen kritisch gegenüber – und auch den meisten Legaten. Allerdings, überlegte er etwas weicher gestimmt, war Vespasian in Ordnung. Ihr Legat hatte sich stets als ein ehrlicher, mutiger Mann erwiesen, der sich nicht zu gut war, die Unannehmlichkeiten und Gefahren zu teilen, denen seine Männer ausgesetzt waren. So etwas suchte und schätzte Macro bei einem Kommandanten. Es war eine Schande, dass Vespasian unvermeidlich in Bedeutungslosigkeit versinken würde, sobald seine Amtszeit als Legat der Zweiten Legion vorüber war. Gerade die Integrität des Legaten war sein schlimmster Feind.

Macro schüttelte diese Überlegungen ab und konzentrierte sich wieder auf den Tribun, der ihm gegenüber saß. Er kam zu dem Schluss, dass Quintillus in fast jeder Hinsicht typisch für seinesgleichen war. Jung. Nicht so jung wie

Cato, aber doch zu jung, um da, wo es zählte, die nötige Erfahrung zu haben. Cato war trotz seines jugendlichen Alters zäh, intelligent und im Kampf so gefährlich, wie es ein Soldat nur sein konnte. Im Vergleich dazu wirkte Quintillus schlaff. Zwar war der hoch gewachsene Mann keineswegs fett, doch die zarte Haut erzählte von einer verwöhnten Kindheit. Sein dunkles Haar war kurz geschnitten, und an Stirn und Schläfen kräuselten sich geölte Haarsträhnen. Auch die Uniform des Tribunen wies solche kleinen Raffinessen auf, die zurückhaltend und doch unübersehbar Rang und Reichtum der Familie erkennen ließen. Quintillus sprach selbstbewusst und unterstrich seine Worte mit unauffälligen, aber schwungvollen Gebärden der Hand, die ihm irgendein berühmter Rhetoriklehrer beigebracht haben musste. Dergestalt mit Eleganz, gutem Aussehen und einem üppigen Vermögen ausgestattet, war Quintillus zweifellos äußerst erfolgreich bei den Frauen und Macro schon deshalb instinktiv zuwider.

»Leider gibt es aber einen Aspekt des Berichts, über den ich mich gerne mit euch unterhalten würde.« Quintillus lächelte wieder und zog eine Schriftrolle aus der Ledertasche zu seinen Füßen.

Beim Anblick seines eigenen Berichts verließ Macro ein wenig der Mut. »Nämlich?«

Der Tribun rollte den Bericht von unten her auf und überflog die Schlusszeilen.

»Du erwähnst beiläufig, dass einige Elemente unter den Atrebates das Bündnis mit Rom nicht ganz so begeistert beurteilen wie ihr König.«

»Ja, Herr.« Macro versuchte, sich den genauen Wortlaut seines Berichts in Erinnerung zu rufen. Er hasste es, von einem Vorgesetzten, der den Vorteil besaß, den ganzen Bericht in Händen zu halten, so auf einige wenige Worte festgenagelt zu werden, die er vor Tagen geschrieben hatte. So etwas war ungerecht, aber in der Legion ging es schließlich selten gerecht zu.

»Was genau meinst du damit?«, fragte Quintillus.

»Das hat nicht viel zu bedeuten, Herr. Ein paar Unzufriedene murren über Roms langfristige Pläne für die Atrebates, aber nichts, was der König nicht im Griff hätte.«

Cato warf seinem Freund einen überraschten Blick zu und kontrollierte seine Züge sofort wieder, als der Tribun nicht aufblickte.

»Ja, so ungefähr drückst du dich auch hier aus. Aber mir scheint, dass des Königs Umgang mit diesen Unzufriedenen vielleicht ein wenig bissiger ist – bitte verzeih das Wortspiel –, als du durchklingen lässt. Seine Kritiker den Hunden vorzuwerfen scheint mir ein wenig übertrieben …«

»Wie hast du das herausgefunden?«

Der Tribun zuckte die Schultern. »Das ist unwichtig. Im Moment geht es nur darum, dass ihr mir berichtet, wie die Lage hier in Calleva nun wirklich aussieht.«

»Es waren keine Kritiker, Herr. Sondern Verräter, und sie haben bekommen, was sie verdienten. Vielleicht ein bisschen hart, aber schließlich sind diese Leute Barbaren. Verica hat sich des Problems angenommen.«

»Das stimmt. Aber warum erwähnst du es nicht in diesem Bericht?«

»Der wurde geschrieben, bevor Verica die Verräter töten ließ.«

»In Ordnung«, räumte Quintillus ein. »Da kann ich dir keinen Vorwurf machen.«

»Nein, Herr.«

»Und wie hat die Lage sich seitdem entwickelt?«

»Sie ist durchaus ruhig. Ein paar Spannungen auf den Straßen, aber das ist alles.«

»Und man könnte guten Gewissens sagen, dass König Verica sicher auf seinem Thron sitzt?«

»Ich denke schon.« Macro warf Cato einen Blick zu. »Nicht wahr, Cato?«

Cato nickte verhalten, und Macro starrte ihn wütend an.

»Zenturio Cato scheint eine geringfügig andere Sicht der Dinge zu haben«, merkte Quintillus gelassen an.

»Zenturio Cato ist nicht besonders erfahren, Herr.«

»Das sehe ich.«

Cato errötete.

»Und doch wäre es nützlich, einfach der Klarheit halber eine zweite Meinung zu hören.« Der Tribun forderte Cato mit einer Geste zum Sprechen auf. »Nun?«

Cato spürte, wie eine dunkle Woge aus Angst und Mutlosigkeit über ihm zusammenschlug. Er musste dem Tribun Rede und Antwort stehen, doch aus Loyalität Macro gegenüber durfte er nicht den Anschein erwecken, als untergrabe er die Version seines Freundes. Dumm, dass Macro so leicht gekränkt war. Von aristokratischer Arroganz hielt Cato auch nicht viel, doch als jemand, der am kaiserlichen Hof aufgewachsen war, war er wenigstens daran gewöhnt und hatte Mittel und Wege gefunden, damit umzugehen. Natürlich wollte Macro sein unabhängiges Kommando ohne Einmischung höherer Offiziere ausüben, doch Cato wusste auch, dass es gefährlich wäre, Vericas politische Schwierigkeiten herunterzuspielen. Der etwas weitsichtigere Cato erkannte zudem, was die Entwicklung in einem größeren Rahmen für Rom bedeutete. Sollten die Atrebates sich gegen Rom kehren, wäre nicht nur der diesjährige Feldzug verloren, sondern möglicherweise die ganze Eroberung Britanniens. Eine so unrühmliche Entwicklung würde den Kaiser selbst in Gefahr bringen. Cato wollte nicht weiter spekulieren und zwang sich, sich auf die Gegenwart zu konzentrieren. Sosehr Cato die Rahmenbedingungen auch bewusst sein mochten, steckte Macro hier in der Patsche und brauchte Catos Unterstützung.

»Zenturio Macro hat Recht, Herr …«

Macro legte die Hände auf die Knie und lehnte sich im Stuhl zurück, angestrengt bemüht, ein Lächeln zu unterdrücken.

»Er hat Recht«, wiederholte Cato nachdenklich. »Aber es wäre trotzdem klug, die Möglichkeit von Unruhen zu erwägen. Schließlich ist der König ein alter Mann. Und alte Männer sterben nun mal, mit oder ohne Hilfe …«

Der Tribun kicherte. »Denkst du da an irgendwelche bestimmten potenziellen Helfer – außer Caratacus und den Durotriges?«

»Die Familien der von ihm hingerichteten Männer hätten Grund genug, Herr.«

»Sonst noch jemand?«

»Nur die Unzufriedenen, die Macro erwähnte.«

»Wie viele werden das wohl sein, Zenturio?«

Cato überlegte verzweifelt. Schätzte er zu hoch, würde Macro bestenfalls als unbelehrbarer Optimist und schlimmstenfalls als Lügner dastehen. Unterschätzte er ihre Zahl aber, würde der Tribun General Plautius von einem ungefährdeten Bündnis zwischen Rom und den Atrebates berichten. Wenn sich das dann als unrichtig erwiese …

»Wie viele?«

»Das ist schwer zu sagen, Herr. Angesichts der harten Linie, die Verica gegen seine Gegner fährt, werden sie sich kaum zu erkennen geben.«

»Gibt es irgendeinen Grund zur Sorge?«, fragte Quintillus und fügte dann erläuternd hinzu: »Gibt es sonst noch irgendetwas, was ich deiner Ansicht nach dem General mitteilen sollte?«

»Nach meinem Urteil ist es so, wie Macro sagte, Herr. Derzeit haben wir die Lage unter Kontrolle. Falls die Situation sich aber ändert, wenn Verica stirbt oder wir eine ernsthafte Niederlage einstecken, die zu Vericas Sturz führt, kann man nicht wissen. Der Mann, der vom Rat des Königs als sein Nachfolger gewählt wird, wird Rom vielleicht nicht ergeben bleiben.«

»Ist das wahrscheinlich?«

»Es ist möglich.«

»Ich verstehe.« Tribun Quintillus lehnte sich auf seinem Stuhl zurück und blickte auf den Boden aus gestampfter Erde. Er fuhr sich mit dem Daumen über die Bartstoppeln am Kinn und überdachte die Lage. Schließlich, als Macro schon langsam unruhig wurde, blickte der Tribun auf.

»Meine Herren, ich will ehrlich sein. Die Lage bereitet mir größere Sorgen, als ich erwartet hatte. Der General wird nicht glücklich sein, wenn er meinen Bericht liest. Im Moment sind die Legionen über eine lange Front verteilt und versuchen, Caratacus so lange dicht auf den Fersen zu bleiben, bis wir ihn in die Ecke getrieben haben und zum tödlichen Schlag ausholen können. Unsere Nachschublinien gehen allerdings bis ganz nach Rutupiae zurück und die meisten passieren das Gebiet der Atrebates. Jetzt schon haben wir reichlich Probleme damit, uns die Plünderertrupps des Feindes vom Leib zu halten. Sollten die Atrebates zu Caratacus überlaufen, hätten wir ausgespielt. General Plautius wäre gezwungen, sich bis zur Festung an der Tamesis zurückzuziehen. Aus diesem Rückschlag würde Caratacus das Beste herausholen; die Stämme würden sich um ihn scharen. Auch wenn es nur Kelten sind, könnte Caratacus mit genügend Kriegern unsere Legionen vielleicht doch besiegen.« Quintillus sah Cato und Macro an. »Ihr seid euch des Ernstes der Lage bewusst?«

»Wir sind keine Trottel, Herr«, antwortete Macro. »Natürlich wissen wir, worum es geht. Oder, Cato?«

»Ja.«

Quintillus nickte ganz leicht und schien zu einer Entscheidung zu kommen. »Dann versteht ihr gewiss den Gedankengang des Generals, wenn ich euch mitteile, dass er mir die Macht eines Prokurators verliehen hat und ich diese Macht sofort nutzen soll, wenn ich irgendeine Gefahr für die Nachschublinien der Legionen erkenne.«

»Das kann doch nicht dein Ernst sein, Herr?« Cato schüttelte den Kopf. »Annektierung? Das würden die Atrebates niemals dulden.«

»Wer sagt denn, dass wir ihnen in dieser Frage die Wahl lassen?«, gab Quintillus kalt zurück. »Solange sie so vernünftig sind, zu tun, was wir wollen, können sie ihren König behalten. Doch wenn sie unsere Interessen in irgendeiner Weise gefährden, werde ich zum Handeln gezwungen sein. Dann wird die Zweite Legion nach Calleva zurückbeordert, um meine Befehle durchzusetzen. Die Eingeborenen und ihr Gebiet fallen unmittelbar unter römische Herrschaft; das Königreich der Atrebates wird ausgelöscht.«

»Nein«, murmelte Macro. »Eher würden sie sterben.«

»Unsinn! Sei nicht so melodramatisch, Zenturio. Sie werden alles tun, um zu überleben, wie jeder, der nicht die Macht hat, den Lauf der Dinge zu ändern. Inzwischen müssten sie schon eine recht gute Vorstellung davon haben, zu welchem Preis man Rom herausfordert.« In den Augen des Tribuns glomm skrupelloser Ehrgeiz. »Wer es noch nicht weiß, dem werde ich es beibringen.«

»Falls es so weit kommt«, wandte Cato ein.

»Ja.« Der Tribun nickte. »Falls es so weit kommt.«

Cato machte der Gedanke an die Verwegenheit des Schlags, den der Tribun da erwog, schwindlig. Er konnte sich die Reaktion des stolzen, leicht zu kränkenden Artax mühelos vorstellen. Die von Tincommius ebenso. Vielleicht würde selbst der demütige Bedriacus die willkürliche Durchsetzung unmittelbarer römischer Herrschaft übelnehmen. Cato hatte das Gefühl, diesen Menschen in den letzten Monaten ein wenig näher gekommen zu sein. So, wie er einiges

von ihrer Sprache gelernt hatte, hatte er auch ihre Kultur ein
wenig verstanden und sie sogar in vieler Hinsicht achten gelernt. Diese Briten besaßen eine innere Aufrichtigkeit, die
den Völkern, die seit vielen Jahren im Schatten des Adlers
lebten, inzwischen abging. In Gallien hatte Cato gesehen, in
welchem Ausmaß man die eroberten Gebiete in eine schlechte Kopie Italiens mit seinen riesigen Herrengütern verwan-
delt hatte. Generationen von Eingeborenen hatten ihr ange-
stammtes Land verloren und bearbeiteten nun dieselben Felder für einen Hungerlohn. Wo die Güter von Kettensklaven
bestellt wurden, waren die Nachfahren der einst so stolzen
Stämme, die beinahe Cäsar selbst besiegt hätten, gezwungen, sich Arbeit in den kleinen Manufakturen zu suchen, die
überall im Umkreis der neuen, aus dem Boden gestampften
römischen Städte entstanden.

Unabhängig von den strategischen Notwendigkeiten der
gegenwärtigen Lage war Cato überzeugt, dass die Atrebates
etwas Besseres verdient hatten. Tapfere Männer hatten ihr
Blut vergossen, um die Nachschublinien der Legionen zu
verteidigen. Er hatte sie sterben sehen. Gewiss, sie hatten
gleichzeitig sich selbst gegen ihre kriegerischen Nachbarn
verteidigt, doch was ihn wirklich beeindruckt hatte, war
der gegenseitige Respekt und, so wagte er sich einzugestehen, die Zuneigung, die ein Band zwischen den atrebatischen Kriegern und ihren Ausbildern von der Zweiten Legion geschaffen hatte. Insbesondere Figulus, der mit ihrer
Sprache vertraut war und, sobald er die Uniform ablegte,
Zoll für Zoll wie ein echter Kelte aussah.

Durchs geöffnete Fenster von Macros Schreibstube waren die lauten Rufe auf dem Exerzierplatz deutlich zu hören,
und Cato erschrak, wie plötzlich so viel gute Arbeit durch
rohe Machtspiele bedroht werden konnte. Die Spannungen
nach Vericas Bankett würden irgendwann nachlassen und
die Spaltung des Stammes würde heilen. Was Quintillus da-

gegen vorschlug, würde mit ganz wenigen Ausnahmen die Atrebates gegen Rom vereinen. Es wäre Wahnsinn, und das musste er dem Tribun klarmachen.

»Herr, wir haben hier zwei gute Kriegerkohorten. Sie kämpfen ausgezeichnet, und zwar Seite an Seite mit Rom, weil sie uns für Freunde und nicht für Unterdrücker halten. Zu gegebener Zeit wird man vielleicht gestatten, dass sie als reguläre Hilfstruppen dienen, und wo sie vorangehen, werden andere Stammesangehörige folgen. All das ginge verloren, wenn du ihr Königreich zur Provinz degradiertest. Schlimmer noch, sie würden sich wie ein Mann gegen uns kehren ... Ich bezweifle, dass der General das billigen würde.«

Quintillus sah ihn einen Moment lang verärgert an, doch dann lösten sich seine Züge und er lächelte. »Da hast du natürlich Recht. Wir dürfen diese Chance, die ihr beide geschaffen habt, nicht wegwerfen. Solange diese beiden Kohorten bestehen, sollten wir behutsam vorgehen.«

Cato entspannte sich und nickte. Dann erhob der Tribun sich elegant von seinem Stuhl. Macro und Cato standen ebenfalls auf und nahmen Haltung an.

»Nun, meine Herren, bitte ich, mich zu entschuldigen, aber ich muss König Verica wirklich meine Aufwartung machen, um unseren Verbündeten nicht noch länger zu kränken.«

Als der Tribun weg war, lächelte Macro Cato an. »Den hast du bestens ausgehebelt! Jetzt muss der Drecksack uns zumindest vorläufig in Ruhe lassen.«

»Da bin ich mir nicht so sicher.«

»Komm schon, Cato! Warum musst du immer so verdammt argwöhnisch sein? Du hast es doch gehört: Er gibt dir Recht.«

»Das sagte er ...«

»Und?«

»Ich bin mir nicht sicher.« Cato blickte zu Boden. »Ich traue ihm nicht.«

»Du hältst ihn für unaufrichtig?«

»Nein. Oder zumindest nicht für einen Betrüger. Aber er ist sehr ehrgeizig. Schließlich vergibt der General nicht jeden Tag die Befugnisse eines Prokurators.«

»Und das heißt?«

»Das heißt, dass unser Freund Quintillus sehr in Versuchung sein könnte, diese Befugnisse unter allen Umständen auszuüben. Selbst wenn dadurch die Atrebates so weit provoziert würden, dass sie offen rebellieren.«

Macro starrte ihn einen Moment lang an und schüttelte dann den Kopf. »Nein. Eine solche Dummheit würde niemand begehen.«

»Er ist kein Niemand«, entgegnete Cato ruhig. »Quintillus ist ein Patrizier. Seinesgleichen dient Rom nicht. So, wie er die Dinge sieht, ist Rom dazu da, ihm zu dienen, und er versucht alles, um Rom genau dazu zu bringen. Falls die Atrebates sich erheben, kann er seine Befehlsgewalt ausnutzen, um alle verfügbaren Truppen unter sein Kommando zu stellen und den Stamm vernichtend zu schlagen. Ein ruhmreicher Sieg löscht merkwürdigerweise gerne die Erinnerung daran aus, warum dieser Sieg überhaupt nötig wurde.«

Als Cato geendet hatte, brach der ältere Zenturio in ein sonores Lachen aus. »Die Götter mögen mir helfen, falls du jemals beschließt, in die Politik zu gehen. Du kannst ganz schön durchtrieben sein, mein lieber Bursche.«

Cato errötete leicht wegen der damit angedeuteten Kritik, zuckte dann aber mit den Schultern. »Die Politik überlasse ich denen, die dafür geboren sind. Ich möchte einfach nur am Leben bleiben, und im Moment sitzen wir mitten in einem Nest von Skorpionen. Wir haben zwei einheimische Kohorten, die sich dem gefährlichen Irrtum hingeben, jedem

Feind gewachsen zu sein. Wir haben eine von halb verhungertem Pöbel überfüllte Stadt und einen alten König, der bei jedem Schatten zusammenfährt, weil er eine Intrige seines eigenen adligen Gefolges befürchtet. Vor den Toren ziehen feindliche Plünderertrupps herum und schlachten unsere Nachschubkolonnen ab. Und jetzt – jetzt haben wir auch noch einen hochnäsigen, karrieregeilen Tribun am Hals, der begierig nach irgendeinem Vorwand sucht, die Einheimischen zu annektieren.« Er sah Macro an und schüttelte den Kopf. »Warum sollte ich mir da keine Sorgen machen?«

»Das stimmt.« Macro nickte. »Komm, lass uns was trinken.«

19

Tribun Quintillus ging langsam durch die schmutzige Hauptgasse Callevas. Hinter ihm stapften seine Leibwächter, die er aus dem Armeehauptquartier mitgebracht hatte: sechs aufgrund ihrer Härte handverlesene Männer, jeder einzelne so hoch gewachsen und breitschultrig wie der Tribun. Er wusste, welchen Eindruck er bei diesen Barbaren hinterlassen wollte. Als Vertreter des Generals und letztlich des Kaisers selbst musste er die unbesiegbare Rasse verkörpern, die von den Göttern dazu auserwählt war, die schmuddeligen, rückständigen Völker der Welt jenseits der imperialen Grenzen zu unterwerfen.

Auf seinem Weg zur königlichen Umfriedung blickte Quintillus sich zwischen den strohgedeckten Hütten neugierig um. Die meisten Bewohner saßen vor ihren Türen, ein Panorama ausgezehrter Gesichter, in deren Zügen die Verzweiflung stand. Sie hatten noch nicht ganz das Stadium des Verhungerns erreicht, wo Apathie und Kraftlosigkeit jedes Handeln ausschlossen. Daher stellten sie nach Berechnung des Tribuns noch immer eine Gefahr dar. Vielleicht hatten sie noch genug Energie, einem Aufruf zur Rebellion gegen Rom zu folgen.

Nach dem Übungskampflärm im römischen Lager kam ihm die Stille unheimlich vor, und Quintillus war erleichtert, als er die letzte Biegung nahm und das Tor und die Palisade der königlichen Umfriedung vor sich hatte. Zur Überraschung des Tribuns waren die Torflügel geschlossen. Anscheinend waren die Bewohner der Umfriedung sich der brodelnden Spannung in den stickigen Gassen Callevas durchaus bewusst. Beim Kommen der Römer drehte einer der Wachposten auf dem Wehrgang über dem Tor sich zur Königsburg um und meldete die Ankömmlinge mit lautem Rufen an. Doch die Torflügel blieben verschlossen, als Quintillus auf sie zumarschierte. Schon befürchtete er, dass man ihm die Schmach antun würde, ihm den Eintritt zu verwehren, da tauchte hinter der Palisadenbrüstung über dem schweren Balkentor ein Gesicht auf. Quintillus blickte blinzelnd auf, von der Sonne geblendet, und erkannte einen riesigen Krieger.

»Sprichst du Latein?«, fragte der Tribun lächelnd.

Der Mann nickte.

»Dann sei bitte so gut und sage dem König, dass Tribun Quintillus um eine Audienz nachsucht. Ich komme im Auftrag von Aulus Plautius.«

Beim Namen des Generals weiteten sich die Augen des Briten. »Warte, Römer.«

Dann verschwand er und Quintillus stand vor dem verschlossenen Tor. Er starrte wütend auf die verschatteten Torflügel und schlug sich entnervt mit der Hand auf den Oberschenkel. Die Römer standen im strahlenden Sonnenschein zwischen den primitiven Hütten zu beiden Seiten des tief ausgefurchten Fahrwegs und warteten. Der Gestank eines Misthaufens, der durch die Hitze besonders stechend wurde, erfüllte die stickige Luft, und der Tribun rümpfte angeekelt die Nase. Fliegen umschwärmten ihn und seine Leibwächter und ganz in der Nähe bellte endlos ein Hund. Quintillus tat so, als lasse ihn das alles völlig kalt, und ging langsam vor dem Tor auf und ab, die Hände lose hinter dem Rücken verschränkt. Diese ganze Stadt schrie nach Zerstörung. Schon sah der Tribun Calleva als Sitz der Provinzregierung vor sich: schnurgerade Reihen ziegelgedeckter Häuser um einen bescheidenen Palast und ein Gerichtsgebäude geschart, die beide verkündeten, dass Recht und Ordnung Roms hier ein weiteres Mal gesiegt hatten.

Schließlich ertönte hinter den Torflügeln ein lautes Poltern und der Riegel wurde zurückgezogen. Gleich darauf schwang einer der Torflügel langsam nach innen auf. Der Brite, der zuvor schon mit ihnen gesprochen hatte, winkte sie herein, bevor der Torflügel wieder geschlossen wurde.

»Da entlang.« Der Brite deutete auf die Königsburg. Quintillus unterdrückte seine Empörung über das ungehobelte Benehmen des Mannes und nickte seinen Leibwächtern zu, ihm zu folgen.

In der Umfriedung war es beinahe ebenso still wie in der Stadt. Eine Hand voll Wächter schritt die Palisade langsam ab und spähte dabei aufmerksam über das Durcheinander strohgedeckter Dächer hinweg. Andere saßen oder schliefen in schattigen Winkeln, und Quintillus war sich mehrerer Augenpaare bewusst, die ihm beim Vorübergehen folgten. Am Eingang der Königsburg hockten vier Krieger im Schatten. Sie erhoben sich, als die kleine Gruppe sich näherte. Dort angelangt, wandte der Brite sich zu Quintillus um.

»Deine Männer warten hier.«

»Das sind meine Leibwächter.«

»Sie warten hier«, erklärte der Brite fest. »Du kommst mit mir.«

Nach einem winzigen Moment des Zögerns, um anzudeuten, dass er seinen Gastgebern ein Zugeständnis machte, folgte Quintillus dem Mann hinein. Im Gegensatz zum strahlenden Sonnenlicht draußen war es hier drinnen bestürzend dunkel und Quintillus staunte über das laute Hallen seiner Schritte auf dem primitiv gepflasterten Boden. Eine kleine Öffnung im Dach erlaubte einem Lichtstrahl zwischen den Dachbalken Zugang, und in seinem sanftgoldenen Schimmer tanzten winzige Staubkörnchen. Quintillus stellte fest, dass die Luft zwar angenehm kühl war, aber nach Bier und Küchendünsten stank. Auf der rückwärtigen Seite des Königssaals befand sich ein schmaler Durchgang, der von innen mit einem Ledervorhang verhängt war. Seitlich vor dem Eingang stand ein Wächter, das gezogene Schwert mit der Spitze zwischen die Füße gestellt. Der Begleiter des Tribuns nickte dem Wächter zu, der beiseite trat, und klopfte am hölzernen Türrahmen. Von drinnen antwortete eine Stimme und der Brite schob den Ledervorhang beiseite, trat durch die Tür und winkte dem Tribun, ihm zu folgen.

Nach römischen Maßstäben waren die privaten Räumlichkeiten des Königs äußerst primitiv eingerichtet, und Quintillus musste sich zusammennehmen, um nicht ganz undiplomatisch seine spontane Abscheu und Herablassung durchscheinen zu lassen. An den verputzten und mit Tierfellen behängten Wänden entlang standen Truhen, in denen der Besitz des Königs aufbewahrt wurde. Dicht beim Eingang befand sich ein großer Tisch, um den mehrere Stühle gruppiert waren, an der rückwärtigen Wand ein großes Bett, mit weiteren Tierfellen zugedeckt. Verica stand neben dem Bett und zog eine lange Tunika über seinen mageren Körper mit der schlaffen, faltigen Haut. Ein schrilles Gekicher lenkte die Aufmerksamkeit des Tribuns wieder zum Bett, wo er das Gesicht einer jungen Frau entdeckte, fast noch ein Mädchen, die unter den Fellen hervorlugte. Verica sagte etwas zu ihr und wies mit einem Fingerschnippen zur Tür. Sofort warf das Mädchen die Felldecken von sich, schnappte sich einen schmuddeligen Überwurf vom Fußende des Bettes und eilte davon. Quintillus trat beiseite, um sie durch die Tür zu lassen, und musterte dabei wohlwollend ihren gertenschlanken Körper.

»Hättest du sie gerne?«, fragte Verica, der steif auf ihn zutrat. »Im Anschluss an unser Gespräch, meine ich. Sie ist gut.«

»Äußerst freundlich von dir, aber ich fürchte, dass ich keine Zeit habe, sie zu genießen. Außerdem mag ich sie ein bisschen älter – dann haben sie mehr Erfahrung.«

»Erfahrung?« Verica runzelte die Stirn. »Ich bin die Erfahrung jeden Tag mehr leid. In meinem Alter sehnt man sich nach dem Leben, das man führte, bevor die Erfahrung es besudelte … Verzeihung«, Verica lächelte und hob entschuldigend die Hand. »Zur Zeit beschäftige ich mich ein bisschen viel mit Fragen des Alters. Bitte, nimm Platz, Tribun, hier am Tisch. Ich habe nach etwas Wein geschickt. Ich weiß, dass meine römischen Freunde Wein unserem Bier vorziehen.«

»Danke, Majestät.«

Während die beiden Männer sich setzten, brachte ein junger Sklave zwei Terra-Sigillata-Becher und einen Krug. Er schenkte einen dunkelroten Strom in jeden Becher. Gleich darauf eilte er aus dem Raum. Verica nickte zu einem Stuhl am anderen Ende des Tischs, und der Brite, der den Tribun geführt hatte, setzte sich zum König und seinem römischen Gast.

»Cadminius ist der Hauptmann der königlichen Leibwache«, erklärte Verica. »Ich habe ihn stets in meiner Nähe. Was immer du mir zu sagen hast, darf auch er wissen.«

»Ich verstehe.«

»Nun denn, Tribun Quintillus, welchem Umstand verdanke ich das Vergnügen deines Besuchs?«

Quintillus empfand die Direktheit des Königs als äußerst ungehobelt. Doch bei einem Kelten musste man dem Mangel an gesellschaftlichem Schliff und diplomatischem Takt mit Nachsicht begegnen. Schließlich entstammte der Mann tiefster Barbarei und war nur einige wenige Jahre in Rom zu Gast gewesen. Quintillus zwang sich also trotz allem zu einem Lächeln.

»Ich weiß deine Direktheit zu schätzen, Majestät.«

»Ich habe keine Zeit mehr für Förmlichkeiten, Tribun. Inzwischen bleibt mir für alles zu wenig Zeit.«

Außer für seinen Appetit auf junges Fleisch, überlegte Quintillus, nötigte sich dann aber erneut ein Lächeln ab. »Mein General sendet König Verica, dem engsten unter unseren Freunden, seine herzlichsten Grüße.«

Verica lachte. »Sonderbare Welt, wenn ein so unbedeutender Stamm wie die Atrebates in den Augen einer so großen Macht wie Rom auch nur die geringste Bedeutung besitzt.«

»Dennoch bist du und ist dein Volk dem Kaiser und meinem General wichtig, wie dir sicher bewusst ist.«

»Natürlich. Jeder Mann, der einen anderen Mann im Rücken hat, möchte wissen, ob der nun sein Feind ist oder sein Freund. Das ist der Sinn, in dem wir euch wichtig sind, oder etwa nicht?«

Quintillus lachte. »Du beschreibst unser beider Lage wunderbar prägnant und treffend. Und das bringt uns zum Anlass meines Besuchs.«

»Aulus Plautius möchte wissen, wie weit er sich auf mich verlassen kann.«

»O nein, Majestät!«, widersprach Quintillus. »Der General hat nicht die geringsten Zweifel an deiner Loyalität gegenüber Rom. Absolut nicht.«

»Wie ungemein beruhigend.«

Verica hob seinen Becher und trank. An seiner mageren

Kehle hüpfte der Adamsapfel, während er das Gefäß immer mehr neigte. Ein paar letzte rote Tropfen über seinen weißen Bart verschüttend, leerte Verica den Becher ganz und stellte ihn mit einem lauten Krachen auf den Tisch zurück.

»Der Wein ist gut! Koste einmal, Tribun.«

Quintillus führte seinen Becher an die Lippen, stellte fest, dass der Inhalt gut roch, und nahm einen Schluck. Der süße Wein war vollmundig und erzeugte eine angenehme Wärme in der Kehle. Das war kein billiges Gesöff. Er konnte die Herkunft des Weins zwar nicht genau bestimmen, seinen Preis aber sehr wohl schätzen.

»Wirklich gut. Ein Überbleibsel deiner Tage als römischer Gast?«

»Natürlich. Und du denkst auch nur einen Moment lang, ich wäre so verrückt, mich gegen Rom zu kehren und so etwas aufzugeben?«

Sie lachten beide und dann schüttelte Verica den Kopf.

»Im Ernst, General, unser Bündnis mit Rom eröffnet uns viele Möglichkeiten. Doch auch davon abgesehen würde ich eher mein Glück mit Rom versuchen als mich diesem Schurken Caratacus auf Gedeih und Verderb auszuliefern. Dann wäre ich in wenigen Tagen tot und irgendein Fanatiker würde meinen Platz einnehmen.«

»Und ein solcher Mann ließe sich unter den Atrebates leicht finden?«, hakte Quintillus nach.

Verica sah ihn einen Moment lang an, jetzt ohne die geringste Spur von Erheiterung. »Es mag manchen geben, der denkt, dass unser Stamm auf der falschen Seite steht, ja.«

»Manchen? Viele?«

»Genug, um mir Sorgen zu bereiten.«

»Was dir Sorgen bereitet, bereitet auch Rom Sorgen, Majestät.«

»Oh, da bin ich mir sicher.«

»Kennst du diese Männer?«

»Ich kenne einige von ihnen«, räumte Verica ein. »Ich verdächtige weitere. Was die anderen anbelangt, wer weiß?«

»Und warum kümmerst du dich dann nicht um sie, Majestät?«

»Mich um sie kümmern? Was ist denn das für ein Euphemismus? Sag doch, was du meinst, Tribun. Wir müssen klar und eindeutig reden. Euphemismen sind etwas für Feiglinge und führen nur zu späteren Missverständnissen und Beschuldigungen. Du möchtest, dass ich meine Leute umbringe?«

Quintillus nickte. »Zur Abschreckung und um deiner eigenen Sicherheit willen.«

»Vermutlich hat der gute Zenturio Macro dir bereits berichtet, dass ich es mit dieser Strategie schon versucht habe und damit gescheitert bin.«

»Vielleicht hast du ja nicht genug deiner Feinde entfernt?«

»Vielleicht habe ich mehr als genug ›entfernt‹. Vielleicht hätte ich besser überhaupt keinen entfernen sollen. Das ist Cadminius' Meinung, auch wenn er nicht wagt, es laut auszusprechen.«

Am Ende des Tisches senkte der Hauptmann der Leibwache den Blick. Quintillus beachtete den Mann nicht weiter und beugte sich dichter zu Verica.

»Das hätte wie Schwäche ausgesehen, Majestät. Es hätte andere ermutigt, die Stimme gegen dich zu erheben. Im Endeffekt führt Toleranz immer zu Schwäche. Und Schwäche zur Niederlage.«

»Für euch ist alles einfach, nicht wahr, Römer?« Verica schüttelte den Kopf. »Alles ist entweder ganz schwarz oder ganz weiß. Eine einzige Lösung passt für alles. Herrsche mit eiserner Faust.«

»Bei uns funktioniert es, Majestät.«

»Bei uns? Wie alt bist du, Tribun?«

»Vierundzwanzig, Herr. Nächsten Monat.«

»Vierundzwanzig …« Der Atrebate blickte ihm einen Moment lang in die Augen und schüttelte den Kopf. »Calleva ist nicht Rom, Quintillus. Hier ist wesentlich mehr Fingerspitzengefühl erforderlich. Töte ich zu viele meiner Feinde, provoziere ich den Aufstand derer, denen Unterdrückung zuwider ist. Töte ich zu wenige, provoziere ich den Aufstand derer, die meine Milde missbrauchen. Verstehst du jetzt mein Problem? Jetzt frage ich dich: Wie viele sollte ich töten, um die gewünschte Wirkung zu erzielen, aber ohne einen Aufstand auszulösen?«

Quintillus wusste keine Antwort und war wütend, dass er sich in eine solch offensichtliche rhetorische Falle hatte locken lassen. Er war von den teuersten Lehrern ausgebildet worden, die sein Vater sich leisten konnte, und fühlte sich beschämt. Verdammter König Verica. Dieser verdammte verschrumpelte alte Mann. Er hatte alles durcheinander gebracht und jetzt musste Rom für Ordnung sorgen. Immer Rom.

»Majestät«, antwortete er ruhig. »Es ist mir bewusst, dass das Regieren eines Königreichs keine exakte Wissenschaft darstellt. Aber du hast ein Problem. Dein Volk ist geteilt und ein Teil deiner Leute steht Rom feindselig gegenüber. Daher ist das nun auch unser Problem. Zum Wohle deines Volkes musst du eine Lösung finden.«

»Oder?«

»Oder Rom wird das Problem lösen müssen.«

Während des folgenden Schweigens registrierte der Tribun, dass Cadminius sich im Stuhl aufgerichtet und die Hand zur Faust geballt hatte. Am anderen Ende des Tisches lehnte Verica sich zurück, führte die gefalteten Hände an den Mund und betrachtete Quintillus aus schmalen Augen.

»Soll das eine Drohung sein?«

»Nein. Natürlich nicht. Aber lass mich die Optionen deines Volkes beschreiben, wie ich sie sehe, wenn du gestattest.«

»Nur zu, junger Mann.«

»Die Atrebates müssen Verbündete Roms bleiben. Wir müssen sichergehen, dass unser Nachschub euer Gebiet sicher passiert. Solange du das garantieren kannst, wirst du feststellen, dass wir euch dankbare und wertvolle Freunde sind. Und solange auch dein Nachfolger dieselbe Politik verfolgt, wird Rom gerne zulassen, dass die Atrebates ihre Angelegenheiten eigenständig regeln – solange wir keine Entwicklungen feststellen, die unsere Interessen gefährden könnten.«

»Falls aber doch?«

»Dann müssten wir euch helfen, euer Königreich zu regieren.«

»Du meinst, ihr müsstet uns annektieren? Uns zur Provinz machen?«

»Natürlich hoffe ich, dass es niemals so weit kommt.«

Es folgte ein angespanntes Schweigen, bevor Verica wieder das Wort ergriff. »Ich verstehe. Und falls unsere ›Politik‹ sich ändert?«

»Dann werden wir uns gezwungen sehen, alle Kräfte zu vernichten, die gegen Rom arbeiten. Alle Waffen werden konfisziert. Du und alle deine Adligen, die sich gegen Rom erheben, ihr verliert eure Ländereien, und alle Gefangenen werden als Sklaven verkauft. Das ist das Schicksal derer, die Rom die Treue brechen.«

Verica starrte den Tribun einen Moment lang an und ließ den Blick dann zum Hauptmann der Leibwache hinüberzucken. Angesichts der unverhüllten Drohung des römischen Gesandten hatte Cadminius Mühe, seinen Zorn zu beherrschen.

»Du lässt mir und meinem Volk keine große Wahl.«

»Nein, Majestät. Gar keine.«

20

Zwei Tage nach dem Eintreffen des Tribuns verkündete Verica, dass er eine Jagd veranstalten wolle. Ein Teil der mehrere Meilen von Calleva entfernten Wälder war königliches Jagdrevier und die in seiner Nähe ansässigen Bauern durften dort kein Wild jagen.

Am Nachmittag vor dem Aufbruch zur Jagd regte sich kein Lüftchen. Still lagen die Gassen Callevas unter der sengenden Sonne, während alle Bewohner sich in den Schatten geflüchtet hatten. Im Inneren der königlichen Umfriedung waren Diener und Sklaven dagegen eifrig mit Vorbereitungen beschäftigt. Die romantische Vorstellung, dass eine Gesellschaft von Adligen bei der Jagd ganz spontan ihren Verstand mit den raffinierten Kräften der Natur misst, ging weit an der logistischen Realität der Übung vorbei. Nach monatelanger Lagerung mussten alle Jagdspeere aussortiert werden, deren Schäfte gelitten hatten. Die brauchbaren Speere waren zu säubern und die Spitzen zu schleifen, bevor sie in Transportbehälter aus stabilem Leder kamen. Die Pferde mussten auf ihre Tauglichkeit überprüft und die schwächeren Tiere für andere Arbeiten zurückgestellt werden. Das Sattelzeug wurde gesäubert, eingefettet und sorgfältig auf jene Pferde eingestellt, die für die königliche Jagdpartie ausgewählt worden waren. Sklaven kämpften sich schwitzend mit Decken und Fellen zu den Wagen, die am Rand der Umfriedung standen. Nervöse Proviantmeister kommandierten Sklaven, die aus den dunklen Lagerräumen hinter dem Königssaal säckeweise Brot, Fleischkeulen und Krüge mit Bier und Wein heranschleppten. Der Hauptmann der königlichen Leibwache saß an einem improvisierten Tisch und wählte aus der langen Schlange von Bewerbern, die vor dem Tor anstand, tüchtige Treiber aus. Da es kaum noch

Lebensmittel gab, wollte jeder in Calleva einen Anteil des Wildbrets ergattern, das nach der Jagd verteilt wurde.

»Man könnte meinen, dass dieser Haufen einen Feldzug plant«, murmelte Macro, als er und Cato sich durch das Gewimmel drängten. »Ich dachte, wir machen einfach nur eine nette kleine Jagd.«

Cato lächelte. »Für die Knechte der Adligen gibt es das nicht, eine nette Jagd.«

Er sprach aus Erfahrung, da er ja im kaiserlichen Palast in Rom aufgewachsen war, und zwar hinter den Kulissen. Jedes Mal, wenn der Kaiser, oft aus einer Laune heraus, beschlossen hatte, dass er »mal schnell in Ostia vorbeischauen« oder »ein bisschen frische Luft in den Bergen schnappen« wollte, um der Gluthitze des römischen Sommers zu entkommen, war Catos Vater der Mann gewesen, der die unzähligen nötigen und unnötigen Dinge organisieren musste, die zu einem solchen Ausflug gehörten.

Caligula war der schlimmste gewesen. Die verrückten Launen des Kaisers waren immer bis an die absoluten Grenzen des Machbaren gegangen und hatten Catos geduldigen Vater zur Verzweiflung getrieben. Wie damals, als Caligula die Idee hatte, einen kleinen Spaziergang über die Bucht von Misenum zu machen. Ein Kaiser ließ sich so was nicht ausreden. Schließlich war er ein Gott, und wenn ein Gott sich etwas wünschte, so geschah es. Und so bauten Tausende von Legionären unter Verwendung von beschlagnahmten Handels- und Fischerbooten eine Pontonbrücke zwischen Baiae und Puteoli. Während Caligula und sein Gefolge auf der Brücke hin und her paradierten, beobachteten Tausende halb verhungerter Fischer und ruinierter Kaufleute das Treiben und wurden von Praetorianern mit der Schwertspitze zu fröhlichem Jubel »ermutigt«. Cato hatte all das miterlebt, so dass ihn jetzt die praktischen Auswirkungen von Vericas Entscheidung, jagen zu gehen, absolut nicht überraschten.

Macro blickte sich noch immer mit missbilligendem Stirnrunzeln um. »Ich dachte, wir nehmen einfach ein paar Speere und bringen im Wald ein paar wilde Viecher zur Strecke. Aber doch nicht so ein Aufstand. Wo steckt denn jetzt dieser verdammte Tribun?«

Sie waren am Spätnachmittag aus dem römischen Lager gerufen worden und hatten den beiden Kohorten freigegeben, bevor sie sich in den heißen, stickigen Gassen auf die Suche nach Tribun Quintillus machten. Beiden Zenturionen waren ihre dicken Militärtuniken zu warm, und Cato spürte unangenehm berührt, wie ihm unter dem dicken Wollstoff der Schweiß aus den Achselhöhlen rieselte.

»Siehst du ihn irgendwo?«, fragte Macro und reckte den Hals. Da er einige Zoll kleiner als Cato war, war seine Sicht durch das Gewusel der hoch gewachsenen Kelten behindert. Was Macro an Körpergröße fehlte, machte er durch seinen muskulösen, breitschultrigen Körperbau wett. Im Moment wirkte Macro so gereizt, als wollte er gleich jemanden aus der Menge schnappen und durch die Luft werfen.

»Nein.«

»Dann frag jemanden, du Trottel.«

Einen Moment lang erwiderte Cato den wütenden Blick seines Kameraden und verkniff sich nur mit Mühe die Bemerkung, dass Macro selber ja auch ein bisschen Keltisch hätte lernen können.

»Na gut.« Cato blickte sich um und hielt den Blick eines königlichen Leibwächters fest, der an einem der Wagenräder lehnte, die Daumen in den Gürtel gesteckt, der seine karierten Kniehosen über dem dicht behaarten Bauch festhielt. Cato winkte den Mann heran, doch der Brite antwortete nur mit einem kurzen Lächeln und beobachtete weiter mit trägem Blick die schuftenden Sklaven. Mit einem leisen Fluch schob Cato sich zu dem Leibwächter durch.

»He, du!«

Der Leibwächter sah sich irritiert nach dem Römer um.

»Hast du den Tribun gesehen?«

Cato wusste, dass seine Aussprache gut genug war, doch der Mann starrte ihn verständnislos an.

»Der Tribun. Der Römer, der vor vier Tagen eintraf. Ist er hier?«

»Sa!« Der Leibwächter nickte knapp.

»Wo denn?«

Der Brite nickte zur Königsburg hinüber.

»Drinnen?«

»Na! Trainiert.«

Cato wandte sich an Macro. »Er ist da. Hinter dem Gebäude.«

»Richtig.« Macro funkelte den Leibwächter an. »Bist ein richtig gesprächiger Typ, was?«

Der Leibwächter verstand kein Latein und erwiderte einfach nur Macros Blick, stumm und unnachgiebig.

»Komm schon«, griff Cato ein. »Wir können den Tribun nicht warten lassen. Heb dir das für später auf.«

Cato voran, schoben sich die beiden Zenturionen durch das Gedränge auf den Eingang der großen Halle zu. Die Wächter kannten die beiden inzwischen so gut, dass sie sie durchwinkten. Drinnen war es kühl und dunkel, und Cato und Macro mussten ihre Augen einen Moment lang an das Dämmerlicht gewöhnen. Dann sah Cato, dass einige Adlige still auf den Bänken entlang der Saalwände saßen und sich ausruhten. Auf breiten Holztischen standen hölzerne Servierplatten mit leeren Bechern und den Überresten einer Mahlzeit. Außerdem sah man undeutlich ein paar Jagdhunde auf dem Boden liegen – völlig bewegungslos bis auf eine Hündin, die einen ihrer Welpen leckte. Von oben drangen einige verirrte Sonnenstrahlen durchs Dachstroh und warfen Lichtschäfte ins Dämmerlicht.

»Nicht alle hier schuften«, bemerkte Macro höhnisch. Dann vernahmen sie aus einer kleinen Tür direkt gegenüber das scharfe Klirren von Schwertern. »Klingt aber so, als würde sich zumindest einer von ihnen in Schweiß bringen.«

Sie gingen zum Hintereingang des Saals, traten durch den hölzernen Türrahmen und kniffen – im plötzlichen, strahlenden Sonnenlicht geblendet – die Augen zusammen. Hinter der Königsburg lag ein offener Platz, der vom hinteren Teil der königlichen Umfriedung umschlossen war. Auf einer Seite standen mehrere Gestelle mit Speeren und Schwertern. Eine Hand voll Krieger der königlichen Leibwache saß an die Mauer des großen Saals gelehnt im Schatten und beobachtete die Szene, die sich in der Mitte des Übungsplatzes abspielte. Dort stand, vom Sonnenlicht umflutet, Tribun Quintillus fest auf beiden Beinen und hatte den Schwertarm nach dem britischen Krieger ausgestreckt, der in zehn Schritten Entfernung vor ihm stand. Beim Anblick des Tribuns verschlug es Cato einen Moment lang den Atem. Quintillus sah beeindruckend aus. Sein Oberkörper war nackt, und wie er so Auge in Auge mit dem Gegner dastand, hätte sein vollkommen ausgewogener Körperbau einem gefeierten Gladiatorenstar alle Ehre bereitet: Unter der eingeölten, schimmernden Haut zeichneten sich die Muskeln eindrucksvoll ab, während die Brust sich in einem gleichmäßigen Rhythmus hob und senkte.

Der Brite war mit einem längeren und schwereren Schwert bewaffnet als der Tribun, schien aber bisher in dem Kampf den Kürzeren gezogen zu haben. Über seine Schulter lief eine hochrote Schramme, aus der Blut sickerte. Er keuchte und konnte sein Schwert nicht ruhig halten. Plötzlich holte er tief Luft und stürmte mit Gebrüll auf den Tribun los. Quintillus täuschte an, duckte sich unter der nach oben geführten Klinge des Gegners weg, parierte mühelos und rammte dem Mann den Schwertgriff gegen die Schläfe.

Der Brite stöhnte auf und sackte zu Boden. Die im Schatten sitzenden Leibwächter ließen beifälliges Gemurmel hören und riefen ihrem gestürzten Kameraden ein paar höhnische Bemerkungen zu. Quintillus stieß beiläufig das Schwert in den Boden und beugte sich hinunter, um dem Mann wieder auf die Beine zu helfen.

»Auf geht's. Es ist ja nichts passiert. Danke für die Übung.«

Der Brite sah den Tribun verständnislos an und schüttelte benommen den Kopf.

»Ich an deiner Stelle würde mich eine Weile in den Schatten setzen. Mal wieder zu Atem kommen und so.«

Als die beiden Zenturionen aus dem Saal traten, blickte Quintillus stirnrunzelnd hoch, setzte dann aber sofort ein herzliches Lächeln auf.

»Ah! Hatte mich schon gefragt, wo ihr abgeblieben seid!« Er richtete sich auf und ließ den Briten los, der wieder auf den Boden zurücksank.

»Wir kamen so schnell wie möglich, Herr«, antwortete Macro und salutierte.

»Ja, na gut. Aber nächstes Mal strengt euch dabei etwas mehr an, hm?«

»Wir werden unser Bestes tun, Herr.«

»Recht so.« Quintillus ließ ein kurzes Lächeln aufblitzen. »Nun, dann zur Sache. Ich vermute, dass ihr von König Verica zur Jagd eingeladen wurdet.«

»Jawohl, Herr.«

»Nun, das wirft eine interessante Protokollfrage auf, nicht wahr?«

»Tatsächlich, Herr?«

»O ja!« Quintillus hob angesichts dieser unbedarften Antwort erstaunt die Augenbrauen. »Versteht ihr, ich wurde ebenfalls eingeladen.«

»Ich hätte auch nicht erwartet, dass Verica dich übergeht, Herr.« Die überraschte Miene des Tribuns wich Verärgerung. »Natürlich nicht! Es ist nun aber so, dass es meiner wirklich nicht angemessen ist, mich gesellschaftlich auf dem Niveau der Mannschaftsgrade zu bewegen. Das wäre gewissermaßen unwürdig, findet ihr nicht auch? Schließlich bin ich Prokurator und handele im Namen des Kaisers.«

»Jawohl, Herr«, erwiderte Macro geduldig. »Das ist mir nicht entfallen.«

Quintillus nickte. »Ausgezeichnet! Dann nehme ich an, dass ihr jetzt aufbrecht, um euch bei König Verica zu entschuldigen.«

»Entschuldigen?«

Es folgte ein peinliches Schweigen, bis Quintillus Macro lachend auf die Schulter schlug. »Komm schon, Zenturio! Sei doch nicht so begriffsstutzig! Geht und sag dem alten Burschen, dass ihr nicht mitkommen könnt.«

»Dass wir nicht mitkommen können?«

»Erfindet einfach irgendeine Ausrede. Dienstpflichten oder so. Damit seid ihr Zenturionen doch ständig beschäftigt, mit Dienstpflichten.«

Cato spürte Zorn und Empörung seines Freundes und beschloss einzugreifen, bevor Macros verletztes Ehrgefühl ihn irgendwie in Schwierigkeiten brachte.

»Herr, es ist nur so, dass wir die Einladung bereits angenommen haben. Wenn wir jetzt einen Rückzieher machten, würde das schrecklich unhöflich wirken. Diese Kelten sind da ungemein empfindlich, Herr.«

»Dennoch …«

»Und wir können es uns nicht leisten, die Atrebates zu kränken. Derzeit nicht, Herr.«

»Nun …« Tribun Quintillus strich sich übers Kinn und überdachte die Lage. »Dann sollten wir wohl um der guten diplomatischen Beziehungen willen die übliche Vorgehensweise bei solchen Anlässen außer Acht lassen.«

»Das erschiene mir klug, Herr.«

»Nun gut.« Das Widerstreben in seinem Tonfall ließ sich nicht überhören. Cato riskierte einen kurzen Blick auf Macro und sah, dass der die Lippen fest zusammenpresste. Tribun Quintillus zog ein Seidentuch aus dem Bund seiner Kniehosen und betupfte sich die Stirn. »Hat einer von euch schon einmal gejagt? Gesellschaftlich, meine ich.«

»Gesellschaftlich?«, entgegnete Macro stirnrunzelnd. »Ich habe gejagt, Herr. Die Armee hat mich dazu ausgebildet, Wild zu jagen. Der Versorgung halber.«

»Das ist schön. Aber Jagen um des Fleisches willen ist etwas ganz anderes als die sportliche Jagd«, erklärte Quintillus. »Es gibt da gewisse Regeln, die man beachten muss.«

»Regeln, tatsächlich?«, fragte Macro ruhig. »Ah ja.«

»Ja. Hast du schon einmal einen Jagdspeer verwendet?«

»So ein- oder zweimal.« Macros Stimme troff vor Ironie.

»Gut, das ist immerhin ein Anfang. Lass einmal sehen, wie du es machst, dann kann ich dir ein paar Ratschläge geben, bevor wir uns bei der Jagd vollständig blamieren.«

Quintillus trat zu einem Gestell mit Jagdspeeren, nahm einen heraus und warf ihn Macro zu. Cato musste sich zwingen, nicht zusammenzuzucken, doch Macro wog die Waffe kennerhaft in der Hand und machte sich dann zum Wurf bereit. In fünfzig Schritt Entfernung standen einige mannsgroße Korbpuppen als Wurfziele. Macro zielte über seinen ausgestreckten freien Arm hinweg, holte mit dem Wurfspeer aus und schleuderte ihn auf den mittleren Korbmann. Der Speer schoss im flachen Bogen über den Übungsplatz und durchbohrte das Ziel auf Oberschenkelhöhe. Macro wandte sich dem Tribun zu, bemüht, ein Lächeln zu unterdrücken.

»Nicht schlecht, Zenturio. Wie steht es mit dir, Cato? Hier, nimm den hier!«

Cato packte den Speer ungeschickt mit beiden Händen.

»Versuch mal, vor den Einheimischen nicht ganz so toll-patschig dazustehen«, zischte Macro.

»Entschuldigung.«

Cato nahm den Speer in die rechte Hand und visierte dasselbe Ziel an wie zuvor Macro. Mit einem letzten tiefen Atemzug holte er so weit wie möglich aus und schleuderte die Waffe. Der Speer flog durch die Luft, verfehlte die Brust des Korbmannes nur knapp und fiel klappernd zu Boden. Tribun Quintillus zischte missbilligend, die Leibwächter lachten und Catos Wangen brannten vor Scham.

»Vielleicht würdest du uns ja gerne die richtige Methode zeigen, Herr?«, fragte Macro.

»Gewiss!«

Der Tribun wählte einen Speer aus, zielte auf denselben Korbmann und holte kraftvoll aus. Von seinen mächtigen Muskeln geschleudert, flog der Speer in einer nahezu flachen Flugbahn und traf das Ziel mit einem lauten Krachen in der Herzgegend.

»Volltreffer!«, rief Cato bewundernd aus.

Die Leibwächter murmelten anerkennend.

»Da! Siehst du?« Quintillus wandte sich an Macro. »Man braucht nur ein bisschen Übung.«

»Ziemlich viel Übung vermutlich, Herr.«

»Eigentlich nicht.« Der Tribun schürzte die Lippen. »Nicht mehr als bei jeder anderen Waffe.«

»Tatsächlich?«, erwiderte Macro ruhig.

»Natürlich.«

»Es gibt einen Unterschied zwischen Speerwerfen und dem Schwertkampf. Und es ist ein Unterschied, ob man auf einen Korbmann zielt oder auf einen echten Menschen, Herr. Ein ziemlich großer Unterschied.«

»Unsinn! Alles ist eine Frage der Technik, Zenturio.«

»Nein, Herr. Sondern der Erfahrung.«

»Ich verstehe.« Tribun Quintillus verschränkte die Arme

vor der Brust und musterte Macro von Kopf bis Fuß. »Möchtest du die Probe aufs Exempel machen, Zenturio?«

Macro lächelte. »Du möchtest mit mir kämpfen, Herr?«

»Kämpfen? Nein, einfach nur eine kleine Fechtübung. Das gibt dir Gelegenheit, den Wert deiner Erfahrung zu demonstrieren.«

»Entschuldigung, Herr«, mischte Cato sich gelassen ein, »aber es könnte unserem Ansehen nur schaden, wenn wir vor den Eingeborenen gegeneinander kämpfen.«

»Wie ich schon sagte, es geht nicht um einen Kampf. Nur eine kleine Übung. Nun, Zenturio Macro?«

Einen Moment lang starrte Macro wütend zurück, und Cato bemerkte, dass die Kieferpartie seines Freundes hart wurde. Cato legte es sich wie Blei auf die Brust, denn er war sich sicher, dass Macro der Herausforderung des Tribuns nicht würde widerstehen können. Dann jedoch schüttelte Macro zur Überraschung des jungen Zenturios den Kopf.

»Eigentlich nicht, Herr.«

»Ach so? Du rechnest dir also keine guten Chancen aus?«

»Nein. Ich habe keine Zweifel, dass du jahrelang auf solche Situationen hin geübt hast. Diesen Luxus konnte ich mir nicht leisten, Herr. Meine Schwerttechnik ist recht einfach, nur das, was man in der Schlacht braucht, und der Rest kommt aus dem Bauch. Im Moment könnte ich dir wohl nicht das Wasser reichen. Würden wir uns aber in der Schlacht begegnen, dürfte es etwas anders aussehen.«

»Denkst du?«

»Das weiß ich … Herr.«

»Das hat mich nicht überzeugt. Kämpfe mit mir, Zenturio.«

»Ist das ein Befehl, Herr?«

Quintillus öffnete den Mund zur Antwort, überlegte es sich dann aber anders und schüttelte den Kopf. »Nein. Das wäre ziemlich ungerecht.«

»Jawohl. Gibt es sonst noch etwas, Herr?«

»Sorgt einfach dafür, dass ihr euch morgen nicht blamiert. Alle beide. Und achtet auf respektvollen Abstand zu mir. Verstanden?«

»Jawohl, Herr«, antworteten Macro und Cato.

»Abtreten.«

Auf dem Rückweg durch den Saal sagte Cato zu Macro: »Einen Moment lang dachte ich, du würdest seine Herausforderung annehmen.«

»Hätte ich auch fast. Aber ein vernünftiger Mann wählt sich seine Kämpfe selbst und lässt sie sich nicht von anderen aufdrängen. Dieses Arschloch hätte mich niedergemacht. Er wusste es und ich wusste es. Warum dann also kämpfen?«

»So gesehen hast du vollkommen Recht.« Cato war angenehm überrascht. In all der Zeit, seit er Macro kannte, war das eine der wenigen Gelegenheiten, bei denen die Vernunft seinen Dickkopf besiegt hatte. Besser noch, auf eine ganz subtile Art hatte Macro dem eingebildeten Aristokraten eins ausgewischt, wie die verstimmten Abschiedsworte des Tribuns deutlich zeigten.

»Dem hast du's richtig gezeigt.«

»Natürlich. Solche Scheißtypen fresse ich zum Frühstück.«

»Guten Appetit.«

Macro warf ihm einen Blick zu und brüllte vor Lachen. Bei diesem Geräusch sprang einer der Jagdhunde auf und blickte aufmerksam die beiden Zenturionen an. Sein Besitzer hob den Kopf, sah die Römer finster an und versetzte dem Hund einen Tritt.

Macro schlug Cato auf den Rücken. »Du bist in Ordnung, Junge! Du bist in Ordnung.«

Im vorderen Teil der königlichen Umfriedung schritten die Vorbereitungen für die Jagd voran, und die beiden Zenturionen schoben sich gerade zwischen den schwer beladenen Dienern und Sklaven durch, als Cato seinen Namen hörte. Er blickte sich in der Menge um und erkannte Tincommius. Der atrebatische Prinz drängte sich verzweifelt winkend zu den beiden Zenturionen durch, Angst und Sorge in der Miene.

Cato zog seinen Freund am Arm. »Da ist Tincommius. Irgendwas stimmt nicht.«

»Hm?« Macro reckte sich, um im Gedränge etwas zu erkennen. Dann stand Tincommius vor ihnen, atemlos und verzweifelt.

»Herr! Bitte komm sofort mit!«

»Was ist passiert?«, fuhr Macro ihn an. »Berichte!«

»Es geht um Bedriacus, Herr. Man hat versucht, ihn zu erstechen.«

21

»Was genau ist geschehen?«

»Komm mit Herr, sofort!«, flehte Tincommius.

»Sag mir, was passiert ist«, erwiderte Macro scharf.

»Ich weiß es nicht. Ich fand ihn im Hauptquartiersgebäude. Er lag im Korridor auf dem Boden. Überall war Blut.«

»Lebt er noch?«

»Ja, Herr. So gerade.«

»Wer kümmert sich um ihn?«

»Artax. Unmittelbar nachdem ich Bedriacus gefunden hatte, war er im Korridor.«

Cato packte Tincommius beim Arm. »Du hast ihn mit Artax allein gelassen?«

Tincommius nickte. »Ich schickte einen Mann nach dem Arzt und machte mich dann sofort auf die Suche nach euch.«

»Warum die Eile?«, fragte Macro.

Tincommius blickte sich vorsichtig um und beugte sich dann dichter heran. »Bevor er das Bewusstsein verlor, rief er Catos Namen und sagte, Verica sei in Gefahr.«

»Verica?«, fragte Macro laut. »Was für eine Gefahr denn?«

»Leise!«, mahnte Cato, weil einer der Proviantmeister in ihre Richtung blickte. »Willst du denn, dass alle dich hören?«

Macro schwieg einen Moment lang, von Catos Heftigkeit verblüfft. Cato wandte sich wieder Tincommius zu und fragte leise: »Was genau hat Bedriacus gesagt?«

»Er müsse dich sehen. Er hätte etwas Wichtiges zu sagen; er hätte ein Gespräch über den König belauscht. Darüber, ihn zu töten … Das alles hat er gesagt, bevor Artax uns fand.«

»Artax hat das alles mit angehört?«

Tincommius nickte. »Dann hat er mich auf die Suche nach euch geschickt.«

Cato wechselte einen Blick mit Macro. »Wir sollten sofort zum Hauptquartier zurückkehren.«

»Allerdings«

»Hat er irgendwas gesagt?«, überfiel Tincommius atemlos die Anwesenden, sobald sie in Catos Räumlichkeiten angelangt waren. Der Wundarzt hatte sich tief über den am Boden liegenden Verwundeten gebeugt. Ihm gegenüber kniete Artax, der jetzt aufblickte.

»Naa …«

Im Licht, das durch das hohe Fenster vor Catos Schreibstube einfiel, schimmerte eine Blutlache. Der gestampfte Erdboden und die weiß gekalkten Bretterwände zu beiden Seiten des Türrahmens waren blutverschmiert.

Bei Bedriacus' Anblick musste Cato schlucken. Das Gesicht des Jägers war kalkweiß und wirkte wächsern. Einen Moment lang öffneten sich seine Lider und die Zunge bewegte sich ganz leicht zwischen den bebenden Lippen. Man hatte Bedriacus die Tunika ausgezogen, die nun blutdurchtränkt neben ihm lag. Der Jäger trug nur noch sein Lendentuch und der Anblick seines bleichen, blutverschmierten Körpers erinnerte Cato an ein erjagtes und gehäutetes Tier.

»Wie geht es ihm?«

»Wie es ihm geht?« Macro, der den Arzt beobachtet hatte, blickte auf. »Du hast doch Augen im Kopf, verdammt noch mal. Der ist hin. Man braucht keinen Quacksalber, um das zu sehen.«

»Ruhe bitte, Herr«, verlangte der Arzt. »Um seinetwillen.«

Cato durchquerte langsam den Raum und kniete sich neben dem zusammengekrümmten Mann nieder. »Artax? Hat er dir irgendwas gesagt?«

Artax hob den zottigen Kopf und sah Cato völlig ausdruckslos an.

»Hat er dir irgendwas gesagt, bevor wir gekommen sind?«

Artax schwieg einen Moment lang und schüttelte dann ganz leicht den Kopf.

»Nichts? Gar nichts?«

»Nichts, was Sinn gemacht hätte, Römer.«

Cato und Artax starrten sich in die Augen und dann fuhr Cato leise fort: »Das scheint mir nicht sehr glaubwürdig.«

Artax zuckte mit den Schultern, schwieg aber. Bevor Cato ihm weitere Fragen stellen konnte, stieß Bedriacus ein lang gezogenes Stöhnen aus. Er riss die Augen auf, starrte wild in die Gesichter der über ihn Gebeugten und fixierte dann Cato.

»Herr …«

»Bedriacus, wer hat dir das angetan? Hast du gesehen, wer es war?«

»Hier … näher …«

Cato beugte sich vor, bis Bedriacus ihn mit seinem stieren Blick fixieren konnte. Der Jäger streckte die linke Hand aus und packte Catos Tunika am Kragen. Der Zenturio wollte instinktiv zurückweichen, doch im Griff des Sterbenden lag die Kraft eines Wahnsinnigen, und Cato wurde noch näher gezogen. Er roch den faden Atem des Jägers und den süßeren Gestank seines Bluts.

»Der König … in großer Gefahr.«

»Ich weiß … Aber jetzt sag einfach …«

»Hör! Ich war auf dem Weg zu dir … Hab Männer belauscht. Adlige …« Bedriacus' Gesicht verzerrte sich und sein Körper krampfte sich zusammen.

»Drück ihn runter!«, befahl der Wundarzt, riss Catos Mantel vom Wandhaken und warf den dicken Wollstoff über Bedriacus. Die krampfartigen Zuckungen hörten auf und der Griff des Jägers um Catos Tunika löste sich. Sein Atem kam jetzt stoßweise und die Augen waren verzweifelt auf Cato geheftet. Der Zenturio nahm das Gesicht des Jägers zwischen beide Hände.

»Was, zum Teufel, machst du da?«, rief der Wundarzt.

»Ruhe!«, schnauzte Cato ihn an. »Bedriacus! Bedriacus! Wer hat dir das angetan? Sag es mir! Sag es mir, solange du noch kannst!«

Bedriacus versuchte zu antworten, doch sein Kampf war fast zu Ende. Seine Augen flackerten zu Tincommius hinüber, dann wieder zu Cato und er hauchte: »Meine Augen … werden trübe …«

Tincommius schob Cato sanft beiseite und legte Bedriacus die Hand auf die Stirn. »Schlaf, Bedriacus, du Jäger. Schlaf.«

»Lass das!«, blaffte Cato ihn an. »Du verdammter Idiot. Wir müssen es wissen.«

Tincommius blickte mit finsterer Miene auf. »Er stirbt.«

»Das kann ich nicht ändern. Keiner kann das. Aber wir müssen Bescheid wissen. Du hast es doch gehört: Jemand ist hinter Verica her. Geh jetzt aus dem Weg!«

»Zu spät«, murmelte Artax. »Schau doch. Er ist tot.«

Cato wandte sich von Tincommius ab und blickte zu Bedriacus hinunter. Der Jäger lag vollkommen reglos da, die Augen aufgerissen und der Mund geöffnet. Der Wundarzt beugte sich dichter über ihn, um ihn auf ein Lebenszeichen zu untersuchen. Er drehte Bedriacus' Kopf hin und her und legte das Ohr auf die Brust des Briten. Gleich darauf richtete er sich auf und ließ den blutdurchtränkten Stoffbausch fallen, den er auf die Wunde des Jägers gepresst hatte. Die dunkle Einstichstelle sah aus wie ein feuchter Mund. Die makabre Täuschung löste sich auf, als Blut aus der Wunde quoll und über die Haut auf den Boden rann.

»Er ist tot«, verkündete der Arzt sachlich.

»Nun, dann schreiben wir besser mal einen Bericht«, erklärte Macro und stand auf. »Sollen wir die Leiche irgendwo hinschaffen lassen?«

Der Wundarzt nickte zu den beiden Briten hinüber, die noch immer neben Bedriacus hockten. »Frag diese beiden, Herr. Ich kenne die hiesigen Bräuche nicht.«

»Leb wohl, Bedriacus«, sagte Artax leise. Cato sah, dass ein leises Lächeln um seine Lippen spielte, als er fortfuhr: »Gute Reise in die nächste Welt.«

Cato eilte zur Tür und rief der Hauptquartierswache einen Befehl zu. Dann wandte er sich wieder zu den beiden Briten um, die noch immer über der Leiche kauerten. Macro trat zu ihm.

»Was ist los? Warum rufst du die Wache? Wir können die Leiche von jemand anderem wegschaffen lassen.« Der Blick des Veteranen streifte über das am Boden verschmierte Blut. »Dann können die auch gleich deine Schreibstube sauber machen.«

»Das hat Zeit«, entgegnete Cato. »Erst mal möchte ich, dass sie Artax an einen sicheren Ort schaffen. Ein hübsches ruhiges Örtchen, wo wir ihm ein paar Fragen stellen können.

»Was ist denn verdammt noch mal los?«, brach es aus Tribun Quintillus heraus, als er in Catos Schreibstube marschierte. »Warum hat man mich bei meinen Übungen gestört?« Dann bemerkte er die Leiche. Cato hatte den Mantel auch über Bedriacus' Gesicht gezogen. Nur die nackten Füße schauten unter dem schweren Stoff hervor. »Was ist denn das für ein Spaßvogel?«

»Spaßvogel, Herr?« Cato folgte dem Blick des Tribuns. »Das ist einer meiner Männer. Mein Standartenträger Bedriacus.«

»Tot?«

Macro nickte. »Haarscharf erkannt, Herr. Freut mich zu sehen, dass die Armee noch immer die Politik verfolgt, nur die Intelligentesten und Tüchtigsten einzustellen.«

Quintillus überging den Seitenhieb und wandte sich an Cato: »Wie?«

»Erstochen, Herr.«

»Unfall?«

»Nein.«

»Aha, verstehe.« Quintillus nickte nachdenklich und kam dann zu einer Entscheidung. »Zweifellos irgend so eine interne Streitigkeit. Ließe man den Kelten genug Zeit, würden sie sich einfach gegenseitig ausrotten. Bräuchten wir uns die Finger nicht dreckig zu machen. Haben wir den Täter?«

»Nein, Herr«, antwortete Macro.

»Warum nicht?«

Macro warf Cato einen aufgebrachten Blick zu, als Quintillus ohne eine Antwort abzuwarten fortfuhr: »Wenn ihr den Mörder nicht habt, warum lasst ihr mich dann rufen? Warum verschwendet ihr meine Zeit? Ich kann nun mal nicht eure Arbeit auch noch erledigen. Nun?«

»Wir haben den Mörder noch nicht identifiziert«, räumte Cato ein. »Aber die Angelegenheit ist komplizierter, Herr.«

»Kompliziert?« Quintillus lächelte. »Was könnte denn an einer Streiterei unter Eingeborenen kompliziert sein?«

»Es war keine Streiterei. Oder zumindest sieht es nicht danach aus. Tincommius hat ihn im Korridor gefunden.«

»Tincommius?« Der Tribun runzelte die Stirn, konnte den Namen dann aber einordnen und sein Gesicht hellte sich auf. »Einer dieser Speichellecker aus Vericas Gefolge? Was, um Himmels willen, hat der denn hier zu suchen?«

»Er dient in einer der beiden von uns aufgestellten Kohorten«, erklärte Cato. »Wie übrigens zahlreiche Adlige.«

»Sie haben uns alle Ehre gemacht«, fügte Macro hinzu. »Es sind gute Männer.«

»Ja, nun, sicherlich.« Quintillus wandte sich wieder an Macro. »Was hat denn Tincommius mit diesem Mord zu tun?«

»Wie bereits gesagt, Herr, fand er Bedriacus auf der Suche nach mir.«

»Wer war auf der Suche nach dir?«

»Bedriacus!«, knurrte Macro.

Cato schoss ihm einen warnenden Blick zu. »Richtig, Herr, Bedriacus. Er wollte mir etwas berichten, was er erlauscht hatte. Etwas über eine Intrige gegen König Verica.«

»Eine Intrige?« Quintillus lachte. »Was soll das hier eigentlich werden? Eine billige Matinee im Theater von Pompeji?«

Cato unterdrückte seine Wut und antwortete: »Da ich nie die Gelegenheit hatte, das Theater in Pompeji zu besuchen, kann ich dazu nichts sagen, Herr.«

»Da hast du gewiss nichts versäumt. Aber anscheinend will hier jemand deiner Bildung auf die Sprünge helfen. Oder dich auf den Arm nehmen.«

»Ihn auf den Arm nehmen?« Macro deutete aufgebracht auf die Leiche. »Das da ist ein Toter, Herr. Ziemlich grober Unfug, findest zu nicht?«

»Zenturio, hast du eine Ahnung, was die jungen Kerle in Rom sich alles so ausdenken … Aber dennoch, vielleicht ist an diesem Fall mehr daran. Fahre bitte fort, Zenturio Cato. Was war mit dieser Intrige?«

»Nun ja, Herr. Bedriacus starb, bevor er uns Näheres berichten konnte.«

»Er hat euch nicht zufällig gesagt, wer ihn erstochen hat?«

»Nein, Herr«, räumte Cato ein.

»Also hör mal! Das ist doch lächerlich. Das kann doch nicht alles gewesen sein.«

»Vielleicht nicht, Herr. Bevor Tincommius losging, um uns zu suchen, war noch ein weiterer Mann hinzugekommen.«

»Und wer ist dieser Mann? Lass mich raten – noch so einer von Vericas Helferlein?«

»Zufällig ja, Herr. Allerdings einer, der Rom weit ablehnender begegnet als einige seiner Kameraden.«

»Sieh mal einer an.«

Cato zuckte mit den Schultern. »Ich kann nicht recht glauben, dass er wirklich nur rein zufällig in der Nähe war, als Tincommius unmittelbar vor meinem Quartier den Sterbenden fand. Umso mehr, als Bedriacus mir etwas Entscheidendes berichten wollte. Ein allzu großer Zufall, meinst du nicht auch, Herr?«

»Möglich. Aber andererseits könnte es eben doch Zufall sein, dass Artax zur selben Zeit dort war. Hast du sonst noch irgendeinen Beweis?«

Einen winzigen Moment lang starrte Cato den Tribun verblüfft an, doch er wurde von Macro unterbrochen, bevor er antworten konnte.

»Artax ist ein ganz schön verdächtiger Typ. Der arrogante Drecksack grollt uns schon seit unserer Ankunft in Calleva.«

»Aber dennoch dient er in der Kohorte«, bemerkte Quintillus.

»Nun ja … Wie könnte er uns besser im Auge behalten?«

Der Tribun schüttelte den Kopf. »Nein. Ich bezweifle, dass er irgendwelche Ränke schmiedet. Ein Verschwörer gibt sich normalerweise Mühe, nicht aus der Reihe zu tanzen, um keinen Verdacht zu erregen.«

»Sprichst du aus Erfahrung, Herr?«

»Das sagt mir der gesunde Menschenverstand, Zenturio …«

Manche Leute konnten gar nicht anders, sie gerieten immer wieder aneinander, dachte Cato. Aber das führte zu nichts. Artax wurde auf der Rückseite des Hauptquartiersgebäudes in einer Zelle festgehalten, und Cato war sich sicher, dass der Brite etwas über den Mord wusste, oder vielleicht sogar etwas über den von Bedriacus erwähnten Plan. Er musste befragt werden und zwar schnellstmöglich.

»Herr, wir müssen Artax verhören. Er verbirgt etwas vor uns. Da bin ich mir sicher.«

»Du bist dir sicher?«, fragte der Tribun spöttisch. »Auf welcher Grundlage denn? Einfach so ein Gefühl?«

Darauf konnte Cato nichts erwidern. Er hatte ja tatsächlich keine handfesten Beweise gegen Artax, sondern nur seine Beobachtungen der letzten Zeit, die Unwahrscheinlichkeit eines Zufalls und, wenn er ehrlich mit sich war, tatsächlich eine Art intuitives Gefühl.

»Dann habe ich also Recht?« Quintillus lächelte triumphierend. »Nun, Zenturio?«

Cato nickte.

»Nun also, dieser Artax, wie nahe steht er dem König?«

»Nahe. Ein Blutsverwandter. Er gehörte zum Gefolge des Königs, bevor er in die Kohorte eintrat.«

»Klingt wie das Bild eines Verbündeten und dabei ist er so hoch gestellt, dass ihr ihm mit Achtung begegnen solltet, meinst du nicht auch?«

»Jawohl, Herr.«

»Dann solltet ihr ihn so schnell wie möglich entlassen, bevor er seine Meinung über Rom ändert. Angesichts der heiklen Lage sollten wir wirklich niemanden unnötig kränken.«

»Herr, wenn wir ihn einfach zuerst befragen könnten ...«

»Nein! Du hast schon genug angerichtet, Zenturio. Ich befehle dir, ihn sofort zu entlassen. Auf der Stelle. Und jetzt muss ich wieder zum Üben.« Quintillus schritt zur Tür, blieb im Türrahmen stehen, den er mit seinem durchtrainierten Körper beinahe vollständig ausfüllte, und sah Macro und Cato noch einmal eindringlich an: »Sollte mir zu Ohren kommen, dass ihr meinem Befehl nicht sofort Folge geleistet habt, werdet ihr beide zum normalen Soldaten degradiert. Verstanden?«

»Jawohl, Herr.«

»Ich möchte diesen Artax im Gefolge des Königs sehen, wenn wir morgen zur Jagd aufbrechen. Wenn er auch nur den kleinsten Kratzer hat, könnt ihr was erleben.«

Als die Schritte des Tribuns im Korridor verklangen, schlug Macro sich mit der geballten Faust in die Hand.

»Dieser Schuft! Dieser verdammte Drecksack! Kommt hier rein und kommandiert uns rum. Für wen hält der sich eigentlich? Für Julius Cäsar persönlich, verdammt noch mal? Cato? Ich fragte, für wen der sich eigentlich hält? ... Was, zum Teufel, ist denn mit dir los? Cato!«

Cato fuhr zusammen. »Entschuldigung. Ich hatte nur nachgedacht.«

Macro verdrehte die Augen. »Nachgedacht? Der Tribun hat die Entlassung unseres einzigen Verdächtigen angeordnet und du sitzt da und träumst mit offenen Augen. Reiß dich zusammen, Junge. Wir müssen handeln, nicht denken.«

Cato nickte geistesabwesend. »Kam dir das nicht auch ein bisschen merkwürdig vor?«

»Merkwürdig? Nein, eigentlich nicht. Typische Quertreiberei eines Tribuns, der unbedingt mitmischen möchte.«

»Nein, nicht das.« Cato runzelte die Stirn.

»Was denn dann?«

»Dass er über Artax' Verwicklung in den Fall Bescheid wusste, bevor wir überhaupt seinen Namen erwähnten.«

22

Der Aufbruch der königlichen Jagdgesellschaft wurde nur von ein paar hundert Bewohnern Callevas verfolgt. Und selbst diese hatten keine Lust, dem Ereignis die übliche festliche Atmosphäre zu verleihen. Beim Durchreiten des Stadttors sahen Cato und Macro die ausgezehrten Gesichter der Hungernden zu beiden Seiten des Wegs. Doch so hungrig die Kinder auch waren, rannten sie doch neben der Prozession von Wagen, Pferden und der kleinen Dienerschar des königlichen Haushalts her. Cato wandte den Blick von Callevas Einwohnern ab. Nicht, dass er bisher noch nie Hunger gesehen hätte. Trotz des Handels mit Produkten aus aller Herren Länder und trotz der Getreidezuteilung für Arme verhungerten selbst in Rom zahlreiche Bettler und Landstreicher auf offener Straße.

Auf Betreiben von Tribun Quintillus ritten die beiden Zenturionen unmittelbar vor Vericas Hausklaven und den Transportwagen mit Vorräten und Luxusgütern für die

Jagd. Vor ihnen ritten die unbedeutenderen Adligen des Stammes, in weite Kittel und leuchtend bunte Beinkleider gehüllt. Obgleich es noch früh am Morgen war, hatten die Männer bereits ihre Trinkhörner geleert und unterhielten sich ausgelassen, ohne die ausgemergelten Menschen, die sie vom Wegesrand mit hungrigen Augen anstarrten, im Geringsten zu beachten. Angeführt wurde die Jagdgesellschaft von König Verica mit seinen engsten Freunden und Beratern und einer kleinen Gruppe bewaffneter Leibwächter, die darauf gefasst waren, bei einer Gefahr für ihren König sofort zu handeln. Sie ließen die Augen aufmerksam über die Zuschauer am Wegesrand gleiten, die Hand an den Schwertgriff gelegt. Doch die Zuschauer blieben friedlich. Einige ließen sogar ein paar matte Jubelrufe hören. Die meisten schauten allerdings schweigend zu, bis die Vorratswagen an ihnen vorbeirollten, die mit Räucherfleisch, Krügen voll Wein und Bier und körbeweise Brot und Obst beladen waren.

Ein leises, verzweifeltes Stöhnen der Menge ging langsam in ein Gewimmer über. Dann erhob sich eine wütende Stimme. Cato drehte sich um und erblickte einen Mann, der einen schmuddeligen Säugling, dessen Augen fast aus dem skelettartig abgemagerten Kopf quollen, hoch in die Luft streckte. Cato konnte das wütende Gebrüll des Mannes kaum verstehen, aber das war auch nicht nötig. Der stumpfe Blick in den Augen des Kindes und die Verzweiflung des Mannes waren deutlich genug. Andere nahmen den wütenden Ruf auf und die Menge bewegte sich zögernd auf die Vorratswagen zu.

Die Proviantmeister, die die Fuhrwerke lenkten, erhoben sich schreiend und mit drohenden Gesten von ihren Kutschböcken. Doch keiner beachtete sie und alle starrten hungrig in die Wagen. Bevor jedoch irgendeiner aus der Menge zugreifen konnte, ertönte ein lautes Peitschenknallen, von einem Schmerzensschrei gefolgt. Cato sah einen Mann, der die Hand vors Gesicht geschlagen hatte, während zwischen seinen Fingern das Blut hervorquoll. Die Menge verharrte einen Moment lang lautlos, als holten alle gemeinsam scharf Atem. Dann umdrängten sie die Wagen erneut und die Proviantmeister droschen fluchend auf die Verhungernden ein.

»Haltet sie auf!«, hörte Cato Quintillus rufen.

Der Tribun galoppierte mit gezogenem Schwert am Gefolge des Königs vorbei nach hinten; ihm folgte die Leibwache des Königs. Beim Anblick der wirbelnden Hufe sprangen die Leute nach allen Seiten davon.

»Macro!«, rief Cato. »Hilf mir!«

Der junge Zenturio wendete sein Pferd, drängte es zum nächsten Wagen und rief auf Keltisch: »Zurück, ihr Narren! Zurück mit euch!«

Die Wut in den Mienen der Menschen, die sich zu ihm umdrehten, schlug schnell in Angst um, und dann versuchten die Leute, sich vor den geweiteten Nüstern und dem massigen Leib des Pferdes in Sicherheit zu bringen. Cato trieb das Tier wie einen Keil zwischen die Wagen und die herandrängende Menge. »Zurück! Zurück, sagte ich! Auf der Stelle!«

Dann bemerkte er Macro auf der anderen Seite des Wagens, der nun genau wie Cato das aufgebrachte Volk vom Wagen zurückdrängte. Die Städter wichen vor den beiden Pferden zurück und das genügte, damit sie den Tribun und die Leibwächter sahen, die mit gezogenen Waffen auf sie zugaloppierten. Die Menschenmasse wich taumelnd zurück und suchte verzweifelt, sich vor den Hufen und Klingen in Sicherheit zu bringen.

»Ihnen nach!«, brüllte Quintillus und zeigte mit einer schwungvollen Geste des Schwerts auf die Zurückweichenden.

»Stillgestanden!«, brüllte Cato die Leibwächter auf Keltisch an. Sie verharrten. Einen Moment lang befürchtete er, sie würden ihn ignorieren und die Menschen niederreiten. Cato riss den Arm nach oben. »Stillgestanden, sagte ich! Lasst sie in Ruhe. Die Wagen sind in Sicherheit.«

Die Leibwächter zügelten ihre Pferde und senkten die Waffen. Quintillus betrachtete sie erst ungläubig und dann außer sich vor Zorn.

»Was denkt ihr euch eigentlich? Ihnen nach! Tötet sie!«

Die Krieger sahen ihn verständnislos an und der Tribun wandte sich an Cato. »Du sprichst diese verdammte Barbarensprache. Sag ihnen, sie sollen der Bande nachjagen. Bevor es zu spät ist.«

»Zu spät wozu, Herr?«

»Was?« Der Tribun starrte ihn wütend an. »Sag es ihnen. Worauf wartest du noch, Zenturio?«

Cato sah, dass die Menge sich inzwischen aufgelöst hatte und in einem losen Durcheinander zum Tor zurückströmte.

»Das ist unnötig, Herr.«

»Tu es einfach! Sag es ihnen!«, schrie Quintillus ihn an. »Ich befehle es!«

»Jawohl, Herr. Sofort.« Cato salutierte, wandte sich den Leibwächtern zu und runzelte die Stirn. »Leider ist mir im Moment das richtige Wort entfallen.«

Das Gesicht des Tribuns wurde kalkweiß und sein Mund bildete nur noch einen schmalen Strich. Macro musste wegschauen, um nicht zu lachen, und nestelte eifrig an seinem Schwertgurt herum. Er hörte, wie Cato mit den Fingern schnipste.

»Ach ja! Jetzt ist es mir wieder eingefallen! ... He! Wo sind sie denn?«

Tribun Quintillus maß Zenturio Cato mit einem langen, wütenden Blick, und Macro befürchtete allmählich, dass sein junger Freund die Grenze überschritten hatte. Doch als die Leibwächter die Waffen senkten und sich auf den Rückweg zur Spitze der kleinen Kolonne machten, stieß der Tribun sein Schwert in die Scheide und nickte Cato bedächtig zu.

»Nun gut, Zenturio. So sei es denn. Diesmal hast du deinen Willen bekommen, aber ich warne dich, sollte ich in Zukunft auch nur die kleinste Andeutung von Ungehorsam oder Respektlosigkeit bei dir entdecken, werde ich dafür sorgen, dass deine Karriere unter dem Adler zu Ende ist. Im günstigsten Fall lasse ich dich zum einfachen Soldaten degradieren, und dann kriegst du für den Rest deines Lebens Latrinendienst und schaufelst Scheiße.«

»Schaufeln, Herr. Jawohl, Herr.«

Tribun Quintillus biss wütend die Zähne zusammen, riss sein Pferd herum, schlug ihm wüst die Fersen in die Flanken und galoppierte zum König und seinem Gefolge zurück. Macro strich sich über die Bartstoppeln am Kinn und schüttelte langsam den Kopf.

»Weißt du, Cato, alter Junge, ich würde es mir wirklich nicht zur Gewohnheit machen, Tribunen ans Bein zu pinkeln. Vielleicht wird er ja eines Tages Legat, und was, wenn er dann zufällig eine Legion kommandiert, in der du dienst? Was dann, hm?«

Cato zuckte mit den Schultern. »Darum kümmere ich mich dann, wenn es so weit ist. Aber wenn solchen Arschlöchern wie dem da jemals das Kommando einer Legion anvertraut wird, können wir das Reich ebenso gut gleich den Barbaren übergeben.«

Macro lachte. »Nimm es dir nicht zu Herzen! Er sieht dich einfach nur als ein Hindernis, das ihm den Weg zum ihm zustehenden Ruhm verlegt. Das hat nichts mit dir persönlich zu tun.«

»Ach ja?«, murmelte Cato. »Tja, aber jetzt hat es was mit mir persönlich zu tun. Jetzt nehme ich es nämlich persönlich.«

»Quatsch!« Macro klopfte Cato auf die Schulter. »Vergiss es. Du kommst ohnehin nicht an ihn heran. Du kannst es dir nicht leisten, ihn dir zum Feind zu machen. Halt dich an einem schadlos, dem du gewachsen bist. Oder noch besser, vergiss die Sache einfach.«

Cato warf ihm einen eigentümlichen Blick zu. »Und das sagst ausgerechnet du.«

Die königliche Jagdgesellschaft ließ Calleva und seine unglücklichen Einwohner hinter sich zurück. Bald verschwand die Hauptstadt der Atrebates hinter einem Hügel, und die Kolonne aus Reitern, Wagen und zu Fuß marschierenden Dienstleuten folgte dem tief ausgefahrenen Weg durch die hügelige Landschaft, in der die Felder und Weiden vereinzelter Bauernhöfe von letzten Waldresten und kleinen Gestrüppinseln durchzogen waren. Trotz der Angst vor den Überfällen, die Caratacus und seine Durotriges noch immer tief ins Gebiet der Atrebates führten, wurden einige der Höfe noch immer bewirtschaftet. Hier und da wogten Gersten- und Weizenfelder golden im leichten Wind, der weiße Wolkenbäusche über den tiefblauen Himmel trieb.

Catos finstere Stimmung legte sich allmählich. Tribun Quintillus war im Gewimmel des königlichen Gefolges nicht mehr zu erkennen, und als Cato die Augen über die fruchtbare britische Landschaft schweifen ließ, vergaß er ihn allmählich. Gewiss, diese Landschaft war weder so eindrucksvoll noch so gründlich kultiviert wie das Umland Roms, doch sie hatte ihre eigene, unverdorbene Schönheit und er genoss die süßen Düfte, die ihm in die Nase wehten.

»Das hier wäre ein schönes Fleckchen für den Ruhestand«, überlegte Macro laut, der den Gesichtsausdruck seines Kameraden richtig gedeutet hatte. »Nachdem wir dem Feind tüchtig in den Arsch getreten haben.«

»Wie lange läuft deine Dienstzeit noch?«, fragte Cato mit einem leichten Unbehagen bei der Vorstellung eines Legionärslebens ohne Macro an seiner Seite.

»Noch elf Jahre, vorausgesetzt, der Kaiser hält sich an die vorgeschriebenen Zeiten.«

»Glaubst du das etwa nicht?«

»Ich weiß es nicht. Nach der Varus-Katastrophe behielten sie einige altgediente Veteranen, bis die kaum noch laufen konnten – oder auch nur essen. Einige von ihnen mussten Germanicus erst ihre zahnlosen Münder zeigen, damit er kapierte, dass sie genug von der Armee hatten.«

»Wirklich?«

»O ja! Als ich zur Armee kam, waren noch immer ein paar von denen da. Arme Schweine. Hätten die Germanen gewusst, dass die Rheinlegionen aus alten Männern bestehen, die kaum stark genug sind, ein Schwert zu halten, wären sie so mühelos durch Gallien geflutscht wie Scheiße durch einen Gänsedarm.«

»Hübsches Bild.«

»Nein. Einfach nur wahr. Wir Soldaten hätten dann bis zum Hals in der Scheiße gesteckt, während diese verdammten Politiker in Rom nur damit beschäftigt gewesen wären, sich gegenseitig die Schuld in die Schuhe zu schieben. Diese Drecksäcke.«

»Aber jetzt ist es anders«, entgegnete Cato. »Wer seinen Dienst abgeleistet hat, bekommt seine Entlassung und die volle Gratifikation. Der Kaiser scheint sich wirklich daran zu halten.«

»Das stimmt. Der alte Claudius scheint ein ehrlicher Kerl zu sein, aber er lebt schließlich nicht ewig.« Macro schüttelte traurig den Kopf. »Die Besten sterben immer zuerst. Als Nächstes kriegen wir bestimmt wieder so einen kleinen Drecksack wie Caligula oder schlimmer noch, Vitellius wird der nächste, bei unserem Glück.«

Cato lächelte schief und schüttelte den Kopf. »Vitellius? Ach was! Selbst einem so durchtriebenen Arschloch kommt man irgendwann auf die Schliche. Vitellius Kaiser? Nein, unmöglich.«

»Meinst du?« Macro wurde ernst. »Ich würde gutes Geld darauf verwetten.«

»Dann würdest du es verlieren.«

»Ich kenne diesen Menschenschlag: Kein Ziel ist ihnen zu hoch gesteckt.« Macro zeigte zur Kolonnenspitze. »Wie unser Freund Quintillus da vorn.«

Cato blickte in die von Macro gewiesene Richtung und sah, dass die Gefährten des Königs in losen Zweier- und Dreiergruppen ritten. Zwischen ihnen konnte Cato mit Mühe und Not den scharlachroten Umhang des Tribuns erkennen. Unmittelbar neben ihm ritt ein breitschultriger Mann mit dunklem, zu Zöpfen geflochtenem Haar. Cato fragte sich, was Artax nur so intensiv mit dem Tribun zu besprechen hatte.

23

Bei Anbruch der Dämmerung schlugen sie ihr Lager an einem kleinen Flüsschen auf, das am Rande des Waldes, in dem am nachfolgenden Tag die Jagd stattfinden sollte, in seinem von Kieseln übersäten Flussbett gluckerte. Die Sonne stand groß und rund tief am westlichen Horizont und übergoss die wenigen Schleierwolken mit Orange und Rot. Lange, dunkle Schatten legten sich über das kurze Gras des Ufersaums, das von den Schafen eines von den Durotriges bisher verschonten Bauernhofs abgeweidet wurde. Das Anwesen, ein Durcheinander niedriger, strohgedeckter Hütten, die von einer kümmerlichen Palisade umfasst wurden, lag eine halbe Meile entfernt auf der anderen Seite des Flusses. Aus der Tür der größten Hütte drang der Schein eines kleinen Feuers nach draußen und eine dünne Rauchfahne kräuselte sich über dem Strohdach nach oben.

Der König hatte die wohlgenährten Schafe gesehen und beschlossen, dass er heute Schafbraten zu Abend speisen wollte. Das schönste der Tiere war vom Küchenmeister geschlachtet, ausgenommen und auf einen Bratspieß gesteckt worden und nun zum Braten über dem Feuer bereit, das einige der Haussklaven entzündet hatten. Als die Flammen niedergebrannt waren, schoben die Sklaven die Glut zusammen und begannen mit dem Rösten. Das Fett tropfte in die Glut und verpuffte in qualmigen, orangeroten Flammen.

Macros Nase zuckte. »Riechst du das! Hast du schon mal etwas so Köstliches gerochen?«

»Da spricht einfach nur dein Magen«, erwiderte Cato.

»Natürlich, aber riech doch einfach mal.«

Cato hatte den Geruch bratenden Fleischs eigentlich nie besonders gemocht. Den Geschmack fand er zwar lecker, aber der Geruch erinnerte ihn zu sehr an die Brandbestattung von Leichen.

»Mhm«, fuhr Macro mit halb geschlossenen Augen in seinen Träumereien fort. »Ich kann es beinahe schon schmecken.«

Inzwischen wehte eine so dichte Qualmwolke herüber, dass ihre Augen tränten. Ohne ein weiteres Wort standen die beiden auf und gingen gemeinsam zum Flussufer. Das Wasser war klar. Cato schöpfte eine Hand voll und ließ das kühle, erfrischende Nass genüsslich die Kehle hinunterrinnen. Den ganzen Tag über hatte er reichlich Zeit zum Nachdenken gehabt.

»Macro, was unternehmen wir jetzt wegen des Mordes an Bedriacus?«

»Was sollen wir denn machen? Der verdammte Tribun

hat den einzigen Verdächtigen freigelassen. Wetten, dieser Artax lacht sich ins Fäustchen.«

Müßig blickte Macro sich zu den Adligen um, die nach dem langen Ritt ein Nickerchen einlegten. Nur ein paar waren noch wach, darunter Artax und Tincommius, die sich leise unterhielten und dabei Bier aus vergoldeten Trinkhörnern tranken. Der alte Verica brauchte seinen Schlaf und lehnte mit offenem Mund schnarchend an einem Lammfellkissen. Um ihn herum lagerten hellwach seine Leibwächter, die Waffen griffbereit.

Macro ließ den Blick zu Artax zurückwandern, während Cato ruhig fortfuhr: »Die Frage ist nur, warum er zuließ, dass Bedriacus vor unser aller Augen starb.«

»Ein Stich in die Brust ist im Allgemeinen eine Erfolg versprechende Methode«, erwiderte Macro gähnend. »Natürlich hätte er es auch auf deine Art probieren und den armen Bedriacus um den Verstand reden können.«

Cato sprang nicht darauf an. »Reden, genau darum geht es hier.«

Macro seufzte. »Irgendwie wusste ich, dass du mit so was kommen würdest. Also los, erzählt mir, was Reden damit zu tun hat.«

»Die Sache ist doch die: Bedriacus wollte uns vor irgendwas warnen. Er wurde von jemandem erstochen, um ihn genau daran zu hindern. Und als Verdächtiger kommt am ehesten Artax in Frage.«

»Ja. Und weiter?«

»Warum hat er Bedriacus dann nicht den Rest gegeben, während Tincommius auf der Suche nach uns war?«

»Ich weiß es nicht.« Macro zuckte mit den Schultern. »Vielleicht ist der Wundarzt zu schnell gekommen.«

»Wie lange hätte er gebraucht, um ihm eine weitere, sofort tödliche Wunde zuzufügen? Oder ihn zu ersticken? Dafür hatte er genug Zeit. Er hätte das Risiko eingehen und

Bedriacus töten müssen, weil er es sich nicht leisten konnte, dass der Jäger vor seinem Tod mit uns redet.«

»Vielleicht. Aber warum hat er dann Bedriacus nicht wirklich erledigt, solange er Gelegenheit dazu hatte?«

»Ich weiß es nicht ...« Cato schüttelte den Kopf. »Ich weiß es wirklich nicht.«

»Vielleicht kam er ja einfach zufällig vorbei, genau wie Tincommius sagte.«

Cato drehte sich zu Macro um und blickte ihm direkt in die Augen. »Glaubst du das etwa?«

»Nein. Er war der Täter. Schau dir den durchtriebenen Kerl doch nur an. Würdest du den mit deiner Schwester allein lassen?«

Artax und Tincommius unterhielten sich noch immer, vorgebeugt und so leise, dass sie von dort, wo die Zenturionen saßen, nicht zu hören waren.

Bevor Cato antworten konnte, schallte ein Horn über den kleinen Lagerplatz und rief zum Essen. Die beiden Zenturionen standen auf und schlenderten durch das Gras zu der Stelle, wo die atrebatischen Adligen gerade langsam aus dem Schlaf erwachten. Auch Tribun Quintillus lag dort auf dem Rücken, die Beine übereinander geschlagen, und blickte zur untergehenden Sonne. Beim zweiten Ruf des Horns setzte der Tribun sich auf und bemerkte, dass Macro und Cato sich näherten. Mit einer diskreten Kopfbewegung winkte er sie davon und sie schwenkten zu den Tischen ab, an denen die geringeren Adligen saßen.

»Steckt mal wieder mit den Reichen und Mächtigen zusammen, wie üblich«, lästerte Macro leise. »Weiß nicht, warum er sich die Mühe macht. Ich bezweifle, dass sie viel gemeinsam haben.«

»Einige von ihnen sprechen Latein – nicht fehlerfrei, aber doch genug, um sich zu verständigen. Die können für die anderen übersetzen.«

»Das löst aber nur das halbe Problem!« Macro lachte. »Worüber wollen die sich denn unterhalten? Die neueste Mode in Rom? Oder was die würdigen Damen der Trinovantes diese Saison tragen? Das glaube ich kaum.«

»Das wird gewiss kein großes Problem sein«, entgegnete Cato. »Gesellschaftlicher Rang ist eine ziemlich universelle Sprache. Die Söhne der Aristokraten sind ein geselliger Haufen, die werden schon ein Thema finden.«

Tatsächlich. Als die Dunkelheit dichter wurde und die Gesellschaft des Königs zum Feiern überging, waren der Tribun und seine neuen atrebatischen Freunde bald sturzbesoffen, grölten, lallten und lachten sich über den blödesten Witz oder das kleinste Missgeschick schief. Gierig aßen sie abgeschnittene Bratenstücke und spülten sie im Laufe der Nacht mit immer mehr Bier hinunter. Der König saß still dabei und freute sich am rauen Lärm seiner jungen Gefährten. Er aß kaum etwas und trank nur ein wenig mit Wasser vermischten Wein. Unterdessen ging der Mond groß und leuchtend auf, überstrahlte alle Sterne bis auf die hellsten, und warf einen bläulichen Lichtschleier über die schlafende Landschaft. Schließlich wurden die meisten Begleiter des Königs schläfrig, verschwanden einer nach dem anderen zu ihren Schlafstellen und ließen sich in die warmen Felle fallen, die ihre Diener für sie zurechtgelegt hatten. Als Cato und Macro ihren letzten Schluck Bier tranken, trat der oberste Diener des königlichen Haushalts aus dem Dunkeln zu ihnen und beugte sich über sie.

»Der König wünscht, dass ihr euch zu ihm ans Feuer setzt.« Der Vorsteher sprach leise auf Keltisch, machte ohne auf eine Antwort zu warten kehrt und ging zu seinem Herrn zurück.

»Was war los?«, fragte Macro schläfrig.

»Verica möchte mit uns reden.«

»Jetzt?«

»Offensichtlich.«

»Worüber denn?«

»Das hat der Diener nicht gesagt.«

»Scheiße. Ich wollte gerade schlafen gehen. Hoffentlich hält der alte Bursche uns nicht lange auf.«

»Vielleicht schon«, entgegnete Cato. »Muss was Wichtiges sein. Warum sonst sollte er warten, bis alle anderen schlafen? Los, komm.«

Macro fluchte leise, stand schwankend auf und folgte Cato an den Schlafenden vorbei zum halb verglühten Feuer, das ein wenig abseits des Lagers brannte. König Verica saß auf einem Eichenstuhl, von zwei bewegungslos dastehenden Leibwächtern flankiert. Ein fahl orangefarbener Widerschein spielte über sein faltiges Gesicht mit dem strähnigen Bart hinweg, als er sie mit einer Geste zum Platznehmen aufforderte. Dort saßen schon einige weitere Männer: Tincommius, Tribun Quintillus und Artax. Als Cato Letzteren erkannte, stockte er mitten im Schritt und setzte sich dann dem Tribun gegenüber auf den noch warmen Boden. Macro ließ sich schwerfällig neben ihm niedersinken. Cato dagegen war plötzlich hellwach und rechnete mit dem Schlimmsten. Warum waren diese drei mit Macro und ihm selbst vor den König gerufen worden? Was hatte Verica ihnen so spät in der Nacht derart heimlich mitzuteilen?

Der König winkte einen Diener heran und reichte ihm den leeren Trinkbecher. Der Diener murmelte etwas und Verica schüttelte den Kopf.

»Nein. Das genügt. Sorge dafür, dass wir nicht gestört werden. Keiner darf so nahe kommen, dass er unser Gespräch belauschen kann.«

»Ja, Majestät.«

Nachdem der Diener gegangen war, sah der König einen Moment lang zum schimmernden Mond auf, bevor er sich an seine Gäste wandte. Als er begann, lag eine große Müdigkeit in seiner Stimme.

»Ich werde überwiegend in meiner eigenen Sprache sprechen, da das, was ich zu sagen habe, vor allen Dingen meinen Neffen Artax angeht. Die Zenturionen Macro und Cato sind hier, weil sie meine Dankbarkeit, wichtiger aber noch, mein Vertrauen erworben haben. Der Tribun ist als Vertreter von General Plautius hier. Zenturio Cato, verstehst du unsere Sprache gut genug, um für deine römischen Gefährten zu übersetzen?«

»Ich denke schon, Majestät.«

Verica runzelte die Stirn. »Mach keine Fehler. Ich möchte nicht, dass es heute Abend zu Missverständnissen kommt. Euch alle mache ich heute zu Zeugen meines Willens und trage euch auf, ihn in den nächsten Monaten zu ehren. Hast du mich verstanden, Zenturio?«

»Ja, Majestät. Sollte es irgendwelche Zweifel geben, kann Tincommius mir beim Übersetzen helfen.«

»So sei es. Erkläre das jetzt den anderen.«

Nachdem Cato geendet hatte, beugte Macro sich dichter zu ihm und flüsterte: »Was geht hier vor, Junge?«

»Keine Ahnung.«

Verica senkte den Kopf und blickte in seinen Schoß. »In den letzten Tagen hatte ich ein sonderbares Gefühl. Ich spüre, dass mein Tod dicht bevorsteht. Ich hatte sogar einen Traum: Lud kam, um meinen Geist einzufordern – während der morgigen Jagd.«

Er blickte zu seinen Zuhörern auf, als erwarte er eine Antwort, doch alle schwiegen. Was konnte man auch einem König sagen, der von der Vorahnung seines eigenen Todes sprach? Für Cato, der von den drei Kaisern, unter denen er bisher gelebt hatte, den Anspruch auf kaiserliche Göttlichkeit kannte, lag etwas sehr Anrührendes in Vericas Eingeständnis. Vielleicht fürchtete er den Tod sosehr wie jeder andere Mensch. Es wäre eine riesige Tölpelei, dem König jetzt zu versichern, dass er den Tod nicht zu fürchten brauche. Das war etwas für Speichellecker; genau dieses Gesäusel würde so ziemlich jeder römische Senator zuverlässig von sich geben, sollte jemand Zweifel am ewigen Leben des derzeitigen Kaisers äußern.

»Manchmal ist ein Traum einfach nur ein Traum, Majestät«, meinte Quintillus beschwichtigend. »Gewiss sind die Götter entschlossen, die Atrebates noch mit vielen Herrschaftsjahren ihres Königs zu segnen.«

»Wessen Götter, Tribun? Eure oder unsere? Ich bin mir sicher, dass ich in den letzten Monaten genug getan habe, um den großen Jupiter zu besänftigen, aber um welchen Preis für die Götter meines Volkes?«

»Solange Jupiter dir wohlgesonnen ist, brauchst du keinen anderen Gott zu fürchten, Majestät.«

»Tatsächlich, Tribun?«

»Natürlich. Darauf würde ich mein Leben verwetten.«

Verica lächelte. »Wollen wir hoffen, dass dir und deinen beiden Zenturionen in den nächsten Tagen nichts derart Gefährliches bevorsteht.«

Quintillus sah ihn beleidigt an. Für einen Mann, der im Verlauf des Abends ziemlich viel getrunken hatte, wirkte er überraschend ernst, dachte Cato. Dann kam er darauf, dass der Tribun sich nur für die atrebatischen Adligen verstellt hatte. Nein, verbesserte Cato sich lächelnd, in seinem eigenen Interesse: Wein und fröhliches Beisammensein lösten so manche Zunge weit wirksamer als die raffinierteste List oder die grausamste Folter.

»Sind wir von deinem Volk bedroht, Majestät?«, fragte Cato. »Bist du bedroht?«

»Nein!«, protestierte Tincommius. »Dein Volk verehrt dich, Majestät.«

Verica lächelte seinen Neffen liebevoll an. »Vielleicht

hegst du selbst noch eine gewisse Zuneigung für mich, so wie möglicherweise auch Artax, doch du vertrittst keineswegs den Rest meines Volkes.«

»Dein Volk empfindet das Gleiche wie ich, Majestät.«

»Vielleicht, aber hoffentlich denkt es nicht so wenig wie du.«

Bei diesem Tadel öffnete Tincommius bestürzt den Mund und blickte dann beschämt zu Boden.

Verica schüttelte traurig den Kopf. »Tincommius ... Tincommius ... sei mir nicht böse. Ich weiß solche Treue wirklich zu schätzen. Aber du darfst dir davon nicht die Sicht vernebeln lassen. Du musst dich umschauen und die Welt so sehen, wie sie wirklich ist. Und deine Pläne danach ausrichten. Ich weiß, dass einige der Adligen mein Bündnis mit Rom kritisieren. Ich weiß, dass sie sagen, ich hätte meinen Thron niemals zurückerhalten dürfen. Ich weiß, dass sie sich nur zu gerne auf Caratacus' Seite schlagen und gegen Rom kämpfen würden. All das weiß ich, wie jeder Mann, der in Calleva Augen und Ohren offen hält. Aber das ist reiner Wahnsinn.« Verica hob erneut die Augen zum Himmel und fuhr dann fort: »Wir sind ein kleines Volk und stecken zwischen zwei großen Mächten in der Klemme. Erinnerst du dich, wie ich meinen Thron verlor?«

»Ich war jung, Majestät, aber ich erinnere mich. Als die Catuvellauni über die Tamesis kamen?«

»Genau. Ein unersättliches Volk. Erst die Trinovantes, dann die Cantii und als Nächstes waren wir an der Reihe. Sie forderten von uns entweder bedingungslose Loyalität oder unsere Ländereien, daher musste ich aus Calleva fliehen und das Königreich einem Strohmann Caratacus' überlassen. Ich hatte keine andere Wahl. Ich musste die Schande des Exils hinnehmen, damit meinem Volk von Caratacus nicht noch Schlimmeres geschah. Siehst du, das ist die wahre Bürde des Königs. Du musst für dein Volk regieren, wie hoch auch immer der Preis, und nicht für dich selbst. Verstehst du mich?«

»Ja, Majestät.«

»Gut. Dann wirst du wissen, dass diese Schande noch größer wurde, als die Legionen landeten, mein Königreich eroberten und es mir zu ihren Bedingungen zurückgaben. Ob nun ich in Calleva regiere oder ein anderer, wir bleiben immer in der Gewalt einer größeren Macht. Wenn wir überleben wollen, haben wir keine andere Wahl, als uns zu arrangieren, und das bedeutet, dass wir uns der stärksten Macht auf Gnade und Ungnade ausliefern müssen.«

»Aber Majestät«, widersprach Cato, »du bist Roms Verbündeter und nicht nur irgendein Lehnsmann.«

»Wirklich? Wo liegt denn da langfristig gesehen der Unterschied? Frag deinen Tribun. Frag ihn, was mit uns passiert, wenn Rom schließlich mit Caratacus fertig ist.«

Cato übersetzte und betete stumm um eine taktvolle Antwort.

Quintillus antwortete ohne jede Spur seiner üblichen Herzlichkeit. »König Verica, ich hätte ein wenig mehr Dankbarkeit für den Kaiser erwartet. Ohne unsere Hilfe würdest du noch immer in irgendeiner abgelegenen Zimmerflucht des Gouverneurspalastes von Lutetia hocken. Rom hat dir nur Gutes getan, und solange du ein treuer Verbündeter bleibst, wird es dir auch weiterhin Gutes tun«

»Und ihr lasst uns in Ruhe?«, gab Verica auf Lateinisch zurück. »Ihr lasst zu, dass wir uns selbst regieren?«

»Natürlich! Solange es zweckdienlich ist.« Quintillus richtete sich kerzengerade auf. »Darauf hast du mein Wort.«

»Dein Wort?« Verica legte den Kopf mit einem belustigten Lächeln schief und wandte sich an Tincommius: »Verstehst du, Tincommius? Das ist unsere Wahl. Die Gewissheit, im Falle von Caratacus' Sieg erobert zu werden, gegen die Wahrscheinlichkeit, im Falle eines römischen Sieges in eine Provinz umgewandelt zu werden.«

»Vielleicht kommt es nie so weit«, warf Cato ein.

»O doch, Zenturio. Ich weiß, wie weit die Befugnisse des Tribuns reichen, und ihr gewiss auch. Es wird Zeit, öffentlich darüber zu reden, wie sein Auftrag lautet.«

Cato zwang sich, keinen Seitenblick auf Artax zu werfen, und schoss Macro einen warnenden Blick zu, doch das war völlig überflüssig. Der ältere Zenturio kämpfte gähnend und mit schweren Lidern gegen die Müdigkeit an.

»Tribun«, fuhr Verica fort, »warum erzählst du uns nicht den wahren Grund deines Besuchs? Wie lauten deine Anweisungen? Vorgestern hast du mit mir darüber gesprochen.«

»Majestät, das war streng vertraulich.«

»Das wird es aber nicht bleiben. Es ist wohl nur noch eine Frage von Wochen. Vielleicht lebe ich dann schon nicht mehr. Meine engsten Verwandten, Tincommius und Artax, müssen die volle Wahrheit kennen. Teile sie ihnen mit.«

Mit zusammengepressten Lippen dachte Tribun Quintillus über die beste Antwort nach und wählte schließlich die verlogenste Lösung.

»Das darf ich nicht. Meine Befehle sind eindeutig – ich soll nur dir davon erzählen. Ein Soldat handelt nie gegen seinen Befehl.«

»Sehr tapfer von dir«, entgegnete Verica bissig. »Nun, dann muss ich die Nachricht eben selber verkünden. General Plautius befürchtet, dass unser Volk den Vertrag mit Rom nicht einhalten wird. Daher hat er mich ... wie sagtest du noch gleich? ... aufgefordert! Er hat mich aufgefordert, mich zur Auflösung der beiden Kohorten bereitzuhalten, sobald er den Befehl erteilt.«

Als Cato übersetzte, fuhr Macro mit wütend aufgerissenen Augen hoch. Tincommius und Artax waren ähnlich schockiert.

»Das Schlimmste kommt noch«, fuhr Verica fort. »Er wird dann nicht nur die Auflösung der Kohorten befehlen, sondern auch, dass jeder einzelne atrebatische Krieger entwaffnet und die Waffen … außer Reichweite gebracht werden. Ich glaube, so hat er es ausgedrückt.«

»Nein!«, schrie Artax und sprang wütend auf. »Nein! Majestät, das ist unmöglich. Es ist nicht wahr. Sag, dass es nicht wahr ist!«

Da der junge Edelmann bisher geschwiegen hatte, brachten die plötzliche Angst und Wut in seiner Stimme die anderen zum Verstummen. Verica machte eine beschwichtigende Geste.

»Artax, bitte …«

»Nein! Ich werde meine Waffen nicht abgeben! Keiner von uns! Eher sterben wir.«

Cato übersetzte den Ausbruch des jungen Mannes.

»Darum wird der Tribun sich gewiss gerne kümmern«, flüsterte Macro Cato zu, während Artax noch immer auf Keltisch tobte. »Und anschließend wird der Drecksack unsere Kohorten kaputtmachen.«

»Ruhig, bitte, Herr.« Cato klopfte seinem Freund auf den Arm.

Verica hatte sich von seinem Hocker erhoben, ging zu Artax hinüber und ergriff ihn sanft bei der Schulter. »Denk nach, was du da sagst, Artax! Denk nach! Es ist der Befehl des römischen Generals. Wenn wir uns dagegen wehren, ist es aus mit uns. Man wird uns zerquetschen wie ein rohes Ei. Wir müssen unser Volk entwaffnen. Wir müssen die Kohorten auflösen. Gleichgültig, wie groß die Schande. Schande ist besser als Tod.«

»Nicht für einen Krieger«, schleuderte Artax ihm entgegen.

»Hier geht es nicht um die Krieger. Hier geht es um unser Volk. Denkst du auch nur einen Moment lang, dass die Legion irgendeinen Unterschied zwischen den Menschen machen wird, die sie niedermetzelt? Nun?« Verica schüttelte ihn. »Nun?«

»Nein ...«, räumte Artax ein.

»Dann bleibt uns keine Wahl ... Dir bleibt keine Wahl.«

»Mir?« Artax sah den König aufmerksam an. »Was meinst du damit, Herr?«

»Sollte ich aus irgendeinem Grund in näherer Zukunft sterben, ist es mein Wille, dass du König wirst. Ich rufe diese anderen zu Zeugen meines Willens auf ... Verstehst du jetzt, warum du General Plautius' Befehl gehorchen musst?«

Alle blickten den König erstaunt an. Dann ließ Cato die Augen über die Männer wandern, die um das verglimmende Feuer versammelt waren. Tincommius war bestürzt und rang offensichtlich um Fassung. Tribun Quintillus war erst überrascht und lächelte dann zufrieden. Verica wirkte einfach nur erleichtert, sich die Last seiner Entscheidung von der Seele geredet zu haben. Macro blickte zornig drein.

»Ich?« Artax schüttelte verwirrt den Kopf. »Warum ich?«

»Ja«, fügte Tincommius leise hinzu. »Warum er, Onkel? Warum nicht ich? Du hast keinen Sohn, und ich bin der Sohn deines Bruders. Warum nicht ich?«

»Tincommius, seit du dich von deinem Vater trenntest, warst du mir wie ein Sohn. Ein geliebter Sohn. Aber du bist zu jung, zu unerfahren, und ich befürchte, dass es einigen unserer Edelleute gelingen könnte, dich gegen Rom aufzuhetzen. Ich wünschte, du wärest älter und könntest solchen Verführungen besser widerstehen. Außerdem bist du genau wie ich erst vor kurzem aus dem Exil zurückgekehrt und daher für die Einflussreichen in unserem Königreich schwer einschätzbar. Artax dagegen ist überall bekannt und wird von allen geachtet. Viele Männer blicken zu ihm auf, gerade auch jene, die Rom fürchten oder hassen. Er ist ein ehrenwerter Mann und ich hege keinen Zweifel an seiner Loyalität. Es tut mir Leid, Tincommius. Aber ich habe meine Entscheidung getroffen und mehr ist dazu nicht zu sagen.«

Tincommius' Gesicht zeigte einen Ausdruck schmerzlicher Erbitterung, doch der König wandte sich nun Artax zu: »Natürlich wird der Rat meine Entscheidung noch absegnen müssen, doch ich rechne kaum mit Widerspruch. Wenn du einmal König bist, Artax, wirst du lernen, die Dinge so klar zu sehen, wie sie mir inzwischen vor Augen stehen. Dann wirst du wissen, was zu tun ist.«

Artax nickte bedächtig. Am Feuer entstand ein langes Schweigen. Dann spielte plötzlich ein Lächeln um Artax' Mundwinkel. »Natürlich, Majestät. Deine Entscheidung ehrt mich sehr und mir ist jetzt klar, was zu tun ist.«

24

Am nächsten Tag schlug das Wetter um. Kurz vor Tagesanbruch setzte ein leiser Nieselregen ein, und die Küchensklaven hatten Mühe, ein Feuer für das Frühstück zu entfachen. Verica und seine Jagdgesellschaft drängten sich um die im Regen zischenden Flammen. Der Tag dämmerte ohne einen Hauch von Morgenröte herauf, nicht mehr als ein schmutziges Blassgelb im Osten. Mit zunehmendem Tageslicht verwandelte der Himmel sich in eine bleigraue Decke.

»Herrlicher Tag für eine Jagd«, knurrte Macro, als er die Riemen seiner ledernen Beinkleider nachzog.

Cato spähte durch den feinen Sprühregen zum Himmel hinauf. »Vielleicht klart es noch auf.«

»Eher lernt ein Schwein fliegen.«

»Hoffentlich nicht«, erwiderte Cato lächelnd. »Mir reichen schon die Keiler, die am Boden rumlaufen.«

Cato trug bereits seine Jagdkleidung und stützte sich auf den Schaft eines Jagdspeers. Anders als die Kriegsspeere der Legionäre hatte diese Waffe eine breite Spitze mit bösartigen Widerhaken, die beim Herausreißen tiefe Wunden hinterließen. Dieser Speer war zwar zum Werfen geeignet, aber aufgrund des schweren Schafts nicht weit zu schleudern. Für Catos Geschmack war die Reichweite zu kurz.

»Hast du schon einmal Keiler gejagt?«, fragte Macro, der mit dem Schlimmsten rechnete.

»Näher als gestern Abend war ich nie an einem dran, und das könnte meinetwegen auch so bleiben.«

Macro stöhnte.

»Aber ich hab schon Wildschweinjagd in der Arena gesehen.«

»Das ist nicht ganz das Gleiche«, erwiderte Macro freundlich.

»Hässliche Viecher.«

»Ja. Hässlich und ziemlich gefährlich. Solltest du auf dem Boden liegen und so eine Bestie über dir haben, dann hüte dich vor den Hauern. Ich hab mal gesehen, wie ein Mann damit richtig aufgeschlitzt worden ist. Er war nicht sofort tot. Muss schrecklich gewesen sein. Ein paar Tage später ist er brüllend vor Schmerz gestorben …«

»Danke für die Information. Jetzt fühle ich mich gleich viel besser.«

»Schon gut«, antwortete Macro lachend und klopfte seinem Gefährten auf die Schulter. »Bleib einfach dicht bei mir und pass auf, dass nichts von hinten kommt.«

»Da gibt es noch jemanden, der diesen Ratschlag beherzigen sollte«, brummte Cato und nickte zum König und seinen um das Feuer versammelten Gefolgsleuten hinüber, die einander mit Bier zuprosteten. Artax stand dicht neben dem

König. Cato bemerkte, dass er nichts trank und nachdenklich wirkte. Dazu hatte er auch allen Grund, überlegte Cato. Verica war alt. In wenigen Monaten oder vielleicht sogar Wochen würde Artax Herrscher der Atrebates sein. Eine solche Aussicht konnte jemanden schon ins Grübeln bringen. Auch Cato beunruhigte dieser Gedanke. Würde Artax als König ebenso unbeugbar stolz und empfindlich sein wie jetzt als junger Edelmann? Und falls ja, gab es dann überhaupt noch Hoffnung auf gute Beziehungen zwischen den Atrebates und Rom? Aber vielleicht hatte Verica ja Recht. Der alte König hatte scharfsinnig erkannt, dass die Atrebates einen Herrscher brauchten, der möglichst wenig Widerstand weckte, und in dieser Hinsicht war Artax tatsächlich eine kluge Wahl. Doch würde Artax nun seinerseits klug genug sein, um zu verstehen, wo das einzig mögliche Schicksal seines Volkes lag?

»Verica ist nicht mehr in Gefahr«, widersprach Macro, »nachdem er Artax auf seine Seite gezogen hat.«

»Ja. Da wirst du Recht haben. Aber ich traue Artax immer noch nicht. Er heckt irgendwas aus.«

»Du phantasierst dir was zurecht.«

»Eine Phantasiegestalt hat noch nie einen umgebracht.«

»Nein.« Macro hob den Kopf und betrachtete den Himmel. »Na, dann mal los. Sieht nicht so aus, als würde es heute noch mal wärmer oder trockener.«

Als Cadminius zur Jagd blies, hatten sie gerade noch Zeit, sich ein Stück kalten Schafsbraten und einen kleinen Laib Brot zu schnappen. Aufgeschreckt und noch immer kauend verstauten sie die Reste ihrer kaum begonnenen Mahlzeit in ihren Proviantbeuteln und eilten zu den Pferden. Die Jäger saßen auf, rückten sich im Sattel zurecht und ließen sich dann ihre Speere von den Sklaven reichen. Verica brauchte beim Aufsitzen Unterstützung, und Artax schob einen Sklaven grob beiseite, um dem König auch ja selbst in den Sattel zu helfen. Verica blickte mit einem herzlichen Lächeln auf ihn hinunter, streckte die Hand aus und tätschelte ihm die Schulter.

»Rührend, nicht wahr?«, grummelte Macro. »Wenn einem so ein Königreich vor die Füße purzelt, sehen die Manieren doch gleich ganz anders aus.«

Tincommius lenkte sein Pferd zu den beiden Zenturionen hinüber.

»Guten Morgen!«, rief Cato ihm zu.

»Gut? Gut soll er sein?«, murrte Tincommius.

»Das hat den Jungen ganz schön mitgenommen«, flüsterte Macro, bevor Tincommius in Hörweite war. Der Brite brachte sein Pferd neben den beiden Römern zum Stehen. Macro lächelte ihn an.

»Kopf hoch, alter Junge. Solange es beim Nieselregen bleibt, können wir uns auf die Jagd freuen. Im Wald wimmelt es nur so von Wildschweinen, wenn man Artax Glauben schenken darf.«

»Artax … Oh, sicher, der hat gewiss Recht.«

Macro und Cato wechselten einen Blick, bevor Macro freundlich fortfuhr: »Gewiss bist du nicht übermäßig begeistert von Vericas Nachfolgeregelung?«

Tincommius wandte sich ihnen zu, kalten Groll im Gesicht. »Nein. Ihr etwa?«

»Wenn er sich mit Rom arrangiert, kann ich mich mit ihm arrangieren.«

»Und du, Cato – was meinst du?«

»Ich weiß nicht recht. Ich hoffe einfach, dass Verica noch eine Weile am Leben bleibt. Damit Ruhe herrscht.«

»Ruhe?« Tincommius lachte leise. »Ruhe nennst du das? Es könnte kaum weniger Ruhe herrschen. Nicht, solange alle darauf warten, dass der alte Mann stirbt. Jeder denkt darüber nach, was dann passiert. Glaubst du wirklich, dass Artax das Königreich zusammenhalten kann?«

Cato behielt ihn bei seiner Antwort genau im Auge: »Denkst du etwa, ein anderer könnte diese Aufgabe besser wahrnehmen?«

»Vielleicht.«

»Zum Beispiel du selbst?«

»Ich?« Tincommius wirkte bestürzt.

»Warum nicht? Du bist eng mit Verica verwandt. Du hast einen gewissen Einfluss bei Hofe. Vielleicht könntest du den königlichen Rat überzeugen, nicht Artax, sondern dich zu wählen.«

»Cato«, knurrte Macro. »Wir sollten uns da nicht einmischen. Klar?«

»Ich denke doch einfach nur nach.«

»Nein. Denken bleibt da oben.« Macro klopfte sich an die Stirn. »Du wühlst Dreck auf. Wir halten uns aus der Stammespolitik heraus.«

»Vielleicht geht das nicht mehr lange. Wir müssen vorausdenken. Tincommius muss vorausdenken. Um unserer aller willen.«

Tincommius nickte langsam, doch Macro schüttelte den Kopf.

»Lass das. Wir sind Soldaten und keine Diplomaten. Wir haben einfach nur die Aufgabe, Calleva zu beschützen und die Wölfe und Keiler kampffähig zu machen. Das ist alles, Cato. Den Rest überlassen wir solchen Arschlöchern wie Quintillus.«

Cato hob entwaffnet die Hand. In diesem Moment ertönte das Horn erneut und die Jagdgesellschaft formierte sich hinter König Verica zu einer lockeren Reiterkolonne. Macros Pferd wurde abgedrängt und einen Moment lang befand Cato sich dicht neben Tincommius. Ihre Augen begegneten sich.

»Denk an meine Worte«, sagte Cato leise.

Tincommius nickte, wandte den Blick ab und heftete ihn

auf die gebeugte Gestalt an der Spitze der Kolonne. Dann trieb er sein Pferd mit einem Zungenschnalzen an.

»Was spielst du da für ein Spiel, verdammt noch mal?«, flüsterte Macro. »Versuchst du etwa, ihm Flöhe ins Ohr zu setzen?«

»Ich traue Artax nicht«, erklärte Cato.

»Ich traue gar keinem«, entgegnete Macro mit unterdrückter Wut. »Nicht Artax. Nicht Tincommius und ganz gewiss nicht diesem Drecksack von Tribun. Wenn du bei diesem Sauhaufen mitmischen willst, bringst du uns noch beide ins Grab.«

Als die Jagdgesellschaft den Wald erreichte, bildeten die Reiter eine lang gezogene Kette. Cadminius fand Macro und Cato und forderte die beiden auf, mit Artax, Tincommius und Cadminius selbst in der Nähe des Königs zu bleiben.

»Warum?«, fragte Macro.

»Er braucht Männer um sich, denen er vertrauen kann«, antwortete Cadminius ruhig.

»Was ist denn mit denen?« Macro nickte zu den Leibwächtern hinüber, die hinter der Jagdgesellschaft zurückblieben und sich kurz vor dem Waldrand in einer Reihe aufstellten.

»Wenn die beim König bleiben, machen sie viel zuviel Lärm. Das vertreibt die Wildschweine.«

»Ist das nicht ein bisschen riskant?«, fragte Cato.

Cadminius schüttelte müde den Kopf. »Ihr habt doch gesehen, wie er in den letzten Monaten war. Er spürt, dass er alt wird. Aus dem letzten Rest an Leben, das ihm noch verbleibt, möchte er so viel wie möglich herausholen. Das kann ihm keiner verübeln.«

»Ich vielleicht nicht, aber sein Volk schon.«

Cadminius wendete achselzuckend sein Pferd. »Wir sind sein Volk, Zenturio. Er kann es halten, wie er will.«

Nachdem die Jagdgesellschaft sich verteilt hatte, wartete man auf das Nahen der Treiber. Die Pferde senkten die Köpfe und weideten das feuchte Gras ab, während die Reiter, die Speere quer über die Schenkel gelegt, bewegungslos verharrten. Der Regen nieselte leise auf das Laub der Bäume nieder und durchweichte die Kleidung der Jäger. Bald klebte Cato das Haar am Kopf und kleine Rinnsale liefen ihm übers Gesicht. Mit einem leisen Fluch zog er den kalten Braten aus seinem Proviantbeutel und legte sich den Sack schützend über den Kopf. Dann kaute er unglücklich auf dem zähen Fleisch herum und wartete darauf, dass es endlich losging. Gleichzeitig fragte er sich, ob es wohl klug war, dass sich Artax so dicht beim König aufhielt. Auch wenn er nun zum Nachfolger bestimmt war, würde er angesichts seines ungeduldigen, impulsiven Naturells vielleicht nicht warten wollen, bis sein Wohltäter eines natürlichen Todes starb. Nur gut, dass Macro, Cato selbst, Cadminius und Tincommius ebenfalls in der Nähe waren, und Cato fasste den Entschluss, während der ganzen Jagd in der Nähe des Königs zu bleiben.

»Cato!«, rief Macro aus zwanzig Schritt Entfernung. Er zeigte zum Wald hinüber: »Horch!«

Cato lauschte mit schief gelegtem Kopf. Zunächst hörte er nur das stete Prasseln des Regens auf dem Blätterdach. Dann aber ertönte, ganz leise in der Ferne, der lang gezogene Ruf eines Jagdhorns. Bei seinem Klang blickten auch die anderen Männer auf, griffen nach ihren Speeren und machten sich bereit. König Verica sah sich um und nickte dem Hauptmann seiner Wache zu. Da führte Cadminius sein Jagdhorn an die Lippen, holte tief Luft und blies einen einzigen, mächtigen Ton. Die Reiter drangen in einer lang gezogenen Kette in den Wald ein und verschwanden aus der Sicht der königlichen Leibwache und der Gruppe von Sklaven, die Kästen voll frischer Speere für die Jagdgesellschaft mitführten.

Unter dem dichten Blätterdach war es noch düsterer als draußen und Cato musste blinzeln, um deutlich zu sehen. Zu seiner Linken ritt Macro durch ein Gewirr aus hohem Farn und jungen Bäumen, zu seiner Rechten Tincommius. Der König, der neben Tincommius ritt, war schon nicht mehr zu erkennen. Artax ritt auf der anderen Seite des Königs. Bald hatte das dichte Unterholz die Jäger getrennt. Cato hörte die anderen noch deutlich: das Knacken von Zweigen und gelegentlich einen Fluch, wenn einer der Jäger in ein Dickicht geriet.

Die Jagdhörner der entgegenkommenden Treiber klangen inzwischen schon viel deutlicher, und nun drang auch aus der Ferne ihr Rufen heran. Irgendwo zwischen ihm und den Treibern steckte die Beute. Vielleicht nicht nur Wildschweine, sondern auch Hirsche oder sogar Wölfe, alle aufgeschreckt vom ungewohnten Lärmen der Treiber. Doch die größte Angst empfand Cato vor den Keilern. Außer bei Vericas Festmahl hatte er diese Tiere nur im Zirkus von Rom erlebt. Die riesigen, aus Sardinien importierten Bestien hatten braune Borsten und lange Schnauzen gehabt, aus denen lange, spitze Hauer ragten. Die Hauer waren keineswegs ihre einzige Waffe. Mit ihrem rasiermesserscharfen Gebiss hatten die Keiler damals in der Arena kurzen Prozess mit den verurteilten Gefangenen gemacht. Cato hatte gesehen, wie ein Keiler sich in den Arm einer Frau verbiss und den riesigen Kopf so lange schüttelte, bis der Arm abriss. Bei dieser lebhaften Erinnerung überlief ihn ein Schauer und er betete zur Göttin Diana, dass die britischen Keiler keinerlei Ähnlichkeit mit ihren grässlichen sardischen Verwandten hatten.

Plötzlich vernahm Cato vor sich ein Geraschel, zügelte sein Pferd und zielte mit dem Speer in Richtung der Geräuschquelle. Gleich darauf ließen wogende Farnwedel erkennen, dass von dort ein Tier herankam, und Cato spannte alle Muskeln an und hielt den Speer fest gepackt. Zwischen den Farnwedeln stürzte jedoch nur ein Fuchs heraus und stoppte ab, sobald er das Pferd erblickte. Er duckte sich, verharrte einen Moment und starrte Cato an. Dann war er verschwunden, bevor Cato auch nur überlegen konnte, ob er einen Speerstoß wert war. Er lachte erleichtert auf und spornte sein Pferd an. Weiter links in der Jägerkette hörte man aufgeregte Rufe, gefolgt von Gebrüll, dem schrillen Wiehern eines Pferdes und dem wilden, wütenden Quieken eines verletzten Keilers.

»Cato!«, rief Macro laut. »Hörst du das?«

»Ja! Klingt so, als hätte da einer Glück gehabt.«

Er hatte den Kopf noch zu Macro gewendet, als die Bestie aus der Deckung herausbrach. Daher hörte er sie, bevor er sie sah, und riss sein Pferd instinktiv zurück. Vom plötzlichen Auftauchen des Tiers erschreckt, reagierte das Pferd zu heftig auf den Zügel und scheute. Cato warf sich nach vorn, um nicht hinunterzufallen, und der Keiler griff das Pferd an, rannte zwischen seine Hinterbeine und rammte es von unten in den Leib. Das Tier stieß ein schreckliches Schmerzgewieher aus, taumelte zurück und stürzte auf die Seite. Cato sah, wie ihm der Boden entgegenkam, und hatte gerade noch Zeit, aus dem Sattel zu springen. Er krachte zu Boden und die Luft fuhr ihm mit einem schmerzhaften Aufkeuchen aus der Lunge. Neben ihm wühlte das Pferd mit den Hufen den Boden auf, während der Keiler es mit einem wütenden Grunzen erneut angriff und dabei mit seinen kurzen, stämmigen Beinen das tote Laub aufwirbelte. Cato kam mühsam und nach Luft schnappend auf die Beine und suchte verzweifelt im Farngewirr nach seinem Speer.

»Cato!«

Cato hob den Kopf und wollte um Hilfe rufen, hatte aber nur noch genug Luft für ein entsetztes Japsen. Dann erblickte er die schimmernde Speerspitze unmittelbar vor seinen Füßen. Er packte den Schaft, riss den Speer hoch und wirbelte herum. Sein Pferd lag auf der Seite und schlug wild mit den Vorderbeinen, während die Hinterbeine sonderbar schlaff dalagen, woraus Cato schloss, dass das Rückgrat gebrochen war. Mit einem Übelkeit erregenden, dumpfen Stoß traf der Keiler sein Opfer erneut, und Cato schlich sich, vom Rücken des Tiers gedeckt, heran, tief geduckt und die Speerspitze stoßbereit.

»Cato!« Macros Stimme klang jetzt äußerst besorgt. »Was ist los?«

Als Cato um das Pferd herumspähen konnte, sah er, wie der Keiler die Hauer mit zurückgeworfenem Kopf tief in den Bauch des Tieres wühlte. Mit einem wilden Ruck befreite er die bluttriefende Schnauze und riss dabei mit einem der Hauer einen Teil der Eingeweide heraus. Dann erblickte der Keiler plötzlich Cato, seine blutunterlaufenen Augen weiteten sich, und er ließ augenblicklich von dem Kadaver ab.

»Oh, verdammt!«, schnaufte Cato und sprang hinter den Rücken des Pferdes zurück. Schon stürmte der Keiler um das Pferd herum auf ihn zu. Mit einem entsetzten Blick über die Schulter rannte Cato, den Speer in der Hand, nach rechts, wo der Wald frei von Unterholz war. Der Keiler schoss wie ein Rammbock mit mordlüsternem Quieken hinter ihm her. Gleich würde er Cato umrennen und ihm den Rücken mit seinen Hauern aufreißen.

Vor ihnen lag ein dicker Baumstamm, eine alte Eiche, die vor vielen Jahren umgefallen und jetzt mit dichtem Moos bewachsen war, das von der Feuchtigkeit glänzte. Mit einem gewaltigen Sprung setzte Cato darüber hinweg und stürzte auf der anderen Seite zu Boden. Jetzt gab es kein Entrinnen mehr. Er rollte sich auf den Rücken, stieß das Speerende in die Erde und richtete die Spitze zum Baumstamm hin aus. Ein Scharren war zu hören, als der Keiler zum Sprung über den Stamm ansetzte, und dann war er da, riesig, das Gesicht blutig rot, die grässlichen, scharfen Zähne ein weißes Schimmern. Er stürzte sich auf Cato und sprang dabei direkt in die kräftige Spitze des Jagdspeers. Diese drang ein und bohrte sich tief in die Brust des Tieres. Der Aufprall riss den Schaft aus Catos Hand und der Keiler flog im hohen Bogen über ihn hinweg, bevor der Schaft mit einem lauten Krachen zerbarst.

Der Keiler stürzte mit einem Grunzen zu Boden und versuchte unter schrillem, gepeinigtem Quieken wieder auf die Beine zu kommen. Der Speer war kurz vor der Spitze abgebrochen, und der zersplitterte Schaft ragte dicht unter dem Hals des Keilers aus einer blutigen Wunde heraus. Das Tier versuchte, die Speerspitze mit ruckhaften Bewegungen abzuschütteln, sein hervorschießendes Blut bespritzte Moos und Farne. Cato packte das abgebrochene Ende des Schafts und stieß es dem Tier unter Einsatz seines ganzen Körpergewichts tief in die Flanke. Das schrille Quieken wurde noch lauter und Cato bekam einige heftige Tritte der krampfhaft schlagenden Läufe ab. Er beachtete den Schmerz nicht, bohrte den Schaft tiefer in die Eingeweide und riss die Wunde durch heftige Seitenbewegungen der Waffe noch weiter auf. Allmählich erlahmte der heftige Widerstand des Keilers. Mit zusammengebissenen Zähnen erhöhte Cato den Druck noch und zischte dabei: »Stirb doch endlich, du Vieh! Stirb!«

Schließlich schlugen die Läufe nicht mehr gegen seine Beine, sondern erschlafften. Noch war der kurze, stoßweise Atem des Keilers zu hören.

Doch schließlich verstummte das Tier mit einem letzten pfeifenden Keuchen und war tot.

Cato lockerte langsam seine um den Speerschaft geklammerte Hand und ließ sich, zitternd vor Erregung und Erleichterung, auf die Knie fallen. Er hatte es geschafft, er hatte das Tier erlegt und war immer noch am Leben und sogar unverletzt. Mit klopfendem Herzen betrachtete er seine Beute. Jetzt, da der Keiler tot war, wirkte er irgendwie kleiner. Immer noch riesig, aber kleiner als vorher. Die Schnauze war leicht geöffnet und die blutverschmierte Zunge hing zwischen den scharfen Zähnen heraus. Mit einem Schaudern stand der junge Zenturio auf.

»Cato!«, rief Macro ganz aus der Nähe, von dort, wo das tödlich verwundete Pferd lag. Die Sorge in seiner Stimme war unüberhörbar.

»Ich bin hier!«

»Halt durch, Junge! Ich komme.«

Doch plötzlich ertönte ganz in der Nähe ein Schrei, und als Cato mit angehaltenem Atem lauschte, war erneut ein Rufen zu hören …

»Hilfe! Hilfe! Mord!«

Jetzt erkannte Cato Vericas Stimme und schrie über die Schulter zurück: »Macro! Hier entlang! Rasch!«

Dann rannte er durch Farndickicht und peitschende Äste auf die Stelle zu, von der die Schreie des Königs kamen. Von hinten hörte er Macro nach sich rufen.

»Hier entlang!«, schrie Cato noch einmal, rannte weiter. Plötzlich stolperte er und flog durch die Luft, wobei er die Arme instinktiv schützend vors Gesicht riss. Er schlug hart auf dem Boden auf, rollte sich ab und kam taumelnd auf die Beine. Vor ihm lag Tincommius auf dem Boden und hielt den Kopf umklammert. Zwischen seinen Fingern sickerte Blut hervor und seine Augenlider zuckten. Sein Speer lag quer über der Brust.

»Tincommius! Wo ist der König?«

»Was?« Der Brite schüttelte benommen den Kopf.

»Der König?«

Tincommius' Blick wurde klarer, er wälzte sich auf die Seite und wies mit ausgestrecktem Arm auf einen schmalen Pfad. »Da entlang. Schnell! Artax ist hinter ihm her.«

»Artax?«

»Ich habe versucht, ihn aufzuhalten. Los! Hol Hilfe! Ich folge Artax!«

Cato beachtete ihn nicht mehr und rannte eilig den Pfad entlang. Am Boden und auf Farnblättern links und rechts des Weges erblickte er blutrot leuchtende Tropfen. Plötzlich führte der Pfad auf eine kleine Lichtung hinaus. Zwanzig Fuß entfernt ragte der dicke Stamm einer Eiche auf. Dort lag der zusammengekrümmte Verica. Blut aus einer tiefen Kopfwunde durchtränkte sein weißes Haar.

Über ihn gebeugt stand Artax, einen dicken Holzknüppel in der Hand. Als Cato aus dem Unterholz brach, das den Pfad säumte, blickte Artax auf und entblößte die Zähne zu einem grimmigen Lächeln.

»Cato! Gut! Komm her, Junge!«

»Wirf den Knüppel weg«, forderte Cato ihn auf. »Weg damit!«

»Ich hab genug von deinen Befehlen«, entgegnete Artax höhnisch und trat einen Schritt auf Cato zu. Dann stockte er und blickte sich nervös um. »Wo ist Tincommius?«

Cato warf sich auf Artax und beide stürzten neben Verica zu Boden. Cato war als Erster auf den Beinen und trat Artax den Stiefel ins Gesicht. Knirschend trafen die genagelten Sohlen das Nasenbein des Gegners und Artax schrie vor Schmerz auf. Doch sofort war er wieder auf den Beinen und holte mit seinem Knüppel nach dem Zenturio aus. Cato wich dem Schlag aus und machte sich zum nächsten Angriff bereit. Wo, zum Teufel, blieb Tincommius? Und Macro?

Artax fletschte die Zähne. »Dafür wirst du büßen, Römer! Ich warne dich, zurück mit dir!«

Cato sprang vor. Diesmal war Artax vorbereitet, wich seitlich aus und verpasste Cato mit dem Knüppel einen kräftigen Schlag auf die Schulter. Der Zenturio krachte zu Boden und schnappte hilflos nach Luft. Er sah, wie Artax befriedigt nickte und wartete auf den tödlichen Schlag, der ihm den Schädel zertrümmern würde. Doch Artax drehte sich um und ging zum König zurück. Er erreichte ihn jedoch nicht. Ein dumpfer Schlag war zu hören und Artax stöhnte auf, von Tincommius' Jagdspeer getroffen. Er taumelte zur Seite und stürzte zu Boden, von wo der dunkle Schaft des Speers zum Himmel ragte. Tincommius trat schwankend auf den Liegenden zu, packte den Schaft und stellte den Fuß dicht neben die Wunde. Mit einem Ruck riss er die mit Widerhaken versehene Spitze aus Artax' Brust und nun schoss das Blut aus der klaffenden Wunde. Artax' Körper erschauerte und er versuchte anscheinend, noch einmal auf die Beine zu kommen. Tincommius stieß ihn mit einem Fußtritt zurück, und unmittelbar vor seinem Tod streckte Artax die Hand nach seinem König aus und packte eine Falte von Vericas Tunika.

»Mein König! ... Verica ...«

Dann verstummte er.

Cato rang noch immer so mühsam um Atem, dass er nicht aufstehen konnte. Arme und Schultern waren taub vom Schlag, den er erhalten hatte, und ließen sich nicht bewegen. So konnte er nur zusehen, wie Tincommius sich neben seinem König niederkniete, den blutigen Speer in der Hand, und ihn auf Lebenszeichen untersuchte.

Jetzt ritt Macro zwischen krachenden Zweigen auf die Lichtung, den Speer erhoben und darauf gefasst, sofort einen Feind niederzustrecken. Er blickte sich verwirrt um, zügelte sein Pferd und ließ sich von seinem Rücken gleiten. Dann eilte er auf Cato zu und wälzte ihn zu sich herum.

»Alles in Ordnung?«

»Gleich wieder.«

Macro nickte und blickte auf den toten Artax, der noch immer die Tunika seines Königs umklammert hielt. Tincommius drehte sich um und maß Macro mit einem kalten Blick.

»Was ist denn verdammt noch mal hier los?«, fragte Macro.

»Artax«, murmelte Cato. »Er hat versucht, Verica zu ermorden.«

»Der König!«, rief Macro zu Tincommius hinüber. »Ist er am Leben?«

Tincommius nickte. »So gerade noch.«

»Na, wunderbar!«, knurrte Macro. »Und jetzt?«

25

»Wie geht's dem alten Mann?«, fragte Macro. »Irgendeine Besserung?«

Cato schüttelte den Kopf und setzte sich neben Macro auf die Bank. Er war gerade aus dem königlichen Schlafgemach zurückgekehrt, wo der Wundarzt des römischen Lagers sich unter Cadminius' wachsamen Augen um den König bemühte. Macro trank keltisches Bier und wurde von der Glut des wärmenden Kohlebeckens allmählich wieder trocken. Es war ein langer, unerfreulicher Tag gewesen. Als die Jagdgesellschaft mit dem verwundeten König nach Calleva zurückeilte, hatte der Regen erst richtig eingesetzt. Klatschnass und zitternd vor Kälte erreichten sie Calleva bei Anbruch des Abends. Tribun Quintillus hatte Cato und Vericas Leibwächtern befohlen, den König zur königlichen Umfriedung zurückzubegleiten, während Macro ins römische Lager ritt, um den Wundarzt zu holen. Quintillus ließ die Wolfskohorte antreten und schickte sie als Wache auf die Wälle des Lagers und die ellipsenförmigen Verteidigungsanlagen Callevas, damit nicht einer von Vericas Feinden die Situation ausnutzte. Während die Männer im Lichte eilig entzündeter Fackeln ihre Posten einnahmen, machte

Macro sich auf den Weg zur königlichen Umfriedung, um sich dort mit Cato zu treffen.

Der Königssaal war voll von Männern, die sich in kleinen Gruppen um die Tische scharten. Eine kleine Mannschaft königlicher Leibwächter versperrte mit gezogenem Schwert jedem den Weg zum König. Die Luft war von Geflüster und leisem Stimmengewirr erfüllt und alle Augen wanderten immer wieder zu der Tür hinüber, die zu Vericas Schlafgemach führte. Die Nachricht von Vericas schwerer Verwundung hatte sich schnell in den schlammigen Gassen Callevas verbreitet und nun warteten Atrebates jeden gesellschaftlichen Rangs auf weitere Nachrichten.

Im Schlafgemach des Königs hatte Cato beobachtet, wie der Wundarzt die Kopfverletzung des alten Mannes vorsichtig von Blut und Schlamm reinigte. Der Wundarzt holte tief Luft und betastete dann die entfärbte Haut unter dem schütteren Haar. Schließlich setzte er sich zurück und nickte Cato zu.

»Eine Weile hat er auf jeden Fall noch zu leben.«

»Wie stehen seine Chancen?«

»Schwer zu sagen. Bei dieser Art von Verletzung ist in den nächsten Tagen alles möglich, von Gesundung bis zum Tod.«

»Ich verstehe«, murmelte Cato. »Tu, was du kannst.«

Der König lag auf dem Bett, das Gesicht unter dem Kopfverband totenbleich. Sein Atem ging flach. Wäre dieses leise Heben und Senken der Brust nicht gewesen, hätte man ihn für tot halten können.

»Gib mir Bescheid, sobald irgendeine Veränderung eintritt«, trug Cato dem Wundarzt auf.

»Jawohl, Herr.«

Cato entfernte sich vom Bett und wandte sich zur Tür, die zum Königssaal hinausführte. Bevor er das Schlafgemach verließ, verharrte er einen Moment lang. Auf der gegenüberliegenden Seite lag die Tür zum privaten Audienzraum des Königs, und von dort hörte Cato die gedämpften Stimmen eines hitzigen Streits. Dann befahl Quintillus deutlich vernehmbar Ruhe. Cato war in Versuchung, zur Tür zu treten und aufmerksamer zu lauschen, wollte sich aber diese Blöße vor dem Wundarzt nicht geben.

Draußen im Königssaal erblickte Cato dann Macro, der sich gerade auf einer Bank niederließ, und eilte zu seinem Freund, um über den Gesundheitszustand des Königs zu berichten.

»Keinerlei Besserung? Was hat denn der Arzt gesagt?«

»Wenig«, antwortete Cato, dem bewusst war, wie viele Blicke auf ihm ruhten, nachdem er aus Vericas Schlafgemach getreten war. »Artax muss ihn ziemlich heftig erwischt haben. Verica hat viel Blut verloren, aber der Schädel ist nicht zertrümmert. Vielleicht überlebt er die Verletzung.«

»Na hoffentlich.« Macro musterte die im Saal Versammelten. »Wie mir scheint, würde ein beträchtlicher Teil der Einheimischen einen Herrschaftswechsel begrüßen. Hier begegnet man uns nicht mit allzu viel Zuneigung.«

»Mag sein«, räumte Cato mit einem müden Achselzucken ein, »aber nach meinem Eindruck haben die Leute hier eher Angst.«

»Angst?«, entfuhr es Macro, der vor Verblüffung zu laut sprach, und ein Dutzend Gesichter, vom Schein der Fackeln an den Saalwänden nur schwach beleuchtet, wandten sich den beiden Zenturionen zu. Macro beugte sich dichter zu Cato. »Ein Haufen verängstigter Kelten. Ich dachte, so etwas würde ich niemals erleben.«

»Man kann es ihnen wohl kaum verübeln. Sollte der König sterben, haben sie sowohl ihn als auch den vorgesehenen Nachfolger verloren. In so einem Fall kann alles passieren. Die Nachfolge ist vollkommen offen. Der Rat muss einen neuen König wählen. Wollen wir hoffen, dass sie sich von Quintillus zu jemandem überreden lassen, unter dem die Atrebates auf unserer Seite bleiben.«

»Wo ist denn unser prachtvoller Tribun?«

»Er berät sich mit ihnen in Vericas Audienzraum.«

»Dann hoffe ich, dass er seinen Charme spielen lässt.«

»Charme wohl kaum«, murmelte Cato. »Ich könnte mir vorstellen, dass er die Folgen, die eine Verschlechterung der Beziehung zu Rom mit sich brächte, aufs Drastischste schildert. Wollen wir im Interesse aller hoffen, dass er es schafft, ihnen so viel Angst einzujagen, dass sie vernünftig bleiben.«

Macro schwieg einen Moment und fuhr dann gedämpft fort: »Denkst du, der Tribun wird Erfolg haben?«

»Wer weiß?«

»Hast du irgendeine Vorstellung, für wen sie sich entscheiden könnten?«

Cato überlegte einen Moment lang. »Tincommius ist die naheliegendste Wahl. Oder Cadminius. Falls sie Frieden mit Rom wollen.«

»Das denke ich auch.« Macro nickte. »Cadminius wäre am besten.«

»Cadminius? Ich glaube kaum, dass wir ihn gut genug kennen.«

»Meinst du etwa, dass du Tincommius wirklich kennst?« Macro sah seinen Freund ernst an. »So gut, dass du ihm dein Leben anvertrauen würdest? Es wäre verrückt, irgendeinem von denen zu trauen.«

»Vermutlich.« Cato fuhr sich mit der schmutzigen Hand durchs strähnige Haar und runzelte die Stirn. »Aber mir scheint, wenn wir überhaupt irgendjemandem vertrauen können, dann Tincommius.«

»Da bin ich anderer Meinung.«

»Warum denn?«

Macro zuckte mit den Schultern. »Ich weiß nicht recht.

Irgendwas an der Sache mit Artax kommt mir merkwürdig vor.«

»Artax?«, fragte Cato wegwerfend. »Ich hatte immer das Gefühl, dass er irgendwas im Schilde führt, insbesondere nachdem ich ihn damals auf dem Übungsplatz blamiert habe. Artax habe ich nie über den Weg getraut. Und ich hatte Recht.«

»Sicher ...«

»Ich frage mich, was Verica sich nur gedacht hat, als er ihn zum Nachfolger ernannte. Damit hat er sein eigenes Todesurteil unterzeichnet.«

»Da irrst du dich, Cato.« Macro schüttelte den Kopf. »Eigentlich war Artax' Verhalten ziemlich unsinnig. Verica ist ein alter Mann. Es war kaum damit zu rechnen, dass er noch lange zu leben hatte. Warum hat Artax nicht einfach abgewartet?«

»Du weißt doch, wie die Eingeborenen sind.« Cato wies mit einem verstohlenen Nicken auf die im Saal versammelten Kelten. »Ungeduldig und hitzköpfig. Ich nehme an, Artax stieß während der Jagd allein auf den König und beschloss, eine Abkürzung zum Thron einzuschlagen. Zu unserem Glück war Tincommius da.«

»Du sagst es.«

»Jemand wie Artax ist wirklich der Letzte, den wir hier in Calleva an der Macht brauchen können. So lange Caratacus sein Unwesen treibt, haben wir genug Sorgen, auch ohne ständig einen Gesinnungswandel der Atrebates befürchten zu müssen. Wenn sie uns in den Rücken fallen, sitzen wir wirklich in der Patsche. Dann hilft nur noch die Flucht ... Andererseits ...«

»Ja?«

»Irgendwie werde ich das Gefühl nicht los, dass uns noch etwas Schlimmeres bevorsteht. Das Schlimmste kommt noch.«

»Ach, Quatsch!« Macro versetzte Cato einen Klaps auf die Schulter. »Musst du denn immer schwarz sehen? Seit ich dich kenne, ist es immer dasselbe, immer steht uns noch ›irgendwas Schlimmeres‹ bevor. Reiß dich mal zusammen, Junge. Oder besser noch, halt mal deinen Becher hin. Hier, ich geb einen aus. Die Stimmung steigt mit dem Alkoholpegel.«

Einen Moment lang ärgerte Cato sich, dass Macro ihn Junge nannte. Vor ein paar Monaten, als er noch Macros Optio war, war das völlig in Ordnung gewesen, aber inzwischen hatte er seine Beförderung zum Zenturio hinter sich. Doch er schluckte seine Verstimmung herunter; wenn sie sich als Offiziere vor den Augen dieser ohnehin schon nervösen Eingeborenen stritten, wäre das – nun, der ganzen Sache nicht gerade förderlich. Daher zwang er sich, das Bier zu leeren, das Macro ihm eingeschenkt hatte, achtete aber darauf, den undefinierbaren Bodensatz, der das einheimische Gebräu trübte, im Becher zu lassen. Dann hielt er Macro den Becher zum Nachfüllen hin.

»So ist es schon besser!«, lobte Macro ihn lächelnd. »Wenn wir schon hier auf den Tribun warten müssen, sollten wir die Gelegenheit nutzen.«

Sie saßen am Tisch, ließen sich von der Glut im Kohlebecken so gründlich aufwärmen, dass ihre feuchten Tuniken zu dampfen begannen, und tranken noch mehr Bier. Cato, der auf Alkohol weit empfindlicher reagierte als sein Freund, wurde schläfrig und ließ sich langsam mit dem Rücken gegen die Wand sinken. Einen Moment lang zuckten seine Lider, dann fielen ihm die Augen zu. Gleich darauf sank dem jungen Zenturio das Kinn auf die Brust und er schlief ein.

Macro beobachtete ihn belustigt, unternahm aber nichts, um ihn zu wecken. Catos Moment der Schwäche erfüllte ihn mit einer etwas boshaften Befriedigung. Er hatte sich zwar vorbehaltlos über Catos Beförderung gefreut, doch manchmal genoss Macro das Gefühl, dass seine Erfahrung schließlich doch mehr zählte als Catos unbezweifelbares Talent. Der Junge hatte zwar seit seinem Eintritt in die Armee in zahlreichen Schlachten gekämpft und unter den verzweifeltsten Umständen enormen Mut und Intelligenz bewiesen, aber dennoch war er noch nicht einmal zwanzig Jahre alt.

»Aufwachen! Los, Zenturio! Aufwachen!«

»Was denn? Was ist denn los?«, nuschelte Cato aufgeschreckt, als ihn jemand grob bei der Schulter schüttelte. Er öffnete mühsam die Augen und setzte sich dann mit einem Ruck auf. Tribun Quintillus stand über ihn gebeugt. Neben ihm stand Macro, mit verquollenen Augen, aber aufrecht. Im Saal hinter ihnen war es inzwischen still geworden. Die Kohlebecken waren heruntergebrannt, und im trüben Schein der roten Glut waren nur die dunklen Umrisse von Schläfern zu erkennen, die auf dem mit Binsen bestreuten Boden lagen.

»Bist du wach, Cato?«, fragte Quintillus.

»Ja, Herr … Jawohl.« Cato rieb sich die Augen. »Wie lange habe ich denn geschlafen?«

»Es ist fast schon Morgen.«

»Morgen?« Cato war sofort hellwach und wütend auf sich selbst. Macro sah die Verärgerung seines Freundes und musste lächeln. Quintillus trat zurück und strich sich müde über die Bartstoppeln am Kinn.

»Wir müssen miteinander reden. Folgt mir.«

Der Tribun drehte sich unvermittelt um und schritt auf die Tür zum Schlafgemach des Königs zu, während Macro und Cato sich mühsam aufrappelten und ihm nacheilten. Die königlichen Leibwächter traten beiseite, um die drei durchzulassen, und schlossen die Lücke wieder, sobald die Tür hinter Cato zuging. Nach dem Eintreten blickte die kleine Gruppe unwillkürlich zu dem Bett hinüber, auf dem Verica lag. Dort rührte sich nichts und nur das rhythmische, leise Keuchen seines Atems war zu hören.

»Irgendeine Veränderung?«, fragte Quintillus.

Der Wundarzt, der neben dem Bett auf einem Hocker saß, schüttelte den Kopf. »Er ist noch nicht wieder zu Bewusstsein gekommen, Herr.«

»Gib uns sofort Bescheid, wenn irgendeine Veränderung zum Besseren oder Schlechteren eintritt. Verstanden?«

»Jawohl, Herr.«

Quintillus bedeutete den beiden anderen mit einer knappen Geste, ihm zu folgen, und ging ihnen zum privaten Audienzraum des Königs voran. Abgesehen von dem langen Tisch, den Bänken und Vericas reich verziertem Thron war der Saal leer.

»Setzt euch«, forderte Quintillus sie auf, trat selbst zum Thron und ließ sich ohne das geringste Anzeichen eines Zögerns darauf nieder. Macro wechselte einen kurzen Blick mit Cato und hob eine Augenbraue. Quintillus stützte sich auf die Ellbogen und presste die Fingerspitzen zusammen.

»Wie es aussieht, konnte ich den Rat dazu überreden, Tincommius zu Vericas Nachfolger zu bestimmen.«

»Natürlich hoffen wir alle, dass Verica am Leben bleibt«, erwiderte Macro. Er hatte seine Vorbehalte gegenüber Tincommius noch nicht vergessen.

»Das versteht sich von selbst.« Der Tribun nickte. »Er ist der beste Garant für Frieden zwischen Rom und den Atrebates.«

»Mit Tincommius werden wir gut fahren, Herr«, sagte Cato.

»Das hoffe ich.« Quintillus presste die Handflächen zusammen. »Aber falls es zum Schlimmsten kommt und Verica stirbt, müssen wir rasch handeln. Wer immer sich gegen den neuen Herrscher stellt, muss festgenommen und im römischen Lager festgehalten werden, bis Tincommius seine Leute sicher im Griff hat.«

»Dann glaubst du also nicht, dass Artax allein gehandelt hat, Herr?«, fragte Cato.

»Ich weiß es nicht. Ich hätte ihn nie für einen Verräter gehalten.«

»Wirklich nicht?«, fragte Cato überrascht. »Warum denn nicht, Herr?«

»Weil er eigentlich einer von General Plautius' Agenten war. Der General wird nicht erfreut sein, wenn er erfährt, dass Artax sich als so wertlos erwiesen hat.«

»Artax ein Spion!«, rief Macro überrascht aus. »Er war ein schwieriger Geselle, aber er schien mir ein geradliniger Mensch zu sein.«

»Offensichtlich nicht, Zenturio. Aber ein Spion war er auch nicht. Sondern ein Doppelagent«, verbesserte ihn Quintillus. »Oder zumindest hat er sich zum Doppelagenten entwickelt … Vielleicht ist ihm die Tatsache, dass er Vericas Nachfolger werden sollte, einfach zu Kopfe gestiegen und er hat auf eigene Faust gehandelt.«

»Vielleicht, Herr.« Cato zuckte mit den Schultern. »So oder so habe ich ihm nicht über den Weg getraut. Aber ich glaube, er ist nicht der letzte Eingeborene, der uns Sorgen bereiten wird. Jetzt, da Verica von der Bildfläche verschwunden ist, müssen wir wohl mit einigen Schwierigkeiten rechnen, umso mehr, als Tincommius nun als Nachfolger bereitsteht. Es wird zwangsläufig Leute geben, die ihn für zu jung und unerfahren halten. Und andere, die selbst König werden wollen.«

»Einige werden sich möglicherweise der Entscheidung des Rats widersetzen«, räumte Quintillus ein. »Wenn Verica stirbt, werden einige Atrebates vielleicht sogar bewaffneten Widerstand gegen den neuen König leisten. Mit diesen Aufständischen werden sich eure Kohorten befassen.« Über die Lippen des Tribuns zuckte ein Lächeln. »Eure, ähm, Wölfe und Keiler.«

Erschreckt von den potenziellen Folgen dieses Befehls überging Cato den Seitenhieb. Ein Schauder schrecklicher Vorahnungen rieselte ihm über den Rücken.

»Das könnte bei einigen der Männer sehr schlecht ankommen, Herr. Du hast gesehen, wie es da draußen im Saal steht: Der Stamm ist jetzt schon vom Auseinanderbrechen bedroht. Wir können es uns nicht leisten, die Situation zu verschlimmern.«

»Sei nicht so melodramatisch, Zenturio. Die Männer stehen unter deinem Befehl. Sie tun das, was du ihnen sagst. Oder befürchtest du etwa, deine Männer nicht unter Kontrolle zu haben? Das ist eine Aufgabe für einen richtigen Mann und du bist kaum mehr als ein Junge. Das verstehe ich. Wie steht es mit dir, Macro? Werden deine Männer zuverlässig gehorchen?«

»Ja, Herr, wenn sie wissen, was gut für sie ist.«

»So ist es recht.« Der Tribun nickte zufrieden. »Ich freue mich, dass es hier wenigstens einen Offizier gibt, auf den ich mich verlassen kann.«

Cato starrte den Tribun an, unterdrückte seinen Zorn und fragte sich, ob das hier ein grausamer Köder oder eine Art Test war. Er beschloss, Ruhe zu bewahren – und bei diesem Angriff auf seine Integrität so gelassen zu bleiben, wie er sich vor seinen Männern im Angesicht des Feindes zu geben versuchte.

»Du kannst dich auch auf mich und meine Kohorte verlassen, Herr.«

Der Tribun sah ihm einen Moment lang in die Augen. »Das hoffe ich, Cato. Das hoffe ich … Aber im Moment ist diese Situation rein hypothetisch. Verica ist noch am Leben, und solange er lebt, sollten wir uns nach Kräften darum bemühen, die Beziehungen zwischen Rom und den Atrebates nicht zu gefährden.«

»Jawohl, Herr.« Cato nickte. »Und wir müssen nach Kräften dafür sorgen, dass die Atrebates untereinander Frieden halten.«

Tribun Quintillus lächelte. »Das versteht sich von selbst, Zenturio.«

»Drecksack!«, murmelte Cato, als er und Macro durch die matschige Gasse zum römischen Lager zurückgingen. Die Sonne war noch nicht über die Dächer der Eingeborenenhütten gestiegen. Die Luft war klamm, und im schwachen Licht der Morgendämmerung bemerkte Cato, wie dreckig er war. Er sehnte sich nach einer gründlichen Körperwäsche und einer sauberen Tunika. Doch die Verachtung des Tribuns hatte sich wie ein Schatten über ihn gelegt und war schwerer loszuwerden als der Schmutz auf der Haut.

»Jetzt hör mal auf damit!«, schalt Macro ihn lachend. »Du jammerst ja wie eine sitzen gelassene Braut.«

»Du hast ihn doch gehört: ›Das ist eine Aufgabe für einen richtigen Mann‹«, äffte Cato den Tribun nach. »Drecksack. Arroganter Schnösel. Dabei könnte er noch was von mir lernen.«

»Aber natürlich«, erwiderte Macro und hob beschwichtigend die Hände, als Cato ihm einen vernichtenden Blick zuschoss. »Tut mir Leid. Der falsche Ton. Jedenfalls, betrachte die Sache doch einmal von der positiven Seite.«

»Die gibt es auch?«

Macro überging die bittere Bemerkung. »Verica ist vorläufig noch am Leben. Doch selbst wenn er den Löffel abgibt, haben wir jetzt einen Nachfolger auf der Matte stehen. Tincommius wäre nicht meine erste Wahl, aber wenigstens ist er kein Verräter wie Artax. Die Dinge könnten wesentlich schlechter stehen.«

»Was heißt, dass das Schlimmste noch kommt …«

Jetzt hatte Macro allmählich genug. So sehr er Cato auch mochte, konnte der ewige Pessimismus des Burschen einen im Allgemeinen fröhlichen Menschen wie Macro doch ganz schön aus der Bahn werfen, und so trat er vor Cato und versperrte dem jungen Zenturio den Weg. »Musst du eigentlich immer schwarz sehen?«, schnauzte er ihn an. »Das geht mir allmählich wirklich auf die Nerven.«

Cato wich Macros Blick nicht aus. »Tut mir Leid, Herr. Das müssen wohl die Nerven sein.«

Einen Moment lang überkam es Macro und er ballte die kräftigen Hände zu Fäusten. Er verspürte den überwältigenden Drang, Cato ein wenig Vernunft einzubläuen, damit er endlich aus seiner zermürbenden Niedergeschlagenheit herauskam. Dann öffnete er jedoch die Hände wieder, stemmte sie in die Hüften und holte zum verbalen Schlag aus.

»Weißt du, ich frage mich allmählich, ob der Tribun nicht doch Recht hat. Wenn ein paar harte Worte dich so in Wut bringen, bist du vielleicht wirklich der Falsche, um Erwachsenen Befehle zu geben.«

Schneller, als Cato denken konnte, schoss seine Faust vor und krachte gegen Macros Kinn. Der Kopf des älteren Zenturios wurde vom Schlag nach hinten gerissen und er taumelte zurück. Dann fand er sein Gleichgewicht wieder, betastete sein Kinn und hob die Augenbrauen, als er an seiner Hand Blut entdeckte, das von der aufgerissenen Lippe stammte. Er blickte mit einem kalten Glitzern in den Augen zu Cato hinüber.

»Dafür wirst du büßen.«

»Es … es tut mir Leid, Macro. Ich weiß auch nicht, was ich mir da gedacht habe. Ich wollte wirklich nicht …«

»Aber es war ein gutes Gefühl, oder?« Macro lächelte verhalten.

»Was?«

»Fühlst du dich jetzt besser?«

»Besser? Nein! Ich fühle mich schrecklich. Alles in Ordnung mit dir?«

»Ja, bestens. Tut höllisch weh, aber ich habe schon Schlimmeres abbekommen. Dich hat es aber einen Moment lang von dem verdammten Tribun abgelenkt, oder?«

»Ja, stimmt«, räumte Cato ein, obwohl es ihm immer noch peinlich war, dass er die Beherrschung verloren hatte. »Ähm. Danke.«

Macro winkte ab. »Komm schon, gehen wir ins Lager zurück. Vergiss den Tribun, vergiss diesen verdammten Stamm von Wilden und lass uns zusehen, dass wir was in den Magen bekommen.«

»Ja …« Cato stand noch immer da, wo Macro ihm den Weg versperrt hatte. Er starrte über Macros Kopf hinweg und in seinem Gesicht lag ein Ausdruck leichter Sorge.

»Jetzt beruhig dich mal«, bemerkte Macro kichernd. »Ich zahl dir das schon irgendwann heim … Was ist denn los?«

»Schau, da.« Cato deutete zum östlichen Horizont, der im Licht des Sonnenaufgangs fahl leuchtete. Macro drehte sich um. Kaum sichtbar am blassen Morgenhimmel zeichneten sich in einigen Meilen Entfernung mehrere Rauchsäulen ab.

26

»Nachschubkolonne?«, murmelte Cato.

»Sieht so aus.«

»Ich wusste nicht, dass eine unterwegs ist.«

»Ich auch nicht.« Macro packte ihn beim Arm. »Los. Komm.«

Sie rannten zum römischen Lager zurück, Macro voran. Sobald sie das Tor erreicht hatten, schickte Macro einen der Wachposten nach dem Tribun und Tincommius. Als der Bote zur königlichen Umfriedung losgerannt war, erteilte Macro den nächsten Befehl Cato.

»Sorge dafür, dass die Wölfe sich beim Tor aufstellen. Ich wecke unterdessen die Keiler und stoße sobald wie möglich zu dir.«

»Jawohl, Herr.«

Cato rannte zum Hauptquartiersgebäude und stürmte durch die Tür des Verwaltungstrakts. Er erblickte einen der Trompeter der Garnison und wies den Mann an, sein Instrument zu nehmen und ihm zum Haupttor Callevas zu folgen. Atemlos vom eiligen Lauf traf der Mann, der seinem Kommandanten die Leiter hinauf gefolgt war, auf dem Wehrgang ein. Sich ungeduldig auf die Oberschenkel klopfend, wartete Cato darauf, dass der Mann wieder etwas zu Atem kam. Schließlich spuckte der Bläser aus und holte tief Luft. Dann schmetterte schrill der Sammelruf über die Stadt hinweg, und die Männer der Wolfskohorte eilten herbei.

Ein weiteres Signal ertönte nun im römischen Lager, und als Cato dorthin blickte, sah er, wie die Männer der Keilerkohorte aus ihren Zelten stolperten und sich auf dem Exerzierplatz versammelten. Aus dem Hauptquartiersgebäude tauchte Macros untersetzte Gestalt auf, und die ersten Sonnenstrahlen brachen sich schimmernd auf seinem Helm mit dem rot lodernden Helmbusch. Er war gerüstet und kampfbereit. Voller Selbstverachtung bemerkte Cato plötzlich, dass seine Rüstung noch im Quartier lag, und er schickte den erstbesten Mann los, sie zu holen.

Unter dem Wehrgang wurden inzwischen die Torflügel nach innen aufgestoßen. Unten auf der verschlammten Straße tauchte jetzt der erste Mann auf und Cato beugte sich über die Brustwehr, um Figulus seine Befehle hinunterzurufen: »Lass die Kohorte schleunigst vor dem Tor Aufstellung nehmen!«

Während die römischen Ausbilder die Männer eilig in Marschformation brachten, beobachtete Cato über den Verteidigungswall hinweg die Rauchsäulen, die in einer Entfernung von vier oder fünf Meilen in den Himmel stiegen. Es war nahezu windstill und so ließen sich mehrere Brandherde unterscheiden: vermutlich die verschiedenen von den Angreifern in Brand gesteckten Nachschubwagen. Als gerade der letzte Mann an seinen Platz eilte, traf der Eingeborene, den Cato nach seiner Ausrüstung geschickt hatte, keuchend auf dem Wehrgang ein. Verärgert bemerkte Cato, dass der Mann ihm keine frische Tunika mitgebracht hatte, doch das ließ sich jetzt nicht mehr ändern, und so zog er die Schulterpolster über und griff nach dem schweren Kettenpanzer.

»Wird es zum Kampf kommen, Zenturio?«, fragte der Mann, als er die Schließe von Catos Schwertgurt befestigte.

»Falls wir rechtzeitig eintreffen, ja«, antwortete Cato auf Keltisch. »Wollen wir es hoffen.«

Am Lächeln, mit dem der Krieger auf seine Bemerkung reagierte, merkte Cato, dass dieser sich nach einem Kampf sehnte. Auch Cato empfand den Wunsch, gegen den Feind loszuschlagen. Nach einem Moment wurde ihm jedoch klar, dass seine Gründe eigennütziger waren und es ihm vor allen Dingen darum ging, es dem eingebildeten Tribun zu zeigen, der ihn mit seiner Bemerkung zutiefst verletzt hatte.

Sobald der Panzer richtig saß, schnappte Cato sich das Helminnenfutter aus Filz, stülpte es sich über den Kopf und zog seinen Helm darüber, bevor er eilig die am Wangenschutz befestigten Lederbänder zuschnürte.

»Gut! Und jetzt los mit dir«, befahl er dem Krieger. »Zurück zu deiner Zenturie.«

Cato warf einen schnellen Blick ins Lager und entdeckte zu seiner Befriedigung die Keiler, die, Macro an der Spitze, in einer Kolonne aufs Tor zumarschierten. Der junge Zenturio kletterte die Leiter hinunter und eilte an die Spitze der Wolfskohorte.

»Figulus! Figulus! Zu mir!«

Das Gesicht vor Erregung gerötet, rannte der junge Gallier die Kolonne entlang auf ihn zu.

»Lass sie losmarschieren«, befahl Cato mit einem Blick auf die fernen Rauchsäulen, die allmählich verblassten, da die Brände keine Nahrung mehr bekamen. »Ich möchte die Kohorte draußen haben, marschbereit. Ich hole euch ein, sobald ich mit Zenturio Macro und dem Tribun gesprochen habe.«

»Jawohl, Herr!« Figulus salutierte und eilte an die Spitze der kleinen Kolonne. Er ließ die Männer strammstehen und gab dann den Marschbefehl. Die Eingeborenen waren inzwischen gut mit den Standardkommandos vertraut und marschierten auf seinen Befehl im Gleichschritt los, aus dem Tor und den Weg entlang auf die fernen Rauchsäulen zu. Cato sah ihnen einen Moment lang nach und eilte dann zum offenen Tor zurück. Plötzlich ertönte lauter Hufschlag, und Quintillus und Tincommius galoppierten von der königlichen Umfriedung heran. Sie waren gerüstet und bewaffnet und brachten ihre Reittiere neben Cato zum Stehen.

»Was ist los?«, blaffte Quintillus ihn an. »Berichte!«

»Rauch, Herr!«, antwortete Cato und wies in die Richtung der Rauchsäulen. »Sieht so aus, als hätten sie wieder eine Nachschubkolonne angegriffen.«

Der Tribun blickte zur Wolfskohorte. »Wo ist Macro?«

»Er holt die andere Kohorte aus dem römischen Lager, Herr.«

»Gut!« Quintillus rieb sich die Hände. »Vielleicht erwischen wir sie noch, mit Beute beladen. Los!«

»Herr, meinst du nicht, dass wir zuerst Kundschafter losschicken sollten?«

»Das wäre Zeitverschwendung!«, entgegnete Tincommius aufgeregt. »Wir müssen sofort angreifen.«

Quintillus nickte. »Der Vorfall ist eindeutig, Zenturio.
Und wir haben keine Zeit zu verschwenden.«

»Aber was ist mit Calleva? Wir können die Stadt nicht
unbewacht zurücklassen, Herr. Nicht unter den gegenwärtigen Umständen.«

»Die Männer im Depot sollen das Haupttor übernehmen. Lass sie herkommen. Und jetzt los!«

Der Tribun überging Catos Widerspruch, trieb sein Pferd
an und lenkte es, dicht von Tincommius gefolgt, aus dem
Haupttor. Cato befahl dem nächststehenden Wachtposten,
ins römische Lager zu eilen und jeden fähigen Mann zur Bewachung des Haupttors zu holen. Als er an die Spitze der
Kohorte rannte und sich zur Wolfsstandarte stellte, galoppierten Quintillus und Tincommius schon weit voraus und
hielten unmittelbar auf die ferne Rauchwolke zu. Cato fiel
in Gleichschritt mit seinen Leuten und warf einen Seitenblick auf seinen Standartenträger. Dieser war zwar leider
nicht älter als er selbst, dachte Cato wehmütig, aber wenigstens groß und breitschultrig – er hatte nichts von Bedriacus' drahtiger Zähigkeit, sondern war ein reiner Muskel-
berg.

»Du bist Mandrax, nicht wahr?«

»Jawohl, Herr.«

»Nun, Mandrax, halte die Standarte immer aufrecht,
dann läuft alles klar.«

»Jawohl, Herr.«

Cato blickte sich um und entdeckte hinter seiner letzten
Zenturie die Spitze von Macros Kohorte, die nun durch das
Tor marschierte. Die Keiler kamen im Eiltempo hinter ihren
Kameraden her und wurden erst langsamer, als sie Catos

Leute eingeholt hatten. Macro rannte nach vorn, um mit Cato zu reden.

»Wo ist der Tribun?«

»Mit Tincommius vorausgeritten, um sich ein Bild von der Lage zu machen.«

»Hoffentlich passt das Arschloch auf«, knurrte Macro. »Wir wollen uns ja nicht verraten.«

»Oder den nächsten Thronfolger verlieren.«

»Richtig.«

»Hältst du das für klug, Macro?«

»Was denn?«

»Beide Kohorten aus Calleva abzuziehen.«

»Das haben wir schon einmal gemacht. Und so lautet auch Vespasians Befehl: den Feind bei jeder Gelegenheit angreifen und von unseren Verbindungswegen fern halten.«

»Dafür ist es jetzt ein bisschen spät.« Cato nickte zu den Rauchsäulen hinüber.

»Stimmt. Aber wenn wir die Dreckskerle erwischen, die das gemacht haben, gibt es ein paar Feinde weniger auf der Welt. Die zumindest lassen unseren Nachschub künftig in Ruhe. Für mich ist das ein positives Ergebnis.«

Cato zuckte mit den Schultern und beschloss, seine Sorge für sich zu behalten.

Wölfe und Keiler marschierten weiter auf die allmählich dünner werdenden Rauchsäulen zu. Nach Catos Einschätzung hatten sie etwas mehr als drei Meilen zurückgelegt, als der Tribun und Tincommius zurückkehrten. Macro ließ die Kolonne Halt machen und gleich darauf zügelten die beiden Reiter ihre Pferde und ließen sich atemlos und erregt zu Boden gleiten.

»Hinter dem nächsten Hügel«, erklärte Quintillus keuchend. »Eine kleine Nachschubkolonne. Alle sind tot und die Wagen niedergebrannt. Die Plünderer sind noch da und rauben die Leichen aus. Wir haben sie! Macro, schick die

Kundschafter und zwei Zenturien hinten um den Hügel herum, um ihnen den Rückweg abzuschneiden. Der Rest bildet eine Angriffslinie am Fuß des Hügels. Dann rücken wir vor und lassen die Falle zuschnappen. Verstanden?«

»Jawohl, Herr.«

»Und jetzt schließe dich wieder deiner Kohorte an, Tincommius, und geh Problemen aus dem Weg.«

»Natürlich, Tribun.« Tincommius grinste.

»Das meine ich ernst. Ich habe einige Anstrengungen unternommen, um dich als Nachfolger Vericas aufzubauen. Wenn du dich jetzt umbringen lässt, musst du dich vor mir verantworten.«

Tincommius kicherte nervös. Der Tribun wandte sich zu Cato um und murmelte: »Behalte ihn im Auge. Er soll Ärger aus dem Weg gehen. Ich mache dich persönlich für seine Sicherheit verantwortlich, Zenturio.«

»Ich verstehe, Herr.«

»Gut.«

»Herr?«, fragte Cato, als der Tribun sich wieder zu seinem Pony umwandte.

»Was denn?«

»Der Feind, Herr. Wie viele sind es?«

Quintillus schätzte die Zahl rasch ab. »Zweihundert bis zweihundertfünfzig. Mehr nicht. Warum? Sind dir das zu viele?«

»Nein, Herr«, antwortete Cato tonlos. »Es wundert mich nur, dass sie noch nicht die Flucht ergriffen haben. Insbesondere, da es so wenige sind. Sie müssen doch damit rechnen, dass wir Truppen losschicken, um der Sache nachzugehen. Warum gehen sie dieses Risiko ein?«

»Wer weiß, Zenturio? Und wen schert es? Wichtig ist einzig, dass sie da sind und wir die Gelegenheit haben, es ihnen heimzuzahlen. Nun, du hast deine Anweisungen. Richte dich danach.«

»Jawohl, Herr.« Cato salutierte.

Macro war bereits davongeeilt, um seine Befehle zu erteilen, und die ersten beiden Zenturien der Keiler trennten sich von der Haupttruppe und marschierten auf den Hügel zu, den Quintillus bezeichnet hatte. Der Tribun galoppierte zum nächstgelegenen Hügel und ritt hangaufwärts. Als Catos Männer angriffsbereit waren, hatte der Tribun sein Pferd bereits festgebunden und schlich sich gebückt durchs hohe Gras auf die Kuppe zu.

»Das wenigstens macht er richtig«, murmelte Cato.

»Du magst ihn nicht besonders, oder?«, fragte Tincommius.

»Nein. Nicht besonders. Es gibt kaum etwas, was diese Sorte Mensch nicht tun würde, um Ruhm zu erlangen.«

»Und ich dachte, die Kelten wären schlimm genug.«

Cato wandte sich seinem atrebatischen Gefährten zu. »Tincommius, du hast keine Ahnung. Aber du hast gehört, was der Tribun sagte – halt dich heute raus. Keine Heldentaten. Das ist ein Befehl.«

»Keine Sorge«, erwiderte Tincommius lächelnd. »Ich kenne meine Pflicht.«

»Gut.«

Die Kommandanten der Zenturien gingen kein Risiko ein, sondern schritten die Reihen ihrer Männer ab und erteilten ihre Befehle mit ungewöhnlich leiser Stimme. Die Wölfe bildeten links des Weges eine zwei Mann tiefe Reihe, und Macros verbliebene Zenturien stellten sich zur Rechten auf. Cato erkannte jetzt, dass hinter dem Hügel, der die Plünderer verdeckte, ein tief eingeschnittenes Tal lag. Mit etwas Glück würden sie den Feind vollkommen einschließen und ihm keinen Ausweg lassen. Es sah so aus, als könnte Quintillus heute sein kleines Quantum Ruhm ernten.

Sobald die beiden Kohorten sich aufgestellt hatten, gab Macro mit gezogenem Schwert das Zeichen zum Abmarsch. Wölfe und Keiler marschierten durch das hohe, raschelnde Gras, das noch vom Morgentau feucht war. Die Wurfspeere über die Schultern gelegt, schwenkten sie um den Hügel herum. Zusammen mit der ersten Zenturie seiner Kohorte – handverlesenen Männern, die mit Sicherheit hart kämpfen und nicht zurückweichen würden – marschierte Macro am rechten Rand der Front, wo die Kampflinie am verwundbarsten war.

Cato eilte zur linken Flanke der Front, um so schnell wie möglich einen Blick ins Tal werfen zu können. Schon weit entfernt zur Rechten verschwanden die beiden Zenturien, die die Falle für die Plünderer zuschnappen lassen sollten, hinter dem Hügel. Mit etwas Glück würden sie rechtzeitig vor Ort sein, um den Feind zum Aufgeben zu bewegen, wenn er merkte, dass es keinen Ausweg gab. Falls die Atrebates das Leben der Feinde schonten, konnten diese allerdings bestenfalls mit lebenslanger Sklaverei rechnen. Nach seinen letzten Erfahrungen im Kampf mit den Durotriges bezweifelte Cato, dass sie sich ergeben würden. Die Durotriges wurden von fanatischen Druiden zum Widerstand getrieben, die die Krieger damit köderten, dass die wunderbarsten Belohnungen des Jenseits jenen Männern vorbehalten blieben, die im Kampf gegen Rom gefallen waren.

Als die Front um den Fuß des Hügels bog, erblickte Cato die Nachschubkolonne. Die verkohlten Überreste von acht Wagen, aus denen hier und dort noch Flammen leckten, kamen in Sicht. Um die Wagen herum lagen Leichen in roten Tuniken. Unmittelbar daneben trieb eine kleine Gruppe von Plünderern die Zugtiere der Nachschubkolonne zusammen. Ein Mann stand auf das schlangenförmige Banner der Durotriges gestützt da, während eine Hand voll weiterer Krieger die am Boden liegenden Leichen ausplünderten. Bisher schien noch keiner der Feinde die stetig auf sie zumarschierende Wolfskohorte bemerkt zu haben, und zum ersten Mal glaubte Cato, dass der hastig entworfene Plan des Tribuns vielleicht Erfolg haben würde. Allerdings mussten die Plünderer ein ganz schön verschlafener Haufen sein, dass sie die nahende Gefahr noch nicht entdeckt hatten. Cato konnte kaum glauben, dass sie nicht einmal einen Posten aufgestellt hatten.

Die beiden Kohorten hatten fast schon den Ausgang des Tals erreicht, als der Feind endlich Alarm schlug. Cato sah, wie der Träger der Schlangenstandarte sich plötzlich aufrichtete, umdrehte und seinen Gefährten eine Warnung zurief. Sofort eilten die Plünderer zu ihren Waffen und stellten sich den Wölfen und Keilern entgegen.

»Das wird kein harter Kampf«, murmelte Figulus an Catos Seite. »Wir sind fünf- oder sechsmal mehr als sie. Das ist kein Gegner für uns.«

»Nein.«

Trotzdem machten die Durotriges sich kampfbereit. Sie sammelten sich zu einem flachen, halbmondförmigen Bogen, schwenkten ihre Schilde und schüttelten die Speere. Eine Bewegung zur Rechten lenkte Catos Aufmerksamkeit auf sich und er entdeckte Quintillus, der sein Pferd den Abhang hinunterjagte. Er ritt um die vorrückenden Kohorten herum, nahm einen Platz an der Spitze ein, zog sein Schwert und rief der Truppe der Atrebates' Ermutigungen zu.

»Der verschwendet nur seinen Atem«, bemerkte Figulus. »Die verstehen doch kaum Latein.«

»Nein. Aber er selbst fühlt sich dadurch großartig.«

Der Abstand zwischen den feindlichen Linien verringerte sich schnell, und nun wichen die Durotriges zurück, vorbei an den verbrannten Wagen zum hinteren Ausgang des Tals, wo die steilen Abhänge links und rechts nur eine schmale Lücke ließen. Dies bot den Angegriffenen einen gewissen Schutz, im Gegensatz zum flachen Talboden, wo die Atrebates sie mit ihrer rein zahlenmäßigen Überlegenheit überrennen würden.

»Das wird ihnen nicht viel helfen, wenn Macros Männer sie sich zur Brust nehmen.«

»Figulus?«

»Ja, Herr?«

»Halt bitte einfach einen Moment lang die Klappe. Ich brauche keinen laufenden Kommentar.«

»Jawohl, Herr.«

Die beiden Kohorten verfolgten den Feind ins Tal hinein und kamen nun ihrerseits an den ausgebrannten Nachschubwagen vorbei. Cato warf einen raschen Blick auf die verkohlten Wagen und runzelte die Stirn. Irgendetwas stimmte nicht. Die Achsen waren viel zu schmal, und die leichten Räder sowie der Rahmen aus Korbgeflecht wiesen wenig Ähnlichkeit mit den schwereren Transportwagen der Legionen auf. Als er über eine der Leichen hinwegtrat, bemerkte Cato einen leichten Verwesungsgeruch und die fleckige Haut. Der Mann musste schon einige Tage tot sein. Bei der nächsten Leiche war es dasselbe. Plötzlich kam Cato ein schrecklicher Verdacht, bei dem es ihn eiskalt überlief, und er schaute nervös zum Baumbewuchs hinauf, der sich links und rechts des Tals über die Berghänge zog. Anschließend blickte er zum Tribun, doch Quintillus hatte die Augen auf die kleine Plünderergruppe weiter vorn geheftet und rief noch immer Ermutigungen. Cato holte tief Atem und reckte den Arm.

»Kohorte! Halt!«

Die Wölfe kamen nur stockend zum Stehen, da einige den Befehl nicht ganz verstanden hatten oder nicht bereit waren, ihm sofort Folge zu leisten. Daher war die Kampflinie nun etwas auseinander gezogen und unregelmäßig. Nach einem Moment des Zögerns gab Macro seinerseits den Befehl zum Halten und rannte auf Cato zu.

»Reihen ausrichten!«, brüllte Cato seinen Leuten zu, und die Kommandanten der Zenturien beförderten die Männer sofort mit Knüffen und Tritten in die richtige Stellung. Das Trommeln von Hufen kündete das Eintreffen des Tribuns an.

»Was treibst du da, verdammt noch mal, Zenturio? Gib deinen Leuten den Befehl zum Vorrücken!«

»Herr, hier stimmt irgendwas nicht.«

»Vorrücken, sage ich! Das ist ein Befehl! Willst du, dass der Haufen uns entkommt?«

»Herr, die Wagen. Schau sie dir an.«

»Wagen?« Quintillus starrte ihn wütend an. »Was soll mit den verdammten Wagen sein?« Er deutete mit der Schwertspitze einen Stoß gegen Cato an. »Vorrücken, sage ich!«

»Das da sind keine Nachschubwagen«, beharrte Cato. »Schau sie dir an. Es sind keltische Streitwagen.«

»Streitwagen? Was ist denn das für ein Unfug?«

»Streitwagen, paarweise zusammengebunden, damit sie wie Transportwagen aussehen«, erklärte Cato rasch und trat über eine der Leichen hinweg. »Und diese Männer waren schon lange tot, als die Streitwagen angezündet wurden.«

Macro stürmte heran, atemlos und wütend. »Was ist los? Warum hast du einen Halt befohlen?«

Noch bevor Cato antworten konnte, ertönte in der Ferne Kriegsgebrüll. Die Plünderer am Ausgang des Tals hatten bemerkt, dass ihre Verfolger stehen blieben. Jetzt machten sie kehrt und stürmten mit wildem Gebrüll auf die Atrebates los.

»Das ist ja unglaublich«, bemerkte Quintillus. »Sie greifen uns an.«

Cato wandte den Blick von den Angreifern ab und ließ ihn über die Abhänge wandern.

»Dort! Dort ist dein Grund«, bemerkte er erbittert und

zeigte mit dem Arm auf die Bäume am linken Hang. Dort strömten nun Durotriges aus dem schattigen Gezweig und bildeten kaum zweihundert Schritte von Cato entfernt eine dichte Truppe. Cato drehte sich zum anderen Berghang um. »Und dort!«

Einen Moment lang zeigte die elegante Fassade des Tribuns Risse, als ihm die mörderische Lage klar wurde, in die er die beiden Kohorten geführt hatte. »Oh, verdammt …«

»Wölfe!« Cato drehte sich rasch zu seinen Männern um, die Hand trichterförmig an den Mund gelegt. »Vierte, fünfte und sechste Zenturie! Schützt die linke Flanke!«

Während Macro zu seinen Männern stürzte, wandten sich die drei Zenturien am linken Rand der atrebatischen Kampflinie den Durotriges entgegen, die sich am Abhang über ihnen sammelten. Im Gegensatz zu den beiden Kohorten waren die Feinde schwer bewaffnet und viele von ihnen trugen Kettenpanzer. Die Kohorten waren schon jetzt in der Minderzahl; der Spieß war umgedreht worden und nun saßen die Atrebates und ihre Kommandanten in der Falle. Cato zollte dem Feind einen Moment grollender Bewunderung, wandte sich dann Tincommius zu und sprach ihn auf Lateinisch an.

»Mach, dass du hier rauskommst! Zurück nach Calleva, so schnell du kannst. Wir werden den Feind nicht lange aufhalten können.«

»Nein«, widersprach Tincommius. »Ich bleibe hier. Ich würde es ohnehin nicht schaffen.«

»Du gehst.«

Tincommius schüttelte den Kopf und Cato wandte sich an den Tribun.

»Herr! Nimm ihn. Schaff ihn hier raus!«

Quintillus nickte eilig und griff vom Pferd aus nach der Hand des atrebatischen Prinzen, doch Tincommius schüttelte den Kopf, trat zurück und zog sein Schwert.

»Schnell, du Narr!«, schrie Quintillus. »Es bleibt keine Zeit für Heldentaten. Du hast den Zenturio gehört! Gib mir deine Hand!«

»Nein!«

Einen Moment lang verharrten die drei Männer und jeder starrte nervös die beiden anderen an, doch dann zog der Tribun seine Hand zurück und packte die Zügel fester.

»Nun gut. Du hast deine Chance gehabt. Zenturio, mach hier weiter. Ich hole Hilfe.«

»Hilfe?« Cato wandte sich wütend dem Tribun zu, doch Quintillus beachtete ihn nicht. Mit einem wilden Zügelruck riss er den Kopf seines Pferdes herum, gab ihm die Fersen und jagte in Richtung Calleva davon, während Cato ihm mit zusammengepressten Lippen nachsah, von kalter Verachtung und Zorn erfüllt.

»Hilfe?«, schnaubte Figulus. »Für wie dumm hält der uns eigentlich?«

Bevor Cato noch antworten konnte, erschallte zur Linken der Ruf eines Kriegshorns, unmittelbar gefolgt vom selben Signal zur Rechten. Mit Triumphgebrüll stürmten die Durotriges den Hang hinunter auf die geordneten Reihen der Wölfe und Keiler zu. Bei einem Blick zurück entdeckte Cato, dass einige seiner Männer schon aus der Formation zurückwichen. Er musste sie im Griff behalten, bevor die Front auseinander brach.

»Ins Glied zurücktreten!«, brüllte er den nächststehenden verunsicherten Mann an, der schuldbewusst an seinen Platz zurücksprang. Cato legte die Hände trichterförmig vor den Mund: »Kohorte. Wurfspeere bereitmachen!«

Die zweite Reihe trat einen Schritt zurück, während die Männer der vordersten Front die Speere wurfbereit packten und einen sicheren Stand suchten, um die todbringenden Geschosse in die wild heranstürmenden feindlichen Reihen zu schleudern. Cato warf einen Blick nach links und schaute anschließend das Tal hinauf. Die kleine Gruppe der Plünderer war jetzt nur noch dreißig Schritte entfernt und würde als erste bei ihnen eintreffen.

»Erste, zweite und Dritte Zenturie – Wurf!«

Mit einem Ächzen der Anstrengung, das wie aus einer Kehle kam, schleuderten die Männer die Speere. Die Salve war, wie Cato bemerkte, nicht ganz so lückenlos dicht wie bei vollständig ausgebildeten Legionären, erreichte aber nahezu dieselbe verheerende Wirkung. Die dunklen Schäfte flogen im Bogen nach oben und krachten dann auf die Durotriges hinunter, die sich vergebens zu schützen versuchten. Dieses Bemühen war instinktiv, aber nutzlos. Wem es noch gelang, den Schild vor sich zu halten, wurde fast ebenso sicher getroffen wie alle anderen, denn die schweren Eisenspitzen durchschlugen die Schilde und bohrten sich dann doch in die Leiber. Es kamen beinahe zwei Wurfspeere auf jeden Mann der kleinen Angreifertruppe und nachdem die Salve klirrend niedergegangen war, stürmte nur noch die Hälfte der Angreifer weiter, während ihre Kameraden tot oder schreiend im hohen Gras liegen blieben. Mit diesen Überlebenden würden die Wölfe mühelos fertig werden, und Cato wandte seine Aufmerksamkeit wieder der großen Truppe von Durotriges zu, die den Hang hinunter auf die drei anderen Zenturien zustürmten.

»Speere bereitmachen!«, brüllte Cato, vor Anspannung ein wenig schrill. »Wurf!«

Die vorderen Reihen der Durotriges gingen in einem Chaos taumelnder, getroffener Männer zu Boden. Doch sofort stürmten die nachfolgenden Ränge über die verletzten Kameraden hinweg und warfen sich gegen die ovalen Schilde der Wölfe.

»Schwerter ziehen!«, schrie Cato und riss seine eigene Klinge aus der Scheide. Der dreikantige Elfenbeingriff schmiegte sich in seine Hand. Cato schob sich in die zweite

Reihe von Figulus' Zenturie: »Lasst die Schilde oben und bleibt in Reih und Glied!«

Die Salve der Wurfspeere hatte gute Arbeit geleistet und die Feinde rannten nur vereinzelt gegen den Schildwall an, statt ihn in einer einzigen Welle niederzuwalzen. Die erste Hand voll Durotriges, die bei den Wölfen anlangte, wurde mit raschen Schwertstößen empfangen und von allen Seiten niedergemetzelt. Doch dann krachte der Angriff mit voller Wucht in die schmalen Reihen der Atrebates und die Kohorte taumelte zurück. Cato fixierte das wilde Gesicht eines riesigen Kriegers, der zum tödlichen Schwerthieb ausgeholt hatte und direkt auf ihn zuhielt. Der Zenturio ließ ihm keine Gelegenheit zum Schlag, sondern warf sich unter dem Arm des Mannes hindurch und rammte dem Feind das Schwert in die Kehle. Warmes Blut strömte über Catos Arm, als der Krieger in die Knie ging und verzweifelt die Hand auf die riesige Wunde presste. Cato beachtete ihn nicht mehr und fand rasch ein neues Ziel: einen mit einem Speer bewaffneten älteren Krieger. Dieser alte Kämpe hatte zwar nicht die Körperkraft des ersten Angreifers, war dafür aber erfahrener und vorsichtiger. Er täuschte einen Angriff an und stieß, als Cato diesen Vorstoß abwehren wollte, mit der Speerspitze unter Catos Klinge hindurch nach der Brust des Zenturios. Nur eine gefährliche Körperverrenkung rettete Cato vor der vollen Wucht des Stoßes. Auch so wirbelte der an seinem Panzer abgleitende Stoß ihn noch herum und trieb ihm den Atem aus der Lunge. Der alte Krieger zog rasch den Speer zurück, um Cato den Todesstoß zu versetzen, doch da krachte ihm ein Schildbuckel gegen die Schläfe und er brach zusammen.

»Herr!«, rief Figulus und riskierte einen kurzen Blick auf seinen Zenturio. »Verletzt?«

»Nein«, keuchte Cato und schnappte sich den Schild eines seiner getöten Männer, der, den Helm von einem Axthieb gespalten, mit zerschmettertem Schädel zu seinen Füßen lag.

Den Schild schützend erhoben, blickte Cato sich um und sah, dass sich die Kampflinie seiner Kohorte aufgelöst hatte und die Männer in ein verzweifeltes Getümmel geraten waren, ein Hauen und Stechen von Speeren, Schwertern und Äxten. Seine Ohren dröhnten vom Krachen der auf Schilden und Leibern landenden Hiebe, vom metallischen Klirren parierter Angriffe und dem Gebrüll und den schrillen Schreien der Sterbenden. Cato trat zurück und blickte sich um. Auch Macros Leute waren von dem wilden Angriff zurückgetrieben worden, und zwischen den beiden Fronten des verzweifelten Kampfs befanden sich die drei Zenturien, die dem ersten Angriff begegnet waren, in Auflösung, ließen die Waffen fallen und rannten um ihr Leben nach Calleva zurück.

»Vorsicht ...«

Figulus' warnender Schrei rettete Cato, der herumwirbelte, die blitzende Axt auf sein Gesicht zuschießen sah und sich gerade noch rechtzeitig duckte. Die Axt zischte über Catos Kopf durch die Luft und zerhackte die Metallklammer, die seinen Helmbusch hielt. Während der rote Busch aus Pferdehaar neben ihm auf den blutigen Boden fiel, holte Cato mit dem Schwert nach der Kniescheibe des Gegners aus und zertrümmerte Knochen und Sehnen des Gelenks. Dieser Feind würde nie wieder kämpfen, dachte Cato, während er mühsam auf die Beine sprang.

»Cato ist zu Boden gegangen!«, schrie jemand in der Nähe. »Der Zenturio ist tot!«

»Nein!«, brüllte Cato. Doch es war schon zu spät. Der Ruf wurde von allen Seiten aufgenommen und die Überreste der Kohorte brachen auseinander. Einen Moment lang stand Cato noch Seite an Seite mit Figulus, den Schild erhoben und das Schwert stoßbereit, doch die Durotriges ließen die beiden stehen und stürzten sich auf die Fliehenden, die ihnen den ungeschützten Rücken zukehrten. Das war das Schlechteste, was die Atrebates tun konnten. Ein Mann, der sich dem Feind mit der Waffe in der Hand stellte, war weit sicherer als einer, der Schwert und Schild fallen ließ und um sein Leben rannte. Doch das erste Opfer der Panik ist immer die Vernunft, und die Fliehenden wurden von einem animalischen Flucht- und Überlebensinstinkt angetrieben, der sinnlos und dumm war.

»Lass uns von hier verschwinden!«, sagte Cato. »Bleib dicht bei mir.«

Die beiden Römer schlängelten sich zwischen den Gefallenen hindurch, die auf dem Boden verstreut lagen. Solange sie sich mit ihren Schilden deckten, wurden sie von den Durotriges umgangen, die hinter leichterer Beute her waren. Doch als das Gedränge der Fliehenden sich allmählich lichtete, wusste Cato, dass die Durotriges ihnen alsbald wieder ihre Aufmerksamkeit zukehren würden.

»Figulus.«

»Herr?«

»Wir müssen um unser Leben rennen. Lass den Schild fallen, sobald ich dir das Kommando gebe, und folge mir. Aber was auch immer du tust, behalte dein Schwert in der Hand.

»Jawohl, Herr.«

Gleich darauf war der Weg vor ihnen frei, und in der Ferne erkannte Cato das Durcheinander der strohgedeckten Dächer Callevas. Er sah sich ein letztes Mal um und schrie dann: »Jetzt!«

Die beiden Römer warfen ihre Schilde von sich und folgten den Fliehenden, die auf das sichere Calleva zurannten. Doch viele der Flüchtenden, die zu langsam oder zu sehr in Panik waren, um ihren Verfolgern zu entkommen, wurden mit Triumphgebrüll von den Durotriges eingeholt und niedergemetzelt. Cato rannte, so schnell ihn die Beine trugen, und führte seinen Kameraden in einer geraden Linie auf Calleva zu. Nur einige wenige Durotriges schenkten ihnen Aufmerksamkeit, und von diesen versuchte nur eine Hand voll, den Flüchtenden in den Weg zu treten. Doch da sie einzeln kämpften, hatten sie den beiden Römern nichts entgegenzusetzen und wurden niedergemäht.

Die beiden waren etwa eine Meile gerannt, als Figulus plötzlich Cato am Arm packte.

»Hör mal!«

»Was denn?« Cato drehte sich keuchend und um Luft ringend um. Unter dem schweren Kettenpanzer war er vom langen Rennen erschöpft. Rundum sahen sie die Überlebenden der beiden Kohorten, die noch immer nach Calleva zurückflohen. Die Durotriges waren zurückgefallen und machten sich über die Leichen der atrebatischen Feinde her, die sie ausplünderten und verstümmelten.

»Schau!« Mit einem erschreckten Keuchlaut zeigte Figulus zurück zu den qualmenden Überresten der angeblichen Nachschubwagen, die als Köder gedient hatten. »Da drüben!«

Eine Reiterfront galoppierte über den Hügelkamm, der zuvor schon den Hinterhalt der Durotriges verborgen hatte. Sobald sie den Talboden erreicht hatten, verteilten sie sich, hielten die Speere stoßbereit nach unten und trieben ihre Pferde auf die verstreuten Überreste der Wölfe und Keiler zu, die noch immer auf Callevas Befestigung zurannten.

»Scheiße!«, keuchte Cato auf und öffnete seine Gurtschließe. »Lauf! Bleib auf keinen Fall stehen.«

Schon ertönten die ersten grauenhaften Schreie derer, die im hohen Gras niedergeritten wurden, während Cato sich noch aus seiner Rüstung quälte und verzweifelt das schwere Kettenhemd über den Kopf zerrte. Er ließ es auf den Boden fallen, packte sein Schwert und rannte hinter Figulus her, der schon einen ziemlichen Vorsprung hatte. Als Cato die Hälfte der Strecke nach Calleva zurückgelegt hatte, machte die Wunde in seiner Seite sich wieder bemerkbar. Er hatte sich für genesen gehalten, doch die extremen Anstrengungen des Kampfes und nun der wilden Flucht hatten ein schmerzhaftes Pulsieren in der ganzen linken Seite ausgelöst, das jeden Atemzug zu einer Qual werden ließ. Sein Herz hämmerte so laut, dass er fast kein anderes Geräusch mehr hörte, weder die Schreie der Sterbenden noch die Jubelrufe der Durotriges oder den Hufschlag der Pferde, die von ihren Reitern von einem der in Panik Flüchtenden zum nächsten gelenkt wurden.

Cato zwang sich weiterzurennen, da ihn im Falle des Stehenbleibens ein grausamer Tod erwartete. Das Schwert wog schwer in seiner Hand, doch er griff noch fester zu und lief weiter. Eine Meile vor der Stadt stieß er auf das Flüsschen, das sich durch das schmale, flache Tal vor Callevas Toren schlängelte. Bevor er wusste, wie ihm geschah, brach er in loses, am Flussrand überhängendes Erdreich ein und platschend ins flache Wasser. Das kalte Wasser weckte mit einem Ruck alle seine Sinne. Mit großer Willenskraft kam er auf die Knie und blickte sich nach seinem Schwert um, das ihm beim Sturz entglitten war. Die Klinge schimmerte einige Fuß entfernt aus dem Wasser heraus. Cato wollte gerade danach greifen, als er in der Nähe ein Pferd hörte. Über das gegenüberliegende Ufer glitt ein Schatten und Cato ließ sich wieder ins Wasser gleiten und presste sich unter dem losen Erdüberhang ans Ufer. Gleich darauf hörte er unmittelbar über sich das atemlose Keuchen des erschöpften Pferdes. Ein kleine Lawine aus Kieseln und loser Erde prasselte neben Cato ins Wasser. Auf dem anderen Ufer tauchte die schattenhafte Gestalt des Berittenen auf und Cato hielt den Atem an. Ein zufälliges Kräuseln des Wassers ließ die Schwertklinge in einem Lichtstrahl aufglänzen, so dass sie einen Moment lang hell aus dem Wasser heraus-schimmerte.

Dieser Moment genügte. Der Reiter ließ sich vom Pferd gleiten und sprang direkt vor Cato in den Fluss, so dass dem Zenturio das Wasser ins Gesicht spritzte. Der Krieger watete ein paar Schritte flussabwärts auf das Schwert zu, und Cato erkannte, dass der Gegner ihn entdecken würde, sobald er das Schwert an sich genommen hatte und um-kehrte. Es blieb keine Zeit mehr zum Überlegen. Cato sprang auf und stürzte sich von hinten auf den Gegner, der sich zum Schwert hinunterbeugte. Der Zusammenprall riss beide Männer ins Wasser. Der Zenturio lag auf seinem Geg-ner und streckte die Hände suchend nach seiner Kehle aus. Er fand sie, drückte die Finger um den muskulösen Hals und drückte zu, so fest er konnte. Der Angegriffene brach in einem Wasserfall glitzernder Gischt aus der Umklamme-rung nach oben und tastete hinter seinem Kopf nach Catos Armen. Als er sie gefunden hatte, versuchte er, Catos Griff zu lösen, und, als ihm das misslang, sich in Gesicht und Au-gen seines Gegners zu verkrallen. Doch Cato rammte ihm das Knie in den Rücken, zerrte ihn seitlich in den Fluss und drückte den Kopf des Gegners unter Wasser.

Doch der Brite war zu stark für Cato und wälzte sich mit einem wilden Aufbäumen über den Zenturio, so dass sein Kopf sich vor den Morgenhimmel schob, während er den unter sich Gefangenen niederdrückte. Der Aufprall raubte Cato den Atem und er schaffte es gerade noch, die Lippen zusammenzupressen, bevor das Wasser sein Gesicht über-flutete. Er wusste, dass ihm nur noch wenig Zeit blieb. Seine brennenden Lungen verlangten nach Luft und gleich würde er gezwungen sein, den Gegner loszulassen, um sich irgend-wie zur Wasseroberfläche emporzukämpfen. Da sah er aus dem Augenwinkel etwas aufschimmern. Das Schwert. Cato drehte den Kopf zur Seite und merkte, dass es in Reichweite lag. Er ließ die Kehle des Mannes los, packte mit der Linken in sein Gesicht und suchte mit den Fingern nach seinen Augen. Gleichzeitig glitt seine linke Hand ins Wasser und ertastete das Schwert. Cato wendete die Klinge zum Feind und stieß sie mit dem letzten Rest seiner schwindenden Kraft dem Gegner in den Rücken. Den Mann durchlief ein krampfartiges Zucken und er versuchte verzweifelt, sich von der Klinge loszureißen, die Cato wild herumdrehte. Schon schlug der Gegner schwächer um sich und schließlich wälzte Cato die Leiche von sich und tauchte nach Luft schnappend aus dem Wasser. Während er hustend und spuckend in dem roten Tümpel hockte, der sich immer weiter ausbreitete, untersuchte er seinen Gegner. Der Reiter lag auf dem Rücken. Catos Schwertspitze war ihm durchs Herz gedrungen und kam vorn bei der Brust wieder heraus. Aus der Wunde quollen dunkelrote Schwaden und lösten sich langsam in der sanften Strömung. Der Kopf des Mannes lag unter Wasser und war nach hinten gekippt. Die Augen starrten blicklos in den Himmel, und das Haar wehte schwankend in der Strömung wie die langen Ranken der dicht beim Ufer wachsenden Wasserpflanzen.

Sobald Cato wieder bei Atem war, wälzte er den Mann auf die Seite, stellte ihm den Fuß in den Rücken und zerrte die Klinge heraus. Als sie sich löste, quoll ein frischer Blutstrom aus der Wunde. Cato kroch an Land und schlich flussabwärts, weg vom Feind und in die ungefähre Richtung Callevas. Die Durotriges würden das reiterlose Pferd nur zu bald bemerken und der Sache auf den Grund gehen. Er hatte einen Moment lang erwogen, das Pferd selbst zu besteigen, bezweifelte aber, dass er damit wirklich Erfolg haben würde. Er war ein schlechter Reiter, im Gegensatz zu den Durotriges, die ihn einholen würden, bevor das Tier auch nur in die Nähe von Callevas Toren kam. Daher schlich Cato sich so schnell und unauffällig wie möglich flussabwärts und lauschte dabei angestrengt auf jeden Hinweis, ob die Leiche entdeckt worden war und der Feind die Jagd aufnahm. Nach einer Viertelmeile bemerkte Cato, dass er zitterte. Er war zu müde um weiterzumachen. Er musste sich verbergen und eine Weile ausruhen, sich ein wenig erholen, bevor er sich zur sicheren Stadt durchschlug.

Sicher? Calleva? Er schalt sich selbst. Die Kohorten waren aufgerieben. Zwischen den Durotriges und den Atrebates standen jetzt nur noch die Hand voll Legionäre, die das römische Lager bewachten, und Vericas Leibwächter. Sobald der Feind das bemerkte, war Calleva ihm ausgeliefert. Cato musste sich dorthin durchschlagen und die Überlebenden in dem Versuch um sich sammeln, die Stadt zu retten. Dann dachte er an Macro und Tincommius. War einer der beiden zurückgekehrt? Oder lagen sie irgendwo da draußen tot im hohen Gras? Futter für die Aasvögel, die schon jetzt in der Vormittagssonne ihre Kreise zogen.

Cato, der vorsichtig um eine Flussschleife bog, stieß auf einen umgestürzten Baum, der vor Jahren von einem Sturm entwurzelt worden war. Die Wurzeln hatten viel Erdreich mit nach oben gerissen, und unter dem toten Gewirr hatten Dachse sich einen Bau gegraben. Cato drückte sich in den schmalen Eingang und stocherte mit dem Schwert eilig die Erde über seinem Kopf los. Erdklumpen purzelten auf die Vertiefung, füllten sie allmählich und begruben den Zenturio unter einer flachen Erdschicht. Sobald irgendjemand das verschlungene Wurzelwerk genauer untersuchte, würde man ihn finden, aber ein besseres Versteck gab es nicht. Er lag bewegungslos da, beobachtete den Fluss durch den kleinen Schlitz, den er für die Augen gelassen hatte, und wartete darauf, dass der lange, heiße Tag zu Ende ging.

27

Cato fuhr erschreckt aus dem Schlaf hoch und schüttelte dabei die Erde ab, die er über sich geschichtet hatte. Es war dunkel und dicht, und bei seinem Gesicht hörte er Geschnüffel. Als der Zenturio sich rührte, stieß das Tier einen schrillen Laut aus und huschte davon. Gleich darauf war Cato hellwach und erinnerte sich an alles, was am Tag geschehen war. Wütend auf sich selbst, weil er eingeschlafen war, lag er bewegungslos da und lauschte angestrengt, ob irgendjemand sich näherte, doch das einzige Geräusch, das er hören konnte, war das Plätschern des Wassers im flachen Kieselbett. Durch das tote Wurzelgeflecht hindurch erblickte er ein paar Sterne, die durch silbrige Wolkenschleier schimmerten. Cato tastete nach seinem Schwert und schob dann vorsichtig die Erde von sich. Er verharrte einen Moment, um sich zu vergewissern, ob er Aufmerksamkeit erregt hatte, und kroch dann aus dem Eingang des Dachsbaus. Tief geduckt schlich er das Ufer hinauf und spähte durch das Gras der Böschung. Zur Unkenntlichkeit verschwommen breitete sich die Landschaft zu allen Seiten aus, und nur hier und da zeichneten sich deutlich sichtbar die Silhouetten einiger Bäume ab.

Doch dort, kaum eine Meile entfernt, lag Calleva. Einige Abschnitte der Befestigungsanlage waren von brennenden Reisigbündeln beleuchtet, die die Verteidiger vor die Wälle der Stadt geworfen hatten, damit sich von dort keine Feinde anschlichen. Unter Catos Blicken wurden weitere lodernde Bündel mit Heugabeln über die Wälle gehievt. Dann flog das brennende Reisig in hohem Bogen durch die Luft und traf in einem Funkenregen auf dem Boden auf.

Im Schein mehrerer kleiner Feuer im Umkreis des Haupttors sah man einen Teil der Angreifer. Hin und wieder stieg ein Brandpfeil in die Luft, flog im eleganten Bogen über den Verteidigungswall und verschwand zwischen den Hütten. An manchen Stellen ließ ein düsterer, roter Widerschein erkennen, wo schon einige kleinere Brände ausgebrochen waren.

Die Lage wirkte verzweifelt und Cato überlegte einen Moment lang, was er zu tun hatte. Die Zweite Legion war mindestens zwei Tagesmärsche entfernt. Vielleicht zu weit, um rechtzeitig zur Rettung Callevas und des Nachschublagers einzutreffen. Einen Tagesmarsch entfernt in entgegengesetzter Richtung war eine Infanteriekohorte zur Bewachung einer Furt stationiert, aber diese war nicht groß genug, um etwas Entscheidendes auszurichten. Da es überall von Durotriges wimmelte, würde der Zenturio sich außerdem sehr vorsichtig bewegen müssen, was die Zeit bis zum Eintreffen von Hilfe ohne weiteres verdoppeln könnte.

Cato wurde klar, dass er keine Wahl hatte. Er musste eine Möglichkeit finden, nach Calleva hineinzukommen, um dort die Verteidigung der atrebatischen Hauptstadt mitzuorganisieren. Sollte Macro gefallen sein, wäre Cato der Kommandant der Überlebenden der beiden Kohorten. Falls auch Tincommius tot war, wären die Atrebates angesichts des schwer verwundeten Verica so gut wie führungslos. Cato musste so schnell wie möglich in die Stadt zurückkehren!

Tief geduckt und das Schwert fest in der rechten Hand, bewegte er sich auf das Haupttor zu. Ein leichtes Lüftchen raschelte im hohen Gras und in den Blättern der verkrüppelten Bäume, die hier und dort in der schmalen Flussebene wuchsen. Alle Muskeln angespannt, um sofort zu Angriff oder Flucht bereit zu sein, und alle Sinne aufs Äußerste geschärft, schlich Cato vorwärts, musste aber nach einer halben Meile Halt machen, um sich eine Weile auszuruhen. Zwischen ihm und dem Tor hatten die Durotriges, die sich dunkel gegen das Gras abhoben, eine lose Wächterkette gebildet, um allen Überlebenden der beiden Kohorten, die sich noch in der Nähe aufhalten mochten, den Zugang zur Stadt abzuschneiden. Während Cato die Wächter beobachtete, ging einer von ihnen zu seinem Nachbarn hinüber; raues Gelächter war deutlich zu hören. Cato sprang auf, eilte geduckt auf die entstandene Lücke zu und schlüpfte, sich vorsichtig nach allen Seiten umblickend, unauffällig hindurch. Keiner schlug Alarm und so eilte er weiter. In einiger Entfernung brannte eines der kleinen Lagerfeuer der Durotriges. Rundum lagen Schläfer unter ihren dunklen Mänteln, die sich vor dem Angriff auf Calleva eine Nacht lang ausruhten. Nur ein einziger Mann, der sich am Feuer wärmte, stand Wache.

Das Feuer erhellte mit seinem Schein einen weiten Umkreis, und Cato begriff, dass er beim Umgehen des Lichtkreises sehr wohl von einem der Wächter gesehen werden konnte, durch deren Postenkette er gerade hindurchgeschlüpft war. Unmittelbar hinter dem Feuer, kaum hundert Schritte entfernt, lag das Tor. Cato vergewisserte sich mit einem letzten Rundumblick, dass er nicht gesehen worden war, erhob sich aus dem Gras und rannte los, immer schneller, je näher er dem Feuer kam. Dann lag der erste Schläfer zu seinen Füßen. Cato sprang über ihn hinweg, gleich darauf über den nächsten, und stürmte direkt auf den Mann zu, der vor dem Feuer stand. Der Krieger warf einen Blick über die Schulter und riss erschreckt die Augen auf, als er den auf sich zustürmenden Römer bemerkte. Er griff nach seinem Speer, doch es war schon zu spät. Cato rannte den Mann von hinten um und stieß ihn der Länge nach in die Flammen. Als Cato sich zur Seite rollte, auf die Beine sprang und aufs Tor zuraste, durchdrang das Schmerzgeheul des Kriegers die Nacht. Die Schlafenden rappelten sich hoch, um ihrem Kameraden zur Hilfe zu eilen. Cato blickte sich nicht um, sondern rannte, so schnell er konnte, aufs

Tor zu. Jetzt hatte man ihn entdeckt und hinter ihm ertönte ein Schrei, gefolgt von weiteren Alarmrufen.

Cato hatte einen schönen Vorsprung, bemerkte nun aber dunkle Gestalten zu beiden Seiten, die im spitzen Winkel auf ihn zuliefen und versuchten, ihm den Zugang zum Tor abzuschneiden. Cato sah, dass man ihn vom Wall aus beobachtete. Jemand legte einen Pfeil ein und schoss ihn auf den Heranstürmenden ab. Cato sprang zur Seite und hörte im Weiterrennen, wie etwas durch die Dunkelheit schwirrte.

»Nicht schießen!«, schrie er auf Lateinisch, doch dann fiel ihm das jüngste Passwort ein: »Gekochter Spargel! Gekochter Spargel! Nicht schießen!«

Ein weiterer Pfeil zischte, diesmal von hinten, dicht an ihm vorbei, und Cato, der seinen erschöpften Beinen das Äußerste abverlangte, zuckte zusammen.

»Öffnet das Tor!«, brüllte er, während er auf den die Stadt umgebenden Verteidigungsgraben zustürmte.

»Es ist der Zenturio!«, schrie jemand auf dem Verteidigungswall. »Macht das verdammte Tor auf!«

Cato stürzte auf die dicken Balken zu und schlug verzweifelt mit dem Schwert gegen das unnachgiebige Holz.

»Aufmachen! Aufmachen!«, schrie er.

Von der anderen Seite des Tors war ein lautes Knirschen zu vernehmen, als der Riegel aus seiner schweren Halterung geschoben wurde. Cato drehte sich um und blickte auf seine Verfolger zurück. Zu seinem Entsetzen bemerkte er mehrere Gestalten, die aus der Dunkelheit in den Schein der vor dem Tor lodernden Reisigbündel traten. Ein Krieger blieb in nur zwanzig Schritt Entfernung stehen und warf einen Speer. Der Wurf war gut gezielt und hätte Cato durchbohrt, hätte der ihn nicht kommen sehen. So aber warf er sich zu Boden. Gleich darauf krachte die Eisenspitze ins Holz des Tors und blieb dort bebend stecken. Cato sprang wieder auf und hämmerte ans Tor.

»Verdammt noch mal, aufmachen!«

Knirschend und rumpelnd bewegten sich die Flügel nach innen. Cato drückte verzweifelt dagegen, doch irgendein sechster Sinn veranlasste ihn, einen Blick über die Schulter zurückzuwerfen. Unmittelbar hinter ihm, keine sechs Fuß entfernt, holte ein Durotrige mit dem Speer zu einem tödlichen Wurf in Catos Rücken aus. Seine Züge waren von einem raubtierhaften, triumphierenden Grinsen verzerrt. Doch plötzlich prallte etwas dumpf auf. Der Mann erstarrte und Cato bemerkte den gefiederten Schaft eines Pfeils, der aus seinem Schädel ragte. Der Getroffene taumelte zurück und Cato warf sich durch das nur einen Spalt weit geöffnete Tor und brach drinnen auf dem Boden zusammen. Sofort drängten die Verteidiger von innen gegen das Tor und stemmten es genau in dem Moment zurück, in dem die ersten Durotriges von der anderen Seite dagegenkrachten. Doch die Zahl dieser Angreifer war zu klein, um etwas auszurichten, und gleich darauf wurde der Riegel wieder sicher und fest in seine Halterung zurückgeschoben. Cato kauerte noch immer auf allen vieren, und rang mit hängendem Kopf um Atem.

Eine dunkle Gestalt beugte sich über ihn.

»Du siehst ja ganz schön übel aus, Junge«, meinte Macro kichernd. »Wo warst du denn den ganzen Tag?«

Cato holte tief Luft, um überhaupt antworten zu können. »Freu mich auch, dich zu sehen … Tincommius?«

»Nichts von ihm zu sehen. Komm, ich helf dir hoch.«

Macro packte Cato fest unter den Armen und zog ihn auf die Beine. Im flackernden Licht einer Fackel sah Cato, dass auch Macro völlig verdreckt war und einen großen, blutdurchtränkten Verband um den Oberschenkel trug.

»Alles in Ordnung mit dir?«

Macro war gerührt von der Sorge im Gesicht seines jungen Kameraden. »Ist nicht der Rede wert. Irgendein Drecksack dachte, er könnte mir eins ins Bein versetzen, um mich aufzuhalten.«

»Schlimm?«

»Du solltest den Burschen mal sehen«, erwiderte Macro lachend. »Ohne Kopf wird er wohl kaum weit kommen. Ich kann aber nicht behaupten, dass du dir für deine Rückkehr einen besonders guten Zeitpunkt ausgesucht hast.«

»Wie viele sind zurückgekommen?«

»Die meisten Legionäre. Figulus war der Erste.«

»Und die Kohorten?«

Macro schüttelte den Kopf. »Sieht nicht gut aus. Bisher kaum zweihundert. Ein paar werden noch draußen sein, aber viele wohl nicht mehr. Sie haben den größten Teil ihrer Ausrüstung auf der Flucht weggeworfen. Außer deinem Standartenträger.«

»Mandrax?«

»Genau der. Kam kurz vor dir zurück und trug noch immer die Standarte. Von seiner Sorte könnten wir noch ein paar brauchen. Jedenfalls habe ich Silva Ersatzausrüstung aus dem Depot herbringen lassen. Er ist da drüben bei dem Wagen. Du solltest dir neue Sachen geben lassen. Irgendwie habe ich das Gefühl, dass du die brauchen wirst. Ich bin jetzt oben auf der Palisade.«

Als Macro zum Verteidigungswall hochstieg, schaute Cato sich um, um sich ein Bild von der Lage zu machen. In den Gassen, die in der Nähe des Tors lagen, hatten einige Häuser Feuer gefangen, und kleine Gruppen von Stadtbewohnern bemühten sich, die Flammen eilig zu ersticken, bevor sie außer Kontrolle gerieten. Silva, der altgediente Quartiermeister, verteilte Ersatzausrüstungen an die Überlebenden der Wölfe und Keiler. Als er Cato sah, empfing er ihn mit einem Gruß.

»Zenturio! Es hieß, wir hätten dich verloren. Dachte schon, du wärest auf einen Rekord aus.«

»Rekord?«

»Die kürzeste Zenturionatskarriere der Legion.«

»Sehr komisch. Ich brauche Ersatz für meine Ausrüstung.«

»Was brauchst du?«

»Alles. Außer dem Schwert.«

»Gab es da nicht mal den Spruch, dass ein Soldat entweder mit seinem Schild zurückkehrt oder auf seinem Schild?«

»Manchmal ist es wichtiger, den nächsten Kampftag zu erleben.« Cato warf einen Blick in den Wagen, der mit Helmen, Schwertern, Dolchen, Schwertgurten, Wurfspeeren, Schilden und allem möglichen anderen beladen war. »Hast du einen Kettenpanzer?«

»Tut mir Leid. Die sind alle weg. Jetzt gibt es nur noch das hier.« Er klopfte auf einen der neuen Schienenpanzer, die in der Legion immer beliebter wurden. »Den oder keinen, Herr.«

»Na gut.« Cato nahm den Panzer entgegen und legte ihn über der Tunika an. Silva half ihm, die Riemen zuzuschnüren, während der Zenturio sich statt des verlorenen Helmfutters einen Fetzen Stoff um den Kopf band.

»So.« Silva trat zurück. »Hast du schon einmal so einen Panzer getragen, Herr?«

»Nein.«

»Du wirst feststellen, dass er durchaus bequem ist. Der einzige Nachteil besteht darin, dass er das Speerwerfen erschwert. Ansonsten trägt er sich aber sehr gut und ist außerdem billiger. Ich setze ihn auf deine Abrechnung. Zusammen mit den anderen Sachen.«

Cato sah ihn scharf an. »Das soll wohl ein Scherz sein?«

»Natürlich nicht. Alles muss verzeichnet werden.«

»Aber sicher!« Cato legte den Schwertgurt an, zog das Standardschwert aus der Scheide, warf es in den Wagen und schob stattdessen sein eigenes Schwert hinein.

»Achte darauf, dass mir nur die Scheide berechnet wird.«

Er schnappte sich Helm und Schild und ging davon, während Silva die ausgegebenen Ausrüstungsgegenstände rasch auf einem großen Wachstäfelchen notierte.

Cato stieg den Verteidigungswall hinauf, um Macro zu suchen. Der Wehrgang über dem Tor war von Männern versperrt, die gerade den Abwurf eines weiteren Reisigbündels vorbereiteten. Während vier Mann das straff verschnürte Bündel mit Heugabeln in die Luft hielten, stieß ein fünfter Mann von unten eine Fackel hinein. Das Reisig fing sofort Feuer und loderte prasselnd auf. Auf den entsprechenden Befehl wurde es mit so viel Schwung wie möglich über die Palisade geworfen, rollte ein Stück und tauchte eine Hand voll feindlicher Bogenschützen in sein Licht.

»Da sind sie!«, rief einer der Atrebates und eine Salve aus Pfeilen, Schleudergeschossen und Wurfspeeren prasselte auf den Feind nieder und ließ mehrere Männer zu Boden gehen, die schreiend und sich windend im orangefarbenen Schein des lodernden Reisigbündels liegen blieben.

»Gute Arbeit!«, rief Macro und verdeutlichte sein Lob für die Eingeborenen mit hochgerecktem Daumen. Dann erblickte er Cato und winkte ihm zu. »Nächstes Mal sagst du ihnen das! Auf Keltisch klingt es besser.«

»Ich bin mir sicher, dass sie es auch so verstanden haben«, entgegnete Cato lächelnd. »Wie sieht die Lage aus?«

»Im Moment geht es. Ich habe rundum Posten aufgestellt, falls die Feinde irgendeinen Überraschungsangriff planen, aber bisher haben sie keinen Versuch unternommen, die Wälle zu erstürmen. Im Moment schießen sie nicht einmal mehr Brandpfeile über den Wall. Keine Ahnung, warum – schließlich haben sie uns mit dem Löschen ganz schön in Atem gehalten.«

»Hat irgendjemand den Tribun gesehen?«, fragte Cato.

»O ja!« Macro lachte bitter auf. »Er kam beim Tor vorbei und ritt gleich weiter. Machte gerade lange genug Halt, um den Leuten zuzurufen, dass er Hilfe hole. Dann hat er sich aus dem Staub gemacht. Silva hat es mir erzählt.«

»Glaubst du, dass er wirklich Hilfe holt?«

»Na ja, jedenfalls wird er sich einen Ort suchen, der sicherer ist als hier.«

»Das dürfte nicht schwierig sein.«

»Nein.«

»Meinst du, wir können den Feind abwehren?«, fragte Cato ruhig.

Macro dachte einen Moment lang über die Frage nach und schüttelte dann den Kopf. »Nein. Wir müssen damit rechnen, dass er irgendwann den Durchbruch schafft. Wir sind zu wenige, um den ganzen Verteidigungswall zu halten. Und ich glaube nicht, dass wir uns auf die Hilfe der Einwohner stützen können – die sind nicht kampffähig.«

»In diesem Fall …« Cato rief sich eine Karte Callevas ins Gedächtnis. »In diesem Fall müssen wir uns zur gegebenen Zeit ins befestigte Lager zurückziehen. Oder in die königliche Umfriedung.«

»Dorthin nicht«, entgegnete Macro. »Die liegt dem Rest der Stadt zu nahe. Von dort aus würden wir den Feind erst im letzten Moment kommen sehen. Außerdem haben wir im Lager reichlich Vorräte. Dort stehen unsere Chancen am besten.«

»Das sehe ich auch so.«

»Cato! Macro!«, rief plötzlich jemand aus der Dunkelheit jenseits des Walls. Die beiden Zenturionen blickten misstrauisch über die Palisade.

»Cato! Macro!«

»Wer mag das sein, verdammt noch mal?«, murmelte Macro. Er drehte sich zu einer Gruppe von Bogenschützen um, die in der Nähe auf dem Wehrgang hockten, und vollführte die Bewegung des Bogenspannens. »Macht euch schussbereit.«

Wieder rief die Stimme nach den beiden, diesmal näher.

»Das gefällt mir nicht«, bemerkte Macro. »Das muss irgendeine Falle sein, die diese Dreckskerle uns stellen. Nun, wir sind vorbereitet!«

Cato spähte angestrengt in Richtung der Stimme ins Dunkel. Dann hörte er sie wieder, noch näher und deutlicher – und jetzt war er sich sicher.

»Das ist Tincommius.«

»Tincommius?« Macro schüttelte den Kopf. »Unsinn! Das ist eine Falle.«

»Es ist Tincommius, glaub mir ... Schau dort!«

Im rötlich flackernden Licht eines fast niedergebrannten Reisigbündels trat eine Gestalt aus der Dunkelheit. Sie zeichnete sich am Rand des Lichtkreises undeutlich schimmernd ab und verharrte einen Moment lang.

»Cato! Macro!«, rief der Hervorgetretene erneut.

»Tritt ins Licht, wo wir dich sehen können«, blaffte Macro ihn an. »Und zwar langsam. Irgendeine Finte, und du bist tot, bevor du dich auch nur umdrehen kannst.«

»Schon gut! Ich spiele ehrlich!«, rief der Mann zurück. »Ich komme näher.«

Er umging das brennende Reisigbündel und näherte sich langsam dem Tor, den einen Arm erhoben, um zu zeigen, dass er unbewaffnet war. In der anderen Hand trug er einen Söldnerschild, einen jener Schilde, die an die Wölfe und Keiler ausgegeben worden waren. Dreißig Schritte vor dem Tor blieb er stehen.

»Macro ... ich bin es, Tincommius.«

»Verdammt!«, flüsterte Macro. »Tatsächlich!«

28

General Plautius wurde des Spiels, das Caratacus mit ihm trieb, allmählich müde. Seit einigen Wochen rückte die Legion nun schon am Nordufer der Tamesis vor und versuchte, die Briten zum Gefecht zu zwingen. Doch sobald die römische Armee sich in Bewegung setzte, zog Caratacus sich einfach zurück, gab eine Verteidigungsstellung nach der anderen auf und ließ den Römern nichts als die warme Asche der Lagerfeuer zurück. Dabei wurde der Abstand zwischen Plautius' Armee und der von Vespasian befehligten zweiten Einheit gefährlich groß und lud den Feind geradezu zu einem plötzlichen Vorstoß ein, sollte er jemals erraten, wie die Lage in Wirklichkeit stand. Plautius hatte versucht, Caratacus in die Schlacht zu zwingen, indem er seinen Truppen befahl, jeden Bauernhof und jede Siedlung, auf die sie stießen, niederzubrennen. Auch alles Vieh war zu schlachten. Nur einige wenige Menschen sollten verschont werden, damit sie ihre Anführer mit Klagen überrannten, die wiederum Caratacus anflehen sollten, gegen die Legionen loszuschlagen, um den Plünderungen der Römer ein Ende zu setzen.

Schließlich schien Plautius' Plan aufzugehen.

Er spähte über das flache Tal zu den Befestigungsanlagen, die Caratacus auf dem gegenüberliegenden Hügelkamm angelegt hatte: ein flacher Verteidigungsgraben und dahinter ein niedriger Erdwall mit einer einfachen Holzpalisade. Kaum ein ernst zu nehmendes Hindernis für die erste Welle von Angriffstruppen, die sich gerade am Hang unterhalb des römischen Lagers aufstellten. Hinter ihnen warteten mehrere kleinere Katapultbatterien darauf, mit einem verheerenden Sperrfeuer schwerer Eisenbolzen die kümmerliche Palisade niederzulegen und alle unmittelbar dahinter stehenden Feinde in den Tod zu reißen.

»Das sollten wir vor Ende des Tages mühelos schaffen!«, bemerkte der altgediente Präfekt der Vierzehnten Legion, die von Plautius für die erste Angriffswelle ausgewählt worden war.

»Das hoffe, ich, Praxus. Geh tüchtig ran. Ich möchte, dass sie ein für allemal erledigt sind.«

»Mach dir keine Sorgen um meine Leute, Herr. Die wissen, worauf es ankommt. Aber viele Gefangene wird es nicht geben ...«

Die Missbilligung war nicht zu überhören, und Plautius musste seine Verärgerung herunterschlucken. Es stand viel mehr auf den Spiel als die Aufbesserung des Pensionsgehalts des Präfekten einer Legion.

Nach der Heimkehr des Kaisers von seinem sechzehntägigen Britannienbesuch am Ende der letzten Feldzugssaison hatte dieser verdammte Narcissus allen und jedem in Rom verkündet, dass die Insel so gut wie erobert sei. Das war mit einem Triumphzug gefeiert worden, und Claudius hatte Beutestücke seiner Siege im Friedenstempel geopfert.

Doch hier stand nun die Armee beinahe ein Jahr später und sah sich noch immer demselben Feind gegenüber. Einem Feind, der sich nicht im Geringsten darum scherte, dass er nach offizieller Lesart schon längst besiegt war. Doch nun wurde der kaiserliche Generalstab allmählich ein wenig nervös angesichts des Widerspruchs, der sich zwischen der offiziellen Darstellung und den tatsächlichen Bedingungen auftat. Überall in Rom reagierten die Familien der jungen, in Plautius' Legionen dienenden Offiziere mit zunehmender Verblüffung auf die Briefe, die von endlosen Überfällen des Feindes berichteten, vom täglichen Verschleiß der römischen Kräfte und vom Scheitern des Versuchs, Caratacus zum offenen Kampf zu zwingen. Veteranen und Invaliden, die von der Front zurückkehrten, bliesen ins selbe Horn, und das Gerede auf den Straßen Roms wurde allmählich unangenehm. Die Botschaften, die General Plautius aus Rom erhielt, klangen immer ungehaltener. Schließlich hatte Narcissus ihm ein paar knappe und überaus deutliche Zeilen geschrieben. Entweder brachte Plautius seine Aufgabe bis zum Ende des Sommers zum Abschluss, oder es war vorbei mit seiner Laufbahn und noch so einigem anderen.

Die Vierzehnte war inzwischen vollständig aufgestellt und die zehn Kohorten schwerer Infanterie standen in zwei Truppenblöcken zum Vorrücken bereit. Jenseits des Tals war von Caratacus' Vorbereitungen wenig zu bemerken. Weder Plänkler noch Kundschafter waren vor dem Hauptkörper der Armee unterwegs, und nur die dichten Reihen von Kriegern, die auf der Palisade den römischen Angriff erwarteten, boten sich den Blicken dar. Hier und dort wurde langsam eine Standarte geschwenkt, und das schrille Schmettern der Kriegshörner hallte über das Tal hinweg zu General Plautius herüber, der zufrieden lächelte.

Sehr schön, beschloss er. Wenn Caratacus will, dass wir zu ihm kommen, dann werden wir kommen, und wie! Zusätzliche Befriedigung bereitete Plautius das Wissen, dass in diesem Moment zwei Kavallerie-Hilfskohorten sowie die Zwanzigste Legion die Flanke des Feindes umgingen, um ihm den Rückzug abzuschneiden. Ein vertrauenswürdiger Stammesführer hatte ihnen angeboten, sie durch die Sümpfe zu führen, von denen Caratacus seine linke Flanke beschützt wähnte. Der Führer hatte sich keineswegs aus Loyalität gegenüber Rom zu diesem Dienst bereit erklärt, sondern wegen der in Aussicht gestellten reichen Belohnung. Außerdem saß seine Familie in Plautius' Lager in Geiselhaft. Das erschien dem General Grund genug, ihm zu vertrauen.

»Können wir mit dem Beschuss beginnen, Herr?«, fragte Praxus.

Plautius nickte und der Signalgeber hob eine rote Flagge. Er hielt sie erhoben, bis seine Kollegen bei der Artillerie ihrerseits ihre Flaggen schwenkten und damit ihre Schussbereitschaft meldeten. Daraufhin ließ der Signalgeber die Flagge sinken. Sofort hallte das laute Krachen der losschnellenden Spannarme durch die Luft, die schwere Eisenbolzen über die Vierzehnte Legion hinweg gegen den britischen Verteidigungswall schleuderten. Sofort klafften Löcher in der Palisade, die vom Sperrfeuer teilweise eingerissen wurde, was tiefe Lücken in die Reihen der Krieger dahinter riss.

»Verdammt! Das sind aber wackere Kerle!« Praxus schüttelte den Kopf. »Die bleiben einfach da und nehmen es hin. So eine Disziplin ist mir noch nicht unter die Augen gekommen«

»Mag sein«, pflichtete Plautius ihm widerwillig bei. »Aber unseren Männern werden sie trotzdem nicht das Wasser reichen können. Du gehst jetzt besser an deinen Platz. Dein Legat braucht heute deine Erfahrung.«

»Jawohl, Herr«, erwiderte Praxus mit einem schiefen Lächeln. Nicht alle Legaten waren ihrer Aufgabe gewachsen, und so mancher musste von einem ranghohen Berufsoffizier bei der Hand genommen werden, bis seine Dienstzeit vorüber war. Gerechterweise musste man aber zugeben, überlegte Plautius, dass der kaiserliche Generalstab es meist rasch merkte, wenn ein Mann den Anforderungen nicht gewachsen war, und ihm schnell einen weniger wichtigen Verwaltungsposten in Rom zuwies.

Praxus salutierte und schritt den Hang zum Offiziersstab der Vierzehnten hinunter, wobei er im Gehen seinen Helmriemen nachzog. Plautius sah ihm nach und wandte sich dann, als die zweite Angriffswelle ihre Ausgangsposition einnahm, zu den Standarten der Neunten Legion um, die der Legion aus dem Lager vorangetragen wurden. Der General verneigte sich, als das Bild des Kaisers vorübergetragen wurde. Ein recht schmeichelhaftes Porträt von Claudius, überlegte er, dessen edle Züge relativ wenig Ähnlichkeit mit dem zappeligen Dummkopf aufwiesen, der erst vor drei Jahren auf den römischen Thron katapultiert worden war. Die Legionen der Ersten Kohorte der Neunten Legion zogen vorbei und der General nahm ihren Salut kurz entgegen, bevor er seine Aufmerksamkeit wieder auf die Verteidigungsanlagen des Feindes richtete.

Sobald ein beträchtlicher Teil der Palisade zerstört war, ließ Plautius den Beschuss einstellen. Nachdem das letzte Katapult seinen Bolzen verschossen hatte, herrschte für einen kurzen Moment Stille, dann bliesen die Trompeten des Hauptquartiers zum Angriff. Die beiden Blöcke der Vierzehnten Legion marschierten voran und die Sonne brach sich glitzernd auf den Bronze- und Eisenhelmen von beinahe fünftausend Mann, die den Hügel hinuntermarschierten, das Tal durchquerten und den gegenüberliegenden Hang in Angriff nahmen.

»Gleich ist es so weit ...«, murmelte Plautius bei sich. Doch die Reaktion der Verteidiger blieb aus. Keine Pfeilsalve, keine niederprasselnden Schleudergeschosse. Die Disziplin des Gegners musste sich enorm verbessert haben, wunderte sich der General. In den bisherigen Schlachten hatten die Briten ihre Munition verschleudert, sobald sie die Römer in Reichweite glaubten, was nicht nur Verschwendung war, sondern auch die Wirkung einer auf kurze Entfernung gezielten, gut koordinierten Salve verfehlte.

Die vordersten Reihen der ersten Angriffswelle entschwanden dem Blick und tauchten in den Verteidigungsgraben ein. Auf der gegenüberliegenden Seite des Grabens blickten die Briten auf dem Verteidigungswall den Römern gelassen entgegen, und Plautius erwartete angespannt den Moment, wenn beide Seiten zum tödlichen Gefecht aufeinander stoßen würden. Nun tauchte die vorderste Kampflinie der Legionäre aus dem Graben auf, kletterte den Erdwall hinauf und stürzte sich durch die Lücken in der zertrümmerten Palisade auf den Feind. So heftig war dieser Angriff, dass die ersten fünf Kohorten ohne irgendwelchen Verzug durch die Verteidigungsanlagen ins feindliche Lager hereinbrachen.

Dann herrschte Stille. Kein Schlachtgebrüll. Keine feindlichen Kriegshörner. Kein Kampflärm. Nichts.

»Mein Pferd!«, rief Plautius, dem nun die ersten schrecklichen Zweifel kamen. Was, wenn Caratacus von der Falle wusste, die die Römer ihm gestellt hatten, und sich der Gefangennahme entzog? Was, wenn er seine Leute überzeugt hatte, dass Rom keine Gnade kennen würde? Schließlich hatte Rom gegenüber den Menschen und ihrem Land den ganzen Sommer über keine Gnade gezeigt. Plautius fühlte sich elend. War er zu weit gegangen? Hatte er Caratacus zu der Überzeugung gebracht, dass die einzige Möglichkeit, sich Rom entgegenzustellen, im Selbstmord bestand?

»Wo ist denn verdammt noch mal mein Pferd?«

Ein Sklave eilte herbei, einen wunderbar gepflegten Rapphengst am Zügel. Der General packte die Zügel und ließ sich von dem Sklaven hinaufhelfen. Mit einem Ruck schwang er das Bein über den Rücken des Tiers und ließ sich in den Sattel fallen. Plautius riss das Pferd zur Befestigungsanlage des Feindes herum und jagte den Hang hinunter. Einige Männer in den hinteren Reihen der Neunten sahen ihn kommen und riefen ihren Kameraden eine Warnung zu. In der dicht gedrängten Menge der Legionäre öffnete sich rasch eine Schneise und der General galoppierte von immer größerem Entsetzen getrieben hindurch. Er trieb sein Pferd den gegenüberliegenden Hügel hinauf und durch die hinteren Kohorten der Vierzehnten hindurch. Beim Verteidigungsgraben angelangt, zügelte Plautius sein Pferd und sprang auf den zerstampften Boden hinunter. Er durchquerte eilig den Verteidigungsgraben und bestieg den Wall.

»Aus dem Weg!«, schrie er einer Gruppe seiner Männer an, die ruhig in einer Lücke der Palisade standen. »Los!«

Sie traten eilig beiseite und gaben den Blick auf das Lager der Briten frei. Auf der freien Fläche hinter der Befestigung glommen Dutzende von fast erloschenen Lagerfeuern. Von einem Feind war jedoch nichts zu sehen. Plautius blickte die zerstörte Palisade entlang und sah Hunderte grob zusammengeschnürter Strohpuppen, die vom Sperrfeuer der Artillerie oder von der ersten Angriffswelle zu Boden geworfen worden waren.

»Wo ist der Feind?«, schrie er. Doch keiner seiner Männer sah ihm in die Augen. Sie wussten die Antwort nicht besser als ihr General.

Plötzlich entstand Bewegung und Praxus erschien auf dem Befestigungswall, einen Briten hinter sich herzerrend. Der Mann war offensichtlich stockbesoffen und sackte zu Füßen des Generals ins Gras.

»Sonst konnte ich niemanden finden, Herr. Als wir ins Lager kamen, sah ich eine kleine Reitergruppe, die zum Fluss davonritt, in diese Richtung dort.« Praxus nickte zu einer Schlangenstandarte hinüber, die an der Palisade lehnte. »Diese Leute müssen wohl die Kriegshörner geblasen und die Standarten geschwenkt haben.«

»Ja«, antwortete Plautius leise. »Das klingt plausibel … Ganz logisch. Die Frage ist, wo sind sie jetzt? Wo ist Caratacus, wo seine Armee?«

Einen Moment lang herrschte Schweigen, und Plautius starrte in südlicher Richtung zum Fluss. Dann begann der betrunkene Brite zu singen, und der Bann war gebrochen.

»Soll ich die Kundschafter losschicken, Herr?«, fragte Praxus.

»Ja. Kehr zum Hauptquartier zurück und lass sie sofort

aufbrechen. Sie sollen in alle Richtungen ausschwärmen. Ich möchte, dass der Feind so schnell wie möglich gefunden wird.«

»Ja, Herr. Und was ist mit diesem da? Sollen wir ihn verhören?«

General Plautius blickte auf den Mann hinunter, und der Brite begegnete seinem Blick mit glasigen Augen und hob dann in spöttischem Tadel den Zeigefinger. Diese winzige Geste weckte in Plautius plötzlich das Gefühl einer ungeheuren Bloßstellung, und er spürte die erste Ahnung eines tiefen, mit Wut vermischten Selbsthasses. Caratacus hatte ihn hereingelegt; Plautius hatte vor seinen eigenen Legionen wie ein Narr gestanden, und sobald man in Rom davon erfuhr, würde man ihn auch dort auslachen.

»Den da?«, erwiderte er kalt. »Aus diesem Abschaum werden wir nichts Brauchbares herausbekommen. Pfählt ihn.«

Praxus gab einigen seiner Männer Anweisung, den Gefangenen wegzutragen, während Plautius wieder nach Süden spähte, diesmal aber über den Fluss hinweg zum grauen Schleier des Horizonts dahinter. Irgendwo dort in der Ferne befand sich Vespasian mit der Zweiten Legion. Sollte Caratacus sich nach Süden gewandt haben, würde Vespasian von dem unerwartet auf ihn niederstoßenden Feind vollkommen überrumpelt werden.

29

»Öffnet das Tor!«, rief Cato.

»Nein!« Macro packte ihn beim Arm, beugte sich über die Brustwehr und rief den Männern unten zu: »Lasst das Tor geschlossen!«

Cato schüttelte den Arm seines Freundes ab. »Was soll das, Herr? Willst du, dass sie Tincommius umbringen?«

»Nein! Da ist irgendwas faul, Cato, denk doch mal nach! Wie ist er denn durch die Reihen des Feindes gekommen?«

»Ich hab es doch auch geschafft.«

»Aber nur mit knapper Not. Schau ihn dir nur an! In voller Montur. Er kommt einfach so heran. Der Feind hat ihn durchgelassen.«

»Durchgelassen?« Cato runzelte die Stirn. »Aber warum denn?«

»Das werden wir gleich erfahren.« Macro spähte über die Palisade. »Ich hab diesem Drecksack noch nie richtig getraut ...«

Tincommius stand dreißig Schritte vom Tor entfernt, von den Hunderten von Durotriges, die rundum im Dunkeln lauerten, ganz offensichtlich nicht beunruhigt.

»Macro!«, rief Tincommius auf Lateinisch. »Öffne das Tor. Wir müssen miteinander reden.«

»Dann rede!«

Der atrebatische Prinz lächelte. »Manche Dinge bespricht man besser im kleinen Kreis. Öffnet das Tor und kommt heraus.«

»Hält der uns für verrückt?«, knurrte Macro. »Keine zehn Schritte, und wir sind tote Leute.«

»Ich garantiere eure Sicherheit!«, rief Tincommius.

»Unsinn!«, gab Macro zurück. »Komm zum Tor! Allein!«

»Könnt ihr denn *meine* Sicherheit garantieren?«, gab Tincommius höhnisch zurück. »Das rate ich euch nämlich ...«

»Komm näher!« Cato zeigte unmittelbar vor das Tor. Nach kurzem Zögern trat Tincommius langsam auf sie zu. Die beiden Zenturionen eilten vom Wehrgang herunter, und während Macro den Befehl zum Öffnen des Tors erteilte, sammelte Cato zwei Unterabteilungen Legionäre um sich, um jeden Versuch der Durotriges zu vereiteln, das Stadttor zu stürmen. Als das Tor gerade so weit offen stand, dass ein Mann hindurchschlüpfen konnte, erkannte Cato den atrebatischen Prinzen, der auf der anderen Seite auf sie wartete. Er griff nach einer Fackel, die einer der Legionäre in der Hand hielt.

»Lass das!«, fuhr Macro ihn an. »Willst du dich zur perfekten Zielscheibe machen?«

Cato ließ die Hand sinken.

»Dann mal los, Junge. Wollen doch mal sehen, was für ein Spiel Tincommius da spielt.«

Macro ging voran und schob sich durch die schmale Öffnung, während er gleichzeitig den Mann, der sie erwartete, genau im Auge behielt. Seite an Seite mit Cato ging er dann langsam vorwärts, bis sie nur noch zwei Schwertlängen von Tincommius entfernt standen.

»Was ist hier los?«, knurrte Macro.

»Rate mal«, gab Tincommius mit einem verkniffenen Lächeln zurück.

»Ich bin zu müde und zu sauer für irgendwelche Spielchen. Sag, um was es geht.«

»Wir wollen, dass ihr euch ergebt.«

»Wir?«

»Meine Verbündeten da draußen.« Tincommius deutete mit dem Daumen hinter sich und nickte dann zu Callevas Stadttor hinüber: »Und da drinnen.«

»Du hast uns aber verdammt schnell verraten und verkauft«, bemerkte Cato leise. »Wie lange haben sie denn gebraucht, um dich umzudrehen, du Feigling?«

»Um mich umzudrehen?« Tincommius sah ihn spöttisch an. »Mich hat keiner umgedreht, Zenturio. Ich habe die Seiten nicht gewechselt. Ich stehe seit eh und je auf der Seite derer, die Rom und alles, wofür es steht, verabscheuen. Auf diese Gelegenheit hier habe ich lange gewartet. Und hart dafür gearbeitet. Jetzt werdet ihr euch ergeben und mir meinen rechtmäßigen Platz auf dem Thron einräumen.«

Macro starrte den jungen Edelmann an und wandte sich dann mit einem rauen Lachen an Cato: »Das soll wohl ein Scherz sein!«

»Nein. Keineswegs.« Cato fühlte sich durch und durch elend; es war der an jedem Sinn verzweifelnde Schmerz eines Mannes, der gerade gemerkt hat, dass er gründlich hintergangen wurde. Im Licht der Fackeln auf der Palisade blickte er Tincommius in die Augen. »Die ganze Zeit, die wir zusammen gedient haben?«

»Länger. Viel länger, Römer.«

»Aber warum?«

»Warum?«, schnaubte Macro. »Was denkst du wohl? Der kleine Bursche hier möchte König werden. Das Problem ist nur, deine Leute haben schon einen König, du Verräter!«

Tincommius zuckte mit den Schultern. »Im Moment vielleicht noch. Aber in ein paar Tagen wird Verica tot sein, so oder so. Dann bin ich König. Ich werde mein Volk an Caratacus' Seite gegen die Römer führen.«

»Du bist verrückt!« Macro schüttelte den Kopf. »Wenn der General das erfährt, werdet ihr Atrebates zerquetscht wie ein rohes Ei.«

»Mir scheint, dass du den Ernst der Lage gründlich unterschätzt, Macro. Die Nachschublinien des Generals führen mitten durch unser Gebiet. Wir können euch vollständig lahmlegen, und zwar innerhalb weniger Tage. Ihr werdet von Glück sagen können, wenn ihr lebendig aus Britannien rauskommt. Was meinst du, Cato?«

Cato antwortete nicht. Die strategische Lage stand ihm deutlich vor Augen und er wusste, dass der atrebatische Prinz Recht hatte. Hier in Calleva hatte sich die Stimmung zunehmend gegen Verica und das mit ihm verbündete Rom gekehrt. Es war sehr gut möglich, dass Tincommius in seinem Volk genug Unterstützung fand, um einen Aufstand gegen Rom anzuzetteln, und die Auswirkungen einer solchen Revolte wären so verheerend, wie Tincommius es beschrieben hatte. Erfolg oder Misserfolg des römischen Unterfangens, die britischen Gebiete dem Imperium zuzuschlagen, standen auf Messers Schneide.

Plötzlich kam ihm ein weiterer grässlicher Gedanke.

»Verica ... Du selbst hast ihn angegriffen?«

»Natürlich«, erwiderte Tincommius so leise, dass nur die beiden Zenturionen ihn hören konnten. »Er musste aus dem Weg geschafft werden. Das ist mir nicht leicht gefallen. Schließlich ist er mit mir verwandt.«

»Spar dir das Selbstmitleid.«

»Nun ja. Er musste zum Besten aller Stämme dieser Insel sterben. Was ist das Blut eines alten Mannes gegen die Freiheit eines ganzen Volkes?«

»Dann war es also gar nicht so schwierig?«, fragte Cato wie gelähmt vor Entsetzen, als ihm klar wurde, wie falsch er Artax eingeschätzt hatte. »Und du hättest ihn vielleicht wirklich ermordet ... wäre dir Artax nicht in den Weg getreten?«

»Ja. Der arme Artax – und vergessen wir den guten Bedriacus nicht ... mehr Prinzipien als Verstand – ein üblicher Fehler meines Volkes. Ich habe versucht, Artax begreiflich zu machen, wo seine wahren Interessen liegen, aber er wollte nichts davon hören. Er überrumpelte mich, als ich gerade mit dem alten Mann Schluss machen wollte. Schlug mich nieder. Ich hatte keine Chance. Er schaffte den König in Sicherheit, aber dann tauchtest du auf.« Tincommius lächelte. »Ich konnte mein Glück kaum fassen, als du Artax' Verfolgung aufnahmst. Natürlich musste ich dafür sorgen, dass er getötet wurde, bevor er irgendeine Beschuldigung gegen mich vorbringen konnte.« Der atrebatische Prinz lachte Macro leise ins Gesicht. »Ohne dein unglückseliges Auftauchen hätte ich vielleicht sowohl den König als auch Cato hier erledigt.«

»Du beschissener, kleiner Mistkerl …« Macros Hand umklammerte den Schwertgriff, doch Cato packte seinen Freund am Arm, bevor dieser die Waffe ziehen konnte.

»Das genügt, Macro!«, erklärte Cato grob und sah dem Zenturio fest in die Augen. »Beherrsch dich! Wir müssen hören, was er zu sagen hat. Seine Bedingungen erfahren.«

»Genau, Zenturio.« Ein Lächeln zuckte über Tincommius' Gesicht. »Du solltest deinen Jähzorn zügeln, Macro, wenn du am Leben bleiben willst. Du und deine Männer.«

Einen Moment lang befürchtete Cato, dass Macro explodieren und sich erst wieder beruhigen würde, wenn er dem atrebatischen Prinz mit bloßen Händen den Kopf abgerissen hatte. Doch dann holte Macro mit bebenden Nasenflügeln tief Atem und nickte.

»Nun gut … Nun gut, du Drecksack. Sag, was du zu sagen hast.«

»Äußerst liebenswürdig von dir. Ich möchte, dass ihr mit euren Männern Calleva verlasst und euch der Zweiten Legion anschließt. Ihr könnt eure Waffen mitnehmen und ich garantiere euch freien Durchmarsch – bis zur Legion.«

Macro schnaubte verächtlich. »Und was ist dein Wort wert? Einen Scheißdreck.«

»Ruhe!«, unterbrach ihn Cato. »Warum sollten wir denn hier abziehen?«

»Mit eurer Hand voll Legionären und den paar Überlebenden der beiden Kohorten könnt ihr die Stadt nicht halten. Solltet ihr versuchen, Widerstand zu leisten, kostet es euch das Leben, und viele Einwohner Callevas werden mit euch sterben. Ich gebe euch eine Chance, diese Menschenleben zu retten. Das ist mein Angebot.«

»Was geschieht nach unserem Abzug?«, fragte Cato.

»Das könnt ihr euch ja wohl denken. Ich bringe Verica um und erkläre den Einwohnern Callevas, dass der König tot ist. Der Rat ernennt mich daraufhin zum König, und jeder Mann, der so unvernünftig ist, sich einem Bündnis mit Caratacus entgegenzustellen, wird beseitigt. Anschließend räumen wir mit euren Nachschubkolonnen auf.«

»Unter diesen Umständen können wir uns nicht ergeben.«

»Auf diese Reaktion hatte ich fast gehofft. Aber ich habe überhaupt keine Eile. Ich gebe euch bis zum Morgengrauen Zeit, eure Entscheidung zu überdenken. Bis dahin werden nicht mehr viele Atrebates bereit sein, auf eurer Seite zu kämpfen. Denn ich werde ihnen sagen, dass ihr selbst den König überfallen habt.«

»Wie kommst du auf den Gedanken, dass du so lange am Leben bleibst?«, fauchte Macro ihn an.

Tincommius lächelte nervös und trat einen Schritt zurück. Das war zu viel für Macro. Er schüttelte Catos Hand gewaltsam ab und riss das Schwert aus der Scheide. »Du kleines Arschloch! Mir reicht's jetzt.«

Tincommius machte kehrt und raste in die Dunkelheit davon, die Calleva von allen Seiten umgab. Mit einem Aufschrei der Wut setzte Macro ihm nach, bevor Cato reagieren konnte. Der junge Zenturio stürzte sich instinktiv auf das Bein seines Freundes und brachte Macro zu Fall. Als beide Männer sich wieder aufgerappelt hatten, war Tincommius nur noch ein Schatten, der mit der Nacht verschmolz. Macro drehte sich wütend zu Cato um.

»Was soll das, verdammt noch mal?«

»Zurück durchs Tor!«, befahl Cato. »Schnell!«

Macro wollte sich das nicht gefallen lassen und hob drohend sein Schwert. Plötzlich schlug ganz in der Nähe ein Pfeil ins Tor, und gleich darauf schwirrten weitere Pfeile aus der Dunkelheit heran und fuhren in die verwitterten Balken. Ohne ein weiteres Wort schlüpfte Macro hinter Cato durch die schmale Lücke und das Tor wurde eilig verriegelt.

»Das war knapp!« Macro schüttelte den Kopf und wandte sich dann seinem jungen Freund zu. »Danke …«

Cato zuckte mit den Schultern. »Heb dir das für später auf. Erst mal müssen wir aus diesem Schlamassel hier rauskommen.«

Plötzlich ertönte Tincommius' Stimme in der Dunkelheit und rief etwas auf Keltisch.

»Was sagt er?«, wollte Macro wissen.

»Er fordert die Bewohner Callevas auf, sich ihm anzuschließen … Er rät den Überlebenden der Wölfe und Keiler, ihre römischen Befehlshaber zu verlassen und wieder freie Menschen zu werden …«

»Oh! Ist ja reizend von ihm. Der Junge hätte Rechtsverdreher werden sollen. Komm, wir müssen dem ein Ende bereiten.«

Macro voran, stiegen sie wieder zum Wehrgang hinauf. Mehrere der einheimischen Soldaten musterten sie heimlich mit schuldbewusster Miene und Cato befürchtete, dass Tincommius Recht hatte: Viele dieser Männer waren wahrscheinlich bis Sonnenaufgang verschwunden. Sie würden verstohlen über den Wall klettern, zum Feind überlaufen und dem neuen König Treue schwören. Einige würden bleiben; aus Pflichtgefühl gegenüber Verica, aus Pflichtgefühl gegenüber ihren Kameraden und vielleicht sogar aus Pflichtgefühl gegenüber ihren Offizieren, die sie inzwischen mit der widerwilligen Bewunderung respektierten, die ein Krieger für den anderen hegt. Normalerweise missbilligte Cato solche Rührseligkeiten zwischen Männern, doch nicht heute Nacht. Heute betete er vielmehr mit jeder abergläubischen Faser seines Seins genau darum. Tincommius rief noch immer den Männern auf dem Wall Versprechungen zu, stellte ihnen einen ruhmreichen Sieg über den Adler in Aussicht und verlockte sie mit der Möglichkeit, sich den Ehrenplatz unter den keltischen Stämmen zurückzuerobern, der den Kriegern der Atrebates einstmals zu eigen gewesen sei.

»Siehst du ihn?«, fragte Macro, der angestrengt in die Dunkelheit jenseits des Verteidigungswalls spähte.

»Nein. Klingt so, als wäre er irgendwo ... dort.« Cato wies in die entsprechende Richtung.

Macro nickte einer Gruppe von Legionären zu, die mit Bögen und Schleudern bewaffnet an der Brustwehr standen. »Ihr da! Versucht es einmal. Zielt in Richtung der Stimme.«

Es war hoffnungslos. Ebenso gut hätte man versuchen können, einen Stein auf zwanzig Schritt Entfernung mit verbundenen Augen in eine Amphore zu werfen. Aber vielleicht brachte es Tincommius aus dem Konzept und untergrub sein Bemühen, die kampffähigen Eingeborenen zu sich zu locken. Ein steter Strom von Pfeilen und Schleudergeschossen flog im Bogen in die Nacht davon, doch noch immer rief Tincommius nach seinem Volk.

Macro wandte sich um und brüllte zum Nachschubwagen hinunter: »Silva! Schaff mir so schnell wie möglich ein paar Trompeten hier hoch!«

»Beeil dich besser«, murmelte Cato. »Er erzählt ihnen gerade, du hättest Verica angegriffen.«

»Der Drecksack!«

»... Jetzt behauptet er, wir hätten den König gefangen gesetzt und hielten ihn von seinem Volk getrennt. Nur, weil Verica seine Meinung geändert habe und Rom nun so wahrnehme, wie es wirklich sei ... Deshalb hätten wir Verica zur Seite schaffen müssen.«

»Glaubst du wirklich, dass sie diesen ganzen Quatsch schlucken?«

»Wenn wir nichts dagegen unternehmen, vielleicht schon.«

Macro legte die Hände trichterförmig an den Mund: »Beeil dich mit diesen verdammten Trompeten!«

Nach einem kurzen Blick auf die Eingeborenen, die den Worten ihres Prinzen lauschten, wandte Macro sich wieder Cato zu. »Du solltest besser mit ihnen reden.«

»Ich?«

»Ja, du. Zieh sie auf unsere Seite.«

»Was soll ich denn sagen?«

»Ich weiß es nicht. Lass dir was einfallen – sonst hast du doch auch immer was zu sagen. Achte einfach nur darauf, dass du lauter bist als Tincommius.«

Cato trat von der Brustwehr zurück, versuchte verzweifelt, sich an einige der beeindruckenden Reden zu erinnern, die er als Junge gelesen hatte, und formulierte die ersten Sätze. Es war nicht einfach, die hochtrabende Rhetorik der römischen Historiker in die keltische Alltagssprache zu übersetzen. Bei seiner Aufforderung an die Atrebates, den Verräter Tincommius zu ignorieren und ihrem König treu zu bleiben, der doch vielmehr fast von diesem Verräter ermordet worden wäre, geriet er wieder und wieder ins Stammeln. Aus der Dunkelheit rief Tincommius noch lauter herüber und widersprach einfach allem, was Cato sagte. Der Zenturio lächelte und wiederholte seine Ansprache, diesmal allerdings ohne jedes Bemühen um den klassischen rhetorischen Stil, den ihn sein griechischer Tutor gelehrt hatte. Er rief den Kriegern alles zu, was ihm in den Sinn kam, alles, was sie vielleicht überzeugen würde, alles, das sie daran hindern würde, Tincommius zu hören, der mit immer schrillerer Stimme versuchte, Cato zu übertönen. Doch der Zenturio war erschöpft und seine Inspiration versiegte schnell. Er wusste es, die Männer auf dem Verteidigungswall wussten es, und wäre nicht Silva gekommen, mit Trompeten aus dem Nachschublager beladen, hätte Tincommius vielleicht die meisten Männer auf seine Seite ziehen können.

»Das war knapp«, bemerkte Cato heiser, als Macro die Instrumente an die verwirrten Legionäre verteilte.

»Wir sind noch nicht gerettet, Männer«, erklärte Macro, als er einem seiner Soldaten eine Trompete in die Hand drückte. Der Legionär blickte so entsetzt, als hätte er gerade eine giftige Schlange erhalten.

»Glotz nicht so blöd!«, schrie Macro ihn an. »Klemm dir das Ding zwischen die Lippen und blas, so fest du nur kannst. Wenn du schlapp machst, ramme ich es dir so tief in die Kehle, dass dir beim Furzen Melodien rauskommen! ... Kapiert?«

»Jawohl, Herr!«

»Gut, dann leg los.«

Die Legionäre ließen eine nervenzerfetzende Kakophonie zum Nachthimmel emporschmettern und übertönten Tincommius' Geschrei vollständig.

»Gut!«, bemerkte Macro mit einem Nicken, die Hände in die Hüften gestemmt. »Macht eine Weile so weiter und dann ruht euch aus. Falls der Feind mit seinem Gequassel erneut loslegt, blast auch ihr wieder. Kapiert?«

Er wandte sich an Cato und beugte sich dicht zu ihm, um im Getöse gehört zu werden. »Hol die Atrebates vom Wall runter. Sag ihnen, sie sollen sich ausruhen. Morgen früh werden sie ihre ganze Kraft brauchen.«

30

Beim ersten Tageslicht erteilte Macro jedem waffenfähigen Mann den Befehl, sich bereitzumachen. Cato sollte alle verbliebenen Eingeborenen in der Wolfskohorte zusammenfassen, während Macro die letzten Legionäre aus dem römischen Lager um sich sammelte und hinter dem Tor als Reserve aufstellte. Cato schickte einen Mann los, um die königliche Leibwache zum Tor zu holen, und ging, während Macro seine Männer instruierte, Callevas Verteidigungsanlagen vollständig ab. Der von Tincommius im Laufe der Nacht immer wieder erneuerte Appell hatte seine Wirkung getan, und als der Zenturio seinen Rundgang beendete und zum Tor zurückkehrte, war klar, dass über fünfzig Mann heimlich über den Wall geklettert waren und sich dem Feind angeschlossen hatten. Ein leichter Nebel hatte ihre Flucht aus Calleva erleichtert und selbst jetzt noch waberten milchig graue Schleier jenseits des Verteidigungsgrabens über den Boden. Zu Catos Freude gehörten nur wenige der Deserteure der ursprünglichen Wolfskohorte an. Sein Bemühen, die Sprache der Atrebates zu lernen und sich mit ihren Sitten vertraut zu machen, hatte sich ausgezahlt. Wie schade, überlegte er einen Moment lang, dass römische Politiker sich von solchen Beispielen so gut wie nie belehren ließen. Dabei ließe sich dadurch enorm viel Blutvergießen vermeiden, und zudem könnte man für die weit verteilten Kohorten des Imperiums zahlreiche neue Rekruten gewinnen.

»Wie viele sind noch übrig?«, fragte Macro, als Cato ihn im Wachturm aufsuchte.

»Außer den achtzig Legionären aus dem römischen Lager sind noch hundertzehn Krieger der Wölfe und fünfundsechzig Mann aus deiner Kohorte übrig. Außerdem die königliche Leibwache von etwa fünfzig Mann.«

»Können wir denn auf die Leibwache zählen?«

Cato nickte. »Sie sind Verica treu ergeben. Sie haben bei ihrem Leben geschworen, ihn zu beschützen.«

Macro lächelte schief. »Tincommius hat sich nicht sonderlich um seinen Eid geschert. Können wir Cadminius vertrauen?«

»Ich denke schon.«

»Und wo ist er dann?«

»Er weigert sich, die königliche Umfriedung zu verlassen. Oder einen seiner Leute nach draußen zu lassen.«

»Warum denn das?«

»Er sagt, sie müssen den König bewachen.«

»Den König bewachen?« Macro schlug mit der Faust auf die Brustwehr. »Hier draußen würden sie ihn verdammt noch mal viel besser bewachen!«

Cato wartete einen Moment lang ab und erwiderte dann ruhig: »Ich habe versucht, Cadminius das zu erklären, aber er ist nicht darauf eingegangen.«

Macro ließ die Augen über den Verteidigungswall wandern und betrachtete die weit auseinander gezogene Kette von Soldaten. »Alles in allem kaum eine halbe Kohorte … Das reicht nicht. Bei weitem nicht.«

Cato warf einen Blick auf die Vorbereitungen des Feindes. »Da draußen müssen Tausende von Kriegern sein, einige davon unsere eigenen Leute.«

»Und es kommen noch mehr. Während du unterwegs warst, ist weitere Kavallerie eingetroffen. Aus Nordwesten.«

»Wir haben also keine Chance.«

»Danke für die Ermutigung.«

Cato schluckte den plötzlichen Zorn herunter, der in ihm aufstieg. Macro hatte Recht. Er sollte solche Gedanken für sich behalten. Es verbot sich für einen Zenturio, öffentlich über eine Niederlage nachzudenken. Das hatte Macro ihm vor beinahe zwei Jahren schon bei ihrer ersten Begegnung beigebracht. Daher zwang er sich, tief durchzuatmen und seine Zweifel zu unterdrücken.

»Wir müssen eben so lange durchhalten, bis der Entsatz da ist. Quintillus sollte die Legion gegen Abend erreichen. Es wird dann noch eine Weile dauern, bis sie hier eintrifft. Wir müssen den Feind einfach so lange aufhalten.«

Macro wandte sich um und betrachtete Catos Miene einen Moment lang. »So klingt das schon besser, Junge. Rede niemals vom Sterben, nicht wahr? Das gehört zum Beruf.«

»Ein ganz schön beschissener Beruf.«

»Ach, komm schon! So schlecht ist er doch gar nicht. Gute Bezahlung, anständige Unterkunft, erster Zugriff auf die Beute und Gelegenheit, nach Herzenslust rumzubrüllen. Herz, was begehrst du mehr?«

Cato musste wider Willen lachen und war zutiefst dankbar, Macro an seiner Seite zu haben. Macro war durch nichts zu erschüttern. Außer durch Frauen, rief Cato sich mit einem leisen Lächeln in Erinnerung.

»Was ist daran so verdammt komisch?«

»Nichts. Ehrlich, gar nichts.«

»Dann wisch dir dieses dämliche Grinsen aus der Visage. Tincommius und seine Kumpels werden noch eine Weile auf sich warten lassen. Sag unseren Männern, sie sollen sich solange ausruhen. Und dann sag deinen eingeborenen Spezis dasselbe. Und erhol dich auch selbst ein bisschen. Du siehst fix und fertig aus.«

Cato verharrte auf der Leiter, die vom Wachturm hinunterführte. »Und was ist mit dir?«

»Ich ruh mich aus, wenn alles vorbei ist.«

»Wann greifen sie denn deiner Meinung nach an?«

»Woher soll ich das wissen?« Macro ließ die Augen über die feindlichen Linien wandern. »Aber wenn es so weit ist, stürzen sie sich aus mehreren Richtungen gleichzeitig auf uns. Wahrscheinlich werden es meistens nur Scheinangriffe sein, mit denen unsere Männer gebunden werden sollen, bevor der richtige Angriff kommt. Auf den müssen wir achten.«

Macro blickte über die Ebene auf den Schauplatz des Desasters vom Vortag. Die Hügel zu beiden Seiten des Tals erhoben sich so deutlich aus dem Nebel wie Inseln aus einem schimmernden Meer. Zum Glück verhüllte der Nebel die Hunderte von atrebatischen Leichen und verbarg sie vor den Augen der Männer auf dem Verteidigungswall, deren Moral ohnehin schon zu wünschen übrig ließ. Wenn der Nebel sich lichtete, würden sie überall auf der Ebene ihre gefallenen Kameraden liegen sehen. Außerdem würde ihnen klar werden, was für eine gewaltige Streitmacht ihnen gegenüberstand, und Macro war sich sicher, dass weitere Eingeborene desertieren würden, wenn ihnen klar wurde, wie die Chancen standen. Auch so hatten die Verteidiger schon viel zu wenige Männer. Er blickte auf die Reihen strohgedeckter Dächer, die hinter dem Verteidigungswall der Stadt lagen. Dort rührte sich niemand.

»Schade, dass wir nicht noch ein paar Einheimische überreden können, für uns zu kämpfen.«

»Kann man ihnen das vorwerfen?«, entgegnete Cato. »Dumm sind sie nicht. Sie wissen, dass unsere Lage ziemlich aussichtslos ist.«

Der junge Zenturio merkte, dass er in der kühlen Morgenluft zitterte, und ihm fiel ein, dass er seit dem Morgen des Vortags nichts mehr gegessen und seit Tagen nicht ausreichend geschlafen hatte. Er verschränkte die Arme vor der Brust und rieb sich die Schultern.

Macro beäugte ihn neugierig. »Angst?«

Einen Moment lang wollte Cato es abstreiten, merkte dann aber, dass Macro sich nicht täuschen lassen würde, und nickte.

Macro lächelte müde. »Ich auch.«

Nach diesem Eingeständnis folgte ein verlegenes Schweigen, bis Cato wieder das Wort ergriff.

»Vielleicht kommt der Tribun uns ja rechtzeitig zu Hilfe.«

»Vielleicht? Nur, wenn wir ein paar Tage durchhalten.«

»Vielleicht schaffen wir das ja.«

»Nein«, antwortete Macro und senkte die Stimme, damit

keiner seiner Männer ihn hörte. »Wenn sie erst einmal über den Wall kommen – und das werden sie –, müssen wir uns ins römische Lager zurückziehen. Wenn sie aber ins Lager durchbrechen, ist alles vorbei … Ich hoffe nur, dass ich wenigstens noch diesen Drecksack Tincommius mitnehmen kann, bevor es mit mir aus ist …« Macros Rachegedanken wurden von einem lauten Magenknurren unterbrochen. »… Wobei mir einfällt, dass ich Hunger habe. Ich hab Silva ins römische Lager geschickt, um Essensrationen zu holen. Er sollte schon längst zurück sein.«

»Ich glaube, ich kann im Moment nicht essen.«

»Aber natürlich kannst du essen. Ich warne dich«, erklärte Macro ernst. »Die Männer müssen dich essen sehen. Wenn du durchblicken lässt, wie nervös du in Wirklichkeit bist, verlieren sie den letzten Rest Mut. Du isst deine komplette Ration, und zwar mit Genuss. Kapiert?«

»Was, wenn mir schlecht wird?« Allein schon die Vorstellung, er könnte kalkweiß vor seinen Männern stehen und kotzen, erfüllte ihn mit entsetzlicher Scham.

Macros Augen wurden schmal. »Falls du kotzt, werfe ich dich über die Palisade. Das meine ich ernst.«

Einen Moment lang fragte Cato sich, ob Macro nur scherzte, doch dann zeigte ihm Macros harte Miene, dass es ihm damit vollkommen ernst war. Bevor Cato noch antworten konnte, verkündete das Quietschen einer schlecht geölten Achse das Eintreffen Silvas und des mit Essensrationen beladenen Wagens. Silva lenkte ihn zu den am Tor wartenden Legionären. Macro leckte sich die Lippen, als er die Weinkrüge und die Schinkenkeulen entdeckte.

»Na komm.« Macro versetzte Cato einen Knuff. »Essen wir.«

Die beiden Offiziere traten zu den Legionären, die sich um den Wagen drängten, während Silva sich neben den Weinkrügen auf die Ladepritsche stellte.

»Immer mit der Ruhe, Männer. Es ist genug für alle da.«

»Was ist mit meinen Leuten?«, fragte Cato.

»Mit denen?«, erwiderte Silva, eine Spur von Missbilligung in der Stimme. »Die kommen dran, wenn unsere Leute fertig sind.«

»Nein, sie bekommen ihren Anteil sofort. Teile einige dieser Männer dazu ein, sie zu versorgen.«

Über Silvas Gesicht zuckte ein Ausdruck von Abscheu, doch dann nickte er widerstrebend. »Jawohl, Herr.«

Während Silva den Befehl weitergab, schob Macro sich zum Wagen durch und schnitt mit seinem Dolch zwei Stücke Schinken ab. Eines warf er Cato zu und fast wäre es dem jungen Zenturio beim Fangen zu Boden gefallen. Macro lachte, riss einen Streifen Fleisch mit den Zähnen ab und kaute.

»Komm schon, Zenturio Cato«, nuschelte er mit vollem Mund. »Iss das auf! Vielleicht ist es ja deine Henkersmahlzeit!«

Catos Magen war wie zugeschnürt und bei der Aussicht auf das kalte Fleisch wurde ihm übel. Er verzog das Gesicht, doch Macro warf ihm einen warnenden Blick zu und Cato führte das Stück an die Lippen.

Von jenseits des Befestigungswalls erklang das ferne Schmettern eines Horns. Sein Ruf wurde sofort von weiteren Kriegshörnern aufgegriffen. Macro warf sein Schinkenstück in den Matsch, der sich auf der Ladepritsche des Wagens gesammelt hatte, und spuckte einen Mund voll Fleischbrocken aus.

»Auf eure Plätze!«, brüllte er. »Sie kommen!«

31

»Herr!«, rief Figulus vom Wachturm herunter, als Macro und Cato zum Wehrgang hinaufstürzten. »Der Feind kommt!«

»Behalte ihn im Auge!«

An der Palisade angekommen, setzte Cato den Helm auf und schnürte die Helmriemen fest. Macro beobachtete den Zugang zum Haupttor und versuchte, im sich lichtenden Nebel Einzelheiten auszumachen.

»Figulus! Was hat der Feind im Sinn?«

»Sieht aus wie ein frontaler Angriff auf das Tor, Herr.«

Cato rieb sich die müden Augen und beobachtete, wie der Feind sich aus dem Nebel löste. Die Durotriges marschierten, von primitiven Korbschilden gedeckt, in einer langen Reihe durch das zertretene Gras. Cato musterte den Wall, konnte aber vor keiner anderen Seite irgendeinen Hinweis auf Bewegung ausmachen.

»Soll ich ein paar Wölfe als Verstärkung ans Tor rufen?«

Macro ließ nun seinerseits den Blick über den Verteidigungswall gleiten und kratzte sich die Bartstoppeln mit seinen schmutzigen Fingernägeln. Er schüttelte den Kopf. »Unsere Verteidigerkette ist ohnehin schon zu stark auseinander gezogen. Ich muss es mit den Männern schaffen, die ich hier habe. Geh zu deiner Truppe zurück.«

»Kann ich hier kämpfen?«

»Nein.«

Cato wollte protestieren, nickte dann aber. Macro hatte Recht. Ein weiterer Römer am Tor würde nicht viel bewirken. Er musste bei den Eingeborenen bleiben, damit sie auf die Überraschungen reagieren konnten, die die Durotriges wohl für sie vorbereitet hatten. Aber der Wunsch, an der Seite der Männer seiner Zweiten Legion zu kämpfen und schlimmstenfalls auch zu sterben, war nun einmal da. Cato lächelte bei sich, als er merkte, dass die Legion für ihn auf der Welt das war, was einer Familie am nächsten kam; der Gedanke, getrennt von ihr zu sterben, war nahezu unerträglich. Jetzt blickten ihn die anderen Männer an und er sah, dass die um Mandrax versammelten keltischen Krieger der Wolfskohorte ihn aus der Ferne beobachteten.

»Bis später, Macro«, murmelte Cato.

Macro nickte, ohne den näher rückenden Feind aus den Augen zu lassen, und Cato kehrte über den Verteidigungswall zu seinen Leuten zurück. Er hatte Kopfschmerzen und spürte ein so schmerzhaftes Pochen im Schädel, dass er meinte, gleich erbrechen zu müssen. Schlimmer noch, er merkte plötzlich, dass er schrecklichen Durst hatte, und verfluchte sich, weil er vor seinem Aufbruch zum Wall keine Feldflasche aus Silvas Nachschubwagen mitgenommen hatte. Seine Zunge fühlte sich geschwollen und pelzig an, was die Übelkeit ins Unerträgliche steigerte. Cato biss sich auf die Lippen und zwang sich, an etwas anderes zu denken.

»Macro!«, rief eine Stimme, und Cato blieb stehen und blickte zum Tor zurück. Die Durotriges waren gerade außerhalb der Speerwurfweite stehen geblieben und in ihrer Mitte hatte sich eine Lücke geöffnet. Tincommius trat vorsichtig zwischen den Reihen hervor, beide Hände trichterförmig an den Mund gelegt, und rief erneut Macros Namen.

»Was willst du?«, schrie der Zenturio zurück. »Dich ergeben?«

Cato musste über Macros herausfordernden Tonfall lächeln. Tincommius senkte einen Moment lang den Kopf und selbst auf diese Entfernung konnte Cato seine Enttäuschung erkennen.

Der atrebatische Prinz blickte auf und rief auf Latein: »Ihr werdet nicht lange durchhalten können, und das wisst ihr. Außerdem habe ich noch weitere schlechte Nachrichten für euch. Caratacus kommt persönlich, um Calleva einzunehmen. Wir haben Nachricht erhalten, dass er in zwei Tagen mit seiner gesamten Armee hier eintrifft. Dann wird Calleva mit Sicherheit fallen.«

»Warum hast du es dann so eilig, uns jetzt zu überfallen? Hast du Angst, dass dir der Ruhm durch die Lappen geht? Oder musst du deinem neuen Herrn einfach einen Erfolg vorweisen?«

Tincommius schüttelte den Kopf. »Sei doch nicht dumm, Zenturio. Ihr alle – du, deine Männer und wer von meinem Volk so verrückt ist, an eurer Seite zu bleiben – werdet sterben … es sei denn, ihr übergebt mir die Stadt.«

»Du willst die Stadt? Dann komm doch und hol sie dir, du Wichser!« Macro legte die Hände trichterförmig an den Mund und machte mit den Lippen ein Furzgeräusch, damit Durotriges wie Atrebates auch wirklich verstanden, wie er es meinte. Die Legionäre hinter dem Tor jubelten ihrem Zenturio zu.

Tincommius wartete einen Moment, winkte dann verächtlich ab und trat hinter die Korbschilde zurück. Die Lücke schloss sich, ein Befehl ertönte und die Front der Krieger bewegte sich auf das Tor zu.

Cato wandte sich ab und eilte zur Wolfsstandarte zurück.

»Was wollte der Verräter, Herr?«, fragte Mandrax.

»Er befahl uns aufzugeben. Er lässt die Römer ungehindert abziehen, wenn wir ihm Calleva übergeben.«

»Was hat Zenturio Macro geantwortet?«

»Ihr habt ihn gehört.« Cato imitierte Macros Furzgeräusch und die Männer rundum brüllten vor Lachen. Einer ging sogar so weit, dem jungen Zenturio auf den Rücken zu klopfen. Cato ließ sie einen Moment lang in dieser Stimmung, bevor er seine Befehle erteilte. Er warf einen raschen Blick auf die kleinen Gruppen, die am Wall entlang verteilt waren, und stellte eine schnelle Berechnung an.

»Ich brauche einen Mann alle dreißig Schritte. Wenn das Haupttor fällt, ziehen sich alle ins römische Lager zurück. So hat Macro es befohlen. Dort werden wir uns dem Feind erneut stellen.«

»Zu unserem letzten Gefecht?«, fragte einer der Krieger, ein älterer Mann. Cato bemerkte einen Ehereif am Handgelenk des Mannes und vermutete wohl zu Recht, dass er Familie hatte.

»Ich hoffe nicht. Der Tribun ist losgeritten, um Hilfe zu holen. Aber wir müssen vielleicht ein paar Tage durchhalten, bevor die Entsatztruppe eintrifft.« Cato nickte. »Das können wir schaffen.«

Der Mann warf ihm ein unsicheres Lächeln zu, blickte dann nach unten und strich zärtlich über seinen Armreif. Cato starrte ihn einen Moment lang an, gerührt von dieser Geste.

»Ich kenne dich nicht. Du musst einer von den ehemaligen Keilern sein. Wie heißt du?«

»Veragus, Herr.«

»Du möchtest nicht mit uns kämpfen, Veragus?«

Der Mann ließ den Blick über seine Kameraden wandern, ob ihre Gesichter Verachtung zeigten, und nickte dann zögernd. Cato legte ihm freundlich die Hand auf die Schulter. Er brauchte zwar jeden Mann, der dem Feind mit einer Waffe entgegentreten konnte, doch er musste auch sicher sein können, dass jeder, der an seiner Seite kämpfte, dort bleiben und nicht davonlaufen würde.

»Gut, dann geh jetzt zu deiner Familie. Hier ist kein Platz für einen Mann, der mit dem Herzen nicht bei der Sache ist. Vielleicht sind wir vor Ende des Tages tot, und ich möchte nicht, dass mehr Blut als nötig an meinen Händen klebt. Gebt das so weiter. Nur Freiwillige ziehen sich ins römische Lager zurück. Wer ebenso wie Veragus empfindet, kann Waffen und Ausrüstung abgeben und zu seiner Familie zurückkehren. Er handelt mit meiner Erlaubnis und ich wünsche ihm Glück. Das wird er bald genug brauchen, falls Tincommius den Thron besteigt.«

Als der Zenturio Veragus anblickte, entstand ein unbehagliches Schweigen. Der Brite kämpfte Tränen der Scham zurück und streckte Cato die Hand entgegen. Der Zenturio nahm sie und drückte sie fest.

»Es ist in Ordnung«, sagte Cato leise. »Ich verstehe dich. Geh jetzt. Nutze die Zeit, die du noch hast.«

Veragus nickte, ließ Catos Hand los und legte Speer und Schild ab. Mit zitternden Fingern löste er den Riemen seines Söldnerhelms und legte ihn zum Rest der Ausrüstung, die er erst vor wenigen Wochen erhalten hatte. Nach einem letzten Blick auf seine ehemaligen Sachen nickte er Cato zu, stieg den Verteidigungswall hinunter und rannte ins Labyrinth strohgedeckter Hütten davon. Cato blickte auf die verbliebenen Männer.

»Sonst noch einer?«

Keiner rührte sich.

»Gut. Dann übermittelt meine Befehle dem Rest der Kohorte. Mandrax, du bleibst bei mir.«

Während der Zenturio beobachtete, wie seine Männer sich am Wall entlang verteilten, hörte er Macro am Haupttor Befehle brüllen. Cato blickte sich um und sah, dass die Legionäre Wurfspeere gegen die feindlichen Kräfte schleuderten, die ihrerseits den Angriff auf Callevas Eingang verstärkten. Diesmal waren die Stöße eines Rammbocks zu hören, denn nun versuchte der Feind, unter dem Schutz seiner Korbschilde mit aller Gewalt das Tor zu durchbrechen.

32

Die Palisade über dem Tor geriet plötzlich unter einen Hagel von Schleudergeschossen und Pfeilen; die Schleudergeschosse trafen laut krachend auf das Holz und unterlegten die Einschläge der Pfeile mit ihrem eigenen Rhythmus. Aus diesem Getöse erhob sich das Geschrei der Getroffenen. Als Macro sich umblickte, lagen sechs Männer tot oder verwundet auf dem Wehrgang. Trotzdem schleuderten ihre Kameraden weiterhin Speere gegen die Korbschilde unten auf dem Weg und versuchten verzweifelt, sie zu durchschlagen oder wenigstens die Schilde durch stecken bleibende Speere unbrauchbar zu machen. Doch der Erfolg war zu gering, entschied Macro, als ein weiterer Mann von der Palisade zurücktaumelte, einen Pfeilschaft umklammernd, der seinen Wurfarm durchbohrt hatte.

»Geht in Deckung!«, schrie Macro. »Runter mit euch!«

Die Legionäre gehorchten sofort und kauerten sich hinter der Palisade nieder. Silva und seine Schreiber eilten zum Wehrgang hinauf und schleppten tief geduckt die Verwundeten davon. Der Hagel feindlicher Geschosse ließ rasch nach, als die Durotriges merkten, dass es keine Ziele mehr gab. Doch als Macro aufstand, um einen raschen Blick auf die Angreifer zu werfen, erfolgte die Antwort sofort und er musste wieder Schutz suchen, während ein halbes Dutzend Pfeile über die Palisade schwirrte und zwischen den strohgedeckten Hütten niederging. Es blieb ihm nichts anderes übrig, als in Deckung zu bleiben. Macro hatte gesehen, dass die Feinde einige Leitern mitschleppten, und daher würden einige seiner Männer auf der Palisade bleiben müssen. Die anderen würden den Eingang verteidigen, sobald das Tor nachgab. Immer wieder erbebten die Torflügel unter dem Stoß der Ramme, und zwischen den Balken des Wehrgangs über dem Tor lösten sich Staub- und Erdteilchen und prasselten hinunter.

»Erste Unterabteilung, Stellung halten! Der Rest: mir nach!«

Macro huschte geduckt zur Rampe und eilte, vom Rest seiner Männer gefolgt, auf den freien Platz hinter dem Tor. Als er die Straße erreichte, erhielt das Tor einen weiteren Stoß, und zwischen zwei Balken zeigte sich ein Riss, durch den ein Lichtstrahl auf den vom Wehrgang herabrieselnden Staub fiel.

»Silva!«, brüllte Macro.

»Herr?«

»Du und deine Männer, runter vom Wagen!«

»Aber Herr, die Verwundeten ...« Silva zeigte auf die Männer, die auf der Ladepritsche lagen.

»Nehmt sie raus. Schleppt sie zum Lager. Schnell!«

Sobald die Verwundeten ausgeladen waren, befahl Macro seinen Männern, die Schilde abzulegen und sich mit den Schultern gegen die schweren Holzräder zu stemmen. Macro packte mit zwei weiteren Männern das Joch und drehte den Wagen zum Tor herum.

»Dann los, schiebt! Schiebt, ihr Lahmärsche!«

Die Männer stemmten sich keuchend und mit zusammengebissenen Zähnen gegen den großen, schweren Nachschubwagen. Endlich rumpelte das Gefährt mit einem lauten Quietschen vorwärts.

»Nicht nachlassen!«, stöhnte Macro, der das blank gescheuerte Joch weiter zum Tor zerrte. »Los!«

Ein weiterer Schlag ließ das Tor erbeben, und der Riss weitete sich zu einem Spalt, durch den man einen Blick auf den vordersten Feind erhaschte, der mit der Ramme zum nächsten Stoß ausholte. Im letzten Moment nickte Macro den anderen Männern am Joch zu und sie rissen den Wagen mit einem Ruck herum, wobei sie ein kleines Kohlebecken umstießen, das noch einen Rest Glut von der Nacht enthielt. Der Wagen schwenkte rumpelnd herum, kam quer vorm Tor zum Stehen und versperrte somit den Eingang nach Calleva.

»Räumt den Wagen leer. Holt alles außer den Wurfspeeren heraus. Dann schließt die Lücke unter den Rädern mit Stroh. Schnell!«

Die Legionäre machten sich verzweifelt an der improvisierten Barrikade zu schaffen, während die Ramme weiter gegen das Tor krachte und die Balken mit jedem Stoß stärker zersplittern ließ. Schon der nächste Rammstoß beschädigte den Riegel, der auf der einen Seite aus seiner Halterung sprang und zwischen Tor und Wagen zu Boden fiel.

»Das war's!« Macro griff seinen Schild, zog sein Schwert und wandte sich seinen Männern zu. »Diese Unterabteilung, mit mir in den Wagen. Figulus, deine Unterabteilung hinter den Wagen. Wenn einer versucht, unter dem Wagen oder links und rechts davon durchzukommen, bringt ihn um.«

»Jawohl, Herr.«

»Ihr anderen – und ihr da oben auf dem Wall! Zurück ins Nachschublager und macht alles für uns bereit. Wir halten hier noch kurze Zeit die Stellung und fliehen dann zu euch. Los!«

Während der größte Teil der Legionäre in einer losen Truppe die Straße entlang zum Lager rannte, machten Macro und seine Nachhut sich für den ungleichen Kampf bereit. Der Zenturio kletterte in den Wagen und schnappte sich einen Speer. Die nur noch aus fünf Mann bestehende Unterabteilung versammelte sich rechts und links von ihm, die Schilde erhoben und die Speere bereit, um sie den Feinden ins Gesicht zu stoßen, wenn sie in den Wagen eindringen wollten. Wieder traf die Ramme das Tor, und da die Flügel nun von keinem Riegel mehr gehalten wurden, brachen sie mit einem protestierenden Kreischen auf, wobei das lose Ende des Riegels in einem kurzen Bogen über die gestampfte Erde schleifte. Im selben Moment stießen die Durotriges ein Triumphgebrüll aus. Sie ließen die Ramme fallen, deckten sich mit ihren Schilden, packten ihre Waffen und drängten nach innen. Die zerbrochenen Balken lagen mit ihren scharfkantigen Bruchstellen kreuz und quer am Boden, und durch das Drängen der Nachfolgenden stürzten die ersten Angreifer in diesem Durcheinander. Zwei Männer schrien vor Qual, als sie von den Balken aufgespießt und schließlich von ihren Kameraden, die nach dem Blut der Römer dürsteten, niedergetreten wurden.

Als die ersten Reihen der Durotriges über die Gefallenen hinwegstiegen, die sich auf den blutigen Holzschäften wanden, hob Macro den Speer und stieß ihn dem vordersten Mann ins Gesicht. Der Krieger wich seitlich aus und rollte sich unter den Wagen. Macro beachtete ihn nicht weiter, zielte auf den nächsten Feind, durchbohrte dessen Schulter, riss die Eisenspitze wieder heraus und stieß sie erneut in das wogende Meer wild verzerrter Gesichter. Links und rechts von ihm blockten die Legionäre die Schwerthiebe und Speerstöße mit ihren breiten Schilden ab und stachen ihrerseits auf den Feind ein. Ihre Mienen waren zur Grimasse erstarrt, gezeichnet vom verzweifelten Kampf gegen einen übermächtigen Feind. Vor Macros Augen umklammerte eine Hand die Wand der Ladepritsche. Der Zenturio schleuderte seinen Speer in die dichte Masse von Feinden, die durchs Tor drängte, packte dann eilig sein Schwert, hieb auf die Hand ein und trennte die Finger ab. Der Mann stürzte neben dem Wagen zu Boden und barg die verstümmelten Knöchel an der Brust. Doch Macro erblickte zu beiden Seiten immer mehr Feinde, die schon zu nah für einen Speerstoß waren und versuchten, über die Wand der Ladefläche zu klettern.

»Schwerter ziehen! Die Schwerter raus!«

Die Männer ließen ihre Wurfspeere fallen, rasselnd fuhren die Schwerter aus den Scheiden, und dann hieb und stieß die kleine Legionärsgruppe auf die Kelten ein, die nun so nah waren, dass ihr unverkennbarer Geruch jeden Atemzug erfüllte. Hinter ihnen stießen Figulus und seine Abteilung mit dem Speer nach jedem Angreifer, der versuchte, sich um den Wagen herum oder unter ihm hindurchzuarbeiten.

Einer der Männer, der an Macros Seite kämpfte, stieß einen Schrei des Entsetzens aus, und der Zenturio erfasste mit einem raschen Blick, dass der Legionär aus dem Wagen gezerrt wurde. Er stürzte zu Boden und wurde von den Durotriges in Stücke gehauen. Macro beugte sich vor, stieß seine Klinge in eine ungeschützte Kehle, riss sie zurück und schrie über die Schulter: »Figulus!«

»Herr?«

»Zünde das Stroh an! Und dann raus hier mit deiner Abteilung!«

Macro hielt mit immer größerer Wildheit die Stellung und stach und hieb auf seine Feinde ein, das Gesicht zähnefletschend verzerrt. Er fühlte sich von einer sonderbaren Energie durchströmt, gleichzeitig verbunden mit einer inneren Ruhe. Das hier war sein Leben. Das hier war seine große Stärke, das Einzige im Leben, das eine unproblematische Wahrheit war: Er war zum Kämpfen geboren. Und obgleich ihm wahrscheinlich bald ein gewaltsamer Tod bevorstand, war er zufrieden und glücklich.

»Kommt schon, ihr Wichser!«, schrie Macro, die Augen in wilder Begeisterung aufgerissen, in die Gesichter der Durotriges. »Besser könnt ihr es nicht, ihr Schlappschwänze? Versager seid ihr!«

Der Legionär, der neben ihm kämpfte, warf seinem Zenturio einen beunruhigten Blick zu.

»Was glotzt du?«, fuhr Macro ihn an und hieb gleichzeitig die Klinge einem Feind ins Gesicht, dessen Haut aufplatzte wie eine überreife Melone. »Du brauchst nur die richtige Einstellung!«

»Herr!« Der Legionär wich vor dem Feind zurück. »Sieh doch! Feuer!«

Zwischen den Bodenbrettern der Pritsche kräuselte sich Rauch nach oben, und ein rotes Glühen schimmerte durch. Auf allen Seiten wurde der Wagen nun von Rauchschleiern umwabert, und einer der Legionäre schwang bereits das Bein über die hintere Pritschenwand.

»Bleib, wo du bist!«, brüllte Macro ihn an. »Keiner haut hier ab, bis ich es befehle.«

Der Mann drehte sich schuldbewusst um und stach heftig auf einen feindlichen Krieger ein, der über den Rand taumelte und zu seinen Füßen niederbrach. Unter ihnen knisterte das trockene Stroh, die Flammen breiteten sich rasch aus und der Qualm verdichtete sich um den Wagen zu einer beißenden Wolke. Macros Augen brannten und tränten so heftig, dass er sie kaum offen halten konnte. Und trotzdem warfen sich die Durotriges unglaublicherweise noch immer nach vorn, stürzten durch die unter dem Wagen emporleckenden Flammen, zerrten sich an der Pritschenwand hoch und spuckten ihren römischen Feinden hustend und würgend ihre Kriegsschreie entgegen. Macro war von orangerot waberndem Qualm umgeben, und die Legionäre waren nur noch schattenhafte Gestalten, die sich vor den zu allen Seiten auflodernden Flammen abhoben. Plötzlich wurden Macros Beine glühend heiß und mit einem Blick nach unten sah er, dass die ersten Flammen durch den Wagenboden emporleckten.

»Raus! Los! Zurück zum Lager! Marsch!«

Die Legionäre drehten sich um, kletterten über die Pritschenwand und sprangen über die Flammen hinweg auf die

Straße. Macro trat an eine Stelle, die noch nicht brannte, und vergewisserte sich mit einem raschen Blick nach hinten, dass der Feind ihnen nicht durchs Feuer folgen konnte. Dann warf er Schild und Schwert auf die Straße und sprang hinterher. Er krachte zu Boden, fiel unglücklich auf die Seite und spürte, wie ihm die Luft beim Aufprall aus der Lunge gepresst wurde. Einen Moment lang konnte er nicht Atmen, und als er dann endlich nach Luft schnappte, brannte der Qualm in seiner Brust. Macro würgte, doch jemand packte ihn und riss ihn auf die Beine. Er blinzelte die Tränen aus den Augen und erblickte Figulus.

»Los, Herr!«

Figulus drückte Macro Schwert und Schild in die Hände und zerrte ihn vom lodernden Wagen weg.

»Du solltest doch ... bei deinen ... Männern sein«, stieß Macro heraus.

»Mit denen ist alles in Ordnung, Herr. Ich hab sie vorausgeschickt.«

»Warte!« Macro blickte sich zum Tor um. Der Wagen brannte lichterloh und die leuchtend roten Flammenzungen leckten laut prasselnd bis zum Wehrgang hinauf. Der Zenturio nickte zufrieden. Vorläufig war das Tor versperrt. Doch der Feind würde nicht lange brauchen, um stattdessen den Wall zu erklimmen; Macro hatte den Verteidigern nur eine kurze Frist erkauft. »Los geht's.«

Sobald Cato die Stöße des Rammbocks hörte, erteilte er den Befehl zum Rückzug. Mandrax gab mit dem Schwenken der Standarte das Signal. Die am Verteidigungswall entlang aufgestellten Männer zogen sich daraufhin von der Palisade zurück und eilten durch die Gassen Callevas zum Nachschublager. Cato vergewisserte sich mit einem letzten Blick, dass jeder Krieger das Signal gesehen und verstanden hatte, gab Mandrax einen Wink und stieg mit ihm vom Verteidigungswall zum zehn Schritt breiten Graben hinunter, der Callevas Verteidigungsanlagen von innen umlief. Sie eilten auf eine Lücke zu, die sich zwischen den Eingeborenenhütten auftat. Eine schmale, gewundene Straße führte sie in die Mitte der Stadt. Im Lauf bemerkte Cato ängstliche Gesichter, die aus den Eingängen die Vorbeistürmenden beobachteten. Die Einwohner Callevas würden früh genug merken, dass das Schlimmste eingetreten war, doch im Moment konnte er nichts für sie tun; er hatte ihnen keinerlei Trost zu bieten. Daher beachtete er sie nicht, als er mit Mandrax zur letzten Verteidigungsstellung zurückrannte. Wenn sie das Lager erreichten, würden sie sich dem Feind so lange wie möglich entgegenstellen und dann sterben.

Cato war überrascht, wie gelassen er die Aussicht auf seinen bevorstehenden Tod hinnahm. Er hatte Schlimmeres befürchtet. Seine schlimmste Vorstellung war gewesen, dass die Angst ihn am Ende gänzlich lähmen würde. Doch im Moment hatte Cato keine andere Sorge, als Tincommius und die Durotriges so lange wie möglich aufzuhalten.

Die schmale Gasse öffnete sich plötzlich zu einer breiteren Straße, die Cato als den Verbindungsweg zwischen Haupttor und königlicher Umfriedung erkannte. Mehrere Männer seiner Kohorte rannten vorbei, und er und Mandrax schlossen sich ihnen an. Ein Stück weiter zweigte eine Straße zum Nachschublager ab, und sie bogen ein und sahen Ströme von Legionären und eingeborenen Verbündeten, die ebenfalls zum Depot eilten. Nahezu alle trugen noch Schild und Waffen, wie Cato stolz feststellte. Dies hier mochte vielleicht wie eine wilde Flucht aussehen, war aber in Wirklichkeit ein geordneter Rückzug, und nach ihrer Ankunft im Lager würden die Männer bereit sein, es noch einmal mit dem Feind aufzunehmen. Cato stieß nun auch auf die letzten vom Haupttor Callevas zurückeilenden Legionäre.

»Hat jemand Macro gesehen?«, rief Cato laut. Einer der

Legionäre wandte sich zu ihm um und Cato zeigte auf ihn.
»Du da! Wo ist Macro?«

»Weiß nicht, Herr. Als ich ihn zum letzten Mal sah, hat er mit ein paar Männern das Tor verteidigt.«

»Ihr habt ihn da zurückgelassen?«

»Er hat es uns befohlen!«, erwiderte der Legionär verärgert. »Sagte, er würde nachkommen, Herr.«

»Gut ... Geh jetzt rein und stell dich mit den anderen auf.«

Cato blickte die Straße hinunter, die zum Haupttor führte. Hundert Schritt entfernt bogen zwei Gestalten um eine Hütte und rannten auf Cato zu. Figulus, der größer und drahtiger war, hatte einen kleinen Vorsprung vor Macro, der mit seinen kräftigen, muskulösen Beinen heftig arbeitete, um Schritt zu halten. Gleich darauf erreichten sie Cato und schnappten nach Luft.

»Alles in Ordnung?«, fragte Cato.

Macro blickte heftig atmend auf. Sein Gesicht war rußgeschwärzt und die Härchen auf Armen und Beinen versengt. Der scharfe Geruch verbrannten Haars hing noch immer an ihm und Cato verzog das Gesicht.

»Du solltest mal den anderen Kerl sehen ...«, meinte Macro kichernd und brach dann in raues Gelächter aus. Er krümmte sich einen Moment lang und blickte sich, sobald der Hustenanfall vorüber war, nach Figulus um.

»Hätte fast vergessen ... Du hast einen Strafdienst vor dir, Herzchen. Verweigere noch einmal einen Befehl, und ich lasse dich auspeitschen.«

»Jawohl, Herr. Ich wollte nur ...«

Hinter dem Tor des römischen Lagers war ein Tumult ferner Stimmen zu hören.

Irgendetwas lief schief. Der Eingang des Lagers war mit Männern verstopft, die durchs Tor auf die Straße hinausdrängten, und die beiden gegenläufigen Menschenströme blockierten sich in einem hoffnungslosen Durcheinander. Aus dem Gedränge stiegen Schreie der Wut und Verzweiflung auf.

Cato drängte sich vor. »Ruhe! Ruhe da!«, brüllte er. Die meisten schwiegen nun und die Gesichter wandten sich ihm zu.

»Was ist los? Jemand soll Bericht erstatten!«

»Sie sind drinnen!«, schrie jemand. »Die Drecksäcke sind ins Lager eingedrungen!«

Über die Köpfe der dicht gedrängten Menschenmasse hinweg, die das Tor versperrte, blickte Cato am Verwaltungstrakt vorbei auf den Getreidespeicher im hinteren Bereich des Lagers. Jenseits davon kletterten Schwärme von Durotriges über den Verteidigungswall herein. Mehrere Leichen in roten Tuniken lagen neben der Palisade, und eine Hand voll weiterer Legionäre, die sich dem Einfall entgegenstellte, wurde gerade niedergemacht. Die Verteidiger gehörten ursprünglich zu den nicht kämpfenden Truppenteilen, und die Ängstlicheren unter ihnen hatten bereits die Waffen weggeworfen und flohen quer durchs Lager zum Ausgang, um der johlenden Menge feindlicher Krieger zu entkommen, die über den Exerzierplatz ausschwärmten und auf die verbliebenen Verteidiger am Tor zustürmten.

33

»Wenn ihr wisst, was gut für euch ist, lasst ihr mich sofort zum Legaten.« Der Fremde starrte den Optio, der von zwei Legionären flankiert wurde, wütend an. Die drei sahen aus wie jene abgehärteten Veteranen, denen selbst der abgebrühteste Kriminelle in Rom vorsichtig aus dem Weg ging. Folglich ließ die Miene des Optios beim Anblick des schlammbespritzten Individuums in der verdreckten Tunika, das bei Einbruch der Abenddämmerung am Lagertor aufgetaucht war, auch nur einen winzigen Hauch von Verunsicherung erkennen. Der kleine Selbstzweifel entsprang dem patrizierhaften Akzent des Fremden. Eine solche Aussprache musste ein kleines Vermögen gekostet haben, es sei denn natürlich, der Mann war ein Schauspieler.

»Für wen hältst du dich eigentlich, Kumpel?«, fragte der Optio.

»Nun gut.« Der Mann sprach mit äußerster Gelassenheit. »Ich bin Tribun Caius Quintillus.«

»Mir kommst du eher nicht wie ein Tribun vor.«

»Weil ich die ganze Nacht und den ganzen Tag geritten bin, um hierher zu kommen.«

»Warum?«

»In Calleva gibt es so eine Art Notsituation.«

»Ach ja?«

»Ja. Die Garnison wird angegriffen, und das sollte der Legat wissen, damit er Zenturio Macro Hilfe schicken kann.«

»Macro? Oh, na, dann ist es etwas anderes. Wenn Macro in Schwierigkeiten steckt, solltest du dich besser beeilen.« Der Optio wandte sich einem seiner Männer zu: »Bring ihn zum Hauptquartier.«

Quintillus schluckte seinen Ärger runter und folgte dem Legionär durch das Tor des Marschlagers der Zweiten Legion zum Zeltkomplex, in dem der Legat sein Hauptquartier hatte. Den verdammten Optio konnte er später immer noch fertig machen. Jetzt aber musste er Vespasian über die Lage informieren, in der Calleva steckte, solange es noch eine Chance gab, die atrebatische Hauptstadt zu retten. Anschließend konnte der Tribun vielleicht auch etwas politisches Kapital aus der Situation schlagen. Schließlich hatte er sein Leben riskiert, um Vespasian diese Nachricht zu überbringen. Nicht, dass er bei seinem verzweifelten Ritt irgendeine Feindberührung gehabt hätte, aber es hätte ja passieren können. Mut, so rief er sich in Erinnerung, besteht darin, dann, wenn die Wahrscheinlichkeit einer Gefahr gegeben ist, trotzdem zu handeln. Er hatte gehandelt und sich damit auch das angemessene Maß an Bewunderung verdient. Das hob seine Stimmung ungeheuerlich, und als er im Hauptquartier des Tribuns eintraf, badete er in der warmen Glut seiner hohen Selbstachtung.

»Wer bist du, verdammt noch mal?«, schnauzte Vespasian den Unbekannten an, sobald man ihn in sein Zelt vorgelassen hatte. Der Legat saß hinter seinem Schreibtisch und bereitete im letzten Licht der untergehenden Sonne die Befehle für den nächsten Abschnitt des Feldzugs vor. In zwei Tagen würde die Zweite Legion wieder westwärts marschieren, um eine Kette von Bergfestungen an der Nordgrenze des Gebiets der Durotriges zu zerstören. Danach würde sie den Angriff nach Süden lenken und auf dem Weg zur Küste alles vernichten, was sich ihr in den Weg stellte. Irgendwann würden die Durotriges um Frieden bitten müssen und Caratacus hätte einen Verbündeten weniger.

Vespasian hatte gerade einen Bericht über den Zustand der Katapulte der Legion durchgelesen und sich ein leichtes Abendessen aus kaltem Hähnchenfleisch und Wein bringen lassen, bevor er sich wieder an die Arbeit machte. Er aß weiter, während der unwillkommene Besucher sich vorstellte.

»Tribun Caius Quintillus, Herr. Ein Mitglied von General Plautius' Stab.«

»Hab noch nie von dir gehört.«

»Ich bin erst vor einem Monat in Britannien eingetroffen. Als Ersatzmann.«

Vespasian hob eine Augenbraue. »Du wirkst hier nicht ganz am rechten Ort, Tribun. Erzähl mir jetzt bloß nicht, du warst auf der Jagd und hast dich verirrt.«

»Nein, Herr.«

»Sondern?«

»Ich wurde vom General beauftragt, die Lage in Calleva zu sondieren.«

»Verstehe.« Vespasian starrte ihn einen Moment lang nachdenklich an. Der Gedanke, dass Aulus Plautius sich mit einer Stadt beschäftigte, die im Operationsgebiet der Zweiten Legion lag, erfüllte ihn mit Unbehagen. Sofort fragte sich Vespasian, ob er irgendetwas übersehen hatte. Nach seiner Erinnerung hatte Zenturio Macro nichts von irgendwelchem Ärger mit den Atrebates erwähnt. Und doch stand da nun dieser Mann, der sich als Tribun ausgab, und behauptete, der General habe es für nötig erachtet, einen so hochrangigen Offizier nach Calleva zu senden, um die Lage einzuschätzen und ihm Bericht zu erstatten. Irgendetwas stimmte nicht, und Vespasian begriff, dass er Vorsicht walten lassen musste, bis der genaue Grund für die Sorge des Generals erkennbar wurde. Er schenkte dem Tribun ein schwaches Lächeln. »Wie ich annehme, wird die Situation die Zustimmung des Generals finden.«

»Wohl kaum.« Quintillus wirkte erschöpft. »Als ich die Stadt verließ, standen die Durotriges kurz vor dem Angriff. Wenn wir nicht rasch handeln, Herr, wird Calleva in Feindeshand fallen.«

Vespasian hatte nach seinem Weinglas gegriffen, doch jetzt erstarrte seine Hand mitten in der Bewegung.

»Wie bitte?«

»Calleva wird angegriffen, Herr. Das ist nach dem gestrigen Stand der Dinge äußerst wahrscheinlich.«

Vespasian vergaß sein Weinglas, lehnte sich in seinen Feldstuhl zurück und zwang sich, gelassen zu bleiben. »Was genau ist gestern passiert?«

Tribun Quintillus beschrieb kurz die Vernichtung der beiden Einheimischenkohorten, den fluchtartigen Rückzug nach Calleva und seine eiligen Befehle für die Verteidigung der Stadt. In möglichst bescheidenem Tonfall berichtete er anschließend von seinem freiwilligen Ritt durch die feindlichen Linien, um die Zweite Legion zu benachrichtigen, dass die Garnison in Calleva Hilfe brauchte. Als Quintillus geendet hatte, rieb er sich beiläufig die Augen und drängte mit dem Handrücken ein Gähnen zurück.

»Da ist ja einiges passiert«, bemerkte Vespasian gleichmütig. »Du musst erschöpft sein. Ich lasse dir etwas zu essen bringen. Dann kannst du dich ausruhen.«

»Ja, Herr. Aber die Garnison … wir müssen ihr sofort beispringen.«

»Gewiss. Verica braucht unsere Unterstützung.«

»Verica? Verica ist verwundet worden. Schlimm. Als ich ihn das letzte Mal sah, wirkte er dem Tode recht nahe.«

»Du hast den König in diesen Hinterhalt reiten lassen?«, fragte Vespasian mit eisiger Stimme.

»Nein, Herr«, antwortete Quintillus rasch. »Er wurde von einem seiner Edelleute angegriffen.«

Vespasian unterdrückte seinen wachsenden Zorn. Jedes Mal, wenn der junge Tribun den Mund aufmachte, wurde die Lage schlimmer. »Ich hoffe, dass du mir nicht noch mehr zu berichten hast.«

Der Tribun schüttelte den Kopf und zeigte dann auf einen Stuhl an Vespasians Tisch. »Darf ich mich setzen, Herr?«

»Was? Oh, ja. Ja, natürlich.«

Während der erschöpfte Tribun sich in den Feldstuhl sinken ließ, rasten Vespasians Gedanken, denn dieses Desaster betraf nicht mehr nur die Garnison in Calleva, sondern seine ganze Legion. Der Vormarsch nach Westen musste aufgeschoben werden.

»Wie stark war die feindliche Truppe?«

»Tausend, vielleicht auch zweitausend Mann«, schätzte Quintillus.

»Aber nicht mehr?«

»Nein, Herr.«

Vespasians Stimmung hob sich ein wenig. »Nun, damit können wir fertig werden. Es ist verdammt lästig und wird meinen Vorstoß verzögern, aber damit lässt sich leben. Wir werden uns zuerst mit den Durotriges befassen.«

»Ähm …« Quintillus blickte mit nervöser Miene auf. »Leider gibt es da eine kleine Komplikation, Herr.«

Vespasian presste die Lippen zusammen und unterdrückte den Impuls, den Tribun tüchtig zusammenzustauchen. Dann fragte er ruhig: »Was für eine Komplikation denn, Tribun?«

»Unter den Atrebates gibt es gewisse Elemente, die sich mit dem Feind verbünden und den Stamm dabei mitnehmen wollen. Sie standen auch hinter dem Angriff auf Verica.«

»Verstehe.« Die Lage war also weit schlimmer als angenommen. Selbst wenn Calleva den Durotriges in die Hände fiel, könnte Vespasians Legion die Feinde schnell vertreiben und die Lage in den Griff bekommen. Wenn sich aber der ganze Stamm überreden ließ, sich gegen Rom zu kehren, befände sich nicht nur die Zweite Legion in großer Gefahr, sondern auch General Plautius und die anderen drei Legionen.

Vespasian verfluchte lautlos den Tribun. Wenn er nicht sofort handelte, die Durotriges besiegte und die atrebatischen Edelleute entfernte, die gegen Rom intrigierten, bestand die ernst zu nehmende Gefahr, dass der Kaiser bald zwanzigtausend Legionäre und ebenso viele Söldner verlor. Augustus hatte die Niederlage des Generals Varus und seiner zwei Legionen damals mit Mühe und Not verkraftet. Doch Augustus hatte Legionen und Reich sicher regiert. Claudius genoss kein vergleichbares Ansehen, und im Gefolge einer solch schrecklichen militärischen Niederlage würde er fast mit Sicherheit vom Thron gefegt werden. Wie sähe dann Roms Zukunft aus? Bei dieser Aussicht stiegen eiskalte, dunkle Ängste in Vespasian auf ...

Plötzlich merkte er, dass er die letzten Worte des Tribuns nicht mitbekommen hatte. »Entschuldigung?«

»Ich sagte, dass wir uns auch mit diesen Leuten befassen müssen, Herr – mit den atrebatischen Verrätern.«

»Zweifellos«, stimmte Vespasian zu. »Wer ist im Falle von Vericas Tod der Nachfolger?«

»Nun, da gibt es noch ein weiteres Problem, Herr.«

Diesmal konnte Vespasian sich nicht mehr beherrschen und schlug mit der Faust auf den Tisch. Er starrte Quintillus wütend an und trommelte ungeduldig mit den Fingern auf der Platte herum. Dann nickte er dem Tribun mit erzwungener Gleichmütigkeit zu: »Fahre fort.«

»Der Edelmann, der Verica überfiel – Artax –, war als sein Nachfolger vorgesehen.«

»Und dieser Artax hat nun den Thron eingenommen?«

»Nein, Herr. Er wurde von Zenturio Macro und Zenturio Cato bei seiner Tat erwischt und sofort getötet.«

»Dann ist Vericas Nachfolge also offen?«, fragte Vespasian. »Wer wäre deiner Meinung nach der geeignetste Nachfolger?«

Der Tribun antwortete ohne zu zögern: »Vericas Neffe scheint mir die beste Wahl: Tincommius. Ich habe den königlichen Rat nach Artax' Tod überredet, ihn zu Vericas Thronfolger zu wählen.«

»Wie ist dieser Tincommius?«

»Jung, aber intelligent. Er weiß, dass wir gewinnen werden. Wir können mit Sicherheit auf ihn zählen. Er wird Rom die Treue halten.«

»Das würde ich ihm um seines Stammes willen auch raten. Sollte er nach der Neuordnung der Dinge sein Volk nicht endgültig unter Kontrolle halten können, gehe ich kein weiteres Risiko mehr ein. Dann ist das Ende des atrebatischen Königreichs gekommen. Ich annektiere es im Namen Roms, entwaffne den Stamm und mache Calleva dauerhaft zur Garnisonsstadt.«

Quintillus lächelte; der Legat spielte ihm unwissentlich in die Hände und verbesserte seine Aussichten auf eine Lage, in der er seine prokuratorischen Vollmachten ausspielen konnte. »Das erscheint mir als das Klügste, Herr.«

Vespasian lehnte sich in seinem Stuhl zurück und rief nach seinem Oberschreiber. Gleich darauf schlüpfte der Mann, mit einer Wachstafel gerüstet, eilig durch die Zeltklappe herein.

»Lass sofort alle Stabsoffiziere rufen.«

»Alle, Herr?«

»Jeden einzelnen. Einen Moment noch.« Vespasian ging eilig seine Papiere durch, bis er den jüngsten Mannstärkebericht in der Hand hielt. Er überflog ihn rasch und fuhr dann fort: »Ich möchte, dass sich die folgenden Kohorten marschbereit aufstellen: die Kommandos Labeo, Genialis, Pedius, Pollio, Veiento und Hortensius. Sechs Kohorten sollten ausreichen. Sie sollen Waffen und Ausrüstung, Wasserflaschen und minimale Essensrationen mitführen. Sonst nichts, verstanden? Es handelt sich um einen Gewaltmarsch, und die Kommandanten der Kohorte sollen jeden Mann zurücklassen, an dessen Einsatzfähigkeit Zweifel bestehen. Nachzügler werden nicht geduldet.«

Der Schreiber konnte seine Bestürzung über diese Anweisungen nicht verhehlen, doch Vespasian war nicht bereit, ihn aufzuklären. Es gehörte sich nicht, dass ein Legionskommandant einem Untergebenen seine Befehle erläuterte. Er war entschlossen, seinen Männern gegenüber so viel Distanz wie nur möglich zu wahren. Er hatte sich diesen Abstand mühsam erarbeitet und oft genug in unbedachten Momenten gedankenlos aufgegeben, was ihn hinterher stets tagelang quälte.

»Sonst noch etwas?«, fragte der Schreiber.

»Nein. Und jetzt marsch!«

Als die letzten Strahlen der Abendsonne am Horizont erloschen, ging eine schmale Mondsichel am Himmel auf. Es dauerte eine Weile, bis die Augen sich an das bleiche Mondlicht gewöhnten und die Landschaft zu einem monochromen Flickenteppich aus Feldern, Wäldern und Hügeln zerfiel. Aus dem Osttor des Marschlagers schlängelte sich eine lange Kolonne auf den Weg zum dreißig Meilen entfernten Calleva. Beinahe dreitausend Legionäre marschierten in loser Marschordnung, und das Klirren ihrer Ausrüstung wurde vom Stampfen der eisenbeschlagenen Stiefel auf dem trockenen Boden fast übertönt. Vespasian ritt hinter der vordersten Kohorte und einige Stabsoffiziere und Quintillus folgten in einer losen Gruppe.

Wenn Vespasian die Männer tüchtig antrieb, konnten sie am Abend des nächsten Tages in Calleva eintreffen. Für seine vom langen Marsch erschöpften Männer mochte es ein harter Kampf werden, doch schließlich waren sie Legionäre und zu größter körperlicher Tüchtigkeit gedrillt. Erschöpft oder nicht, ein paar tausend Durotriges würden sie allemal gewachsen sein.

34

»Verdammt, wie konnte denn …?«, murmelte Cato.

»Egal«, schnauzte Macro ihn an. »Wir müssen hier raus.«

»Hier raus?«, Cato sah ihn ungläubig an. »Und wohin?«

»Königliche Umfriedung. Einen anderen Ort gibt es nicht mehr.«

»Aber was ist mit unseren Verwundeten?« Cato zeigte

auf den Lazarettblock. »Wir können sie nicht im Stich lassen.«

»Für diese Männer können wir nichts mehr tun«, erklärte Macro fest. »Nichts. Jetzt lass deine Kohorte Aufstellung nehmen. Sie sollen die Reihen schließen und unmittelbar hinter meiner Zenturie herkommen.«

Macro schob Cato auf die Überlebenden der Wolfskohorte zu und erteilte dann die Befehle für seine eigenen Männer: »Reihen schließen. Viererkolonne vor dem Tor bilden. Marsch!«

Während die Legionäre sich eilig an ihren Platz begaben, rief Cato seine Befehle auf Keltisch. Von den Rufen der Abteilungsführer angetrieben, stellten sich die beiden Einheiten auf dem Weg hinter dem Tor auf und schlossen die Reihen, bis eine lückenlose Kolonne entstanden war, die Front und linke Seite mit einer Schildreihe deckte. Macro blickte sich nach Figulus um.

»Optio! Du bist doch so verdammt scharf aufs Zurückbleiben, da kannst du jetzt die Nachhut kommandieren. Nimm dir zwei Abteilungen. Sie sollen die Reihen geschlossen halten, und pass auf, dass kein einziger Feind an euch vorbeikommt.«

»Jawohl, Herr!« Figulus trabte zurück, um seinen Platz einzunehmen.

Sobald die Formation stand, schob Macro sich zur vordersten Reihe durch. »Kolonne!«, rief er die Männer zur Aufmerksamkeit und wartete, bis Cato den Ruf für seine Eingeborenen wiederholt hatte: »Marsch!«

Schilde, Helme und Speerspitzen bewegten sich in einer einzigen Welle vorwärts, und die Straße hallte vom Marschtritt genagelter Sohlen wider. Dahinter kamen die Wölfe, die leichter bewaffnet waren und denen der Gleichschritt mit ihren Legionärskameraden nicht recht gelang. Cato marschierte am Ende seiner Kolonne und blickte sich nach den Durotriges um, die im vollen Lauf auf die Nachhut zustürmten, welche sich von innen vors Lagertor gestellt hatte. Der Wurfbefehl für die Speere war überflüssig: Die Männer schleuderten die Waffen, sobald der Feind in Reichweite war, und etliche Durotriges wurden von den schweren Eisenspitzen durchbohrt. Doch sie entschwanden unmittelbar nach ihrem Sturz den Blicken, da die Krieger dahinter über sie hinwegwogten, begierig, sich auf die kleine Kolonne zu stürzen, die auf die königliche Umfriedung zumarschierte.

»Nehmt die ganze Straßenbreite ein!«, brüllte Macro an der Spitze und wies seinen Leuten mit einer eiligen Schwertbewegung ihre Positionen so an, dass sich ein lückenloser Schildwall zwischen den Häusern erstreckte. Bevor die Nachhut aus dem Nachschublager abziehen konnte, stürmten die Durotriges gegen sie an und hieben mit ihren Langschwertern auf die rechteckigen Schilde ein. Beide Seiten kämpften schweigend; die Durotriges waren atemlos vom schnellen Lauf und die Römer schwiegen vor grimmiger Verzweiflung. Das Klirren der Schwerter und ihr dumpfer Aufprall auf den Schilden klang in Catos Ohren mehr nach Waffentraining als nach einem gnadenlosen, verzweifelten Kampf. Nur die Schreie der Verwundeten verrieten den tödlichen Ernst, mit dem Krieger und Legionäre kämpften. Die Nachhut wusste, was von ihr verlangt war, bewegte sich Schritt um Schritt rückwärts, wehrte feindliche Hiebe ab und stieß nur dann selber zu, wenn ein Gegner mehr Verwegenheit als Vernunft zeigte und den Preis dafür bezahlte.

Vor Macro strömten die Durotriges, denen es gelungen war, die Wälle zu beiden Seiten des brennenden Stadttors zu überwinden, auf die Straße, hieben mit ihren Schwertern auf die römischen Schilde ein und brüllten ihre Schlachtrufe heraus.

»Haltet die Reihen geschlossen!«, schrie Macro über das Getöse hinweg und hob den Schild so hoch, dass er gerade noch über den Rand hinwegspähen konnte. Das Schwert in Hüfthöhe, holte er zum ersten Stoß aus. Der Abstand zwischen der Kolonne und der johlenden Schar der Durotriges verringerte sich langsam, Schritt um Schritt. Als er nur noch zwanzig Fuß betrug, erhob der vorderste Durotrige seinen Speer und warf sich dem Schildwall entgegen. Sofort brachen die anderen Krieger in Schlachtgebrüll aus und stürmten ihrem Kameraden nach.

»Nicht stehen bleiben!«, schrie Macro, als der Mann zu seiner Linken zauderte. »Vorwärts! Bleibt auf gar keinen Fall stehen.«

Die Enge, in der Römer und Durotriges aufeinander stießen, bewirkte, dass der Feind die Legionäre mit seiner zahlenmäßigen Überlegenheit nicht erdrücken konnte. Macro und die anderen Männer an der Spitze rammten ihre Schilde vor, stießen mit dem Schwert zu, erneuerten ihre Deckung und taten den nächsten Schritt, bevor sie die Bewegungsfolge wiederholten, ein automatischer Rhythmus, den sie Hunderte von Malen geübt hatten. Die Durotriges griffen wild und mutig an, waren den Römern aber nicht gewachsen. Sie wurden zurückgedrängt oder niedergestochen und unter den Stiefeln der Marschierenden zerstampft.

Hier und dort fand ein Speerstoß oder Schwerthieb eine Lücke im Schildwall und traf den Legionär dahinter. Jeder Mann, der so schwer verwundet war, dass er nicht mehr weitermarschieren konnte, fiel zu Boden, und sein Platz wurde rasch von einem Ersatzmann aus den dahinschmelzenden Reservereihen eingenommen, damit im Schildwall keine Lücke entstand. Die Verwundeten wurden zurückgelassen, und jeder Vorbeimarschierende begegnete dem Blick seiner zu Boden gestreckten Kameraden und nahm ein letztes Lebewohl mit. Als die Nachhut an ihnen vorbeirückte, schützten die Verwundeten sich mit ihren Schilden und machten sich zum letzten Kampf bereit. Es war grausam, dachte Cato, wirklich grausam. Doch auch wenn er selbst liegen bliebe, würde er nicht von seinen Männern erwarten, dass sie ihr Leben für ihn aufs Spiel setzten – oder für irgendeinen anderen Verwundeten. Denn damit wäre das Schicksal aller besiegelt.

Die Nachhut wich stetig vor dem Feind zurück, der sie durchs Tor drängte und auf die hintere Front der Kolonne einhieb, um den Schildwall zu durchbrechen und die kleine römische Truppe in Stücke zu hauen. Figulus, der größer und kräftiger war als die meisten Legionäre, schritt in der Mitte der Reihe und hielt seine Männer mit einem steten Befehlsstrom zusammen, während er gleichzeitig Hiebe mit dem Schild parierte und sein Schwert ins Gewimmel der herandrängenden Feinde stieß.

Schritt für Schritt kämpften die Legionäre und die Wölfe sich zur Einmündung ihrer Gasse in die Hauptstraße Callevas voran. Bald war die harte Erde unter ihren Füßen glitschig vom Blut der Toten und Verwundeten, und der widerliche Geruch des Blutes vermischte sich mit dem Gestank aufgewühlter Erde. Von seiner Position in der Mitte der Kolonne, wo er nicht unmittelbar in einen Schlagabtausch verwickelt war, konnte Cato sehen, dass sie die vom Tor zur königlichen Umfriedung führende Hauptstraße erreicht hatten.

»Cato! Cato!« Macros Stimme erhob sich über den Schlachtlärm.

»Herr?«

»Sobald wir die Gabelung freigekämpft haben, nimmst du deine Männer und räumst den Weg zur königlichen Umfriedung frei.«

»Jawohl, Herr.«

Die Legionäre kämpften sich langsam vorwärts und riegelten die Hauptstraße in Richtung Haupttor ab, wodurch sie der Kolonne den Weg zur königlichen Umfriedung öffneten und eine kleine Schar von Feinden von der gegnerischen Haupttruppe abschnitten.

»Jetzt, Cato!«, schrie Macro.

»Folgt mir«, befahl Cato seinen Männern und stürmte die Hauptstraße entlang.

Nur wenige Durotriges bewahrten einen kühlen Kopf und leisteten Widerstand. Doch diese wenigen wurden rasch niedergestreckt. Der Rest ergriff die Flucht, rannte mit entsetzten Blicken auf die Verfolger davon und rettete sich in den Schutz jeder sich öffnenden Nebengasse.

Cato blieb heftig keuchend stehen und sah sich mit weit aufgerissenen Augen und zusammengebissenen Zähnen um. Mandrax stand hinter ihm, die Standarte in der einen Hand und das blutbeschmierte Schwert in der anderen. Der atrebatische Krieger grinste den Zenturio an, stieß die Standarte in den Boden und packte die grauen Locken eines Mannes, den Cato niedergestreckt hatte. Mandrax riss seinen Kopf hoch und holte mit dem Schwert zum Hieb aus.

»Nein!«, schrie Cato. »Jetzt nicht. Holt euch die Häupter später. Wir haben keine Zeit.«

Mit einem Blick des Abscheus ließ Mandrax den Haarschopf des Gegners fahren und nahm seine Standarte wieder auf. Dann sah Cato, dass auch andere Männer seiner Kohorte Köpfe erbeutet hatten und weitere nach einer passenden Gelegenheit Ausschau hielten.

»Werft die Häupter weg!«, schrie Cato auf Keltisch. »Werft sie weg, sage ich! Aufstellen!«

Widerstrebend gehorchten ihm die Männer und bildeten auf der Straße zur königlichen Umfriedung eine solide Rechteckformation. Sobald die Wölfe fertig waren, befahl Cato ihnen, fünfzig Schritt vorzurücken, anzuhalten und dort auf weitere Befehle zu warten. Dann kehrte er eilig zur Gabelungsstelle um. Die Legionäre hielten die feindliche

Truppe, die, so weit Cato sehen konnte, die ganze Straße bis zum Haupttor füllte, recht mühelos zurück.

Plötzlich schob Macro sich zwischen den hinteren Reihen seiner Männer nach vorn. Er bemerkte Cato und nickte in widerwilliger Bewunderung.

»Gute Arbeit ... Führe deine Männer vorwärts und sorge dafür, dass die Straße zur Umfriedung offen bleibt.«

»Jawohl.«

»Sobald meine Leute dicht beim Tor sind, bring deine hinein. Halt dich dann bereit, das Tor zu schließen, sobald der letzte Mann drinnen ist.«

Cato lächelte schwach. »Das wärest dann zufällig du?«

»Los jetzt.«

»Jawohl, Herr.«

Cato eilte wieder zu seiner Truppe und erteilte den Marschbefehl. Sie stießen auf keinen weiteren Widerstand, und die wenigen versprengten Durotriges, die ihnen unter die Augen kamen, rannten beim Anblick Catos und seiner Männer rasch davon. Schließlich bogen sie um die letzte Kehre; dort lag der Eingang der königlichen Umfriedung. Die Torflügel waren geöffnet und mehrere Leibwächter des Königs standen bewaffnet zu beiden Seiten entlang der Palisade. Cadminius wartete im Tor und winkte Cato und seine Männer heran. Cato eilte zu ihm.

»Macro und die letzten unserer Leute kommen gleich nach. Wir müssen das Tor für sie offen halten.«

»Offen halten?« Cadminius schüttelte den Kopf. »Das können wir nicht riskieren. Bring deine Männer rein, und Macro muss sich um sich selbst kümmern.«

»Nein«, entgegnete Cato fest. »Das Tor bleibt so lange offen, wie ich es befehle.«

Cadminius öffnete den Mund zum Widerspruch, doch Catos Augen schimmerten stahlhart, und schließlich blickte der Atrebate zur Seite und nickte.

»In Ordnung … Wir brauchen jeden Mann, um die Um-friedung zu verteidigen.«

»Das ist richtig«, erwiderte Cato ruhig. Er wandte sich seinen Männern zu. »Hinein. Hinter das Tor, die Reihen geschlossen.«

Sobald die Wölfe das Tor passiert hatten, wies Cato Mandrax seinen Standort zu, und die Männer stellten sich um die Standarte auf, der Straße zugekehrt, von wo Kampflärm herüberschallte. Sie mussten nicht lange auf die Legionäre warten. Schon tauchten Macros Männer auf, die sich Schritt für Schritt in geschlossener Formation zurückzogen, dabei die ganze Straßenbreite blockierten und die herandrängenden Durotriges abwehrten, die sich wütend einen Weg durch die Schilde zu bahnen suchten.

»Reicht alle Speere nach vorne durch!«, schrie Cato, und die letzten verbliebenen Speere wurden den Männern in der ersten Reihe in die Hände gedrückt, die daraufhin rasch die Schwerter in die Scheide steckten.

»Ihr verwendet sie wie Lanzen«, erklärte Cato. »Nicht werfen. Vorderste Reihe, Lücken schließen, überlappende Schilde! Zwei Schritt vortreten! Stoßt über den Schildrand weg.«

Die Männer richteten ihre Schilde aus und hoben die Speere in Kopfhöhe. So vergrößerten sie die Reichweite ihrer Waffen und erreichten mit den auf Augenhöhe zielenden Eisenspitzen eine bedrohliche Wirkung. Dann warteten sie schweigend ab und beobachteten durchs Tor, wie ihre römischen Verbündeten zurückwichen. Cato trat zu Cadminius und einer kleinen Gruppe von Kriegern, die bereitstand, das Tor zu schließen, sobald der Befehl dazu erteilt wurde.

Macro rief den hinteren beiden Reihen seiner Mannschaft den Befehl zu, aus der Formation zu treten und die Palisade zu bemannen. Die Männer eilten an den Wölfen vorbei und bestiegen den schmalen Wehrgang zu beiden Seiten des Tors. Die dadurch geschwächte römische Formation gab dem Druck der Durotrigeshorden nun schneller nach, und Cato befürchtete, dass der Widerstand zusammenbrechen würde, bevor Macro und seine Männer die Umfriedung erreichten. Auch der Feind erkannte die Gelegenheit und warf sich mit erneutem Furor hauend und stechend auf die zurückweichenden Gegner. Als die Legionäre endlich die Umfriedung erreichten, brach ihre Formation zusammen und sie wichen taumelnd zurück. Vollkommen erschöpft, wie sie waren, hatten sie aber noch die Umsicht, Catos Leuten nicht den Weg zu versperren. Nun traf Macro ein, einige Legionäre dicht um sich geschart, und stach unter wilden Flüchen mit dem Schwert auf den Feind ein, während er, achtsam Schritt für Schritt zurücksetzend, in die Sicherheit der Umfriedung zurückwich.

Mit einem raschen Blick nach hinten überprüfte Macro die Lage, und nachdem er den Durotriges ein letztes, wildes Gebrüll entgegengeschleudert hatte, rief er seinen verbliebenen Männern zu: »Lauft los!«

Sie machten kehrt und sprinteten durchs Tor, während Cato seine mit Speeren bewaffneten Krieger vorwärtsschickte. Beim Anblick der gefährlichen Eisenspitzen über den Söldnerschilden wichen die Durotriges instinktiv zurück.

»Schließt das Tor!«, schrie Cato und warf sich mit den Schultern gegen die hölzernen Flügel, die von Cadminius und seinen Kriegern eilig zugeschoben wurden. Plötzlich jedoch erbebten die Flügel und wollten fast unter dem erneuten Ansturm der Durotriges aufbrechen.

»Hilfe! Schnell hierher!«, schrie Cato, und die Wölfe stürmten vor und vereinigten sich mit den Männern, die bereits verzweifelt versuchten, das Tor zuzustemmen. Einen Moment lang standen die Torflügel still, zwischen zwei entgegengerichteten Kräften gefangen, doch dann spürte Cato, wie seine Füße rückwärts rutschten.

»Stemmt euch dagegen! Los, ihr Drecksäcke! Mit aller Kraft!«

Weitere Männer kamen dazu, darunter auch Macro und seine Legionäre, und wieder standen die Torflügel still, nicht einmal einen Fuß von der Stellung entfernt, wo der Riegel sich zuschieben ließ. Macro trat zurück und blickte zu den Männern auf der Palisade hinauf.

»Nehmt eure Dolche! Bewerft sie mit allem, was ihr habt. Schmeißt notfalls mit euren verdammten Schwertern nach ihnen.«

Als die Männer die Dolche zogen und in die dichte Masse der Anstürmenden schleuderten, ließ der Feind sich einen entscheidenden Moment lang ablenken, und mit einer letzten Anstrengung schlossen die Verteidiger das Tor und rammten den Riegel in die Verankerung.

Während einige der Männer sich auf den Boden fallen ließen oder vornübergebeugt nach Luft schnappten, zwang Cato sich zum Stehenbleiben. Er hob seinen Schild auf, drängte sich zwischen den Soldaten durch und stieg die kurze Leiter zur Palisade hinauf. Den Schild schützend erhoben, spähte er nach unten und sah, dass die Durotriges sich inzwischen allmählich von der Umfriedung zurückzogen, bis nur noch eine kleine Hand voll mit Schwertern und Speeren auf das Holztor einhämmerte.

»Setzt den Beschuss fort«, befahl Cato den Männern an seiner Seite und beugte sich dann zu den hinter dem Tor Versammelten hinunter. »Reicht alle Speere hier herauf!«

Sobald die eisenbewehrten Schäfte sich ihr Ziel suchten, wurde selbst den entschlossensten Durotriges klar, dass ihr Zorn nutzlos war, und alle flohen außer Wurfweite. Cato nickte befriedigt, stieg wieder hinunter und suchte Macro. Sein Freund saß mit entblößtem Kopf auf dem Boden und untersuchte eine Kerbe oben in seinem Helm. Dann strich er sich mit dem Finger sanft über die Kopfhaut.

»Alles in Ordnung, Macro?«

Der Zenturio nickte benommen. »Wird schon wieder. Einfach nur ein bisschen schwindelig. Irgendein Mistkerl hat mir eins direkt auf die alte Kopfwunde verpasst … Reich mir mal die Hand.«

Cato ergriff den hingestreckten Arm und half seinem Kameraden auf die Beine. Dann blickte er sich suchend unter den Erschöpften um. »Wo ist Figulus?«

»Er hat auf dem Rückweg was abbekommen.«

»Tot?«

»Weiß ich nicht.«

Cato nickte knapp und wandte sich dann dem Tor zu. »Unsere Freunde sind erst einmal verschwunden.«

Macro nickte und blickte zum Himmel auf. Die Sonne ging unter und ein schimmernder Orangeton überzog den Horizont.

»Bald wird es dunkel.« Macro sah Cato an. »Wir sollten ein paar Fackeln anzünden. Irgendwie rechne ich nicht damit, dass Tincommius und seine Kumpels uns eine friedliche Nacht gönnen.«

35

Als die Nacht hereinbrach, senkte sich ein sonderbares Schweigen über Calleva. In der königlichen Umfriedung hatte Macro die meisten Männer zur Ruhe geschickt. Nach dem Rückzug der Angreifer hatte Macro einen improvisierten Verteidigungswall um den Eingang der Königsburg errichten lassen. Alle ungenutzten Wagen und Karren waren zusammengeschoben worden und bildeten nun einen kleinen Halbkreis vor den mächtigen Steinmauern des Gebäudes. Erdgefüllte Weidenkörbe waren unter die Wagen geschoben worden, um deren Standfestigkeit zu erhöhen, und aus dem Saal selbst hatte man Bänke hinausgetragen, um den Verteidigern als Brustwehr zu dienen. Wenn die Palisade fiel – und da sie kaum mehr als ein besserer Zaun war, war damit zu rechnen –, würden sich alle hinter dieser letzten Barriere verschanzen, und danach blieb ihnen noch der letzte Kampf im großen Saal, in dessen Schutz das Schlafgemach des Königs lag.

Nachdem die Arbeit beendet war, schickte Macro seine Leute zur Ruhe. Sie hatten sich auf dem Boden neben ihren Waffen zusammengerollt, dunkle, von Fackelschein flackernd beleuchtete Gestalten. Vericas Haussklaven hatten den Auftrag erhalten, den erschöpften Verteidigern Essen und Trinken aus der königlichen Küche zu bringen, und die Leibwächter des Königs übernahmen die Wache. Hinter der Umfriedung lag das Durcheinander der strohgedeckten Hütten ruhig da, und es war weder das Flehen um Gnade noch das entsetzte Geschrei zu hören, von dem der Fall einer Stadt normalerweise begleitet wurde.

Macro saß da und betrachtete mit schief gelegtem Kopf die Trümmer des niedergebrannten Tors. Der einzige Lärm, der in der Ferne zu hören war, war gelegentliches Hundegekläff und hin und wieder ein Befehlsruf der Durotriges.

Nach einer Weile gab Macro auf und stieß Cato an, der kurz zuvor eingeschlafen war.

»Hörst du was?«

In der Erwartung, dass Macro das Nahen des Feindes entdeckt hatte, richtete Cato sich auf die Ellbogen auf und blinzelte mit schmerzenden Augen.

»Was? Was ist los?«

»Sch! Horch …«

Cato richtete sich auf und lauschte, doch alles war still. »Ich höre nichts.«

»Das meine ich ja«, erwiderte Macro. »Es sollte mehr

Lärm zu hören sein. Sie haben die Stadt eingenommen und sollten sich über ihre Beute hermachen.«

Cato schüttelte den Kopf. »Sie versuchen, die Atrebates für sich zu gewinnen. Ich bezweifle, dass Tincommius den Kriegern irgendwelche Vergewaltigungen und Plündereien durchgehen lässt. Nicht, wenn er so intelligent ist, wie seine Aufgabe es verlangt.«

Macro sah Cato an, die Gesichtszüge von der Dunkelheit verhüllt. »Du bewunderst ihn?«

»Nein. Keinesfalls. Er ist ein Narr. Wenn es ihm gelingt, die Atrebates gegen uns aufzuhetzen, gibt es für den Stamm kein Entrinnen mehr. So einen König kann ein Volk wirklich nicht brauchen.«

»Nein …« Macro sah zur Seite. »Da ist noch etwas, was mir Sorgen bereitet.«

»Nämlich?«

»Tincommius hat Caratacus' Kommen angekündigt.«

»Ja und?« Cato rieb sich die Augen. »Was macht das für einen Unterschied? Wir sind ohnehin nicht mehr lange auf dieser Welt.«

»Mag sein. Was aber, wenn Quintillus die Legion gefunden hat?«

»Ich glaube kaum, dass der Tribun es so weit geschafft hat. Sie haben ihn bestimmt geschnappt.«

»Was aber, wenn nicht? Was, wenn er die Legion erreicht hat und Vespasian Entsatz schickt?«

Cato schwieg einen Moment und antwortete dann: »Wir können nur hoffen, dass der Tribun es nicht geschafft hat. Besser, ein paar hundert Mann verlieren als ein paar tausend.«

»Richtig. Für uns liegt das auf der Hand, aber nicht für Vespasian. Er kann nur von jenen Gegnern wissen, die uns in den Hinterhalt gelockt haben. Deren Truppenstärke wird selbst dieser Feigling Quintillus kaum so sehr überschätzt haben, dass er den Legaten zurückhält. Sollte Vespasian kommen, bringt er den größten Teil der Legion mit und läuft damit Caratacus direkt in die Arme.«

Cato dachte einen Moment lang schweigend über diese schreckliche Möglichkeit nach. Er sah Macro an. »Dann müssen wir ihn warnen, falls Tincommius wirklich die Wahrheit gesagt hat.«

»Wie denn?«, entgegnete Macro säuerlich. »Wir sind umzingelt. Sobald irgendjemand einen Ausbruchsversuch unternimmt, werden sie ihn schnappen, und derjenige kann noch von Glück sagen, wenn sie ihn an Ort und Stelle umbringen.«

»Jemand muss es trotzdem versuchen«, erklärte Cato ruhig. »Falls überhaupt die Möglichkeit besteht, dass der Legat zu unserer Rettung unterwegs ist.«

»Nein. Es ist sinnlos. Wir brauchen hier jeden einzelnen Mann.«

»Was macht das schon für einen Unterschied«, beharrte Cato. »Am Ende sind wir so oder so alle tot. Lass mich gehen.«

»Nein. Du bleibst. Das ist ein Befehl. Ich schicke niemanden auf ein idiotisches Himmelfahrtskommando. Wie schon gesagt, es ist bestimmt kein Entsatz zu uns unterwegs. Uns bleibt nichts anderes übrig, als weiterzumachen und so viele von diesen Dreckskerlen mit uns zu nehmen wie möglich.«

»Oder uns zu ergeben und es darauf ankommen zu lassen.«

»Was für Aussichten!« Macro lachte rau. »O ja, vielleicht verschonen sie unsere einheimischen Männer, und sie könnten sogar Verica so lange am Leben lassen, dass er seinen Verwundungen erliegt. Aber uns nicht. Für uns haben sie mit Sicherheit irgendwas Besonderes geplant. Darauf kannst du zählen.«

»Na gut«, räumte Cato ein. »Aber vielleicht lassen sie ja die Wölfe und Cadminius mit seinen Leuten leben. Wir könnten Bedingungen zu ihren Gunsten stellen und allein weiterkämpfen.«

Macro starrte ihn an, doch im Dunkeln konnte Cato seine Miene nicht deuten und fuhr mit seiner Argumentation fort: »Es führt zu nichts, wenn mehr Menschen als nötig sterben. Sollten die Wölfe und die Leibwächter verschont werden, weil wir sie offensichtlich retten wollten, könnte das auf lange Sicht etwas bewirken. Vielleicht bleibt etwas Sympathie für Rom zurück.«

»Vielleicht. Vielleicht aber auch nicht. Wenn sie an unserer Seite sterben, wird ihre Verwandtschaft möglicherweise den Durotriges die Schuld an ihrem Tod geben. Oder besser noch diesem Drecksack Tincommius.«

»Daran hatte ich nicht gedacht«, räumte Cato ein. Nach einem Moment des Schweigens fuhr er aber fort: »Sollen wir mit Cadminius und den anderen darüber reden?«

»Nein«, erklärte Macro fest. »Sobald wir das erste Anzeichen von Schwäche zeigen, verlieren unsere Leute jeglichen Kampfgeist. Denk einmal darüber nach. Überleg mal, wie du dich fühlen würdest, wenn die Atrebates hier rausmarschieren und uns dem Tod überlassen. Nicht gerade gut für die Moral, oder? Außerdem, wer sagt denn, dass sie die eingeborenen Jungs am Leben lassen? Würdest du Tincommius ihr Leben anvertrauen? Der hätte im Handumdrehen ihre Köpfe als Trophäen aufgespießt.«

»Was aus unserer Sicht durchaus nützliche Auswirkungen auf die Loyalität der Atrebates haben könnte«, erwiderte Cato kühl.

»Zyniker«, erwiderte Macro lachend und klopfte ihm auf die Schulter.

Cato lächelte. »Aber du hast Recht. Wir können Tincommius nicht trauen. Dann müssen sie wohl mit uns im selben

Boot bleiben. Sie werden wohl nichts dagegen einzuwenden haben. Die Leibwächter halten nicht gerade viel von Tincommius – nicht einmal diejenigen, die uns verdächtigen, beim Angriff auf Verica die Hand im Spiel gehabt zu haben.«

»Glauben sie das ernstlich?«

Cato zuckte mit den Schultern. »Schwer zu sagen. Ich habe das eine oder andere Getuschel mitgehört und fange hin und wieder einen misstrauischen Blick auf. Anscheinend haben Tincommius' Worte doch eine Wirkung auf sie. Der Einzige, der sie von der Wahrheit überzeugen könnte, ist Verica.«

»Weißt du irgendetwas Neues über ihn?«

»Nein. Aber ich denke, wir sollten uns ein Bild von seiner Verfassung machen. Falls er sich noch einmal so weit erholt, dass er den Angriff durch Tincommius bestätigen kann, wäre das hilfreich.«

»Na gut, dann geh hin und vergewissere dich. Aber bleib nicht lange weg. Unsere Freunde könnten irgendwas versuchen.«

»Hältst du das für wahrscheinlich?«

»Nein … Sie müssen genauso erschöpft sein wie wir. Sie werden sich ausruhen wollen. Und sie haben keine Eile. Wir stecken hier hoffnungslos in der Falle, und Caratacus und seine ganze verdammte Armee kommen ihnen bald zur Hilfe. Ich schätze, dass sie sich für den nächsten Schritt bis zum Morgengrauen Zeit lassen werden.«

»Hoffentlich.« Cato stand gähnend auf. Nach der kurzen Rast fühlte er sich erschöpfter denn je zuvor. Arme und Beine waren steif und schwer und für eine Sommernacht kam ihm die Luft zu kalt vor. Er hatte Kopfschmerzen, seine Augen brannten, und einen Moment lang gestattete er sich die Vorstellung, schlafend in seinem warmen, gemütlichen Bett im römischen Lager zu liegen. Plötzlich fühlte er sich von Wärme durchströmt und überließ sich willig dieser reizvollen Phantasie.

»He! Pass auf!«, rief Macro und hielt Cato fest. »Du wärest beinahe auf mich gefallen.«

»Tut mir Leid.« Cato war jetzt hellwach, schämte sich seiner Schwäche und befürchtete, dass der Vorfall sich wiederholen könnte. Er reckte sich und ging zum Wassertrog, wo er den Helm absetzte und das auf der Oberfläche herumschwimmende Heu zur Seite schob, bevor er den Kopf eintauchte, damit das kühle Nass seine Sinne belebte. Dann stand er auf, ohne sich um die Wassertropfen zu kümmern, die ihm vom Gesicht auf Schienenpanzer und Tunika tropften. Er reckte sich ein letztes Mal, rieb sich die Augen und machte sich auf den Weg zur Königsburg. Durch eine Lücke zwischen zwei Wagen schlüpfend, trat er ins Innere der improvisierten Verschanzung.

Cadminius und einige der Leibwächter saßen im Schein eines kleinen Feuers am Eingang des Gebäudes, unterhielten sich leise und leerten dabei einige Krüge Wein. Als Cato an ihnen vorbeiging, blickten sie auf. Der Zenturio runzelte die Stirn. Er winkte Cadminius zu sich und betrat den Königssaal. Cadminius ließ sich Zeit, in aller Ruhe seinen Becher zu leeren, stand dann langsam auf und folgte Cato nach drinnen.

»Ihr trinkt? Kommt euch das vernünftig vor?«, fragte Cato mit verächtlichem Blick. »Auf diese Weise werdet ihr morgen kaum in der richtigen Verfassung sein, euren König zu verteidigen.«

»Römer, das Trinken gehört zu unserem Leben.«

»Meinetwegen, aber es kann einem das Sterben verderben. Wollt ihr morgen etwa so in den Tod gehen? So stockbesoffen, dass ihr kaum einen geraden Schlag führen könnt?«

Cadminius hob die Faust, und einen Moment lang war

Cato sich fast sicher, dass der Krieger ihn schlagen würde. Doch dann entspannten sich die Züge des Leibwächters, und er knurrte: »Wir sind morgen kampfbereit. Darauf gebe ich dir mein Wort.«

»Ich verlasse mich darauf. Und jetzt muss ich den König sehen.«

»Das ist sinnlos. Es geht ihm nicht besser als zuvor.«

»Trotzdem muss ich ihn sehen. Macro hat mir aufgetragen, ihm über Vericas Verfassung Bericht zu erstatten.« Cato ließ Cadminius keine Zeit zu weiterem Widerspruch, sondern drehte sich um und marschierte zum Eingang der Privaträume des Königs. Dort stand ein einzelner Wächter, der sich von der Wand löste und nach seinem Speer griff, doch Cadminius winkte ihn beiseite.

Das königliche Schlafgemach war von Öllampen und Fackeln hell erleuchtet und stank nach Rauch. Eine kleine Schar von Edelleuten saß oder stand beim Tisch des Königs und unterhielt sich gedämpft. Verica war bis zum Kinn in Pelzdecken eingehüllt und darunter kaum mehr zu sehen. Der weiße Haarschopf lugte, über ein purpurrotes Polster gebreitet, hervor. Das Gesicht des Königs war fast so weiß wie sein Haar, und bis zur Tür war das leise Rasseln seines Atems zu hören. Der Wundarzt des römischen Lazaretts blickte bei Catos Eintreten auf und lächelte.

»Gerade eben hat der König sich ganz leicht bewegt.«

»Er ist wieder bei Bewusstsein?«, fragte Cato, trat neben dem Wundarzt ans Bett und blickte auf den gebrechlichen alten Mann nieder.

»Nein, eigentlich nicht. Er schlug die Augen auf, murmelte ein paar Worte und verlor das Bewusstsein erneut.«

»Worte? Was für Worte? Was hat er gesagt?«

»Nichts Verständliches, außer Tincommius' Name. Der König wirkte erregt.«

»Und das war's? Mehr nicht?« Der Wundarzt schüttelte

den Kopf und Cato verkniff enttäuscht die Lippen. »Sollte sich eine Veränderung zum Besseren oder Schlechteren einstellen, lässt du mich sofort rufen. Verstanden?«

»Jawohl, Herr.«

Cato warf einen letzten Blick auf den König und wollte gerade gehen, als der Wundarzt ihn beim Arm packte.

»Hat irgendjemand aus dem Lazarett es hierher geschafft?«

»Nein.«

»Ich verstehe.« Der Wundarzt sah Cato in die Augen. »Wie stehen unsere Aussichten, Herr?«

»Nicht gut. Tu einfach deine Pflicht, solange du kannst.«

»Und wenn das Ende kommt …?«

»Beschütze den König. Mehr nicht.«

Nachdem Cato Macro Bericht erstattet hatte, ging er rasch die Palisade ab, um sicherzugehen, dass die Männer auch wach waren und Ausschau hielten. Da nur noch so wenige Verteidiger übrig waren, konnte die Achtlosigkeit eines einzigen Postens dazu führen, dass alle den Tod fanden. Als er sich überzeugt hatte, dass es für ihn nichts mehr zu tun gab, suchte Cato sich einen Platz dicht beim Tor, lehnte sich gegen einen Pfosten der Palisade und fiel beinahe sofort in Tiefschlaf. Er wachte auch beim Wachwechsel nicht auf; erst der Harndrang weckte ihn kurz vor dem Morgengrauen. Schnell fand er wieder zu sich und sofort kam die Angst, viel zu lange geschlafen zu haben. Als er versuchte, wieder auf die Beine zu kommen, machten ihm seine steifen Muskeln und quälend schweren Glieder das Stehen fast unmöglich, und stöhnend zwang er sich, aufrecht zu stehen.

Der Himmel war zwar noch immer nachtdunkel, doch im Osten kündigte ein grauer Schimmer die Dämmerung an. Die Luft war kühl und der Atem bildete kleine Wölkchen vor den Lippen der wenigen Männer, die in der königlichen Umfriedung auf den Beinen waren. In der Luft lag eine eigenartige Stille, und die graue Wolkendecke am Himmel kündete Regen oder zumindest das deprimierende Genisel an, das so sehr zum Klima dieser Insel gehörte. Es deprimierte Cato, dass das Drama seines Todes sich vor einem so trübseligen Hintergrund abspielen würde. Ein jämmerliches Scharmützel in irgendeinem dunklen Winkel einer primitiven Ansammlung barbarischer Hütten, die man kaum als Stadt bezeichnen konnte. Hier also würden er, Macro, Silva und die anderen ihr Grab finden – im unbekannten, unzivilisierten, rückständigen Calleva. Für sie würde es keinen Platz in den Geschichtsbüchern geben.

Cato reckte sich und trat steifbeinig zu einem kleinen Feuer in der Mitte der Umfriedung. Macro überwachte einige Küchensklaven beim Zerlegen eines Schweins. Als ihm der Duft des Schweinebratens in die Nase stieg, merkte Cato, wie hungrig er war, und diesmal nahm er sich bereitwillig ein Stück Fleisch mit brutzelnder, braun gebrannter Kruste. Er nickte Macro einen Morgengruß zu.

»Daran beißt du dir die Zähne aus«, meinte Macro mit einem Lächeln.

»Was hat das Leben für einen Sinn, wenn man es nicht genießt«, gab Cato zurück. »Gibt es Brot?«

»Dort, im Korb.«

Cato hockte sich ans Feuer, aß langsam und genoss jeden Bissen Schweinebraten und das beste Brot des Königs. Er wunderte sich, dass er diese Mahlzeit so sehr genoss, und merkte dann, dass er sein Essen unter gewöhnlichen Umständen eilig hätte herunterschlingen müssen, um genug Zeit für seine Pflichten zu haben. Heute gab es dagegen keinen Grund zur Eile. Er konnte so lange essen, wie er wollte, oder zumindest so lange, wie die Durotriges es zuließen.

Nachdem Macro die Sklaven beauftragt hatte, die Verteidiger zu wecken und das Essen an sie auszuteilen, setzte er sich neben den jungen Zenturio, kaute zufrieden an einem gebratenen Lendenstück und wärmte sich am Feuer. Keiner der beiden sprach. Im bleichen Licht der Morgendämmerung erwachten die Verteidiger aus tiefem Schlaf und kauerten mit dem ausgeteilten Frühstück am Boden. Die meisten ließen sich die Köstlichkeiten aus dem königlichen Vorrat mit Appetit schmecken, doch einige waren zu erschöpft oder auch besorgt, ließen das Fleisch kalt werden und saßen wartend da.

Lange mussten sie nicht warten. Ein Wachposten auf dem Wehrgang über dem Tor rief nach Macro, und die beiden Zenturionen warfen sofort ihr Frühstück beiseite und eilten quer über den Platz zu ihm. Der dringliche Tonfall des Postens ließ sie ihre steifen Glieder vergessen und sie stiegen eilig die Leiter hinauf.

»Berichte«, befahl Macro.

»Herr, da hinten!« Der Legionär deutete auf die Straße. »Gerade sind ein paar von denen um die Ecke gekommen, haben kurz geschaut und sind zurückgerannt.«

»Und deswegen hast du mich beim Frühstück gestört?«

»Ja, Herr. Du sagtest ...«

»Ich weiß, was ich gesagt habe, danke. Du hast es richtig gemacht, Junge. Wir bleiben eine Weile hier stehen und beobachten, ob irgendwas passiert.«

»Es passiert schon«, bemerkte Cato. »Schau.«

Etwa fünfzig Schritt entfernt bog eine einzelne Gestalt um die Ecke und schritt ohne Zögern auf sie zu. Er blieb außer Wurfweite stehen und legte die Hände an den Mund.

»Ihr lebt also beide noch!«, rief Tincommius. »Ich bin erleichtert!«

»Er ist erleichtert.« Macro hob die Augenbrauen und wechselte einen Blick mit Cato. »Wie rührend ...«

»Ich mache euch ein letztes Angebot, euch zu ergeben und damit euch selbst und jene Angehörige meines Stammes zu retten, die so fehlgeleitet waren, Rom zu dienen.«

»Zu welchen Bedingungen?«, rief Macro.

»Denselben wie zuvor. Sicherer Abzug zur Legion.«

»Meine Antwort lautet Nein!«

»Das dachte ich mir!«

Cato war sich sicher, dass Tincommius einen Moment lang lächelte. Denn drehte der atrebatische Prinz sich um und rief einen Befehl. Hinter der Straßenbiegung ertönten laute Kommandos und Schmerzgeschrei. Dann stolperte von dort ein Menschenzug heran. Viele trugen Verbände und bei einigen waren Gesicht oder Gliedmaßen mit geronnenem Blut verschmiert. Einige trugen die rote römische Tunika und alle waren mit Lederriemen aneinander gefesselt. Zu beiden Seiten gingen mit Speeren bewaffnete Männer und trieben jene Gefangene, die zu langsam voranstolperten, mit leichten Stößen der spitzen Waffen an. Cato erkannte einige der Gesichter: Männer, die einmal unter den Wölfen und Keilern gedient hatten, sowie einige der griechischen und römischen Händler, die gehofft hatten, in Britannien ein Vermögen zu machen. Tincommius erteilte einen Befehl und die Kolonne stand still. Der erste Mann wurde von den anderen losgebunden und mit gefesselten Händen nach vorn geschleift. Seine Bewacher traten ihm von hinten in die Kniekehlen und der Römer fiel mit einem Schrei zu Boden. Er lag wimmernd auf der Seite, bis Tincommius sich vor ihn stellte und ihn gegen den Kopf trat. Da rollte der Römer sich ein und verstummte.

Tincommius wandte sich wieder dem Tor zu und zeigte auf den Mann am Boden. »Entweder ihr ergebt euch jetzt, oder dieser Mann stirbt. Und dann, einer nach dem anderen, der Rest.«

36

»Damit ihr wisst, dass ich es ernst meine, schaut her …«
Tincommius nickte einem Mann zu, der am Rand der Kolonne stand. Im Gegensatz zu den anderen Eingeborenen
trug dieser nur eine schwere Holzkeule. Er trat vor, und
stellte sich breitbeinig über den am Boden liegenden Römer.
Dann schwang er die Keule und ließ sie auf das linke Schien-
bein des Mannes niederkrachen. Sogar aus fünfzig Schritt
Entfernung hörten Cato und Macro die Knochen brechen.
Der Schrei des Römers hallte wesentlich weiter. Als der Krieger dem Gefangenen auch das andere Bein brach, wurde es
noch schlimmer – ein schrilles, animalisches Gebrüll reiner
Pein, das allen, die es hörten, das Blut in den Adern gefrieren
ließ. Der Römer wand sich im Schmutz der Straße, die gebrochenen Unterschenkel unnatürlich verrenkt, was ihm
noch größere Qualen verursachte. Sein Geschrei verstummte erst, als er endlich das Bewusstsein verlor.

Tincommius ließ die Stille wirken, bevor er sich erneut an
die Verteidiger wandte. »Das ist der Erste. Es werden weitere folgen, bis ihr zur Vernunft kommt und euch ergebt. Ihr
könnt die Überlebenden mitnehmen, wenn ihr Calleva verlasst. Es ist deine eigene Entscheidung, Macro. Du kannst
das hier jederzeit beenden.«

Oben auf dem Wehrgang sah Cato, dass Macro seinen
Schwertgriff so fest umklammerte, bis seine Knöchel weiß
wurden und die Sehnen unter der Haut heraustraten wie
Eisennägel. Cato empfand eher Elend als Zorn. Von der
Szene war ihm schlecht geworden, und Schweinebraten und
Brot, die er gerade noch so genüsslich verspeist hatte, setz-
ten nun seinen Magen in Aufruhr.

»Drecksack«, flüsterte Macro mit zusammengebissenen
Zähnen. »Drecksack … Drecksack … DRECKSACK!«

Sein wütender Schrei hallte über die Straße, und Tincommius grinste bei diesem unbeherrschten Zornesausbruch.

»Verdammter Drecksack! Ich bring dich um! Das schwör ich dir! Ich bring dich um!«

»Zenturio, komm doch und versuch es. Ich erwarte dich!«

»Herr«, Cato legte Macro den Arm auf die Schulter. »Du darfst nicht ...«

Macro sah sich wütend um. »Natürlich nicht! Hältst du mich für bescheuert?«

»Nein ... aber du bist wütend, Herr. Wütend und hilflos.« Cato nickte zu den anderen Männern auf der Palisade hinüber, die voll Wut und Entsetzen auf die Straße hinunterstarrten. »Wie wir alle.«

Macro drehte sich um und sah, dass nicht nur alle Legionäre auf den Wehrgang gestiegen waren, sondern auch die Wölfe und einige von Vericas Leibwächtern.

Er wischte Catos Hand von seiner Schulter und brüllte die Männer an: »Wofür haltet ihr das hier eigentlich? Sind wir hier im Zirkus? Runter von der Palisade und zurück an euren Platz! Wollt ihr vielleicht, dass die Feinde einfach über den Zaun hüpfen, während ihr dieses Arschloch anglotzt? Die einzigen Männer, die ich hier oben sehen will, sind die Wachtposten. Marsch!«

Die Legionäre zogen sich mit schuldbewusster Miene zurück und stiegen wieder in die Umfriedung hinunter, von den Wölfen gefolgt, denen Cato gar keine Übersetzung hätte zurufen müssen. Macro starrte die Männer einen Moment lang wütend an und wandte sich dann wieder zu Tincommius um.

Sobald dieser sah, dass er nun wieder die Aufmerksamkeit des Zenturios hatte, rief er: »Macro, gibst du auf? Antworte!«

Der Zenturio stand schweigend da, die Lippen im wettergegerbten Gesicht zu einem Strich zusammengepresst. Von schrecklicher Verzweiflung übermannt, die Seele von Zorn und tiefstem Hass auf Tincommius erfüllt, musste er hilflos zusehen.

»Wie du meinst. Dann also der Nächste.« Tincommius befahl mit einem Wink, den nächsten Gefangenen zu bringen.

Die atrebatischen Krieger wählten einen jungen Mann aus, fast noch ein Junge, in dem Cato einen der Maultierhirten aus dem Nachschublager erkannte. Der Junge wich entsetzt zurück und schüttelte heftig den Kopf, doch sein Peiniger packte ihn beim Haarschopf und löste den Strick, der den Jungen mit den anderen Gefangenen verband. Mit einem heftigen Ruck riss er den Jungen aus der Gefangenenreihe und schleppte den zappelnd und schreiend sich Wehrenden an die Stelle, wo das erste Opfer lag. Macro blieb stehen, doch Cato konnte nicht länger zusehen und wandte sich ab. Er eilte zur Leiter und kletterte in die Umfriedung hinunter. Als er unten ankam, hörte er das Krachen brechender Gliedmaßen, und der Schrei des Jungen schnitt durch die Morgenluft, als führe ein Dolchstoß tief in Catos Unterleib.

Es ging den ganzen Vormittag so weiter und immer mehr Gefangene lagen mit zertrümmerten Gliedmaßen auf der Straße. Jetzt, da so viele von ihnen verkrüppelt waren und qualvoll an ihren Knochenbrüchen litten, hörten die Schreie gar nicht mehr auf. Macro zwang sich, auf dem Wehrgang über dem Tor stehen zu bleiben und Tincommius' regelmäßige Kapitulationsforderungen schweigend zurückzuweisen. Jedes Mal, wenn Macro die Antwort verweigerte, wurde der nächste Gefangene ins Blickfeld der Verteidiger gezerrt, und man schlug erbarmungslos auf seine Beine ein, bis diese brachen. Um seiner Forderung noch mehr Nachdruck zu verleihen, befahl Tincommius dem Krieger mit der

Keule, nun auch die Arme zu brechen, und wenn beide Schienbeine zertrümmert waren, nahm dieser sich dann die Ellbogen vor.

Obwohl Cato sich weit vom Eingang zurückgezogen hatte, konnte er sich dem Schrecken nicht entziehen, denn das Geschrei ging durch Mark und Bein. Keiner in der königlichen Umfriedung sagte ein Wort. Die meisten saßen da, starrten zu Boden und waren jedes Mal sichtlich erschüttert, wenn zu dem schrillen, nervenzerfetzenden Chor die Stimme eines neuen Opfers hinzukam. Manche Männer lenkten sich mit dem Schärfen ihrer Schwerter ab und führten die Wetzsteine heftig über die Klingen, doch auch damit ließ sich das grauenhafte Geschrei nicht übertönen. Schließlich hielt Cato es nicht länger aus und stieg zu Macro hinauf. Der ältere Offizier hatte sich nicht bewegt und starrte mit starrer, unversöhnlicher Miene auf die Straße hinunter. Für Cato hatte er nur einen knappen Blick übrig.

»Was ist denn?«

»Ich mache mir Sorgen, wie viele unsere Leute noch aushalten können … Herr.« Cato nickte unauffällig zu den Männern in der Umfriedung hinunter. »Es macht sie fertig.«

»Es macht dich fertig, wolltest du wohl sagen«, entgegnete Macro höhnisch. »Wenn du das hier nicht wegstecken kannst, was machst du dann eigentlich in dieser Uniform?«

»Herr«, protestierte Cato bestürzt über Macros heftigen Angriff. »Ich … Ich …«

»Was? Spuck's aus.«

Cato suchte verzweifelt nach einer Antwort, war aber zu erschöpft, um sich mit einem passenden Argument verteidigen zu können. In seinem tiefsten Inneren wusste er, dass Macro Recht hatte: Es ging ihm mehr um ihn selbst als um die Reaktion der Männer, und er blickte schuldbewusst zu Boden.

»Nichts … Ich kann es nicht ertragen.«

Der Veteran sah ihn scharf an, die Miene erbittert, und seine Kiefer mahlten. Einen Moment lang dachte Cato, dass Macro explodieren und ihn vor allen Männern niederbrüllen würde. So groß war Catos Angst, sich eigener Unfähigkeit schämen zu müssen, dass diese demütigende Aussicht alles andere in den Hintergrund drängte. Doch dann blickte Macro an Cato vorbei und bemerkte die Gesichter, die sich den beiden Zenturionen zugekehrt hatten. Er atmete heftig durch und zwang sich, seinen völlig verkrampften Körper zu lockern.

»Nun, du musst es eben ertragen«, erklärte Macro ruhig. »Schlimmer kann es nicht mehr werden, Cato. Du musst ruhig bleiben, dich unter Kontrolle halten und darfst nicht nachgeben. Oder du musst zumindest versuchen, so ruhig wie möglich zu bleiben.« Bei der Erinnerung an den Moment aufwallenden Zorns, mit dem er auf die Verkrüppelung des ersten Gefangenen reagiert hatte, schüttelte Macro traurig den Kopf.

»Können wir denn gar nichts tun?«

Macro zuckte mit den Schultern. »An was hattest du denn gedacht?«

»Ich weiß nicht. Vielleicht könnten wir einen Ausfall machen und unsere Leute zurückholen.«

»Cato, sie sterben ohnehin. Was ändert es, wenn wir sie jetzt retten? Dann leben sie noch ein paar Stunden länger, bevor die königliche Umfriedung fällt, mehr nicht. Wenn unser Rettungsversuch dagegen fehlschlägt, sterben wir alle ein bisschen früher.«

»Dann ist es ja eigentlich egal.«

»Fast«, räumte Macro ein. »Aber ich weiß einfach, dass es unsere Pflicht ist, den König zu bewachen, und zwar so lange wie möglich.«

»Und wir lassen sie einfach so weitermachen?« Cato zeigte auf die Straße.

»Was bleibt uns anderes übrig?«

Der Jüngere öffnete den Mund und schloss ihn wieder. Er spürte Abscheu, Verzweiflung und das Bedürfnis, irgendetwas zu unternehmen, doch die Lage war einfach nicht zu ändern. Er war ein hilfloser Zuschauer vor einem grauenvollen Spektakel.

»Wir *könnten* wirklich einen Ausfall wagen«, schlug er schließlich vor.

»Nein, das lasse ich nicht zu. Außerdem würden sie die Gefangenen sofort niedermetzeln, sobald wir das Tor öffnen. Ich will nichts mehr davon hören, Cato. Hast du verstanden?«

Cato nickte und Macro klopfte ihm auf die Schulter und wandte sich wieder dem Feind zu. Um Cato abzulenken, zeigte er auf die Krieger, die die verbliebenen Gefangenen bewachten.

»Ist dir aufgefallen, dass er nur Atrebates bei sich hat?«

Cato blickte sich um. »Ja ... ein raffinierter Trick.«

»Raffiniert?«

»Uns keinen von den Durotriges sehen zu lassen, während er uns zur Kapitulation auffordert. Damit will er die Sache vermutlich wie eine stammesinterne Streitigkeit aussehen lassen, die sich mühelos schlichten lässt.«

»Ob unsere Leute darauf hereinfallen?«

»Der eine oder andere wird sich vielleicht davon beeinflussen lassen«, erwiderte Cato. Beim Anblick des nächsten Gefangenen, der zwischen den verkrümmt daliegenden bisherigen Opfern hindurch nach vorn geführt wurde, riss er plötzlich bestürzt die Augen auf. »O nein ...«

»Was?«, fragte Macro, der angestrengt die Augen zusammenkniff. »Wer ist das?«

»Figulus.«

»Figulus? Verdammt ...«

Während Tincommius Figulus' Wächter herbeiwinkte,

drehte Cato sich zur Umfriedung hin um und rief auf Keltisch: »Es ist Figulus! Sie haben Figulus!«

Die Wölfe, die ihren römischen Ausbilder bewundern und schätzen gelernt hatten, stöhnten entsetzt auf. Cato winkte die Krieger heran: »Sie bringen ihn um. Schaut doch! Schaut!«

»Was, zum Teufel, tust du?«, fragte Macro.

Cato warf ihm ein kurzes Lächeln zu. »Es wird Zeit, Tincommius mit seinen eigenen Waffen zu schlagen.«

»Was?«

»Schau einfach zu.«

Als die Wölfe auf dem Wehrgang standen, brüllten sie ihren Protest in die Straße hinunter und flehten ihre ehemaligen Kameraden an, Figulus zu verschonen. Der Optio war auf die Knie gefallen, und der Mann mit der Keule stand neben ihm und sah verwirrt vom Gefangenen zu Tincommius, von dort zu den anderen Kriegern, die die römischen Gefangenen bewachten, dann zur Palisade hinauf und wieder zurück zum Gefangenen. Tincommius schrie ihn wütend an und deutete mit ausgestrecktem Finger auf den knienden Römer.

Figulus blickte sich verwirrt um. Jetzt trat einer der Krieger vor und sprach mit dem atrebatischen Prinzen, der ihm einen Befehl ins Gesicht schleuderte. Der Mann warf Figulus einen Blick zu und schüttelte den Kopf.

»Das sieht viel versprechend aus!«, meinte Macro lächelnd.

Cato spürte, wie jemand am Ärmel seiner Tunika zupfte, drehte sich um und sah in das aufgeregte Gesicht des Wundarztes.

»Herr! Es geht um den König!«, schrie der Arzt so laut, dass er das Geschrei übertönte. »Er ist wieder bei Bewusstsein.«

»Seit wann?«

»Gerade eben.«

»Wie geht es ihm?«

»Er ist schwach, aber bei klarem Verstand. Cadminius hat ihm unsere Lage geschildert. Er möchte dich sehen. Euch beide.«

Macro schüttelte den Kopf. »Sag ihm, dass wir gerade ein wenig beschäftigt sind.«

»Nein!«, unterbrach Cato ihn erregt. »Ist Verica transportfähig?«

»Ich denke schon, falls es wirklich nötig sein sollte. Es dürfte seinen Zustand kaum mehr verschlechtern.«

»Gut!« Cato schlug den Wundarzt auf die Schulter. »Dann schaff ihn hier hoch. Auf der Stelle.«

Der Arzt schüttelte den Kopf: »Das erscheint mir nun doch ein wenig zu viel.«

»Gut, dann helfe ich dir.« Cato zog sein Schwert und setzte es dem Arzt an die Kehle. »Ich befehle dir, ihn auf der Stelle herzuschaffen. Reicht das?«

»Ähm. Jawohl, Herr.«

»Dann beeil dich.«

Macro brach hinter dem davonstürzenden Wundarzt in Gelächter aus. »Das war ein ganzer Zenturio. Du machst dich gut, Cato.«

Cato blickte wieder auf die Straße hinunter. Tincommius war von seinen Leuten umringt und redete wütend und heftig gestikulierend auf sie ein. Doch sie ließen sich nicht umstimmen und beharrten nicht weniger nachdrücklich auf ihrem Widerspruch. Figulus kniete daneben, beobachtete die Konfrontation schweigend und wagte nicht, sich zu bewegen. Hinter ihm stand der Mann mit der Keule und wartete auf eine Entscheidung.

»Mit etwas Glück«, bemerkte Macro, »fallen sie jetzt gleich übereinander her.«

»Wohl kaum«, entgegnete Cato. Er kannte Tincommius'

Fähigkeiten und wusste, dass der Prinz ein Meister darin war, alle Wahrheiten zu verdrehen. Sie hatten ihn schon einmal unterschätzt. Es war nicht ratsam, denselben Fehler zu wiederholen. Cato blickte sich um. »Wo bleibt denn der verdammte Wundarzt?«

Während sie darauf warteten, dass Verica gebracht wurde, gewann der glattzüngige Tincommius allmählich wieder die Oberhand. Nun sprach fast nur noch er, während die meisten der Männer seiner flammenden Rede mit hängenden Köpfen lauschten.

»Da kommt er«, sagte Macro und Cato drehte sich um und sah den Wundarzt aus der Königsburg treten, dicht von zwei Leibwächtern mit einer Bahre gefolgt. Cadminius blickte nervös auf das bleiche, auf einem weichen Kissen ruhende Gesicht nieder.

»Beeilt euch!«, rief Cato. »Hier herauf! So schnell ihr könnt.«

Die kleine Gruppe trabte zum Tor, äußerst bemüht, den König keinen unnötigen Stößen auszusetzen. Als sie die Palisade erreicht hatten, stemmten die kräftigen Leibwächter die Bahre nach oben, wo die Männer auf dem Wehrgang ihnen die Tragegriffe aus der Hand nahmen. Während Verica behutsam zum verbreiterten Wehrgang über dem Tor getragen wurde, blickte Cato wieder auf die Auseinandersetzung zwischen Tincommius und seinen Kriegern. Der Prinz hatte inzwischen genug, schob die Männer beiseite und trat mit gezogenem Schwert auf Figulus zu.

»Halt!«, schrie Cato auf Keltisch. »Haltet ihn auf!«

Tincommius warf ihm nur einen kurzen Blick zu und ging weiter auf den knienden Römer zu. Doch bevor er ihn erreichte, trat der Mann mit der Keule vor, stellte sich schützend vor Figulus und schüttelte den Kopf.

»Aus dem Weg!« Tincommius' Wutgebrüll übertönte den Jubel der Verteidiger. Cadminius half seinem König aufzustehen und stützte ihn behutsam, als dieser zwei unsichere Schritte zur Palisade machte. Beim Erscheinen ihres Königs blickten die atrebatischen Krieger auf der Straße erstaunt auf.

»Herr, Tincommius hat dich für tot erklärt«, klärte Cato Verica auf. »Er hat ihnen vorgelogen, wir hätten dich ermordet.«

Der alte Mann wirkte noch immer ein wenig benommen und zuckte schmerzlich zusammen, als er Tincommius den Kopf zuwandte. Die Rufe der Männer auf dem Wehrgang verstummten, und sie sahen ihren König erwartungsvoll an. Jetzt war nur noch das Jammern und Schluchzen der Römer zu hören, die mit gebrochenen Gliedmaßen auf der Straße lagen. Verica zitterte am ganzen Körper.

»Majestät?« Cadminius verstärkte seinen Griff um die Taille des Königs.

»Schon gut … schon gut.«

Cato beugte sich näher zu ihm und redete schnell und leise auf ihn ein. »Majestät, du musst ihnen sagen, wer dich angegriffen hat. Du musst ihnen klar machen, dass Tincommius ein Verräter ist.«

»Ein Verräter?«, wiederholte der König mit gekränkter Miene.

»Majestät, bitte. Das Leben dieses Mannes dort hängt davon ab.« Cato zeigte auf Figulus.

Verica starrte den knienden Römer und seinen Neffen einen Moment lang an und hustete dann – ein qualvolles Husten aus tiefster Kehle, nach dem er atemlos dastand, die Hände um den schmerzenden Kopf geklammert. Dann aber richtete er sich mühsam so hoch auf, wie es ihm möglich war, und rief seinen Stammesgenossen auf der Straße zu:

»Es war Tincommius … Tincommius hat mich angegriffen!«

»Es war Artax!«, kreischte Tincommius. »Es war Artax! Ich habe dem König das Leben gerettet!«

Verica schüttelte traurig den Kopf.

»Er lügt!«, schrie Tincommius verzweifelt. »Der König wird von den Römern zum Lügen gezwungen! Seht sie doch neben ihm stehen. Sie zwingen ihn dazu, das zu sagen.«

»Nein!«, schrie Verica mit vor Anstrengung brüchiger Stimme. »Du warst es, mein Neffe! DU!«

Die Krieger am Ende der Straße drehten sich zu dem Prinzen um, und er bemerkte den Zweifel und die Verachtung in ihren Blicken.

»Er lügt, das versichere ich euch!«

Cato riss sich von dem Drama los und rief nach seinen Männern. »Mandrax!«

»Hier, Zenturio!«

»Nimm dir zwanzig Mann und halte dich bereit, die Gefangenen zu holen, sobald das Tor aufschwingt.«

»Was hast du vor?«, fragte Macro ungläubig.

»Ich versuche, mir Tincommius zu schnappen. Und komme dann so schnell wie möglich hierher zurück.«

»Du bist ganz schön verrückt«, bemerkte Macro, versuchte aber nicht, ihn aufzuhalten, als Cato vom Wehrgang hinunterstieg, sich Helm und Schild schnappte und den Torhütern befahl: »Reißt auf mein Kommando das Tor auf, so rasch wie möglich.«

Die Aussicht, handeln zu können, ließ sein Herz heftig schlagen und vertrieb die Erschöpfung. Sobald Mandrax und seine Mannschaft bereit waren, holte Cato tief Luft und schrie: »Tor auf!«

Die Legionäre schoben den Riegel zur Seite und zerrten die Torflügel auf.

»Mir nach!«, rief Cato über die Schulter und rannte auf die Straße hinaus. Er eilte auf die Gruppe um Tincommius zu und widerstand dem Impuls, sein Schwert zu ziehen; es durfte auf keinen Fall so wirken, als hätte er einen Angriff geplant. Tincommius wandte sich zur Umfriedung um und zeigte mit ausgestrecktem Arm auf Cato.

»Schnappt sie euch!«

»Wölfe! Keiler!«, schrie Cato laut. »Haltet ihn! Haltet Tincommius!«

Tincommius' Männer wandten sich zu Cato um, und einen grässlichen Moment lang war der Zenturio sich sicher, dass er ihre Stimmung völlig falsch eingeschätzt hatte und sie gegen ihn kämpfen würden. Doch sie verharrten einfach und sahen zu, wie Cato und seine Männer auf sie zueilten. Tincommius sah mit entsetztem Blick auf seine Männer, machte kehrt und rannte los.

»Haltet den Verräter!«, schrie Cato. Doch es war zu spät. Tincommius hatte den Ring der Männer durchbrochen und rannte auf die Straßenbiegung zu, hinter der er von seinen durotrigischen Verbündeten erwartet wurde. Die Flucht wäre ihm wohl geglückt, hätte nicht der Mann mit der Keule dem Prinzen die Waffe nachgeschleudert und ihn in der Kniekehle getroffen. Der Fliehende stolperte und stürzte der Länge nach in den kleinen Haufen der verbliebenen römischen Gefangenen. Diese fielen mit Wutgebrüll über ihn her und prügelten mit gefesselten Händen auf ihn ein. Cato blieb vor den Kriegern stehen, die ihn mit unsicherer Miene ansahen, die Waffen stoßbereit erhoben. Sofort wandte Cato sich zu den Verletzten um, die mit zertrümmerten Gliedmaßen auf der Straße lagen, und gab seine Befehle.

»Schafft alle, die noch leben, in die Umfriedung! Rasch! Die Durotriges müssen jeden Moment kommen!«

Vielleicht verlieh die Dringlichkeit seiner Stimme eine zusätzliche Autorität; auf jeden Fall zeigte der Befehl Wirkung. Die Männer eilten zu den am Boden liegenden Römern und zerrten sie aufs Tor zu, ohne in ihrer Hast auf das laute Schmerzgeschrei der Verwundeten zu achten.

Cato drehte sich zu Mandrax um: »Kümmere dich um den Rest der Gefangenen! Achte darauf, dass sie Tincommius mitnehmen, was auch immer noch von ihm übrig ist!«

Mandrax grinste. »Jawohl, Zenturio.«

Cato überließ es seinen Männern, seine Befehle auszuführen, und eilte weiter, die Straße hinunter und um die Biegung, die zu Callevas Haupttor führte. Plötzlich stockte er. In dreißig Schritt Entfernung hockten die Durotriges still zwischen den Hütten, die die Straße säumten, Hunderte von Kriegern, so weit das Auge reichte. Beinahe sofort ertönte ein Warnruf und einer der Krieger schoss hoch und zeigte auf Cato. Nun sprangen auch andere auf und griffen zu ihren Waffen.

»Hoppla!«, murmelte Cato, wirbelte herum und stürzte auf die königliche Umfriedung zu, verfolgt vom entfesselten Geschrei der Feinde. Der Zenturio rannte um die Biegung und sah, dass die meisten seiner Männer, die Gefangenen und die überlebenden Gefolterten beinahe das Tor erreicht hatten.

»Schnell!«, schrie er. »Sie kommen!«

Das immer lauter werdende Gebrüll war Beweis genug, und so rannten die Flüchtenden noch schneller und achteten noch weniger auf das Schmerzgeschrei der mitgeschleppten Verwundeten. Schließlich war nur noch Cato draußen und stürmte als Letzter auf das sichere Tor zu, das schon von den Verteidigern zugeschoben wurde. Nicht schon wieder!, dachte er gequält. Die schwere Rüstung behinderte Cato und so warf er seinen Schild beiseite und rannte auf den immer schmaler werdenden Spalt zwischen den Torflügeln zu. Macro und die anderen auf dem Wehrgang feuerten ihn mit verzweifelten Rufen an. Mit eingezogenem Kopf sprang Cato über die tot am Boden liegenden Gefangenen, und seine genagelten Sohlen hämmerten laut über den festgetretenen, trockenen Boden. Etwas zischte an seinem Kopf vorbei und gleich darauf fuhr ein paar Schritte vor ihm ein Speer in den Boden.

»Los, Cato!«, brüllte Macro. »Sie sind dicht hinter dir!«

Cato blickte auf, sah das Tor unmittelbar vor sich, spürte aber plötzlich etwas hinter seinem Rücken und duckte sich zur Seite. Eine Schwertklinge zischte durch die Luft und hieb ins Gras, begleitet vom Fluchen ihres Besitzers. Cato warf sich durch den schmalen Spalt, den man für ihn gelassen hatte, überschlug sich und landete hinter dem Tor auf dem Boden. Die Legionäre rammten das Tor sofort zu und klemmten dabei aber den Kopf des Mannes ein, der mit dem Schwert nach Cato geschlagen hatte. Der Schädel des Mannes wurde mit einem dumpfen Geräusch zerquetscht. Die Legionäre stießen die blutige Masse nach draußen und konnten endlich den Riegel vorlegen. Die Wut und Enttäuschung der Gegner wurde in der Wucht deutlich, mit der sie gegen das Tor rannten, während Cato noch auf allen vieren nach Luft schnappte.

»Cato!«, rief Macro zu ihm hinunter. »Alles in Ordnung?«

Cato winkte ihm beruhigend zu.

»Gut! Dann komm endlich hier hoch und kümmere dich um dieses verdammte Wespennest, in das du gestochen hast.«

37

»Schafft die Verwundeten in die Königsburg!«, befahl Cato und kletterte die Leiter zu Macro hinauf. Vericas Leibwächter traten schützend vor den König, als Cadminius den alten Mann auf die Bahre zurücklegte.

»Was machen wir mit dem da?«, fragte Mandrax und

nickte zu dem blutig zerschlagenen atrebatischen Prinzen hinunter, der neben der lotrecht im Boden steckenden Wolfsstandarte stöhnend am Boden lag.

Cato blickte kurz zu Tincommius hinüber. »Bringt Tincommius auch in den Saal. Fesselt ihn sicher. Aber lasst ihn unversehrt, verstanden?«

Mandrax wirkte enttäuscht und versetzte Tincommius einen Stoß mit dem Standartenschaft. »Auf die Beine!«

Cato kümmerte sich nicht weiter um den Verräter und schob sich an den Leibwächtern vorbei zur Brustwehr vor. Links und rechts von ihm schleuderten die Legionäre und die Krieger der Wolfskohorte jedes nur denkbare Wurfgeschoss, das ihnen in die Hände fiel, auf die Durotriges, die dicht an dicht gedrängt auf der Straße standen. Die Angreifer erwiderten den Geschosshagel nur halbherzig, denn in dem dichten Gedränge war es ihnen fast unmöglich, Speere oder Steine zu schleudern, und so gingen vor dem Tor weit mehr Angreifer zu Boden als Verteidiger oben auf dem Wehrgang.

»Die lernen doch nie!«, schrie Macro Cato ins Ohr.

»O doch«, entgegnete Cato keuchend, noch immer atemlos von seiner schnellen Flucht. Er hob den Arm: »Schau dort!«

Von der Hauptstraße Callevas zweigten in der Nähe des Tors einige schmale Gassen in das labyrinthische Gewirr von Hütten ab, das die königliche Umfriedung umgab. Die Durotriges zogen sich in diese Gassen zurück und entschwanden dem Blick. Macro wandte sich Cato zu. »Ich passe hier auf. Finde du heraus, wohin diese Gassen führen, und achte darauf, dass alles bewacht wird, was Zugang zur Palisade bietet.«

»Jawohl, Herr!« Cato machte kehrt und schnappte sich den nächstbesten eingeborenen Krieger. »Führen irgendwelche Gassen bis an die Palisade heran?«

»Einige vielleicht schon, Herr.«

»Vielleicht?« Cato sah ihn kalt an und schluckte seine Verärgerung herunter. »Gut, dann nimm dir einige Männer, alle, die nicht fürs Tor gebraucht werden, und postiere sie ringsum auf dem Wehrgang. Ich möchte, dass sie gleichmäßig verteilt sind. Es darf keine blinden Flecken geben. Verstanden?«

»Ich … ich glaube schon, Herr.« Der Mann war erschöpft.

Cato packte ihn bei der Schulter und schrie ihm ins Gesicht: »Ob du verstanden hast, will ich wissen?«

»Jawohl, Herr.«

»Dann marsch!«

Als der Krieger loseilte, um den Auftrag auszuführen, drehte Cato sich um und ging den schmalen Wehrgang entlang, bis er den Bereich über dem Tor verlassen hatte und ungehindert loseilen konnte. Ein paar Stunden zuvor war er die Palisade schon einmal abgegangen, um sich von Tincommius' Schauspiel der Misshandlungen abzulenken und die Wachtposten zu kontrollieren. Ein Angriff auf die Umfriedung der Palisade würde nicht nur möglicherweise, sondern mit Sicherheit erfolgen. Jetzt, da Tincommius' letzter Versuch, eine schnelle Übergabe zu erreichen, fehlgeschlagen war, blieb den Durotriges keine andere Wahl als eine gewaltsame Erstürmung. Irgendwo im labyrinthischen Gewirr der strohgedeckten Hütten suchte der Feind eine Möglichkeit, zur Palisade vorzustoßen und sie zu überwinden.

Als Cato den Wehrgang entlangeilte, sah er, dass die meisten Hütten nicht direkt an die königliche Umfriedung grenzten und zwischen den lehmverputzten Wänden und der Palisade meist eine Lücke von fünf oder sechs Schritt Breite blieb. Doch wie immer, wenn Kelten am Werk waren, hatten die Regeln mit der Zeit gelitten, und so stießen an mehreren Stellen neuere Gebäude oder Hüttenanbauten an die Palisade. Der Verteidigungsgraben war schon vor langer Zeit mit Abfall zugeschüttet worden, und aus dem fauligen Boden lugten Knochen und Tonscherben heraus. Viele der Hütten hatten ihre eigenen kleinen Umfriedungen, Pferche aus Weidengeflecht, in denen vor der Hungerzeit Tiere gehalten worden waren. Es würde nicht lange dauern, bis die Feinde sich zur Palisade vorgearbeitet hatten, und wenn sie erst einmal dort waren, würden sie versuchen, den Wehrzaun zu überklettern, und die Verteidiger hart zu bedrängen. Wenn es ihnen gelang, an mehreren Stellen gleichzeitig anzugreifen, würden sie nicht mehr aufzuhalten sein. Die Durotriges würden den Wall erstürmen und in die Umfriedung einfallen, bevor die Verteidiger reagieren konnten. Römer und Wölfe würden in Stücke gehauen werden, wenn sie es nicht rechtzeitig schafften, die Verschanzung vor dem Eingang der Königsburg zu erreichen. Das war die allerletzte Rückzugsmöglichkeit, und dort würden sie ihren letzten Kampf kämpfen.

Cato trat zur Seite, als Mandrax mit einer kleinen Kriegertruppe an ihm vorbeieilte. Der Standartenträger postierte rasch einen Mann, und der Rest rannte weiter. Der Zenturio ließ den Blick über die Palisade wandern und begriff, dass die Postenkette entsetzlich dünn war. Am Tor hielten Macro und die Legionäre vorläufig die Stellung. Die Durotriges versuchten, Leitern anzustellen, und Cato sah, wie die parallelen Holme gegen den Wehrzaun stießen, von wo die Verteidiger sie sofort wieder zurückstießen.

»Da kommen sie!«

Der Zenturio drehte sich um und sah, wie einer der Wölfe über die Brustwehr deutete. Unten brach ein wilder Haufen von Durotriges aus einem Schweinestall heraus und versuchte, die Palisade zu erstürmen. Schon wurde einer der Männer von seinen Kameraden nach oben gehoben und streckte die Hände nach der Brustwehr aus. Dann strömten ein Stück weiter hinten noch mehr Feinde aus den Hütten und stürmten auf den Wehrzaun zu.

Cato eilte über den Wehrgang zu dem Posten, der den Alarm ausgelöst hatte. Einige seiner Männer eilten von der anderen Seite herbei. Der erste Durotrige klammerte sich nun an der Brustwehr fest und versuchte hinüberzuklettern. Bevor er das Bein jedoch über die Balken schwingen konnte, stieß ihm der Wächter einen Speer in die Kehle, und der Mann stürzte nach hinten, den Hals mit beiden Händen umklammernd, und besprühte seine Kameraden mit einem blutroten Strom. Die Rache folgte beinahe unmittelbar in Form mehrerer Speere, die zu dem Wächter hinaufflogen. Er hob schützend den Schild vors Gesicht und wehrte das erste Geschoss ab, entblößte damit aber seinen Unterleib und wurde mit solcher Wucht von zwei Speeren in den Bauch getroffen, dass er rückwärts vom Wehrgang taumelte und zu Boden stürzte. Noch bevor ein anderer Verteidiger den Gefallenen ersetzen konnte, erklomm der nächste feindliche Krieger die Palisade und stellte sich sofort, Schild und Schwert erhoben, kampfbereit hin.

Er blickte sich nach beiden Seiten um, sah, dass Cato ihm am nächsten stand, stieß einen Kampfschrei aus und stürzte sich auf den Zenturio. Einen Moment lang schien die Zeit still zu stehen und Cato erkannte jede schlammverschmierte Falte im Furcht einflößend verzerrten Gesicht seines Angreifers. Er war jung und kräftig wie ein Stier, hatte aber zu viel Fett auf den Rippen. Bei seinem Angriff auf den Römer ächzten und bebten die Bohlen des Wehrgangs bedrohlich. Cato biss die Zähne zusammen und rannte noch schneller. Größe und Gewicht versprachen dem Durotrigen einen eindeutigen Vorteil, und mit einem zähnefletschenden Grinsen stürmte er dem Zusammenprall entgegen. Im allerletzten Moment presste Cato sich gegen die Brustwehr und lenkte den auf ihn zudonnernden Gegner mit schräg gestelltem

Schild ab. Der Krieger konnte nicht rasch genug ausweichen, prallte von Catos Schild ab und geriet ins Taumeln. Einen Moment lang stand er mit Halt suchend ausgestrecktem Schwertarm schwankend da. Cato stieß dem Mann die Klinge in den Rücken, stemmte den Fuß gegen seinen nackten, schweißfeuchten Körper und stieß ihn, die Klinge herausreißend, vom Wehrgang hinunter. Der Zusammenprall hatte Cato den Atem verschlagen und als er sich keuchend umdrehte, kletterten gerade zwei weitere Männer über die Palisade. Der eine entschied sich für Cato, der andere rannte auf die kleine Schar von Wölfen zu, die ihm entgegeneilte. Hinter seinen Männern erblickte Cato weitere Verteidiger, die einer zweiten Gruppe tollkühner Durotriges mit ihren Schwertstreichen das Erklettern der Palisade verwehrten.

Cato heftete die Augen auf seinen neuen Gegner – einen dunkelhäutigen Kelten, der älter und vorsichtiger war als sein blutdurstiger Kamerad. Er trat langsam auf den Zenturio zu, ging dann tief in die Knie, das Schwert seitlich erhoben, sowohl zu einem Hieb auf den Kopf als auch zu einem Schlag auf die Körpermitte bereit. Dieser Mann würde nicht auf denselben Trick hereinfallen wie sein Kampfgefährte. Als Cato nur noch zehn Schritte von ihm entfernt war, stieß er plötzlich einen wilden Kampfschrei aus und stürmte auf den Kelten los.

Der Krieger hatte einen raffinierteren, genauer berechneten Angriff erwartet und wurde von dem wilden Ansturm überrascht. Cato fegte den Gegner mit einem Stoß seines schweren Legionärsschilds von den Füßen. Mit einem Tritt ins Gesicht des Gestürzten stürmte er über ihn hinweg und stach ihm das Schwert in die Brust. Der Stoß war nicht tödlich, würde ihn aber wohl vorläufig außer Gefecht setzen, und so konnte Cato sich auf den nächsten Palisadenkletterer stürzen. Dieser war gerade erst über die Brustwehr gekommen und bückte sich noch nach seinem Speer, als Cato ihn erreichte. Er hatte nur noch Zeit, erschrocken das Gesicht zu verziehen, da traf ihn die Schwertspitze ins Auge, durchstieß den Schädel und drang ihm ins Gehirn. Cato riss die Klinge zurück, beugte sich vor und hieb auf das nächste Paar Arme ein, das sich an der Brustwehr festklammerte. Der Kelte erhielt eine tiefe Wunde in der Schulter und stürzte nach unten. Weitere Versuche unterblieben vorläufig, doch im Hintergrund holten nun Krieger mit ihren Speeren aus und warfen sie nach dem Zenturio. Cato konnte gerade noch rechtzeitig den Kopf einziehen, als die dunklen Schäfte im Bogen über die Palisade flogen.

Vier seiner Männer huschten tief geduckt über den Wehrgang zu Cato.

»Macht mit dem hier Schluss.« Cato zeigte auf den alten Krieger, der die Hand auf die Wunde in seiner Brust presste. Ein Schwert zuckte vor. Der Krieger röchelte erstickt und zuckte noch einmal schwach, bevor sein Lebenslicht endgültig erlosch. Cato sah seinem Sterben zu, da er unten bleiben musste, solange der Feind Geschosse über die Palisade schleuderte.

»Herr!«

»Was denn?« Cato zuckte zusammen und blickte schuldbewusst von der Leiche auf. Einer der eingeborenen Krieger deutete über seine Schulter.

»Dort, Herr!«

Cato blickte sich um und sah eine Hand, die zwanzig Meter weiter über die Brustwehr griff. Die Angreifer hatten Cato und seine Männer mit ihren Geschossen abgelenkt und den Angriffspunkt einfach ein Stück weit verschoben.

»Los!«, befahl Cato und eilte tief gebückt der neuen Bedrohung entgegen. Doch es war schon zu spät. Inzwischen standen mehrere feindliche Krieger zwischen ihm und Mandrax' Gruppe auf dem Wehrgang. Drei Feinde hatten den Wehrgang bereits erreicht und sprangen von dort in die

Umfriedung hinunter. Cato sah, dass drei Leitern an der Palisade lehnten, über die immer mehr Krieger auf den Wehrgang kletterten. Der Kampf um die Palisade war also verloren. Er blieb stehen, drehte sich zu seinen Leuten um und packte den Erstbesten bei der Schulter.

»Du! Lauf zu Macro zurück. Sag ihm … Zeig ihm einfach, wo sie über die Palisade kommen. Er weiß dann schon, was zu tun ist.«

»Jawohl, Herr.« Der Krieger drängte sich an seinen Kameraden vorbei und eilte über den Wehrgang zum Tor zurück.

»Verschwinden wir hier«, forderte Cato die anderen auf und sprang vom Wehrgang nach unten. Er befahl den Wölfen den Rückzug hinter die letzte Verteidigungsstellung und rannte, als sie quer durch die Umfriedung zur Königsburg davonstürmten, auf die Durotriges zu, die sich unterhalb der Stelle sammelten, an der sie die Palisade überwunden hatten. Einer von ihnen bemerkte den Zenturio und rief seinen Gefährten eine Warnung zu. Cato blieb stehen und rief über ihre Köpfe hinweg:

»Mandrax! Mandrax!«

Mandrax, der sich hinter den Durotriges befand, blickte sich um und erkannte die Gefahr.

»Rückzug!«, schrie Cato und deutete mit einer weit ausholenden Schwertgeste zur Königsburg.

Nach dieser Warnung machte der Zenturio kehrt und rannte los. Er war noch nicht weit gekommen, als die Durotriges ein ohrenbetäubendes Kriegsgeheul erhoben und die Verfolgung aufnahmen. Cato warf einen Blick über die Schulter und erfasste die ganze, schreckliche Szene in einem einzigen Augenblick. Der Feind drang nun an immer mehr Stellen über die Palisade, und alle Überlebenden der Wolfskohorte flüchteten zur improvisierten Verschanzung vor der Königsburg. In ihrer Mitte erhob sich die Standarte mit dem goldbemalten Wolfskopf über Speerschäfte und Köpfe. Die Durotriges hatten bereits einige Verletzte eingeholt und hieben nun auf die zu Boden Stürzenden ein. Weiter zur Linken hatte Macro die Palisade schon fallen sehen, bevor Catos Botschaft ihn erreichte, und die Legionäre gaben das Tor auf und sprangen in die Umfriedung hinunter.

Cato schaute wieder nach vorn und rannte um sein Leben, wobei er instinktiv den Kopf einzog, als dicht hinter ihm das Johlen der Durotriges ertönte. Vor ihm lag die eilig zusammengeschobene Brustwehr; der Zugang befand sich am Rand, wo ein schwer beladener Karren zur Seite geschoben worden war. Die ersten Männer drängten sich hindurch und warfen dabei entsetzte Blicke auf den heranstürmenden Feind. Als Cato sich dieser letzten Stellung näherte, schrie er der verzweifelten Menschentraube zu: »Wölfe! Wölfe! Macht kehrt und stellt euch bei der Standarte auf! Bei der Standarte!«

Einige Männer hörten auf ihn und drehten sich mit erhobenen Schilden und stoßbereiten Schwertern um. Andere starrten ihn mit aufgerissenen Augen an, zu entsetzt, um an etwas anderes als die Flucht zu denken. Der durchtrainierte, langbeinige Mandrax erreichte die Verschanzung ein gutes Stück vor Cato, kehrte sich dem Feind zu und stellte die Standarte herausfordernd lotrecht auf den Boden. Die Männer eilten zu beiden Seiten der Standarte in Position und schlossen die Reihen. Als Cato sie erreichte, hatten sie eine zuverlässige Front zwischen den in die Verschanzung strömenden Männern und den Durotriges gebildet. Wer sich nicht rechtzeitig in Sicherheit hatte bringen können, starb entweder auf der Flucht oder stellte sich zu einem letzten Kampf, wurde aber von der überwältigenden Überzahl der Feinde schnell niedergemetzelt. Doch die sterbenden Kämpfer verschafften ihren Kameraden ein wenig Aufschub, und so erreichte die Mehrheit der Verteidiger die improvisierte Verschanzung und floh zu beiden Seiten von Catos kleiner Truppe zum Eingang.

Als die ersten Durotriges auf die lückenlose Front von Schilden stießen, zogen sie sich nach einem abschätzenden Blick auf die Römer und ihre Eingeborenen-Truppen vorläufig auf der Suche nach leichterer Beute zurück. Cato hielt auf die Zehenspitzen gestellt und mit gerecktem Hals Ausschau nach Macro und seinen Legionären. Dann erblickte er sie, eine geschlossene, von einer lückenlosen Schildreihe gedeckte Truppe, die im Marschschritt auf die Königsburg zumarschierte, Macro mit wippendem Helmbusch an der Spitze, wo er einen Pfad durchs Gedränge der Durotriges mähte, seinen Männern Ermutigungen zurief und lauthals den Feind verfluchte. Plötzlich merkte Cato, dass die Durotriges inzwischen mit den atrebatischen Nachzüglern fertig waren und sich erneut vor seiner Truppe scharten. Sie standen zwanzig Schritt vor ihm, schlugen mit den Speeren gegen die Innenseite der Schilde und brüllten ihre Schlachtrufe, die Gesichter vor wilder Kampfbegeisterung verzerrt. Cato spürte, wie die Männer an seiner Seite vor dem Anblick zurückzuckten.

»Haltet die Stellung!«, schrie Cato, die Stimme nach der Überanstrengung der letzten Tage nur noch ein raues Krächzen. »Haltet die Stellung!«

Er warf einen Blick auf die Legionäre, die sich mit dem Schwert ihren Weg durch das chaotische Gewimmel bahnten. Die Durotriges strömten jetzt aus allen Richtungen in die Umfriedung, und zudem hatten einige Krieger, die etwas geistesgegenwärtiger waren als ihre wilden Kampfgenossen, das Tor von innen geöffnet. Unter dem Druck der Kriegermassen, die sich davor drängten, schlug es krachend auf, und die Feinde stürzten sich mit triumphierendem Gebrüll nach drinnen. Wenn Macro den Rückzug nicht beschleunigen konnte, würden sie ihn und seine Leute erwischen, bevor diese bei der Brustwehr anlangten. Cato blickte sich nach seinen Männern um. »Stillgestanden! Nur noch ein wenig länger, Jungs.«

Aus der Schar von Durotriges, die sich auf dem Platz vor der Königsburg sammelten, flog ein Speer heran, und Cato riss seinen Schild gerade noch rechtzeitig hoch, um die Eisenspitze abzuwehren. Diese drang mit einem nervenzerfetzenden Knirschen durch die Lederverstärkung des Schildrückens und verfehlte seinen Helm nur knapp. Die Durotriges jubelten ihrem Kameraden zu, der beinahe einen römischen Zenturio erlegt hätte. Catos Schild war nun unhandlich schwer und er verfluchte sein Pech. Wenn es zum Handgemenge kam, war der Schild ebenso wichtig wie das Schwert, doch nun, da der Schaft des Wurfspeers darin steckte, war Cato entscheidend behindert. Er rief über die Schulter zurück: »Besorgt mir einen Schild!«

Die Durotriges, die nahe genug waren, um den Befehl zu hören, lachten ihn höhnisch aus, und wer von ihnen ohne Schild kämpfte, zeigte ihm verächtlich die nackte Brust. Der Zwischenfall hatte die Durotriges so ermutigt, wie eine Menschenmasse sich eben durch Kleinigkeiten aufschaukeln lässt, und es war klar, dass sie nun jeden Moment angreifen würden.

»Herr!«, rief eine Stimme hinter ihm und Cato blickte über die Schulter zurück. Mandrax reichte ihm einen Schild.

»Wem gehört der?«

»Einem unserer Gefallenen, Herr.«

»Dann ist es gut …« Cato ließ die Augen rasch über den feindlichen Haufen wandern: Alle jubelten und stießen Speere und Schwerter in die Höhe.

Er warf seinen Schild beiseite, drehte sich um, nahm den Ersatzschild von Mandrax entgegen und riss ihn schützend vor den Körper. Macro und seine Männer kämpften sich noch immer auf die Brustwehr zu, von allen Seiten bedrängt. Jeder Schritt der Legionäre wurde vom Klirren und den dumpfen Schlägen der feindlichen Schwerter und Speere begleitet, die immer wieder auf die Schilde eindrangen. Catos Gegner wandten sich nun dem lauter werdenden Getöse zu und ihre schrillen Schlachtrufe verklangen. Mit heftig pochendem Herzen ergriff Cato die Gelegenheit beim Schopf.

»Bereit zum Angriff«, sagte er so leise, dass nur die Wölfe es hören konnten. »Und schreit aus voller Kehle!« Er ließ die Männer zur Vorbereitung noch ein paarmal durchatmen und schrie dann: »Zum Angriff!«

Cato stieß ein wildes, animalisches Brüllen aus, und das schrille Schlachtgeschrei, mit dem die Wölfe vorwärts stürmten, hallte in seinen Ohren wider. Die Durotriges wandten sich wieder seiner kleinen Truppe zu, Schreck und Überraschung im Gesicht, und rührten sich einen Moment lang nicht, als Cato und die Atrebates sich auf sie stürzten. Einige Feinde wurden niedergestreckt, bevor sie Widerstand leisten konnten. Cato rammte einem mageren Mann seinen Schildbuckel in die Rippen, der mit einem lauten Stöhnen keuchend zu Boden sank. Cato trat dem Mann ins Gesicht, stieg über ihn hinweg und stieß mit dem Schwert nach dem nächsten Feind, der in seine Reichweite kam. Der Schlag wurde im letzten Moment pariert, doch der Gegner des Zenturios entblößte bei seiner verzweifelten Gegenwehr die Flanke, so dass der an Catos Seite kämpfende Atrebate ihm mit einem kräftigen Hieb den Leib aufriss.

Die Wölfe fielen brüllend und kreischend über die Feinde her und stachen sie mit ihren Kurzschwertern nieder. Sie bahnten sich einen Weg durch die Masse der feindlichen Krieger, und bevor die Durotriges wirklich reagieren konnten, hatten die Atrebates sich zu Macro und seinen Legionären durchgearbeitet.

»Schließt die Reihen!«, rief Cato. »Mandrax! Zu mir!«

Als die beiden Einheiten sich vereinigten, nickte Macro Cato einen Dankesgruß zu, doch der junge Zenturio wusste, dass keine Zeit zu verschwenden war.

»Herr, wir müssen die Verschanzung erreichen, bevor sie sich erholen.«

»Richtig.« Macro drehte sich um und blickte zum Tor zurück. Eine dicht gedrängte Masse von Durotriges wogte flutartig auf sie zu. Macro wandte sich seinen Männern zu: »Im Laufschritt ... Marsch!«

Cato gab den Befehl an seine eigenen Leute weiter, und die Wölfe voran eilte die kleine Kolonne auf die Brustwehr zu, wobei sie sich nicht auf Handgemenge mit den erschütterten Feinden einließen, sondern nur jene Schläge parierten, welche die unerschrockeneren Krieger der Durotriges noch immer gegen sie richteten. Doch hinter ihnen versuchte die riesige Kriegerschar, die durchs Tor gebrochen war, die Verteidiger einzuholen. Ihr Beispiel war ansteckend und die feindlichen Krieger in der königlichen Umfriedung erfasste erneut das Verlangen, die Römer in ein vernichtendes Gefecht zu zwingen.

Die Männer, die sich schon hinter der improvisierten Brustwehr verschanzt hatten, riefen ihren Kameraden Ermutigungen zu und winkten sie mit wilden Armbewegungen heran. Cato an der Spitze der Formation war in Versuchung, das Tempo zu beschleunigen, wusste aber, dass der Feind sich sofort ermutigt fühlen und sie in Stücke hauen würde, wenn die Reihen nicht geschlossen blieben. Endlich langten sie unmittelbar vor der Königsburg an und mussten nur noch durch die schmale Lücke, die in den Schutz der Verschanzung führte.

»Wölfe!«, rief Cato, der seitlich abschwenkte. »Zu mir!«

Die Männer des Zenturios stellten sich bei ihm auf und die Legionäre rannten vorbei, keuchend und vom rhytmischen

Klirren ihrer Waffen begleitet. Die vom Haupttor heranstürmenden Durotriges waren den Römern dicht auf den Fersen und dürsteten danach, sich an den Männern zu rächen, die ihnen aus dem Schutz der Palisade solch bittere Verluste zugefügt hatten. Die hinterste Reihe von Macros Legionären hatte sich der Bedrohung zugewandt, und die Männer marschierten rückwärts, gefährlich schnell in Anbetracht des unsicheren Geländes, wobei sie die Hiebe der Feinde mit ihren großen Schilden abwehrten. Sobald seine Männer in Reih und Glied standen, blickte Cato sich um und erkannte, dass die meisten Legionäre inzwischen den Eingang der Verschanzung passiert hatten. Nur die kleine Nachhut war noch übrig und kämpfte sich Schritt um Schritt zur Sicherheit durch.

Cato räusperte sich. »Haltet die Stellung! Wartet, bis der letzte Legionär vorbei ist.«

Sobald die Nachhut auf einer Höhe mit ihm war, brüllte Cato den Befehl zum Rückzug, und Römer und Atrebates wichen als geschlossene Truppe zum Eingang der Verschanzung zurück, wobei sie ihre Feinde mit Schilden und Schwertern abwehrten. Die Durotriges hatten inzwischen Triumph gerochen und konnten es kaum erwarten, die letzten Verteidiger niederzumachen. Sie stürmten mit einer grenzenlosen Wut gegen Cato und seine Männer an, hieben und stießen auf die Schilde der Verteidiger ein, traten danach und schlugen sogar mit den Köpfen dagegen, um sie nur endlich alle zu vernichten. Der letzte Legionär verschwand hinter der Verschanzung, und nun zogen Catos Männer sich durch die Lücke zurück, bis nur noch Cato, Mandrax und eine Hand voll weiterer Kämpfer draußen standen.

»Bring die Standarte nach drinnen!«

Mandrax holte heftig nach seinem Gegner aus, der vor dieser Finte zurückwich, und schon war der Standartenträger verschwunden, so dass jetzt nur noch Cato und ein weiterer Mann dem Meer von bemalten Gesichtern und weiß gekalkten Haaren gegenüberstanden. Hinter ihnen trat Macro an die Brustwehr.

»Cato! Lauf, Junge!«

Der junge Zenturio stieß seinen Schild vor und schrie den Mann an seiner Seite an, zurückzuweichen. Der junge Krieger, vom Schlachtgetümmel maßlos erregt, gehorchte dem Befehl jedoch nicht, sondern hieb auf den nächstbesten Feind ein und zertrümmerte seinem Gegner den Schädel. Kaum hatte der Krieger jedoch seinen heiseren Triumphschrei ausgestoßen, da traf ihn ein Speer in den Mund, durchstieß seinen Schädel und kam, ihm den Helm vom Kopf schlagend, in einer blutigen Masse von Knochensplittern und Haar auf der anderen Seite wieder heraus. Cato duckte sich hinter den zu Boden Stürzenden und entwischte in die Lücke.

»Schließen!«, brüllte Macro, und die Männer, die schon hinter dem Wagen bereitstanden, brachten das Fuhrwerk ins Rollen. Ächzend rumpelten die schweren Räder auf die mächtige Steinmauer der Königsburg zu. Einer der Durotriges schaffte es noch in die Lücke, stockte aber, als er das Heranrollen des Wagens spürte. Er machte kehrt, wurde aber von der Ladeklappe des Wagens erwischt und zerquetscht, als das Gefährt gegen das Mauerwerk krachte und die Lücke verschloss. Sobald der Wagen an Ort und Stelle stand, schob man erdgefüllte Weidenkörbe unter die Achsen, damit der Feind ihn nicht wieder zurückschieben oder zwischen den Rädern hindurchkriechen konnte.

Die meisten Legionäre und Wölfe hatten es in den Schutz der Schanze geschafft, doch der Kampf war noch lange nicht vorüber. Macro hatte die Verteidiger handverlesen und nun hielten sie, von der improvisierten Brustwehr und ihren großen Schilden gedeckt, den Feind auf Abstand. Einige der Durotriges versuchten, von außen über die Wagen zu klettern, wurden aber rasch zurückgestoßen und taumelten sterbend zu ihren Kameraden zurück.

Im Schutz der Schanze warf Macro einen Blick auf die Männer, die den halbkreisförmigen Platz vor der Königsburg verteidigten, und nickte zufrieden. Vorläufig konnten sie den Feind zumindest aufhalten, und so würden die Männer sich etwas ausruhen können, während man die Lage überdachte. Der Rest seiner Legionäre und Catos Leute kauerten erschöpft und größtenteils verletzt am Boden; einige hatten nur oberflächliche Verletzungen, andere dagegen schwere Wunden, die versorgt werden mussten. Einem dieser Männer war nicht mehr zu helfen; ein Speer hatte ihn in den Bauch getroffen, und er lehnte mit bleichem Gesicht an der Wand, die Hände auf die Wunde gepresst, damit ihm die Eingeweide nicht herausquollen.

Macro ging zu Cato hinüber, der schwer atmend am Wagen lehnte.

»Das war knapp«, meinte Macro leise.

Cato blickte auf und nickte.

»Du bist verletzt.« Macro zeigte auf das Bein des jungen Zenturios. Cato beugte sich vor und bemerkte einen Schnitt in der Wade. Bei der Flucht durch die Lücke hatte er zuvor nur einen dumpfen Schlag verspürt. Jetzt, als er das Blut über Bein und Stiefel fließen sah, begann die Wunde zu brennen.

»Lass dir das verbinden«, befahl Macro. »Der Wundarzt ist im großen Saal. Wenn er mit dir fertig ist, soll er rauskommen und sich um die anderen kümmern.«

»Ja.« Cato blickte zur Schanze und beobachtete die Kämpfer, die die Durotriges abwehrten, von hinten.

Macro lächelte. »Schon gut, Junge. Ich kann dich einen Moment lang entbehren. Geh jetzt.«

Cato stemmte sich hoch und ging steifbeinig zum Eingang. An der Schwelle stockte er, um noch einen letzten Blick auf die Schanze zu werfen, doch Macro fing seinen Blick auf und deutete energisch in Richtung Königssaal. Cato ging hinein.

Als Cato aus dem nachmittäglich grellen Sonnenschein in den düsteren Innenraum trat, konnte er zunächst außer schemenhaften Gestalten auf dem Boden kaum etwas erkennen. Doch nachdem seine Augen sich an das Dämmerlicht gewöhnt hatten, bemerkte er, dass überall Verwundete lagen, die vom Wundarzt und Vericas Sklaven versorgt wurden. Diese konnten allerdings kaum mehr bewerkstelligen, als die Wunden zu verbinden und es den Sterbenden so angenehm wie möglich zu machen. Der Arzt blickte auf, erhob sich bei Catos Anblick und eilte herbei.

»Bist du verletzt, Herr?«

»Mein Bein. Leg mir einen Verband an.«

Der Wundarzt kniete sich hin und untersuchte die Wunde behutsam. »Hässlich. Scheint aber nicht verschmutzt zu sein. Hier ist ziemlich viel Blut. Fühlst du dich schwach?«

Beim Anblick der grässlichen Verletzungen, die überall zu sehen waren, schämte Cato sich wegen der Aufmerksamkeit, die er erhielt.

»Herr?« Der Wundarzt blickte zu ihm auf. Er hatte eine Verbandsrolle aus seiner Tasche genommen und wand sie um Catos Wade.

»Was?«

»Wie fühlst du dich?«

»Gleich wieder gut.« Cato musste innerlich lächeln. Es spielte kaum eine Rolle, wie er sich fühlte. Er war ohnehin so gut wie tot. Genau wie alle anderen, und doch kümmerte der Wundarzt sich um sie, als gäbe es tatsächlich irgendeine Chance, dass seine Patienten sich noch einmal erholten. Cato hätte fast gelacht und musste diese hysterische Anwandlung unterdrücken. Der Wundarzt hatte irgendetwas gesagt und schien eine Antwort zu erwarten. Cato zuckte mit den Schultern und wechselte das Thema.

»Wo ist der König?«

»In seinen Gemächern. Ich habe ihn zur Ruhe geschickt.«

»Wie geht es ihm?«

»Recht gut, Herr. Aber diese ganze Aufregung ist schädlich für ihn.«

Diesmal entfuhr Cato wirklich ein Kichern und der Wundarzt sah ihn mit besorgter Miene an. »Du solltest dich besser setzen, Herr.«

»Nein. Ich muss mit Cadminius reden.«

»Dort drüben, Herr.« Der Arzt deutete auf den hinteren Bereich des Saals, wo der Hauptmann der königlichen Leibwache und mehrere seiner Männer am Eingang des Trainingshofs Wache standen. Die massive Holztür war mit Keilen und dicken Holzbalken verriegelt und verrammelt worden. Von der anderen Seite drang das rhythmische Dröhnen regelmäßiger Schläge herein. Cato ließ den Arzt stehen und wand sich zwischen den Verwundeten zu Cadminius durch.

»Wie geht's uns denn?«, fragte Cato auf Keltisch und versuchte, dabei ruhiger und zuversichtlicher zu klingen, als er sich fühlte.

Cadminius wandte sich abrupt zu ihm um. »So schnell werden sie nicht reinkommen. Ohne Rammbock schaffen sie es nicht durch diese Tür.«

»Aber sie werden mit Sicherheit irgendwas finden.«

»Mit Sicherheit ... Ich sollte ihnen Tincommius' Kopf rüberwerfen, dann können sie den verwenden.«

»Tincommius? Wo ist er denn?«

»Sicher verwahrt.« Cadminius grinste. »Wir haben ihn ordentlich zusammengeschnürt, an Händen und Füßen. Der wird keinen Schaden mehr anrichten. Ich habe Befehl gegeben, ihn töten zu lassen, sobald irgendeines von diesen Durotrigesschweinen den Fuß in die Burg setzt.«

»Gut.«

»Wie sieht es draußen aus?«

»Vorläufig halten wir sie zurück.«

»Und später?«

Cato lachte und drohte scherzhaft mit dem Finger, bevor er sich wieder zum Eingang des Saals kehrte. »Bis später, Cadminius.«

Als er nach draußen trat, musste Cato im hellen Sonnenlicht blinzeln. Der Feind brüllte noch immer Kriegsrufe und Schlachtgesänge, hatte sich aber von der Schanze zurückgezogen, und die Legionäre spähten misstrauisch über die Brustwehr. Jemand hatte einen versteckten Vorrat von Jagdspeeren gefunden und beinahe alle Legionäre hatten sich damit bewaffnet.

»Cato! Komm her!«, rief Macro aus einem Wagen im vorderen Bereich der Schanze. Cato suchte sich seinen Weg zwischen den am Boden Ruhenden hindurch und zog sich neben Macro auf das Fuhrwerk. Von dieser erhöhten Position sahen sie eine dicht gedrängte Truppe von Durotriges in kaum einem Speerwurf Entfernung. Unmittelbar vor der Schanze lagen die Toten und Verwundeten des ersten Angriffs. Hier und dort bewegte sich einer der Hingestreckten leicht, manche, die schmerzhafte Wunden hatten, brüllten ihre Qual heraus, und andere stöhnten nur leise.

»Wie groß sind unsere Verluste?«, fragte Cato mit verhaltener Stimme.

»Etliche. Aber den Feind hat es schlimmer erwischt und die Lust ist ihm erst mal vergangen.«

Cato betrachtete die Durotriges müde. Einige der Krieger in der vordersten Front stürmten vor, überschütteten die Verteidiger hinter der Brustwehr mit Beleidigungen und rannten wieder zurück. »Sieht so aus, als brächten sie sich gegenseitig in Fahrt.«

»Wir sind bereit. Was macht dein Bein?«

»Ich werde es überleben.«

»Sehr erfreulich. Mach dich jetzt besser bereit. Sieht so aus, als würden sie gleich angreifen. Ich brauche dich im übernächsten Wagen. Halte unsere Leute auf Trab. Sie sind die letzten von unseren Legionären. Halte deine Wölfe bereit, um eventuelle Lücken zu füllen.«

»Jawohl, Herr.«

Cato sprang zu Boden, nahm seinen Schild wieder an sich und befahl seinen Männern, sich zu postieren. Eine eilige Zählung ergab eine Stärke von vierunddreißig Mann. Das war alles. Vierunddreißig Mann waren von den ursprünglichen zwei Kohorten übrig geblieben, die er und Macro trainiert und in den Kampf geführt hatten. Mehr nicht. Die Überlebenden sahen starr geradeaus; sie waren erschöpft, dreckig und zu einem großen Teil mit ihrem eigenen Blut oder dem ihrer Feinde besudelt. Außerdem sahen sie aus wie Bettler und erinnerten Cato an das menschliche Treibgut, das er als Kind in den Elendsgassen Roms gesehen hatte. Als Kind? Das war doch erst zwei Jahre her. Doch die zwei Dienstjahre unter dem Adler erschienen ihm länger als sein ganzes Leben davor.

Aber diese Männer waren keine Bettler, sondern standen hinter Mandrax und der Wolfsstandarte hoch aufgerichtet da. Cato machte keinen Versuch, sie zu noch größeren Leistungen anzuspornen, wie die Generäle in den Geschichtswerken es immer taten. Er trug ihnen lediglich auf, jeden Mann zu ersetzen, der bei der Verteidigung der Brustwehr fiel. Dann salutierte er und begab sich in einen Wagen zu Macros Linker. Rechts von Macro erblickte er Figulus und erwiderte das Winken des Optios.

»Da kommen sie!«, rief Macro.

Die Feinde näherten sich zunächst langsam, doch plötzlich schwoll das Gebrüll in ihren Reihen an und sie stürmten los.

»Haltet die Stellung!«, schrie Macro über das Getöse hinweg. »Haltet sie draußen!«

Cato packte den Schild fester und drückte ihn von innen gegen die Brustwehr. Über den Rand hinweg sah er die Durotriges auf sich zustürmen, ein Meer aus bemalter Haut und stacheligem, weiß gekalktem Haar. Die Feinde kamen immer näher und stiegen über die Leichen ihrer beim ersten Angriff gefallenen Kameraden. Dann erreichten sie die Verschanzung und versuchten, den Soldaten zu Leibe zu rücken, die von oben auf sie hinabstießen. Die Römer waren in der besseren Position, und Dutzende von Durotriges gingen unter den raschen Speerstößen zu Boden. Cato hatte nur sein Schwert und suchte eine günstige Gelegenheit. Dann stürmte unmittelbar unter ihm ein Mann vor und klammerte sich an den Wagenrand. Sofort kletterte der Mann dahinter auf seinen Rücken und stürzte sich auf Cato. Der Zenturio rammte ihm den Schildbuckel gegen die Schulter und der Krieger taumelte zur Seite. Im Fall packte er den Schaft des Speers, den Catos Nachbar führte, und rang dem Römer die Waffe aus der Hand.

»Verdammt!« Der Legionär zog sein Schwert, übersah dabei aber den feindlichen Speer, der von der Seite heranflog. Die Spitze drang ihm unter dem Kinn hindurch in den Hals und der Aufprall schleuderte ihn in den hinteren Teil des Wagens, wo er zusammenbrach.

»Ein Mann hier hoch!«, schrie Cato über die Schulter. »Sofort!«

Sobald sich eine Lücke in der Reihe der Verteidiger zeigte, nutzte eine Gruppe von Feinden den Vorteil aus, und Cato sah sich plötzlich drei Kriegern gegenüber, die mit Schwertern auf ihn eindrangen. Er schützte sich bestmöglich hinter der Wölbung seines Schildes und hieb und schlug mit einer verzweifelten Wildheit zurück, die mit dem disziplinierten Schwerttraining, das zum harten Drill seiner Ausbildung gehörte, nur noch wenig zu tun hatte. Mit Glück erwischte er einen seiner Gegner am Handgelenk und zerschmetterte ihm die Schwerthand. Der Mann schrie auf und stürzte ins wogende Getümmel der Krieger zurück, die die Schanze bedrängten. Die beiden Kameraden des Verwundeten waren jedoch klüger, und während der eine einen Scheinangriff auf Cato durchführte, wartete der andere auf die Gelegenheit, am Schild des Zenturios vorbei den Mann zu treffen. Nur sein Schienenpanzer, an dem der Hieb abglitt, rettete Cato vor einer Brustverletzung. Dann schloss ein Atrebate die entstandene Lücke und stach einen der Männer, die Cato in der Zange hatten, mit dem Schwert nieder.

Wie lange der Kampf um die Schanze wogte – wer hätte es sagen können? Zum Nachdenken war keine Zeit, es gab nur noch den Instinkt zu kämpfen und zu überleben. Während Cato mit dem Schwert kämpfte und heftige Schläge mit dem Schild abblockte, rief er seinen Männern Ermutigungen zu und schrie nach Ersatzleuten, sobald er eine Lücke bemerkte. Zwar kamen auf jeden gefallenen Verteidiger gewiss fünf oder sechs Durotriges, doch der Feind konnte sich diesen Blutzoll leisten. Die enormen Verluste schienen den Willen, an die Römer und Atrebates heranzukommen, sogar noch zu verstärken, und die Gegner drängten mit solcher Wut gegen die Verschanzung an, dass Cato unter sich den Wagen schwanken spürte.

Als die Sonne hinter der Königsburg unterging, geriet die Verschanzung in ihren Schatten, und die schräg einfallenden Strahlen ließen den Feind im Kontrast zu dieser Dunkelheit noch wilder und verwegener erscheinen. Cato hatte das Gefühl, dass seine Arme völlig kraftlos waren, und das Wort Verzweiflung genügte nicht mehr, um seinen Zustand zu beschreiben. Nur mit eisernem Willen konnte er den Schildarm oben halten und gleichzeitig so kräftig zustechen, dass der Stoß tödlich war. Doch wie viele Gegner auch immer er in die brodelnde feindliche Menschenmasse zurückstieß, immer erschien ein Ersatzmann, der denselben unerbittlichen Drang zeigte, die Verteidiger zu vernichten.

Irgendwann stellte Cato zu seiner Überraschung fest, dass der nächste Gegner ausblieb. Er hielt den Schild bereit, den zitternden Schwertarm energisch vorgereckt, doch das Meer feindseliger Gesichter strömte von der Verschanzung zurück. Ein Blick nach links und rechts zeigte ihm, dass die Durotriges sich insgesamt zurückzogen. Ihre Kriegsschreie verhallten und mit einem Blick in die Umfriedung stellte Cato fest, dass sie durchs Haupttor davonrannten. Bald waren nur noch ein paar Nachzügler zu sehen, die ihren Kameraden so schnell wie möglich nacheilten, und vor Catos Augen tat sich das ganze Ausmaß des Schlachtfelds auf. Hunderte von Feinden waren vor der Schanze niedergestreckt worden. Viele von ihnen lebten noch und das Durcheinander der von Blut und Schweiß glänzenden Körper schien in der Hitze und dem grellen Licht des späten Sommernachmittags zu flirren. Cato blickte zu Macro hinüber, der achselzuckend die Lippen schürzte.

»Wohin sind die Drecksäcke verschwunden?«, fragte Figulus laut.

Die Männer an der Brustwehr blieben stehen und warteten auf das nächste Manöver des Feindes, denn noch wagten sie nicht zu glauben, dass die Gegner nicht zurückkehren würden. Das Waffengeklirr der Durotriges verhallte in der Ferne und dann war nur noch das Stöhnen der Verletzten zu hören.

»Cato!«

»Jawohl, Herr!«

»Die Mannzahlen, sofort.«

Cato nickte und sprang vom Wagen hinunter. Einen Moment lang geriet er mit seinen erschöpften Beinen ins Tau-

meln, doch dann begann er, die Überlebenden an der Brustwehr und die wenigen Männer, die er noch in Reserve hatte,
abzuzählen.

»Sie kommen zurück!«, rief ein Legionär, und Cato eilte
an seinen Platz. Im verblassenden Licht waren undeutliche
Gestalten zu erkennen, die in die Umfriedung eindrangen.

»Eine letzte Anstrengung, Leute!«, rief Macro laut, doch
selbst seine Stimme war brüchig vor Erschöpfung.

Jeder Verteidiger packte Schild und Speer noch fester und
machte sich für einen letzten Kampf bereit. Dann lachte
Cato plötzlich auf – ein schriller, nervöser Laut –, nahm seinen Speer herunter und beugte sich auf die Brustwehr gestützt vor.

Durchs Tor marschierte ein kräftiger Mann im roten Umhang. Die Sonne brach sich glänzend an seinem schimmernden Helm und darüber wehte ein leuchtend roter Helmbusch. Der Mann brüllte einen Befehl und zu beiden Seiten
fächerten sich die Truppen auf und schritten vorsichtig
durch das Chaos in der Umfriedung auf die Königsburg zu.
Als sie sich näherten, erkannte Cato mit seinen scharfen Augen den Offizier.

»Es ist Hortensius!«, rief Cato, lachend vor hysterischer
Erleichterung.

Hortensius marschierte auf sie zu und schlug sich klat-
schend mit dem Offiziersstock in die freie Hand.

»Macro und Cato!«, rief er. »Das hätte ich mir ja denken
können. Nur ihr beide konntet in einen solchen Schlamassel
geraten!«

38

Nachdem Vespasian seine Kundschafter ausgeschickt hatte, um rechtzeitig vor einer eventuellen Rückkehr der Durotriges gewarnt zu sein, führte er die Entsatztruppe durch den rußgeschwärzten Rahmen des Haupttors. Der Legat suchte sofort das römische Lager auf und fand dort die verkohlten Trümmer der Hauptquartiersgebäude und die schauerlichen Überreste des Lazaretts. Die Durotriges hatten zwar die römischen Gebäude in Schutt und Asche gelegt, aber wenigstens die Vorräte zum größten Teil unangetastet gelassen. Zweifellos hatten die Feinde vorgehabt, sich damit den Bauch voll zu schlagen und anschließend so viel wie möglich mitzunehmen, doch das plötzliche Eintreffen des Legaten und seiner sechs Kohorten hatte sie so sehr in Panik versetzt, dass sie mit leeren Händen aus der atrebatischen Hauptstadt geflohen waren.

Nachdem Vespasian den Befehl zur Reparatur der Verteidigungswälle erteilt hatte, ritt er, Quintillus an seiner Seite, Hortensius' Kohorte nach. Sobald der Legat Macro und Cato erblickte, wollte er einen vollständigen Bericht hören.

»Nein«, entschied Vespasian nach einem Blick auf die königliche Umfriedung, wo die Schatten über den Leichen der Gefallenen immer länger wurden. »Das kommt nicht in Frage. Hier ist zu viel zu tun. Wir bleiben.«

Cato wechselte einen nervösen Blick mit Macro. Der Legat würde die Gefahr doch gewiss erkennen?

»Herr, wir können nicht hier bleiben«, erklärte Cato.

»Wir können nicht hier bleiben?«, äffte Quintillus an der Seite seines Kommandanten ihn nach. »Zenturio Cato, es ist nun einmal so, dass wir es uns gar nicht leisten können, von hier aufzubrechen. Selbst dir muss die strategische Situation doch begreiflich sein? Verica wird bald sterben. Fast alle seine Krieger sind tot. Sein Königreich wird dem erstbesten Feind in die Hände fallen, der durch das Tor hereinspaziert, das ihr beide partout niederbrennen musstet. Nur Rom kann hier noch für Ordnung sorgen.«

Cato ballte die Fäuste hinter dem Rücken so fest, dass die Nägel ihm ins Fleisch schnitten. Er war erschöpft und wütend und musste trotzdem klug und schlagfertig reagieren.

»Herr, wenn wir sechs Kohorten und einen Legaten verlieren, dann gibt es keine strategische Situation mehr, sondern nur noch eine überstürzte Flucht.«

»Ach, tatsächlich!« Mit einem Lachen wandte der Tribun sich Vespasian zu. »Ich denke, dieser junge Mann hat sich in den letzten Tagen körperlich und seelisch überanstrengt, Herr. Da ist es nur natürlich, dass er eine übertriebene Furcht vor dem Feind entwickelt.«

Das war zu viel für Macro, der angriff wie ein Stier. »Angst? Cato soll Angst haben? Nicht Cato ist weggelaufen, als wir das erste Mal Dresche bezogen haben …«

Vespasian trat dazwischen, hob mahnend die Hand und erklärte eindringlich: »Das genügt, meine Herren! Ich kann nicht zulassen, dass meine Offiziere sich vor der Mannschaft streiten.«

»Dennoch«, erwiderte Quintillus mit leiserer Stimme, »nehme ich nicht hin, dass mir ein einfacher Zenturio unterstellt, ich sei ein Feigling. Schließlich bin ich losgeritten, um Hilfe zu holen.«

»Durchaus«, Macro lächelte zuckersüß. »Und ich hatte auch nicht *unterstellt*, dass du ein Feigling bist – Herr.«

»Genug!«, wiederholte Vespasian. »Zenturio Cato, nach Lage der Dinge dürften Tincommius' Aussagen vernachlässigenswert sein. Schließlich ist es ihm mehr als einmal gelungen, einen römischen Offizier in die Irre zu führen.«

Quintillus presste die Lippen zusammen.

Wäre Cato nicht so erschöpft gewesen, hätte er gegenüber dem Kommandanten der Zweiten Legion vielleicht mehr Respekt gezeigt, doch er musste ihm den Ernst der Lage eindringlich klarmachen. »Herr, er sagte, dass Caratacus und seine Armee morgen hier eintreffen. Wenn wir Calleva bis dahin nicht weit hinter uns gelassen haben ...«

»Ich habe meine Entscheidung getroffen, Zenturio. Wir bleiben. Ich schicke die Kundschafter beim ersten Tageslicht los. Sie können uns bei Gefahr warnen.«

»Dann ist es vielleicht schon zu spät, Herr.«

»Schau mal, dieser Tincommius ist ein Lügner. Er hat dich hereingelegt.«

»Er hat uns alle hereingelegt, Herr.«

»Richtig. Warum sollten wir ihm also diesmal glauben? Woher willst du wissen, dass er jetzt die Wahrheit sagt? Nehmen wir aber einmal an, Tincommius hätte nicht gelogen. Dann bezweifle ich, dass Caratacus General Plautius entwischen konnte. Der Marsch hierher wäre ein einziges Rückzugsgefecht. Er hat mehr Grund, sich vor uns zu fürchten, als wir vor ihm. Wahrscheinlich hat Tincommius einfach nur versucht, euch mit diesem Täuschungsmanöver zum Aufgeben zu bringen. Das leuchtet euch doch gewiss ein?«

Macro starrte zu Boden, wütend über die Unterstellung, sie hätten sich so leicht hinters Licht führen lassen.

»Aber was, wenn er nicht gelogen hat, Herr?«, beharrte Cato. »Dann säßen wir hier in Calleva in der Falle und würden in Stücke gehauen. Verica würde getötet, Tincommius sein Nachfolger und die Atrebates würden die Seite wechseln.«

Vespasian warf ihm einen eisigen Blick zu. »Der Kommandant einer Legion lässt sich in seinem Handeln nicht von hysterischen Hypothesen leiten. Ich brauche Beweise.«

Er sah die beiden Zenturionen aufmerksam an. »Ihr beide müsst euch vor allen Dingen erst einmal ausruhen – ihr und eure Männer. Ich befehle euch, euch sofort zur Ruhe zu begeben.«

Es war eine recht primitive Art, die Diskussion zu beenden, doch Vespasian hatte seine Entscheidung gefällt und würde keinen Widerspruch mehr dulden. Während Macro salutierte und kehrtmachte, um davonzugehen, versuchte Cato es dennoch ein letztes Mal.

»Herr, wenn wir heute schlafen, kann uns das morgen das Leben kosten.«

Vespasian, der selbst seit mehr als zwei Tagen nicht geschlafen hatte, war gereizt und blaffte seinen Untergebenen wütend an: »Zenturio! Es steht dir nicht an, meine Befehle in Zweifel zu ziehen!« Er hob mahnend den Finger. »Noch ein Wort, und du wirst zum einfachen Soldaten degradiert. Und jetzt geh endlich.«

Cato salutierte, machte kehrt und marschierte steif hinter Macro her, der schon auf dem Weg zu seinen Männern war, die unmittelbar vor der ehemaligen Verschanzung lagerten. Die meisten lagen auf der Seite und schliefen, die Köpfe auf die angewinkelten Arme gebettet.

»Das war nicht besonders klug von dir«, bemerkte Macro ruhig.

»Du hast Tincommius doch gehört ... warum hast du mich nicht unterstützt?«

Macro holte tief Luft, damit seine Verärgerung über den jungen Offizier nicht die Oberhand gewann. »Wenn ein Legat eine Entscheidung fällt, stellt man diese niemals in Frage.«

»Warum nicht?«

»Das tut man eben verdammt noch mal nicht. Klar?«

»Das sage ich dir morgen um diese Zeit.«

Cato ließ sich neben Mandrax niedersinken, der, die Standarte neben sich in die Erde gesteckt, an einem Wagenrad lehnte und schnarchte. Macro ging schweigend zu dem jämmerlich kleinen Haufen von Schlafenden hinüber, die ihm als Einzige von seinem ersten unabhängigen Kommando verblieben waren.

Kurz bevor er sich auf die Seite rollte und einschlief, dachte Macro noch einmal an Tincommius' Warnung, dass Caratacus' Angriff auf Calleva unmittelbar bevorstehe. Der atrebatische Prinz hatte vielleicht doch die Wahrheit gesprochen ... Nun, das würden sie bald genug wissen. Im Moment brauchte er jedenfalls seinen Schlaf. Gleich darauf gesellte sich sein tiefes, rumpelndes Schnarchen zum Chor der anderen Schlafgeräusche.

»Auf die Beine!« Cadminius trat nach der Gestalt, die im düstersten Winkel des Königssaals, der am weitesten vom bewachten Eingang zu den Gemächern des Königs entfernt war, auf dem Bauch lag. Die Nacht war hereingebrochen und in den Haltern an der Wand flackerten einige Fackeln. Tincommius rutschte rasch zur Seite, bevor Cadminius ihm einen zweiten Tritt versetzen konnte, und so packte der Hauptmann der königlichen Leibwache das Seil, das um den Hals des Gefangenen gebunden war, und verpasste ihm einen kräftigen Ruck.

»Verdammt!«, würgte Tincommius hervor und tastete mit den gefesselten Händen nach dem Hals. »Das hat wehgetan.«

»Schade, dass du nicht lange genug lebst, um dich daran zu gewöhnen«, erwiderte Cadminius grinsend. »Und jetzt auf die Beine mit dir. Der König möchte mit dir sprechen. Vielleicht deine letzten Worte, hm?«

Der atrebatische Prinz wurde wie ein Hund am Strick geführt und krümmte sich vor dem Hass in den Augen all derer, denen er auf dem Weg durch die Mitte des Saals begegnete. Ein Verwundeter mit einem Lumpenverband um den

Kopf stemmte sich auf die Ellbogen und versuchte, den Vorübergehenden zu bespucken, war aber so schwach, dass der Speichel auf seiner eigenen Brust landete. Tincommius blieb höhnend stehen.

»Du Jammerlappen. Haben die Römer dich schon so fertig gemacht, dass du es nicht mehr besser kannst?«

Cadminius war bei diesen Worten des Prinzen stehen geblieben, doch jetzt verpasste er dem Seil einen kräftigen Ruck. »Komm schon, mein Hübscher, wir wollen doch nicht gehässig werden.«

Als der Strick um seinen Hals Tincommius fast die Luft abschnürte, johlten die Männer und überschütteten den Verräter mit Beleidigungen. Er schluckte nervös und räusperte sich, aber dennoch war seine Stimme nur ein Krächzen: »Lacht nur … solange ihr noch könnt … ihr Sklaven!«

Am Eingang zu Vericas Gemächern angelangt, zerrte Cadminius den Gefangenen über die Schwelle. Verica saß aufrecht im Bett, wenn auch noch immer leichenblass, und forderte den Hauptmann seiner Leibwache mit einer matten Geste auf, Tincommius näher heranzuführen. Auf Schemeln neben dem Bett saßen Vespasian und Tribun Quintillus. In ihrer Nähe stand ein kräftiger, muskulös gebauter Zenturio, dessen Miene einen harten und grausamen Ausdruck aufwies. Verica versuchte, den Kopf zu heben, hatte aber nicht die Kraft dazu, drehte ihn zur Seite und schielte zu seinem verräterischen Neffen hinunter, der am Fußende des Bettes auf die Knie gestoßen worden war.

»Bringt ihn näher«, befahl Verica leise, und Cadminius stieß den Gefangenen mit einem Tritt nach vorn.

Kurze Zeit sagte keiner etwas, und das einzige Geräusch war der pfeifende Atem des Königs sowie gelegentliches Schmerzgeschrei der Verwundeten im Saal.

»Warum, Tincommius?« Verica schüttelte den Kopf. »Warum hast du uns verraten?«

Tincommius hatte seine Antwort parat und konterte sofort: »Ich habe dich verraten, Onkel, weil du unser Volk verraten hast.«

»Nein, junger Mann ... Ich habe es gerettet. Habe es vor einem Massaker bewahrt.«

»Um es für deine Freunde hier zu versklaven?« Tincommius kicherte freudlos. »Das ist mir eine Rettung. Lieber sehe ich dem Tod ins Auge als ...«

»Halt den Mund!«, fuhr Verica ihn an. »Wie oft habe ich solchen Unfug schon von jungen Heißspornen gehört!«

»Unfug? Ich bezeichne das als Ideale.«

»Was sind denn Ideale?«, fragte Verica spöttisch. »Sie verblenden ihre Anhänger derart, dass sie das von ihnen angerichtete Grauen nicht mehr sehen. Wie viele Tausende Angehörige deines Volkes willst du denn für deine Ideale sterben sehen, Tincommius?«

»Für *meine* Ideale? Alter Mann, merkst du denn nicht, dass sie meine Vision teilen?«

»Sie? Wer denn genau?«

»Mein Volk. Du glaubst mir nicht? Dann frag das Volk doch. Mein Vorschlag ist, dass wir uns beide an das Volk wenden, dann sehen wir ja, was es denkt.«

»Nein.« Verica lächelte dünnlippig. »Du weißt, dass das unmöglich ist. Ohnehin könnte ... ein alter Mann ... nicht die Überzeugungskraft eines leidenschaftlichen jungen Menschen aufbringen. Der Geruch der Sterblichkeit missfällt den Menschen. Sie wollen, dass ihre Träume von makellosen Lippen geschaffen werden. Deine Stimme wäre schneidend und klar. Mit deinen Worten dargestellt, würde die Welt ganz einfach aussehen. Viel zu einfach. Was könnte ich, beladen mit dem Wissen um das wahre Wesen der Welt, dem denn entgegensetzen? Tincommius, du würdest ihnen einen gefährlichen Traum verkaufen. Ich aber habe nur die kleine Münze schmerzhafter Wahrheiten ...«

»Feigling! Was willst du eigentlich von mir? Warum tötest du mich nicht gleich hier an Ort und Stelle?« Tincommius sah plötzlich hoffnungsvoll auf. »Es sei denn ...«

»Tincommius, du wirst sterben«, antwortete Verica traurig. »Ich wollte nur, dass du verstehst, warum du Unrecht hast ... Du warst mir wie ein Sohn. Ich wollte, dass du weißt ... dass du weißt, dass ich alles dafür geben würde, dich nicht hinrichten lassen zu müssen.«

»Dann richte mich nicht hin!«, kreischte Tincommius.

»Du lässt mir keine Wahl.« Verica wandte das Gesicht ab und murmelte: »Es tut mir Leid ... sehr Leid. Cadminius, übergib ihn jetzt den Römern.«

Tincommius warf einen Blick auf Legat und Tribun und schielte dann nach dem verhärteten Gesicht des Zenturios. Er drehte sich um und warf sich aufs Bett.

»Onkel! Bitte!«

»Steh auf!«, schrie Cadminius ihn an, packte den Prinz bei den Schultern und zerrte ihn von dem Alten herunter. Tincommius wand sich, seinen Onkel anflehend, in seinem Griff, doch der Hauptmann der Leibwache zerrte ihn unerbittlich zurück, nahm seinen Kopf in den Würgegriff und schleifte ihn zu Vespasian hinüber.

»Der König sagt, er gehört jetzt euch. Verfahrt mit ihm, wie es euch beliebt.«

Vespasian nickte streng und winkte Zenturio Hortensius heran. »Bring ihn zur Schanze und mach ihn ein bisschen weich«, trug er ihm so leise auf, dass Tincommius es nicht hören konnte. »Füge ihm aber keine zu schlimmen Verletzungen zu, Hortensius. Er muss noch reden können.«

Der Zenturio trat vor, packte den sich wehrenden Prinzen so fest, dass er sich nicht mehr regen konnte, zerrte ihn vom Boden hoch und schleppte ihn aus dem Zimmer.

»Nun, mein Lieber, benimm dich, sonst muss ich grob mit dir werden.«

Als Tincommius seinen Onkel weiter um Gnade anflehte, stieß der Zenturio ihn gegen die Steinwand und ließ ihn fallen. Tincommius brüllte vor Schmerz und hatte nun eine Platzwunde an der Stirn. Der Zenturio hob ihn in aller Ruhe wieder hoch und sagte: »Kein Unsinn mehr! So ist es brav, mein Guter.«

Nachdem sie sich in der königlichen Küche verpflegt hatten, kehrten Vespasian und Quintillus zur Schanze zurück. Der Halbkreis wurde von einem kleinen Feuer erleuchtet, in dessen Mitte eine Speerspitze orangerot in der wabernden Hitze glühte. Seitlich davon war Tincommius an einen Wagen gefesselt und hing schlaff in den Seilen. Auf seinem nackten Rücken waren die Wunden von Hieben und Verbrennungen zu sehen. In der Luft lag der beißende Geruch von verbranntem Fleisch.

»Ich hoffe, du hast ihn nicht umgebracht«, sagte Vespasian, der sich mit dem Handrücken die Nase zuhielt.

»Nein, Herr.« Es kränkte Hortensius, dass der Legat so wenig Vertrauen in seine Erfahrung hatte. Ein guter Folterer musste mehr können, als jemanden schmerzhaft ums Leben zu bringen. Wesentlich mehr. Darum bildeten die Legionen die entsprechenden Leute so sorgfältig in dieser geheimsten aller militärischen Disziplinen aus. Es gab eine feine Grenze zwischen Schmerzen, die garantiert dafür sorgten, dass ein Gefolterter die Wahrheit sagte, und Übertreibungen, mit denen man das Opfer umbrachte, bevor es reif war. Wie jeder halbwegs brauchbare Folterer wusste, bestand die Kunst darin, dem Opfer mehr Schmerz zuzufügen, als es ertragen konnte, und diese Intensität so lange wie möglich aufrechtzuerhalten. Ein Opfer, das derart bearbeitet worden war, sprach danach mit Sicherheit die Wahrheit. Dafür sorgte schon die Angst, unglaubwürdig zu wirken und damit weitere Qualen auf sich zu ziehen. Hortensius nickte zum Feuer hinüber. »Er ist nur ein bisschen vorgegart.«

»Hat er irgendwas Brauchbares von sich gegeben?«, fragte Quintillus.

»Zum größten Teil nur keltisches Gebrabbel.«

»Behauptet er immer noch, dass Caratacus zu seiner Rettung kommen wird?«

»Jawohl, Herr.«

Vespasian betrachtete die Wunden, die den Rücken des Prinzen überzogen, mit einem Gefühl faszinierten Grauens. »Sagt er deiner Meinung nach die Wahrheit?«

Hortensius kratzte sich am Hals und nickte. »Ja, es sei denn, er wäre ein richtig sturer Rammler.«

»Interessanter Ausdruck«, merkte Quintillus an. »Hab ich noch nie gehört. Ist der eine Spezialität deiner Einheit?«

»Richtig, Herr«, antwortete Hortensius trocken. »Wir haben ihn eigens für Touristen erfunden. Soll ich jetzt weitermachen, Herr?« Letztere Bemerkung war an den Legaten gerichtet und Vespasian riss den Blick von Tincommius los.

»Was? O ja, mach weiter. Aber wenn er bei seiner Geschichte bleibt, kannst du bald Schluss machen und dich ausruhen.«

»Schluss machen?« Hortensius bückte sich und zog die Speerspitze aus dem Feuer. In der Dunkelheit glühte sie nur noch intensiver: ein feuriges Gelb, auf dem noch hellere Splitter wie Nadelstiche funkelten. Darum herum flimmerte die Luft vor Hitze. »Meinst du, Schluss machen mit ihm?«

»Ja.«

»Sehr gut, Herr.« Zenturio Hortensius nickte, drehte sich wieder zum atrebatischen Prinzen um und zielte mit dem Folterinstrument auf sein Hinterteil. Der Legat schritt gemessenen Schrittes von der Schanze weg, damit der Zenturio und der Tribun auf keinen Fall merkten, dass der Anblick Unbehagen in ihm weckte. Sobald Vespasian und Quintillus die Verschanzung passiert hatten, hörten sie ein Zischen, gefolgt von einem unmenschlichen Gebrüll, das wie ein Messer die Luft durchschnitt. Vespasian schritt zu jenem Lagerraum des Königs, in dem er sein improvisiertes Hauptquartier aufgeschlagen hatte, und Quintillus musste sich beeilen, um Schritt zu halten.

»Nun, Herr, was meinst du?«

»Ich frage mich, ob Zenturio Cato nicht doch guten Grund zu seiner Warnung hatte.«

Quintillus sah ihn nervös an. »Das kann doch nicht dein Ernst sein, Herr! Caratacus soll hierher unterwegs sein? Das ist unmöglich. Der General hat ihn auf der anderen Seite des Flusses festgenagelt.«

Ein weiterer Schrei zerriss die Stille, und Vespasian deutete ruckartig mit dem Daumen nach hinten. »Also, er glaubt jedenfalls daran.«

»Es ist so, wie du vorher sagtest, Herr, er versucht einfach nur, uns Angst zu machen.«

»Das hätte jetzt eigentlich nicht mehr viel Sinn, wenn es nicht wirklich stimmt.«

»Mag sein«, räumte Quintillus widerstrebend ein. »Dann ist er selbst ja vielleicht auch belogen worden.«

Vespasian blieb stehen und wandte sich dem Tribun zu: »Warum legst du eigentlich so viel Wert darauf, dass wir hier bleiben? Das hat doch nicht etwa damit zu tun, dass du der erste römische Prokurator der Atrebates sein möchtest?«

Der Tribun antwortete nicht.

»Hatte ich es mir doch gedacht«, bemerkte Vespasian höhnisch. »Es steht hier aber ein bisschen mehr auf dem Spiel als deine Karriere, Quintillus. Vergiss das nicht.«

Der Tribun zuckte mit den Schultern, schwieg aber weiterhin. Erbittert über die Unfähigkeit dieses Mannes, die potenzielle Gefahr zu erkennen, seufzte Vespasian unwillig.

»Tribun, sollte mir irgendetwas zustoßen, bist du hier der ranghöchste Offizier, ist dir das klar?«

»Jawohl, Herr.«

»In diesem Fall wird es deine Pflicht sein, meine letzten Befehle auszuführen. Und das heißt, dass du der Sicherheit der Männer unter deinem Kommando einen angemessenen Rang einräumen musst. Du wirst ihr Leben nicht unnötig aufs Spiel setzen. Sollte das bedeuten, dass Calleva aufgegeben werden muss, wirst du das tun.«

»Wie du wünschst, Herr.«

»Wie ich es befehle.«

»Jawohl, Herr.«

Vespasian sah den Tribun scharf an, um ihm klarzumachen, wie ernst es ihm mit seinem Befehl war, und fuhr dann fort: »Ich möchte, dass du den Kohortenkommandanten Anweisung erteilst, ihre Männer bei Tagesanbruch marschbereit zu haben. Los.«

Mit einem militärischen Gruß marschierte der Tribun ins Dunkel davon, und Vespasian sah ihm nach, bis er im Dunkeln nicht mehr zu erkennen war. Sollte ihm, dem Legaten, etwas zustoßen und Quintillus das Kommando übernehmen, wären die Folgen für die Legionäre möglicherweise verheerend. Vielleicht sollte er dem Tribun seine Anweisungen schriftlich erteilen und einen der Kohortenkommandanten als Zeugen berufen. Doch so schnell die Idee ihm in den Sinn gekommen war, so schnell und verächtlich verwarf Vespasian sie wieder. Er fand den Tribun zwar unausstehlich, durfte ihn aber nicht derart unehrenhaft behandeln. Quintillus hatte seine Befehle erhalten und war ihnen mit seiner Ehre verpflichtet.

Dann kehrten Vespasians Gedanken plötzlich zu dem Albtraum zurück, dass Caratacus vielleicht schon im Anmarsch auf Calleva sein mochte. Eigentlich war es recht unwahrscheinlich, dass es dem britischen Kommandanten gelungen sein sollte, General Plautius zu entwischen. Doch Tincommius blieb bei seiner Darstellung. Das eröffnete eine Reihe von Möglichkeiten. Vielleicht hoffte der Prinz einfach darauf, dass die Römer aus Angst um ihr Leben Calleva verließen und die Durotriges dann zurückkehren könnten, um ihr Vernichtungswerk zu vollenden. Wenn Caratacus aber *wirklich* unterwegs war, sollte Tincommius dann nicht eigentlich lügen und darauf hoffen, dass sein Verbündeter die sechs Kohorten in Calleva erwischte und niedermachte? Für General Plautius' Feldzug wäre das ein vernichtender Schlag. Vespasian gelangte zu dem Schluss, dass er weitere Informationen benötigte, um eine Entscheidung fällen zu können.

Zurück im Vorratsraum löste er die Riemen des Brustharnischs und ließ die Schultern kreisen. Dann schickte er nach dem Dekurio, der die kleine Schwadron der Kundschafter befehligte, und befahl dem Mann, seine Reiter zu versammeln. Sie sollten die Befestigung sofort verlassen und den Norden und Westen nach Anzeichen feindlicher Annäherung auskundschaften. Nachdem er diesen Befehl erteilt hatte, legte Vespasian sich beruhigt auf ein Lager aus Pelzen und schlief sofort ein.

Cato fuhr aus dem Schlaf hoch. Er rappelte sich mühsam auf, die Augen verquollen und die Gedanken schlafvernebelt. Der junge Zenturio blickte sich benommen um und sah, dass die königliche Umfriedung noch immer im Dunkeln lag, während am östlichen Horizont der schwache Schimmer eines trügerischen Morgengrauens sichtbar wurde. Rundum gewahrte er die verschwommenen Silhouetten römischer Offiziere, die die Reihen der schlafenden Soldaten entlangschritten und die Männer wachrüttelten. Macro trat zu ihm.

»Was ist los?«, fragte Cato.

»Steh auf. Wir brechen auf.«

»Aufbrechen?«

»Raus aus Calleva und zurück zur Legion.«

»Warum?«

»Befehl des Legaten. Weck deine Männer. Los!«

Cato reckte die steifen Glieder und kam stöhnend auf die Beine. Die Umfriedung war erfüllt vom Gegrummel der Geweckten und den barschen Rufen der Zenturionen. Vor dem Vorratsraum, den der Legat und sein kleiner Stab als Quartier benutzten, brannten Fackeln. Cato erblickte Vespasian, der den Kohortenkommandanten im Schein der flackernden Flammen eilig ihre Befehle erteilte.

Cato bückte sich nach seinem Schienenpanzer, zwängte sich hinein und schnürte die Lederriemen zu. Einige Männer der Wolfskohorte waren bereits wach und blickten sich nervös um.

»Zenturio!« Mandrax trat auf ihn zu und Cato fiel auf, dass er den Mann zum ersten Mal seit Tagen ohne die Standarte in der Hand sah. »Herr, was ist los?«

»Wir brechen auf.«

»Aufbrechen?« Mandrax sah ihn überrascht an und runzelte dann die Stirn. »Warum denn, Herr? Wir haben gesiegt. Der Feind ist weg. Warum sollten wir Calleva jetzt verlassen?«

»Befehle. Und jetzt hilf mir, unsere Leute aufzustellen.«

Einen Moment lang stand Mandrax still da und betrachtete seinen Zenturio mit einer Miene, die Cato als Misstrauen deutete. Dann nickte er langsam und wandte sich seinen Pflichten zu. Der Befehl bereitete Cato ein schlechtes Gewissen. Diese Männer, mit denen er Seite an Seite gekämpft hatte, betrachteten sich als Verbündete Roms, und der Befehl, Calleva zu verlassen, musste, selbst wenn er vernünftig war, für sie den Beigeschmack des Verrats haben. Vespasian hatte seine Meinung anscheinend geändert. Oder schlimmer noch, es hatte sich schließlich doch herausgestellt, dass Tincommius die Wahrheit sagte. Cato befestigte seinen Schwertgurt, klemmte sich den Helm unter den Arm und trat zu seinen in zwei Blöcken aufgestellten Männern.

Die Wolfskohorte existierte nur noch dem Namen nach: Cato zählte dreißig Mann, die hinter Mandrax und der Standarte im Dunkeln standen. Viele trugen Verbände, doch alle hatten auch noch immer Schild, Wurfspeer und Bronzehelm. Cato schritt die Reihe prüfend ab und spürte dabei eine plötzliche Woge von Stolz. Diese Männer hatten sich den Legionären an Mut und Standfestigkeit als ebenbürtig erwiesen, und wenn sie weitertrainierten, würden sie ihren römischen Kameraden auch an Waffentüchtigkeit in nichts nachstehen. Das Band, das ihn nach der Zeit der Ausbildung und all den Kämpfen mit ihnen verband, war mindestens so fest wie die Gemeinsamkeit mit seinen Kameraden in der Zweiten Legion.

Nun aber erhielten die Männer den Befehl, Calleva und ihre Familien zu verlassen, und der Zenturio fragte sich besorgt, wie sie reagieren würden, wenn sie sich beim Abmarsch umblickten und ihre Stadt schutzlos daliegen sahen, eine reife Frucht, die nur darauf wartete, von Caratacus und seinen Verbündeten geerntet zu werden. Das würde die wahre Probe ihrer Loyalität gegenüber ihm und der Standarte darstellen.

»Alle Offiziere zum Legaten!«, brüllte jemand durch die Umfriedung. »Alle Offiziere zum Legaten!«

Cato wandte sich seinen Männern zu. »Wartet hier auf mich!«

Eine kleine Gruppe von Zenturionen hatte sich um Vespasian versammelt, und der Legat hielt sich gar nicht erst mit den üblichen Formalitäten auf:

»Die Kundschafter berichten von einer großen Armee,

die einige Meilen westlich lagert. Es sind zu viele Lagerfeuer für die Truppe, die Calleva gestern angegriffen hat. Es sieht so aus, als wäre Caratacus dem General vielleicht doch entwischt. Außerdem haben die Kundschafter aber in der Ferne, weit hinter Caratacus' Lager, den Schein der Feuer einer weiteren Armee gesehen. Das könnte Plautius sein; vielleicht aber auch nicht. Es ist überdies möglich, dass Caratacus sich uns in zwei Kolonnen nähert, während der General nördlich der Tamesis seinem Schatten nachjagt. In diesem Fall sitzen wir wirklich und wahrhaftig in der Patsche.«

Ein paar Offiziere kicherten nervös, doch dann fuhr der Legat fort: »Wenn wir hier bleiben und versuchen, uns in den Überresten von Callevas Verteidigungsanlagen zu verschanzen, dürfte der Feind uns in ein oder zwei Tagen überwältigen. Anschließend wird er sich den verbliebenen Teil der Legion vorknöpfen und diesen ebenso vernichten. Unsere beste Chance dürfte darin bestehen, uns so schnell wie möglich von hier zurückzuziehen, nach Süden zu marschieren, Caratacus seitlich zu umgehen und uns mit den anderen Kohorten im Hauptlager der Legion zu vereinigen. Das werden wir halten können, bis die Vorräte zur Neige gehen oder bis Plautius uns zu Hilfe kommt. Wir nehmen Verica und den Rest seiner Männer mit. Sie können nach Calleva zurückkehren, sobald die Krise überstanden ist. Wir marschieren in einer dichten Kolonne. Wir nehmen möglichst wenige Fuhrwerke mit; gerade genug, um die Verwundeten zu transportieren. Die Männer sollen nur Waffen, Rüstung und Verpflegung für zwei Tage mitnehmen, mehr nicht. Irgendwelche Fragen?«

»Ja, Herr.« Die Männer drehten sich zu Tribun Quintillus um. »Was geschieht, falls der Feind uns einholt, bevor wir uns mit den anderen Kohorten vereinigen?«

Vespasian antwortete knapp: »Falls das geschieht, Tribun, wirst du deine Karriere in einem anderen Leben fortsetzen müssen … Meine Herren! Sorgen wir dafür, dass es nicht dazu kommt. Sonst noch jemand? … Gut. Zurück zu euren Einheiten. Wir marschieren auf mein Signal los … Zenturio Macro! Einen Moment, bitte.«

Macro, der bei Versammlungen die hinteren Reihen bevorzugte – Überbleibsel einiger Anstandsregeln, die er in früher Kindheit gelernt hatte –, wartete ab, bis die anderen Offiziere gegangen waren, bevor er an den Legaten herantrat.

»Herr?«

»Du kennst Zenturio Caius Silanus?«

»Jawohl, Herr. Zweite Kohorte.«

»Genau. Er ist gestern bei einem Scharmützel gefallen. Ich möchte, dass du an seine Stelle rückst. Nimm die verbliebenen Legionäre aus deiner ehemaligen Garnison mit.«

»Jawohl, Herr. Und was ist mit Zenturio Cato, Herr?«

»Was soll mit ihm sein?«

»Sollen seine Männer uns begleiten?«

Vespasian nickte. »Wir brauchen jeden Mann, der eine Waffe führen kann. Catos Kohorte – wie nennt ihr sie noch?«

»Die Wölfe, Herr.«

»Wölfe? Guter Name. Auf jeden Fall, sie werden die Wagen bewachen.«

»Das wird ihnen nicht gefallen, Herr«, antwortete Macro ruhig. »Sie werden kämpfen wollen.«

»Ach ja?«, gab Vespasian mit einer Spur von Verärgerung zurück. »Nun, sie werden tun, was ich ihnen befehle.«

»Jawohl, Herr. Ich gebe Cato Bescheid.«

»Tu das.«

Als die ersten Sonnenstrahlen den Himmel bleichten, zog die dicht geschlossene Kolonne schwerer Infanterie, begleitet von der kleinen Schar ihrer verbliebenen eingeborenen

Verbündeten, aus den Trümmern von Callevas Haupttor. Ein blassblauer Himmel breitete sich über die Landschaft und Cato sah, dass ein wolkenloser Tag sie erwartete. Vor ihnen lag ein harter Marsch unter der sengenden Sonne. Sobald die Erste Kohorte durchs Tor war, schwenkte sie nach Süden, wo das Hauptlager der Legion lag. Die Wagen mit den Verwundeten und König Verica wurden in der Mitte der Kolonne mitgeführt und links und rechts davon marschierten Catos Männer und die königliche Leibwache unter Cadminius. Vespasian hatte zu Vericas und Cadminius' unübersehbarem Ärger energisch klargestellt, dass die eingeborenen Truppen ausnahmslos unter Catos Kommando standen.

Als die letzten Männer der Kolonne Calleva verließen, sah Cato zurück und erblickte eine Reihe von Gesichtern entlang der Palisade, die ihnen schweigend nachsahen. Die bitteren Mienen zeigten unmissverständlich, dass die Atrebates sich verraten und verkauft fühlten. Auf der Seite, wo früher der Wachturm gestanden hatte, ragte nun ein hoher Pfosten aus den verkohlten Trümmern. Darauf steckte Tincommius' Kopf, das Gesicht so zerschlagen, dass der einst gut aussehende Prinz kaum mehr wiederzuerkennen war.

Ein kleiner Flüchtlingszug verließ das Tor eilig in entgegengesetzter Richtung in der Hoffnung, dem unvermeidlichen Blutvergießen zu entgehen, das mit Sicherheit anstand, sobald Caratacus und seine Armee Calleva erreichten. Im Westen tauchte auf einem fernen Hügel eine Reihe winziger Reitergestalten auf, die langsam auf Calleva zurückte. Hinter ihnen kroch eine dichte, schwarze Infanteriekolonne über die Hügelkuppe. Die Durotriges, die sich am Vorabend zurückgezogen hatten, marschierten jetzt an der Seite ihrer Verbündeten. Anscheinend war auch Caratacus frühmorgens aufgebrochen. Nach Catos Einschätzung lagen beinahe fünf Meilen zwischen den gegnerischen Truppen. Kein großer Vorsprung, aber doch so, dass die Legionäre ihn in einem Eilmarsch aufrechterhalten konnten, bis sie das befestigte Lager der Zweiten Legion erreichten.

Es dauerte nicht lange, und der Feind änderte die Richtung und hielt nun schräg an Calleva vorbei direkt auf die Römer zu. Vespasians kleine Truppe überquerte einen niedrigen Hügelkamm und marschierte nun außer Sichtweite der atrebatischen Hauptstadt. Am wolkenlosen Himmel stieg die Sonne stetig höher und kein Windhauch regte sich, so dass nur das Knirschen der Soldatenstiefel und das Quietschen und Kreischen der Wagenräder zu hören war. Der Staub, der von der vordersten Kohorte aufgewirbelt wurde, drang den weiter hinten Marschierenden in die Lungen. Am späten Vormittag brannte die Sonne erbarmungslos herunter, und den Männern, die sich wegen der Nähe zu den Verfolgern keine Pause gönnen durften, rann der Schweiß von der Stirn.

Gegen Mittag näherte sich die Kolonne einem schmalen Tal, das am Fuße eines niedrigen, kahlen Hügels verlief. Statt wie sonst üblich der Vorhut zu folgen, ritten Vespasian und Tribun Quintillus an der Spitze der Kolonne. Der Legat hatte es eilig, seine Kräfte so bald wie möglich zu vereinigen, und wollte keine Zeit damit verschwenden, die Berichte über die Lage aus zweiter und dritter Hand zu erhalten.

»Wir kommen gut voran«, bemerkte Quintillus im Plauderton.

»Ja … gut«, antwortete der Legat, richtete sich dann im Sattel auf und starrte nach vorn.

»Was ist denn, Herr?«

Vespasian antwortete nicht, sondern ließ sein Pferd in Trab fallen und spähte mit gerecktem Hals voraus. Bald darauf konnte er deutlich erkennen, was hinter dem Hügel lag. Eine halbe Meile vor der Kolonne versperrte eine dichte Traube von Streitwagen und Kavallerie den Weg.

39

Caratacus hatte seine beweglichen Truppenteile vorausgeschickt, obgleich er wusste, dass sie die Römer aus eigener
Kraft nicht besiegen konnten. Doch das war auch nicht nötig, überlegte Vespasian mit bitterem Lächeln. Sie mussten
die Legionäre nur so lange aufhalten, bis Caratacus und seine schwere Infanterie eintrafen und sich von hinten auf die
römische Kolonne stürzten. Falls der Legat schnell genug
reagierte, würde es ihm vielleicht gelingen, mit seiner Truppe einen Keil zu bilden, der die Blockade des Feindes durch-
brach. Doch eine solche Kampfformation hatte den Nachteil der Langsamkeit, und die Eingeborenen würden sich
einfach zurückziehen und die Römer mit Nadelstichen rei-
zen, bis ihre Kameraden sie einholten und den Kampf mit
ihrer Übermacht entschieden.

»Herr?« Quintillus blickte ihn erwartungsvoll an. »Soll
ich der Kolonne den Befehl zum Umkehren erteilen?«

»Nein. Inzwischen hat Caratacus uns den Rückweg nach
Calleva abgeschnitten.«

»Und … was sollen wir jetzt tun?« Quintillus starrte auf
den wartenden Feind. »Herr?«

Vespasian beachtete den Tribun nicht mehr, wendete sein
Pferd und hob den Arm: »Halt!«

Die Vorhutkohorte blieb stehen und der Befehl wurde
rasch die Kolonne entlang weitergegeben. Die Zenturien
hielten an, die Wagen kamen rumpelnd zum Stillstand, und
dann rührte sich nichts mehr auf dem Weg. Der Legat musterte prüfend die Landschaft und sein Auge blieb auf einem
Hügel zur Rechten hängen. Er hatte entschieden, dass die
Kolonne am ehesten überleben würde, wenn sie sich vor
Ort verteidigte. Beim Versuch, den Vormarsch fortzusetzen,
würden die Kohorten aufgerieben werden, bevor sie das

Hauptlager der Legion erreichten. Wenn sie dem Feind genug Schaden zufügten, konnten sie ihn vielleicht so weit demoralisieren, dass er sich zurückzog und die Kolonne das befestigte Lager erreichte … Doch die Chancen dafür standen gleich null.

Vespasian holte tief Luft, bevor er den Befehl erteilte, der ihn und seine Männer auf ein bestimmtes Vorgehen festlegte.

»Kolonne – in Gefechtsformation nach rechts abschwenken!«

»Herr?« Quintillus lenkte sein Pferd an Vespasians Seite. »Was tust du?«

»Wir stellen uns dem Feind, Tribun. Was bleibt uns anderes übrig?«

»Wir stellen uns?« Quintillus hob die säuberlich gezupften Augenbrauen. »Aber das ist doch Wahnsinn. Er wird uns massakrieren.«

»Höchstwahrscheinlich.«

»Aber Herr! Es muss doch etwas anderes geben … Irgendetwas?«

»Was schlägst du denn vor? Diesmal kannst du nicht losreiten, um Hilfe zu holen, Quintillus. Es sei denn, du willst dich mit dem Haufen da vorne anlegen und den Durchbruch versuchen.«

Der kaum verhüllte Vorwurf der Feigheit ließ den Tribun erröten und er schüttelte langsam den Kopf. »Ich bleibe.«

»Braver Mann. Dann mach dich jetzt nützlich. Reite oben auf die Kuppe und halte nach Caratacus Ausschau. Außerdem …« Vespasian fragte sich, wie weit er seinem Glück noch trauen konnte, nachdem das Schicksal ihn in diese Falle geführt hatte. »Halte außerdem nach dieser zweiten Armee Ausschau, von der unsere Kundschafter berichteten. Vielleicht sind es ja tatsächlich unsere eigenen Truppen.«

»Jawohl, Herr.« Quintillus wendete sein Pferd und galoppierte zur Hügelkuppe hinauf.

Die erste Kohorte, die die doppelte Größe der anderen Legionskohorten hatte, marschierte an Vespasian vorbei im Gefolge der Standarte den Hügel hinauf. Ihnen folgten die anderen Kohorten, die Zenturie um Zenturie den Weg entlang vorrückten, bis sie bei Vespasian ankamen. Dort schwenkten sie dann nach rechts ab und marschierten hangaufwärts. Vespasian hielt Ausschau, ob Caratacus' Blockadetruppe sich in irgendeiner Weise rührte, doch die Gegner gaben sich damit zufrieden, den Römern einfach den Durchgang durch das Tal zu versperren, blieben auf ihren Streitwagen und Pferden sitzen und sahen den Kohorten beim Ersteigen des Hügels zu. Ein kühnerer Kommandant, überlegte Vespasian, hätte wohl versucht, den Hügel vor den Römern zu besetzen, doch mangelnde Selbstbeherrschung war ein charakteristischer Zug der britischen Kriegsführung. Deshalb tat der Kommandant vermutlich klug daran, seine Männer an Ort und Stelle zu belassen.

Die Fahrer der Fuhrwerke trieben ihre Ochsen mit Zurufen und kräftigen Stockschlägen an. Der Legat beobachtete das langsame Vorankommen der Wagen kurze Zeit besorgt und rief dann einen Befehl.

»Zenturio Cato!«

»Herr?«

»Lass deine Männer bei den Wagen mit anpacken. Ich möchte sie so schnell wie möglich oben auf der Kuppe haben.«

Cato salutierte und befahl seinen Männern, ihre Waffen in die Wagen zu laden. Dann wurde jedem Wagen eine Hand voll Krieger zugeteilt, und die großen Kelten schoben und stemmten die Wagen nach Kräften den Hügel hinauf. Cadminius und seine Männer kümmerten sich um Vericas Wagen und taten ihr Bestes, damit ihr König nicht zu viele

Stöße aushalten musste. Unterdessen marschierten die Legionäre stetig an ihnen vorbei, bis nur noch eine Nachhut verblieb, um die Wagen zu beschützen. Die Arbeit war extrem anstrengend und erforderte sowohl eine schnelle Reaktion als auch große Körperkraft. Immer wieder gerieten die Wagen ins Stocken, und dann mussten rasch die großen, hölzernen Bremsklötze, die in jedem Wagen lagen, hinter die Räder geschoben werden, damit die Wagen nicht wieder rückwärts den Hang hinunterrollten. Wenn das einmal geschah, waren sie kaum mehr aufzuhalten, und dann würden wohl Männer zerquetscht werden, Fahrzeuge ineinander rasen und die Zugochsen würden sich möglicherweise die Beine brechen. Zu alledem brannte die Mittagssonne gnadenlos auf sie nieder. Als der Hang endlich flacher wurde, troffen Cato und seine Männer von Schweiß und ließen sich heftig keuchend neben den Fuhrwerken zu Boden sinken, um wieder zu Atem zu kommen.

»Was treibt ihr da, verdammt noch mal? Auf die Beine!«, schrie der zu den Wagen hinaufreitende Vespasian sie an. »Zenturio, lass deine Männer Aufstellung nehmen! Ich möchte, dass diese Wagen in die Mitte geschoben werden. Sorge dafür, dass der König beschützt wird. Ich mache dich für seine Sicherheit verantwortlich.«

»Jawohl, Herr.«

Cato zwang sich aufzustehen und leckte sich über die Lippen, die – wie seine Kehle – von all den Anstrengungen wie ausgedörrt waren. Dann befahl er seinen Männern in einer Mischung aus Kommandos und wütenden Flüchen, die Wagen dicht an dicht aufzustellen, bevor die Bremsklötze unter den Rädern verkeilt wurden. Der beißende Geruch der Ochsen wurde von der sengenden Hitze noch verschlimmert, doch erst als die Arbeit beendet war, gestattete der Zenturio seinen Männern, ein paar Schluck aus ihren Wasserbeuteln zu trinken. Rundum hatten sich die Kohorten in einer geschlossenen Kreisformation um die Hügel-kuppe aufgestellt. Unten im Tal hatten die Briten sich nicht gerührt, saßen immer noch stumm auf ihren Pferden und beobachteten die Römer. In der Ferne, von einem Staub-schleier verhüllt, so dass die Truppenstärke nicht einzu-schätzen war, marschierte eine dunkle Infanteriekolonne aus der Richtung von Calleva heran. Noch weiter in der Ferne zeichnete sich am Horizont eine verschwommene Struktur ab, die vielleicht nur ein dünnes Wolkenband war, vielleicht aber auch eine weitere marschierende Armee sein mochte.

Vespasian befahl den Männern, sich auszuruhen und ihre Rationen zu verzehren. Der bevorstehende Kampf mochte ihr letzter sein, doch ein Mann kämpfte mit gefülltem Ma-gen am besten, und der Legat war entschlossen, der Situa-tion jeden nur denkbaren Vorteil abzuringen. Sie standen oben, hatten einen guten Überblick und die beste Ausbil-dung und Ausrüstung aller Armeen in der bekannten Welt. Doch wie gut sie auch sein mochten, dreieinhalbtausend Mann würden sich gegen ein Vielfaches ihrer Zahl nicht lange halten können, und jeden Moment ließen die feind-lichen Truppen, die sich in der Ferne unaufhaltsam über eine Hügelkuppe wälzten, mehr von ihrer ungeheuren Stär-ke erkennen. Die feindliche Kolonne schien überhaupt kein Ende zu nehmen, und die Römer sahen still und ergeben zu, während sie an den Trockenfleischstreifen kauten, die sie aus ihren Vorratstaschen geholt hatten.

Macro suchte Cato auf und kletterte neben seinem Freund auf den Kutschbock.

Der ältere Zenturio deutete mit dem Kopf auf Vericas Wagen. »Wie geht es dem König?«

»Recht gut. Ich habe vor einer Weile nach ihm geschaut. Er sitzt da und beschwert sich über das Gerumpel.«

»Meinst du, dass er sich erholt?«

»Spielt das denn noch eine Rolle?« Cato deutete mit einem Nicken auf die näher rückende feindliche Kolonne.

»Nein«, räumte Macro ein. »Jetzt wohl nicht mehr.«

»Nachdem wir diesen schrecklichen Kampf in Calleva überstanden haben, sind wir nun also hier gelandet«, grummelte Cato.

»So ist nun mal die Armee«, erwiderte Macro und spähte mit seinen erschöpften Augen in dieselbe Richtung wie Cato. »Kannst du schon irgendwie erkennen, zu wem der zweite Haufen gehört?«

»Nein. Sind zu weit weg. Marschieren aber schnell. Noch ein paar Stunden, und sie sind hier.«

»So, wie ich unser Glück kenne, sind es bestimmt einfach nur noch mehr von diesen Drecksäcken.« Macro zeigte auf die feindliche Kolonne, die unaufhaltsam näher rückte. »Ich weiß nicht, wo die nur alle herkommen. Dachte, wir hätten letzten Sommer ihre Armee vernichtet. Caratacus muss neue Verbündete gefunden haben.«

»Solange die diplomatischen Beziehungen Männern wie Tribun Quintillus überlassen werden, wundert es mich, dass nicht die ganze Insel gegen uns ist.«

»Stimmt.« Beide Männer sahen zu der Stelle ein Stück weiter hangabwärts, wo sich Vespasian und seine Stabsoffiziere berieten. Der Tribun sprach lebhaft und deutete in die Richtung von Calleva.

»Ich vermute, er versucht den Legaten zum Durchbruch nach hinten zu bewegen.«

Cato schüttelte den Kopf. »Dazu wird es nicht kommen. Überstürzter Selbstmord ist nicht die Art des Legaten. Der Tribun verschwendet seinen Atem.«

»Mit dem hat der General einen echten Trumpf aus dem Ärmel geschüttelt«, bemerkte Macro sarkastisch. »Kaum war er angekommen, sind wir in die Scheiße geraten.«

»Ja … ja, genauso war es.«

»Scheint fast, als hätte das Arschloch es darauf angelegt, die Situation in Calleva gründlich zu verbocken.«

»Na ja, das kann schon sein«, antwortete Cato ruhig. »Er hatte viel zu gewinnen. Wäre Verica Herr der Lage geblieben, hätte der Tribun einfach zum General zurückkehren und Bericht erstatten müssen. Ich vermute, dass er es darauf angelegt hat, hinter den Kulissen ein möglichst großes Chaos anzurichten. Genug, um die Lage aus dem Gleichgewicht zu bringen und einen Vorwand zu haben, seine prokuratorischen Vollmachten auszuüben. Nicht, dass er damit besonders viel Erfolg gehabt hätte. Wahrscheinlich dachte er, dass keltische Aristokraten nach den gleichen krummen Regeln spielen wie der römische Adel. Aber er hat die Rechnung ohne ihr Ehrgefühl gemacht.«

»Ehrgefühl?« Macro hob die Augenbrauen. »Davon habe ich bei Tincommius wenig bemerkt.«

»O doch, auf seine eigene Weise hatte er das durchaus. Natürlich wollte er Herrscher seines Stamms werden, aber er wollte vor allen Dingen auch Freiheit für sein Volk. Während seiner Zeit im Exil muss er die römischen Polittaktiken gründlich kennen gelernt haben.«

»Eins muss man uns Römern lassen«, meinte Macro lächelnd. »Diese Barbaren können einiges von uns lernen.«

»Das stimmt. Wahrhaftig ... Nach Lage der Dinge sind die Atrebates jetzt am Ende. Plautius wird ihr Königreich annektieren und in eine Militärprovinz umwandeln.«

Macro sah ihn an. »Meinst du?«

»Was bleibt ihm anderes übrig? Vorausgesetzt, der General kann sich überhaupt von dieser Schlappe erholen. Der Verlust einer Legion wird den Feldzug erst einmal zum Stocken bringen. Und in Rom wird sich das gar nicht gut machen.«

»Nein ...«

»Aber sehen wir die Sache einmal von der positiven Seite«, meinte Cato mit düsterem Lächeln. »Wenigstens muss Quintillus jetzt den Folgen seines Handelns ins Auge sehen.« Cato nickte zum feindlichen Heer hinüber.

»Vermutlich.«

Die feindliche Kolonne teilte sich in zwei Züge auf, mit denen Caratacus den Hügel in die Zange nahm. Die Streitwagen und die Kavallerie im Tal rückten vor und schlossen den Hügel auch von dieser Seite ein. Mit einem letzten Blick auf die Staubwolke der noch immer unbekannten Kolonne, die sich Calleva von Nordwesten näherte, sprang Macro vom Wagen hinunter.

»Dann bis später.« Er nickte Cato zu.

»Ja, Herr. Bis dann.«

40

Als Macro zu seiner Zenturie zurückging, bliesen die Trompeter des Hauptquartiers das Signal zum Aufstellen. Überall auf der Hügelkuppe erhoben sich müde Männer und nahmen ihren Platz in dem dichten Verteidigungsring ein, mit dem Vespasian den Angriff der Briten aufzuhalten hoffte. Die Legionäre schlossen die Reihen und stützten ihre Speere und Schilde in einer lückenlosen, vier Reihen tiefen Formation auf den Boden. Die Zenturionen schritten die Reihen ab und überschütteten jeden Legionär, der sich auch nur die kleinste Nachlässigkeit hatte zuschulden kommen lassen, mit Beleidigungen und Drohungen. Ein nicht ordnungsgemäß zugeschnürter Helm oder Stiefel, ein schlampig umgelegter Schwert- oder Dolchgurt – alles lieferte den Zenturionen einen Vorwand, sich den Übeltäter vorzuknöpfen und ihm den Schreck seines Lebens einzujagen. Was durchaus seine Berechtigung hatte. Im Angesicht eines Feindes, der sich zum Angriff sammelte, half jede Ablenkung von der bevorstehenden Schlacht, die Legionäre zu stabilisieren.

Der feindliche Angriff erfolgte kurz nach Mittag. Dicht gestaffelte Blöcke feindlicher Krieger umzingelten den Hügel und steigerten sich, um die bunten Schlangenbanner geschart, in immer größere Erregung hinein, während sie auf das Signal warteten, die verhassten Römer anzugreifen. Das ohrenbetäubende Kriegsgeschrei und der Ruf der langen Kriegshörner schallte den Hang herauf und drang den schweigend auf dem Hügel wartenden Legionären schmerzhaft in die Ohren. Dann strömten die Briten ohne ein erkennbares Kommando in schnellem Schritt, der sich am Fuß des Hügels zum Trab beschleunigte, Welle um Welle vorwärts. Vespasian schätzte den Abstand zwischen seinen Männern und dem Feind sorgfältig ein, um den richtigen Moment für den ersten Befehl abzupassen. Zur Kuppe hin wurde der Hügel steiler und die Briten drängten sich, dadurch verlangsamt, dichter zusammen. Als sie nur noch hundert Schritte entfernt waren und einige der Legionäre sich schon nervös nach ihrem Legaten umsahen, legte Vespasian die Hände trichterförmig an den Mund und holte tief Luft.

»Schilde hoch!«, brüllte der Legat, und jeder Mann schwang sein Schild vor den Körper; die dekorativ bemalten Schildflächen leuchteten, und die Metallbeschläge und bronzenen Schildbuckel schimmerten im Sonnenlicht. Einen Moment lang herrschte noch etwas Unruhe, während die Nachbarn ihre Schilde gemeinsam ausrichteten, dann war der Schildwall vollständig und die Römer spähten grimmig über den Rand.

»Wurfspeere bereit!«

Die Männer der vordersten Reihe traten einen Schritt vor, suchten einen sicheren Stand und holten zum Wurf aus.

»Fertig! ...« Vespasian hob den Arm, falls der Befehl im Getöse des Feindes untergehen sollte.

»Fertig!«, gaben die Zenturionen den Befehl an ihre Männer weiter und drehten sich in Erwartung des nächsten Befehls wieder zum Legaten um. Von unten stürmten die Briten, die sich unter Kriegsgeheul zum Höchsttempo antrieben, um mit voller Wucht gegen die römischen Schilde anzurennen, in einem wilden Gedränge aus Helmen, Stachelfrisuren, Körpertätowierungen und schimmernden, glitzernden Klingen heran.

»Wurf!«, donnerte Vespasian und riss den Arm nach unten. Sofort wiederholten die Zenturionen den Befehl und die Männer schleuderten den rechten Arm nach vorn, jeder Wurf von einem Ächzen begleitet, das sich mit den anderen zu einem Chor vereinigte. Die dunklen Speerschäfte flogen dicht an dicht wie ein Wasserfall, der sich in einen See ergießt. Schon befahlen die Zenturionen den Männern in der zweiten Reihe, ihre Speere zur Frontreihe weiterzureichen. Die Eisenspitzen der ersten Salve erreichten den Höhepunkt ihrer Flugbahn und gingen im Bogen auf die Briten nieder. Beim Erkennen der Gefahr geriet die vorderste feindliche Reihe ins Stocken. Einige rannten noch schneller, um vielleicht unter der Salve hindurchzukommen, andere deckten sich mit ihren Schilden und erwarteten den Aufprall. Die anderen – leicht bewaffnete Speerkämpfer und ungepanzerte Schwertkämpfer – kauerten sich entweder am Boden nieder oder blieben mit nach oben gerichtetem Blick stehen, um einem niederfallenden Speer vielleicht noch ausweichen zu können.

Die Salve ging klirrend und krachend nieder, von Schmerzensschreien gefolgt, wenn die Speere ihre Ziele fanden. In den vorderen Reihen stürzten Dutzende von Briten wie von der unsichtbaren Hand eines Riesen umgeworfen zu Boden. Andere Krieger stolperten über ihre gestürzten Kameraden und fielen ebenfalls in das Durcheinander aus Gliedmaßen, Schilden und langen Speerschäften. Doch die nachdrängenden Männer setzten den Angriff auf die Kuppe fort.

»Wurfspeere! ... Fertig! ... Wurf!«

Wieder wurde eine Angriffswelle der Briten zu Boden geworfen und vergrößerte die Verwirrung. Dann ging die dritte und vierte Salve auf die herandrängenden Briten nieder und brachte den ersten Angriff vollständig zum Erliegen. Das Schlachtgebrüll war verstummt. Stattdessen wanderte ein erschrecktes Gemurmel durch die Reihen der Angreifer, und in diesem Moment beschloss der Legat, seinen kurzfristigen Vorteil auszunutzen. »Schwerter ziehen!«

»Schwerter ziehen!«, riefen die Zenturionen und rund um die Hügelkuppe erklang ein lautes, metallisches Rasseln.

»Marsch!«, schrie Vespasian, und seine Stimme war in der plötzlichen erwartungsvollen Stille deutlich zu hören. Sobald die Zenturionen den Befehl weitergaben, marschierten die Kohorten den Hang hinunter, von ihren Schilden gedeckt und die Schwerter stoßbereit auf Hüfthöhe. Bevor die Briten sich von ihrer Verwirrung erholen konnten, fielen die Legionäre über sie her, gaben den Verwundeten den Rest und bahnten sich einen Weg ins Gedränge der in Unordnung geratenen Truppe. Zunächst versuchten einige Briten, Widerstand zu leisten, waren aber zu desorganisiert, um den Vormarsch der Römer aufhalten zu können. Sobald sie gefallen waren oder zurückwichen, brach der Versuch der Kelten, den Angriff fortzusetzen, vollständig zusammen. Die Initiative lag jetzt völlig bei den Verteidigern, und der Legat befahl seinem Trompeter, zum Angriff zu blasen. Von den Flüchen und Ermutigungen ihrer Zenturionen angetrieben, stürzten die Legionäre sich auf die Feinde, schlugen die Stammeskrieger mit ihren breiten Schilden nieder und stießen mit dem Kurzschwert in die dicht gedrängten Reihen.

Im verzweifelten Versuch, den Römern zu entkommen, ergriffen die Gegner die Flucht, rannten in ihre eigenen Reihen hinein und vergrößerten die Verwirrung und Panik damit noch, bis die gesamte Truppe abwärts flüchtete. Von seinem Aussichtspunkt erblickte Vespasian im Tal am Fuß des Hügels eine kleine Gruppe reich geschmückter Adliger. Als die keltischen Truppen sich auflösten, schickte ein auffallend groß gewachsener, blonder Edelmann sofort seine Gefährten los, um die Truppen zu sammeln. Dieser Mann musste wohl Caratacus selbst sein, überlegte Vespasian, erstaunt, dass der König der Catuvellauni einen solch tollkühnen frontalen Angriff unternommen hatte. Das entsprach gar nicht seinem sonst so vorsichtigen und bedachtsamen Stil der Kriegsführung. Doch der Legat hatte keine Zeit, über die Fehler des Gegners nachzugrübeln, musste er doch eigene Fehler vermeiden. Der römische Gegenangriff hatte Wirkung gezeigt, jetzt aber bestand die Gefahr, dass die Legionäre sich vom Blutrausch hinreißen ließen.

»Zum Rückzug blasen!«, befahl Vespasian, und schrill schmetterte der Ruf über den Hang. Der regelmäßige Drill bewies auch diesmal seinen Wert; die Männer brachen den Angriff sofort ab, stellten sich wieder in Einheiten auf und marschierten zur Ausgangsposition zurück. Der Legat musterte die im Gras verstreut liegenden Gefallenen und stellte zu seiner Erleichterung fest, dass sich nur wenige rote Tuniken darunter befanden. Auf dem Rückmarsch durch das Leichenfeld bückten die Legionäre sich nach allen unbeschädigten Waffen. Die meisten Eisenspitzen der Speere waren vom Aufprall verbogen, oder die Holzstifte, die sie am Schaft befestigten, waren zerbrochen. Doch einige Speere waren heil geblieben und wurden mitgenommen, damit der Feind sie nicht seinerseits verwendete. Sobald die sechs Kohorten zu ihrer Ausgangsposition auf der Hügelkuppe zurückgekehrt waren, ließen die Zenturionen sie kehrtmachen und stellten die Einheiten erneut zu einem lückenlosen Ring um die Wagen auf.

Cato hatte den Angriff begeistert verfolgt und sich einen verrückten Moment lang sogar der Hoffnung hingegeben, dass die Briten geschlagen seien. Jetzt fühlte er sich wie ein Dummkopf, wie ein ganz junger Rekrut, der sich von seiner Erregung so hinreißen lässt, dass er die Vernunft vergisst. Er hielt besorgt nach Macro Ausschau und stellte zu seiner Erleichterung fest, dass sein Freund sich durch die Reihen seiner derzeitigen Zenturie nach vorn schob und den Legionären den Befehl erteilte, die Reihen gerade zu richten. Macro blickte zu Cato hinüber und machte ihm mit erhobenem Daumen ein Siegeszeichen, bevor er einen unglückseligen Legionär, der den Befehl überhört hatte, mit einem Schwall von Flüchen überschüttete. Figulus ging die vorderste Reihe der Legionäre ab und sorgte dafür, dass überschüssige Speere an jene Männer gereicht wurden, die dem Feind am nächsten standen.

Unten am Fuß des Hügels sammelten die Briten ihre verstreuten Männer erneut um die bunten Schlangenbanner. Kein Lüftchen regte sich in der brütenden Hitze, und so mussten die Träger ihre Banner im Kreis schwenken, damit der Stoff sich über den Köpfen der Briten entfaltete. In der flirrenden Sonnenglut wanden sich die schimmernden Banner, als wären sie lebendig.

»Gut gemacht, Männer!«, rief Vespasian laut. »Wir haben ihnen eine Lektion erteilt. Doch nun sind die Wurfspeere verschossen. Also müssen wir uns auf unsere Schwerter verlassen. Von jetzt an geht der Kampf Mann gegen Mann. Doch solange wir in der Formation bleiben, werden wir diesen Kampf durchstehen. Das schwöre ich euch.«

»Und was, wenn du deinen Eid brichst?«, rief eine Stimme aus der Menge und die Männer lachten. Einen Moment lang machte Vespasian ein finsteres Gesicht. Doch dann erkannte er die stimmungshebende Wirkung dieser aufsässigen Bemerkung und spielte mit.

»Falls ich meinen Eid breche, bekommt jeder Mann eine Zusatzration Wein!«

Unter verzweifelten Umständen ist selbst der verkrampfteste Witz eine willkommene Ablenkung, und die Männer brüllten vor Lachen. Vespasian zwang sich zu einem gutmütigen Lächeln, obgleich er beobachtete, dass der Feind sich schon wieder näherte. Aus der Ferne, nur noch drei oder vier Meilen entfernt, kroch außerdem die andere Kolonne heran – doch noch immer so weit entfernt, dass der Legat die winzigen schwarzen Gestalten an der Spitze nicht erkennen konnte. Vor der Kolonne trabte eine kleine berittene Kundschaftereinheit. Unten beobachtete auch Caratacus die sich nähernde Kolonne und zeigte sie seinen Edelleuten, doch ob sie ihn mit Nervosität oder mit Begeisterung erfüllte, konnte der Legat unmöglich erkennen. Er drehte sich wieder zu seinen Männern um und rief einen Befehl.

»Schilde hoch!«

Die letzten Fetzen von Gelächter und unbeschwertem Geplauder verstummten, und die Legionäre machten sich für den zweiten Angriff bereit. Diesmal näherte sich der Feind entschlossener. Es gab keine wilden Attacken, sondern dicht geschlossene Kolonnen marschierten stetig heran. Auf halber Höhe des Hügels schmetterten die ersten Kriegshörner, und langsam fand der Feind auch seine Stimme wieder, und mehr und mehr Schlachtrufe und Kriegsschreie lösten sich aus den Kehlen. Als der Feind dort anlangte, wo der erste Angriff zusammengebrochen war, schleuderten die Römer die letzten Speere, doch diesmal wurden die Geschosse einfach von der Masse der Feinde verschluckt und hinterließen keine sichtbare Wirkung. Als die Feinde noch ein wenig näher gerückt waren, riefen die Kriegshörner mit ihrem

schrillen Schmettern zum Angriff, und unter ohrenbetäu-
bendem Gebrüll stürmten die Krieger den Hang hinauf.

Rund um Cato erklang das Donnern und Krachen, mit
dem die Feinde auf die breiten römischen Schilde eindrangen, und das schrillere Klirren sich kreuzender Klingen. Die
dichte Formation der Kohorten und der Positionsvorteil auf
der Hügelkuppe ermöglichte es den Römern, die Stellung zu
halten. Wo beide Seiten in ein dichtes Gedränge gerieten,
war an Kampf kaum mehr zu denken, und Briten und Römer stemmten sich mit den Füßen in den aufgewühlten Boden und warfen ihr ganzes Gewicht hinter ihre Schilde. An
anderen Stellen gab es genug Ellbogenfreiheit für heftige
Zweikämpfe zwischen einzelnen Legionären und Kriegern;
in einem Hin und Her von Finten und Stößen versuchte jeder, einen tödlichen Hieb anzubringen.

Auf diese Weise kämpften beide Seiten eine halbe Stunde
lang, wobei die Briten immer wieder versuchten, einen
Durchbruch zu erzielen, der die römischen Reihen auseinander sprengte und den Kampf in ein offenes Handgemenge
verwandelte, in dem die reine Mannstärke mehr zählte als
Waffendrill und Disziplin. Unter dem gnadenlosen Druck
verzog die römische Front sich allmählich, und der Kreis
der Verteidiger wurde erst zu einem Oval und dann allmählich zum formlosen Geschlängel eines aufs Geratewohl zu
Boden geworfenen Gürtels.

Der feindliche Durchbruch erfolgte dann plötzlich und
erschreckend.

»Zenturio!«, rief Mandrax, und Cato wirbelte zum Standartenträger herum. Mandrax zeigte mit dem Schwert auf
einen Frontabschnitt hinter den Wagen. Unter Catos Augen
wurden dort die letzten Legionäre einfach durch die Wucht
des Angriffs beiseite gedrängt, und die Briten brachen durch
die römischen Reihen. Diese Krieger waren schwer bewaffnet und trugen Schilde, Helme und zum großen Teil auch

Kettenpanzer. Als sie mit einem Mal die Wagen vor sich sahen, stießen sie ein wildes Triumphgebrüll aus und stürzten los.

»Wölfe!«, schrie Cato, packte seinen Schild, zog sein Schwert und rannte zu Mandrax, der Seite an Seite mit Cadminius vor dem Wagen des Königs stand. »Zu mir!«

Seine Männer konnten sich gerade noch auf den Zusammenstoß gefasst machen, da krachte der Feind schon in sie hinein. Cato wurde gegen den Wagen geschleudert, und mit einem lauten Stöhnen fuhr ihm der Atem aus der Lunge. Ein muskulöser Krieger mit gallischem Helm sah Cato zähnefletschend entgegen, holte mit der Klinge hoch aus und ließ sie auf Catos Kopf niederkrachen. Cato krümmte sich in der Erwartung eines tödlichen Hiebs, doch es ertönte nur ein dumpfes Krachen, denn die Klinge bohrte sich über ihm ins Holz des Wagens. Der Krieger blickte auf sein Schwert, dann auf Cato hinunter, und beide brachen in hysterisches Gelächter aus. Cato erholte sich als Erster und trat dem Mann in die Lenden. Das Gelächter des Mannes ging abrupt in Stöhnen über, und der Krieger krümmte sich und erbrach sich ins Gras. Cato ließ den Schwertgriff auf den Nacken des Mannes niedersausen, der zu Boden ging wie vom Blitz gefällt. Die Wölfe wehrten sich verzweifelt gegen eine Übermacht, die von allen Seiten auf sie eindrang. Ein rascher Blick zum Legaten zeigte, dass dieser die Gefahr erkannt hatte und hektisch eine kleine Gruppe von Offizieren und Legionären zusammenstellte, die er aus den hinteren Reihen der Kohorten holte.

Cato wusste, dass er und seine Männer den Feind noch kurze Zeit aufhalten mussten, sollte die Schlacht nicht verloren gehen. Also trat er über den Mann hinweg, den er gerade bewusstlos geschlagen hatte, erblickte eine entblößte Achselhöhle, stieß dem Gegner das Schwert instinktiv tief in die Brust, riss es wieder heraus und hielt nach dem nächsten Ziel

Ausschau. Mandrax hatte sein Schwert verloren und verwendete die Wolfsstandarte wie einen Kampfstab, stieß mit den Enden zu und schlug mit der Länge des Stabs die Gegner nieder. Cato hielt Abstand und drehte sich gerade noch rechtzeitig um, um zu sehen, dass ein Mann mit angelegtem Speer auf ihn zustürmte. Der Zenturio riss den Schild nach oben, und die Klinge traf den Schildbuckel und glitt von der gewölbten Schildfläche ab. Ohne jede Vorwarnung ließ der Krieger seinen Speer los, griff nach Catos Schild und riss ihn dem Römer aus der Hand. Bevor Cato noch reagieren konnte, war der Mann ihm mit den Händen an den Hals gefahren und riss ihn mit dem Schwung seines Angriffs zu Boden. Cato spürte, mit welcher Macht die groben Hände ihn packten, während ein Daumen ihm die Gurgel zudrückte. Catos rechter Arm war unter seinem Körper eingeklemmt und der linke allein zu schwach, um den Mann wegzudrängen, und so konnte Cato nur auf den Rücken des Gegners einschlagen und seinen Kopf an den Haaren nach hinten reißen.

Plötzlich stürzte der Mann sich mit gefletschten Zähnen vor, als wollte er Cato in die Nase beißen. Der Zenturio riss den Kopf zur Seite und erwischte den Gegner mit der Kante seines Wangenschutzes. Einen Moment lang lockerte sich der Griff um seine Kehle, Cato stieß den Kopf nach oben und zerschmetterte dem Gegner mit dem Metallrand seines Helms das Nasenbein. Der Krieger heulte auf und führte die Hand instinktiv zum Gesicht. Sobald Cato sich aus der Umklammerung befreit hatte, packte er den Griff seines Dolches und riss die kurze, breite Klinge aus ihrer Scheide. Er holte aus und stieß ihn dem Gegner am Nackenansatz in den Schädel.

Der Mann erstarrte, die Muskeln plötzlich verkrampft, und begann dann zu zittern. Cato ließ den Dolch los, wälzte den Erstochenen von sich herunter und sprang auf die Beine.

Er hob sein Schwert auf und sah, dass mehrere Feinde

den Hintereingang von Vericas Wagen umstanden. Die königliche Leibwache war bei der Verteidigung des Königs gefallen, und nun war nur noch Cadminius auf den Beinen und forderte, den Dreiecksschild schützend vor den Körper gehalten, den Feind zum Angriff heraus, das Schwert zum Hieb nach dem ersten Mann bereit, der so verwegen war, es mit ihm aufnehmen zu wollen. Im selben Moment stieß ein feindlicher Krieger ein Geheul aus und stürzte nach vorn. Der Hauptmann der königlichen Leibwache hatte seine Position jedoch inne, weil er es mit jedem Kämpfer des atrebatischen Volks aufnehmen konnte, und die Schwertklinge zuckte dem Angreifer schneller entgegen, als Cato es je für möglich gehalten hätte. Die Spitze durchbohrte den Bauch des feindlichen Kriegers und brach aus seinem Rücken wieder heraus. Sofort riss Cadminius die Klinge frei und rief dem Halbkreis der restlichen Angreifer eine höhnische Herausforderung entgegen.

Doch die feindliche Überzahl war einfach zu groß, und als ein Mann ihn mit einer Finte herausforderte, wandte Cadminius sich dem Angriff entgegen, bevor er die Täuschung bemerkte. Eine Speerspitze traf ihn in die Schulter, so dass er mit krampfhaft zuckenden Fingern seinen Schild fallen ließ. Sofort fielen sie über ihn her. Mit einem wütenden Aufschrei ließ Cadminius sein Schwert durch die Luft sausen, und die Klinge schlug einem Mann den Kopf so heftig vom Leib, dass er wie eine Kugel durch die Luft flog. Dann jedoch wurde Cadminius gegen Vericas Wagen geworfen und Schwerter und Speere drangen ihm tief in Brust und Bauch. Er machte einen letzten wütenden Versuch, sich loszureißen, wurde aber von den Klingen ans Holz genagelt und brüllte in wilder Enttäuschung auf, Blut und Speichel vor den Lippen.

Er wandte den Kopf halb zur Seite und schrie: »Majestät! Flieh!« Dann glitt er zu Boden, mit schlaff auf die breite Brust herabbaumelndem Kopf. All das sah Cato in dem winzigen Moment, in dem er seinen Schild packte und zum hinteren Einstieg von Vericas Wagen rannte. Ein wirrer, weißer Haarschopf schob sich aus dem Wagen, und Verica blickte erschreckt auf seine Angreifer hinunter. Dann gewann er seine Haltung zurück, und seine Miene nahm einen verächtlichen Ausdruck an. Der erste Krieger klammerte sich an der Wagenkante fest und zog sich zum atrebatischen König hoch.

»Wölfe!«, schrie Cato, der auf sein Ziel zustürzte. »Zu mir! Zu mir!«

Die vier verbliebenen Feinde wandten sich zu Cato um, doch der Erste konnte schon nicht mehr reagieren. Die Klinge des Zenturios traf ihn von hinten, bohrte sich durch die Rippen und drang ihm ins Herz. Cato rammte dem nächsten Mann seinen Schild ins Gesicht, während er gleichzeitig versuchte, sein Schwert zurückzureißen. Doch die Klinge hatte sich verklemmt, und als die Leiche zusammensackte, riss es Cato den Schwertgriff aus der Hand. Nur noch von seinem Schild gedeckt, stellte er sich mit dem Rücken zum Wagen breitbeinig über Cadminius' Leiche.

»Wölfe!«, rief er wieder. »Verdammt noch mal! Zu mir!«

Die verbliebenen beiden Krieger merkten erst mit einem Moment Verzögerung, dass der Zenturio nicht mehr bewaffnet war, und funkelnden Triumph in den Augen griffen sie Cato von zwei Seiten an. Der eine packte Catos Schild und entriss ihn dem Zenturio, während sein Kamerad mit dem Speer ausholte und damit nach dem Römer stieß. Für Cato gab es kein Entweichen mehr, und entsetzt starrte er die Speerspitze an. Die Zeit schien fast stillzustehen, als er mit schreckgeweitetem Blick dem Tod ins Auge sah. Plötzlich jedoch wurde er zur Seite gestoßen, und jemand hechtete über seine Schulter hinweg nach vorn und warf den Speerkämpfer zu Boden.

Mandrax und die letzten Überlebenden der atrebatischen

Kohorte eilten herbei, und der letzte Angreifer wurde von der Wolfsstandarte durchbohrt. Hinter dem dünnen Schutzschirm, den die Männer um den Wagen bildeten, schob Cato sich auf allen vieren zu Verica vor. Der König lag auf dem Speerkämpfer, die knochige Hand um den Griff eines reich verzierten Dolchs geklammert, der nun in der Augenhöhle des Feindes steckte.

»Majestät!« Cato hob den König sanft von dem Toten herunter. Vericas Augen gingen flackernd auf und er schien Mühe zu haben, Cato zu fixieren.

Verica lächelte schwach. »Alles in Ordnung mit dir?«

»Ja, Majestät … Du hast mir das Leben gerettet.«

Vericas Lippen öffneten sich zu einem schmerzlichen Lächeln. »Ja, tatsächlich, nicht wahr? … Wo ist Cadminius?«

Cato blickte sich um und sah, dass der Hauptmann der Leibwache darum kämpfte, sich aufrecht hinzusetzen. Der große Mann spie hustend Blut über seine Brust.

»Mandrax!«, rief Cato. »Kümmere dich um den König.«

Als der Standartenträger Cato den König aus den Armen genommen hatte, hockte der Zenturio sich neben Cadminius und hielt ihn aufrecht. Der Atem des Hauptmanns ging flach und rasselnd. »Der König?«, fragte er, zu Cato aufblickend.

»Ist in Sicherheit«, antwortete Cato.

Cadminius lächelte schwach, zufrieden, dass er seine Pflicht erfüllt hatte. »Mit mir ist es aus …«

Einen Moment lang wollte Cato etwas Beruhigendes sagen, irgendeine tröstliche Lüge, doch dann nickte er einfach nur. »Ja.«

»Cadminius!« Verica streckte die Hand nach dem Besten seiner Krieger aus und fuhr dann Mandrax an. »Bring mich zu ihm!«

Cadminius' Leben verflackerte rasch und er rang mit offenem Mund um Atem: »Majestät!«

Der Krieger tastete nach Catos Hand, ergriff sie und hielt sie mit einem allerletzten plötzlichen Aufbäumen fest umklammert. Dann entspannte sich der schmerzliche Ausdruck um seine Augen und sein Griff erschlaffte. Cato beobachtete ihn einen Moment lang, um sich zu vergewissern, dass nichts mehr zu tun und auch der letzte Lebensfunke erloschen war, bevor er aufstand und sich umblickte.

Die Überlebenden der Wolfskohorte hatten sich in schmerzlichem Schweigen um den Gefallenen versammelt. Dann ließ Verica sich langsam neben Cadminius auf die Knie sinken. Er streckte die Hand nach ihm aus und strich ihm zärtlich eine Haarsträhne aus dem Gesicht. Cato zog sich unauffällig zurück; dieser Moment gehörte den Atrebates. Zwischen ihm und diesen Männern war gewiss ein Band entstanden, doch hier ging es um eine tiefere Gemeinsamkeit von Stamm und Blut, die Cato niemals teilen würde.

Cato überließ die Männer ihrer Trauer und wandte sich wieder dem Kampf zu, doch der Feind war verschwunden. Vespasians eilig zusammengezogene Reserve hatte die Feinde zurückgetrieben und die Lücke in den römischen Reihen geschlossen. Dahinter flutete der Feind zurück wie eine Woge, die vom Strand abfließt und Leichen, verlorene Waffen und blutbeflecktes Gras als Treibgut zurücklässt. Warum zog der Feind sich denn jetzt zurück, da er doch wissen musste, dass er mit einer letzten Anstrengung die Schlacht endgültig gewinnen würde?

»Cato! Cato!«

Cato drehte sich um und sah Macro auf sich zueilen, das durchfurchte Gesicht von einem Lächeln erhellt. Der Freund schlug ihm auf die Schulter, und als Cato ihn verständnislos anstarrte, warf Macro ihm einen schnellen Blick zu.

»Bist du verletzt, Junge?«

»Nein.«

»Und Verica?«

Cato zeigte auf die Stelle, wo die Atrebates sich um den Hintereinstieg von Vericas Wagen versammelt hatten. »Er lebt noch. Aber Cadminius ist tot. Er und der Rest der königlichen Leibwache.«

Macro rieb sich das Kinn. »Das ist schade ... wirklich schade. Aber schau mal da.«

Er nahm Catos Arm und drehte den jungen Mann in Richtung Calleva. Inzwischen war die heranmarschierende Kolonne deutlich zu sehen, und unverkennbar ragte die Adlerstandarte über den vorderen Reihen empor.

»Siehst du?« Macro lächelte erneut. »Siehst du das? Es ist der verdammte General persönlich!«

41

Die Arbeit am neuen Quartier des Prokurators im befestigten Lager begann umgehend. Bautrupps aus allen vier Legionen räumten so schnell wie möglich die Trümmer aus dem Lazarett und dem Hauptquartiersblock, und anschließend wurden die Fundamente in den rußgeschwärzten Boden gegraben. Neben den ausgedehnt angelegten Verwaltungsgebäuden waren bereits mehrere lange, doppelte Barackenblöcke errichtet worden, um die dauerhaft stationierte Garnison zweier großer Kohorten batavischer Hilfseinheiten zu beherbergen. Die Bataver waren ein arroganter Haufen – blonde Riesen aus dem germanischen Grenzgebiet, die auf die Leute von Calleva hinabblickten, großspurig durch die schmalen Gassen der Stadt stolzierten und dabei die Frauen belästigten. Sie waren oft betrunken und ständig auf eine Schlägerei aus.

Je schlimmer sie sich benahmen, desto größer wurden Catos Schuldgefühle, wenn er an das Schicksal der Atrebates dachte. Für all jene, die treu und aufopferungsvoll an Roms Seite gekämpft hatten, aber nun keine Waffen mehr tragen durften, war das eine ungeheure Ungerechtigkeit. Doch das Kriegerleben der Atrebates war vorbei. Als Plautius erfahren hatte, dass der Stamm beinahe ein Bündnis mit Caratacus geschlossen hätte, hatte er rasch gehandelt, um sicherzustellen, dass die Atrebates nie wieder eine Bedrohung für seine Nachschublinien darstellen würden. Verica war jetzt nur noch dem Namen nach König; die wahre Macht über sein Volk lag nun in den Händen des römischen Prokurators und seiner Beamten. Seit seiner Rückkehr hatte Verica sich kaum mehr aus dem Bett gerührt, da er noch immer von seiner Kopfverletzung genesen musste. Draußen im Königssaal stritt sein Rat sich zum dritten Mal in weniger als einem Monat erbittert darüber, wer zu seinem Nachfolger gewählt werden sollte.

Caratacus hatte sich über die Tamesis zurückgezogen, und ein weiteres Mal banden die Legionen und ihre Hilfskohorten die Kräfte des Feindes und drängten ihn auf das zerklüftete Hochland der Silures zu. Dennoch konnte man die Sicherheit der römischen Nachschublinien keinem einheimischen Regenten mehr anvertrauen, wie sehr dieser auch seine Treue zu Rom beteuern mochte. Daher wurde das Königreich der Atrebates annektiert, sobald Vespasian und seine Legion ihr Lager vor Callevas Toren aufgeschlagen hatten.

Einige Tage nach der Rückkehr erhielt Zenturio Cato den Befehl, im Armeehauptquartier Bericht zu erstatten. Es war ein schwülwarmer Tag, und nur mit seiner Tunika bekleidet schlug Cato den Weg vom Lager der Zweiten Legion zum Nachschublager ein. Als er das Tor durchschritt, stellte er zu seiner Überraschung fest, dass die Fachwerkrahmen der Gebäude, die als Wohnhaus des Prokurators und als Hauptquartier vorgesehen waren, schon standen und nicht nur das seit jeher bebaute Gelände, sondern auch einen großen Teil des Exerzierplatzes einnahmen. Ganz offensichtlich hatte Tribun Quintillus …

Cato lächelte. Quintillus war aus der Armee ausgeschieden. Inzwischen war er kaiserlicher Prokurator, gehörte damit zur Elite des Imperiums und stand auf der ersten Karriereresprosse einer Leiter, die ihn irgendwann zu den höchsten Staatsämtern führen würde. Quintillus würde mit den beiden in Calleva stationierten batavischen Kohorten sogar über eine eigene kleine Armee verfügen.

Auf einer Seite des Exerzierplatzes stand eine Reihe von Zelten, in denen der Legat ein vorläufiges Hauptquartier für sich selbst und den neuen Prokurator eingerichtet hatte. Das Lager wurde von Vespasians Prätorianereinheit schwer bewacht, und Cato musste trotz seines Rangs außerhalb des mit Seilen abgetrennten Gebiets warten. Während fünf Wachleute ihn genau im Auge behielten, eilte der sechste davon, um Anweisungen bezüglich des Zenturios einzuholen. Mindestens hundert Bewaffnete schienen sich auf diesem Gelände aufzuhalten, das den ranghöchsten Offizieren und ihrem Stab zugeteilt war. Die Zweite Legion selbst lagerte vor den Toren Callevas in einem riesigen befestigten Lager, das beinahe so groß war wie die Hauptstadt der Atrebates. Als monolithisch geschlossener Machtblock stellte es für alle, die vielleicht noch mit dem Gedanken an Rebellion spielen mochten, eine heilsame Mahnung dar.

Aus dem langen, niedrigen Zelt vor dem Hauptquartiersbereich trat ein Schreiber und machte die Wächter auf sich aufmerksam. »Lasst den Zenturio durch.«

Die Prätorianer traten beiseite, um Cato vorbeizulassen, doch er richtete sich hoch auf und fasste sie zornig ins Auge.

»Es ist üblich, einen höherrangigen Offizier zu grüßen«,

sagte Cato mit ruhiger, eiskalter Stimme. »Selbst wenn man zur persönlichen Wache des Legaten gehört.«

Der altgediente Optio, der die Prätorianer befehligte, konnte seine Verblüffung kaum verhehlen. Nicht so sehr, weil der Offizier vor ihm jung genug war, um sein Sohn zu sein, sondern weil er kein Rangabzeichen trug und es unglaublich pedantisch war, nur mit der Tunika bekleidet auf dieser militärischen Etikette zu bestehen. Doch Cato ließ nicht locker. Er war über die Willkür verstimmt, mit der man seine Männer seit der Rückkehr nach Calleva behandelte.

Man hatte den Wölfen den Zutritt zum Armeelager verwehrt. Stattdessen hatte man einige nur leicht beschädigte Zelte aus dem Nachschublager an sie ausgegeben und ihnen aufgetragen, sie in der königlichen Umfriedung aufzuschlagen. Cato hatte die erste Nacht mit ihnen verbracht, doch als Vespasian davon erfuhr, befahl er dem Zenturio, sofort zur Legion zurückzukehren und im Lager zu bleiben, bis er weitere Befehle erhielt. Man teilte ihm und Macro mit, dass der Legat ihnen eine neue Einheit zuweisen würde, sobald die Umstände es gestatteten. Da Macro nun ohne Verpflichtungen war, nahm er jede Gelegenheit zum Schlafen wahr, Cato hingegen durchwanderte stundenlang die Reihen der ziegenledernen Zelte und versuchte, sich damit so müde zu machen, dass er irgendwie in den Schlaf finden konnte. Doch selbst wenn die sommerliche Abendsonne endlich verblasste und er sich auf seinem Lager zusammenrollte, gingen ihm die jüngsten Ereignisse unablässig durch den Kopf, und die Sorge um seine Männer ließ ihn nicht die Ruhe finden, die sein erschöpfter Körper brauchte.

Daher war er nun in der richtigen Stimmung, den Optio der Prätorianer gründlich zusammenzustauchen, und der Optio spürte das. Mit verächtlichem Blick hob er den Arm zum Gruß und trat langsam beiseite. Cato grüßte mit einem

Nicken und schritt vorbei. Er folgte dem Schreiber durch den großen Eingang des nächststehenden Zeltes. Drinnen war die Luft heiß und stickig, und die Schreiber des Legaten saßen bis aufs Lendentuch entkleidet über den Befehlen und Berichten, die zur Einrichtung der neuen Provinz erforderlich waren.

»Hier entlang, bitte, Herr.« Der Schreiber öffnete an der Rückwand des Zeltes eine Klappe. Auf der anderen Seite erblickte Cato einen leeren Platz zwischen sechs großen Zelten. In deren Inneren arbeiteten die Tribune und ihr Stab an langen Tischen. Offiziersburschen saßen in Erwartung von Botenaufträgen auf dem zertretenen Gras und vertrieben sich die Zeit mit Würfelspielen. Der Schreiber führte Cato über den Platz, wo es fast ebenso heiß war wie in den Zelten. Unter der Tunika rann Cato der Schweiß den Rücken hinunter, und er folgte dem Schreiber zum größten der Zelte auf der gegenüberliegenden Seite. Die Zeltklappen waren zurückgebunden, und Cato erblickte einen Kreis von Hockern, die auf einem Bretterboden standen. Dahinter stand ein großer Tisch, an dem zwei Männer saßen und sich eine Feldflasche mit Wein teilten. Der Schreiber schlüpfte durch den Eingang und forderte Cato mit einem diskreten Wink auf, ihm zu folgen.

»Zenturio Cato, Herr.«

Vespasian und Quintillus, Letzterer mit einer frisch geprägten Goldkette samt Anhänger um den Hals, blickten sich um. Der Legat winkte den Zenturio heran. »Bitte, tritt zu uns, Zenturio … Du kannst gehen, Parvenus.«

»Jawohl, Herr.« Der Schreiber verneigte sich und ging rückwärts aus dem Zelt, während Cato zum Tisch trat und Haltung annahm. Vespasian lächelte Cato an, was diesem ganz entschieden den Eindruck vermittelte, dass sein Kommandant ihm etwas Unangenehmes mitzuteilen hatte.

»Zenturio, es gibt gute Nachrichten. Ich habe ein Kommando für dich gefunden. Die sechste Zenturie der dritten Kohorte. Zenturio Macro wird derselben Einheit zugewiesen. Ihr arbeitet gut zusammen, da solltet ihr auch weiterhin in derselben Kohorte dienen. Der General und ich haben euch viel zu verdanken. Hätte der Feind Calleva eingenommen und Verica beseitigt, wären wir jetzt zweifellos auf dem Rückzug. Macro und du, ihr habt euren Dienst im Sinne der besten Traditionen unserer Legionen geleistet, und ich habe vorgeschlagen, euch mit einem Orden auszuzeichnen. Das ist das Mindeste, was die Legionen euch schulden.«

»Wir haben nur unsere Pflicht getan, Herr«, antwortete Cato mit ausdrucksloser Stimme.

»Richtig. Aber wie immer habt ihr euch dabei hervorgetan. Das war gute Arbeit, Zenturio, und ihr habt meine persönliche Dankbarkeit.« Der Legat lächelte warmherzig. »Ich freue mich darauf, dich als Kommandanten deiner eigenen Legion zu sehen, und ich wage zu behaupten, dass Zenturio Macro glücklich sein wird, wieder in vorderster Front zu kämpfen. Beide Ernennungen sind ab sofort wirksam. Die Kohorte hat beim letzten Gefecht ziemlich gelitten – wir haben einige gute Leute verloren.«

Milde ausgedrückt, dachte Cato. Dass bei einem einzigen kurzen Schlagabtausch zwei oder mehr Zenturionen gefallen waren, zeugte von einem verzweifelten Kampf. Plötzlich erfüllte ihn die Aussicht auf eine eigene Zenturie mit Begeisterung. Besser noch, er würde in derselben Kohorte dienen wie Macro. Dann fiel Cato auf, dass Vespasian eine solche Information normalerweise beiden Männern persönlich mitgeteilt hätte. Warum also befand Cato sich nun ganz allein hier?

»Nun, Zenturio?« Quintillus hob die Augenbrauen. »Bist du nicht dankbar …?«

»Er braucht nicht dankbar zu sein«, unterbrach ihn Vespasian gelassen. »Er hat es verdient. Beide haben es redlich verdient. Also sei bitte still, Quintillus, und überlasse die Sache mir.«

Jetzt kommt es, dachte Cato, als Vespasian ihn mitfühlend ansah. »Ich würde jemanden von deinem Potenzial als Offizier gern an vorderster Front einsetzen. Das bedeutet natürlich, dass du das Kommando deiner Eingeborenentruppe abgeben musst. Verstehst du?«

»Jawohl, Herr.«

»Außerdem«, fügte Quintillus hinzu, »haben der Legat und ich entschieden, dass die Atrebates im Hinblick auf die jüngsten Ereignisse entwaffnet werden müssen.«

»Entwaffnet, Herr? Meine Männer?«

»Alle«, erklärte Quintillus. »Gerade deine Männer. Wir können keine Bande aufmüpfiger Eingeborener mit Schwertern bewaffnet rumlaufen lassen, oder?«

»Nein, Herr«, erwiderte Cato kalt. Dass Quintillus die Wölfe eine Bande nannte, war beinahe unerträglich. »Wohl nicht. Nicht nach allem, was sie zu unserer Rettung geleistet haben.«

Quintillus lachte. »Vorsicht, Zenturio. Du darfst dich nicht dazu hinreißen lassen, dich diesen Barbaren allzu eng verbunden zu fühlen. Und ich würde es zu schätzen wissen, wenn du meinem Amt in Zukunft die Hochachtung zolltest, die ihm gebührt.«

»Deinem Amt. Jawohl, Herr.« Cato wandte sich dem Legaten zu. »Herr, wenn ich mich äußern darf?«

Vespasian nickte.

»Warum nicht die Wölfe als Hilfseinheit behalten? Sie haben ihren Wert in der Schlacht bewiesen. Ich weiß, dass nicht mehr viele von ihnen übrig sind, aber wir könnten sie als Ausbilder für weitere Männer einsetzen.«

»Nein«, erklärte Vespasian fest. »Tut mir Leid, Zenturio. Aber so lautet der Befehl des Generals. Wir können es uns nicht leisten, irgendwelche Zweifel an der Loyalität der

Männer zu hegen, die Seite an Seite mit unseren Legionen dienen. Das Risiko wäre zu groß. Die Truppe muss aufgelöst und entwaffnet werden, sofort.« Der Nachdruck auf dem letzten Wort war unüberhörbar.

»Was meinst du damit, Herr?«

»Sie befinden sich draußen, hinter den Zelten. Ich habe sie ebenfalls hierher beordern lassen. Ich möchte, dass du ihnen diese Nachricht selbst überbringst.«

»Warum, Herr?«, fragte Cato, der an dem Gefühl von Verrat würgte. »Warum ich?«

»Du sprichst ihre Sprache. Du bist ihr Kommandant. Von dir werden sie es am ehesten akzeptieren.«

Cato schüttelte den Kopf. »Das kann ich nicht machen, Herr …«

Quintillus schoss nach vorn und starrte den jungen Zenturio wütend an. »Du wirst es tun! Das ist ein Befehl, und ich warne dich, widersetze dich mir nie wieder!«

Vespasian legte dem Prokurator die Hand auf die Schulter. »Du brauchst dich mit dieser Sache nicht abzugeben, Quintillus. Der Zenturio wird meinem Befehl gehorchen. Er weiß, was geschehen würde, wenn ein anderer seine Männer aufforderte, ihre Waffen abzugeben. Wir wollen nicht, dass sie uns Ärger machen. Ärger, den sie bald selbst bereuen würden.«

Das also war es, dachte Cato. Mit den Wölfen war es aus und vorbei, und falls sie zu deutlich protestierten, würden sie auf die eine oder andere Weise als Gruppe abgestraft werden. Er aber musste die schmutzige Arbeit für den neuen Prokurator erledigen. Schlimmer noch, ihm blieb in dieser Sache keine Wahl. Um seiner Männer willen musste Cato ihnen persönlich sagen, wie wenig Rom das Blut achtete, das die Atrebates für das Imperium vergossen hatten.

»Nun gut, Herr. Ich mache es.«

»Da bin ich aber ungemein dankbar«, erklärte Quintillus.

»Danke, Zenturio.« Vespasian nickte. »Ich wusste, dass du die Situation verstehen würdest. Am besten erledigst du es auf der Stelle.«

Cato machte kehrt, salutierte vor seinem Legaten, überging den Prokurator und marschierte aus dem Zelt, bevor dieser auf die Beleidigung reagieren konnte. Als er in die blendend helle Sonne trat und langsam um das Hauptquartiersgelände herumging, legte sich die Hitze wie eine Decke über ihn, doch dass er unter seiner Tunika schwitzte, störte ihn schon gar nicht mehr. Dafür fühlte er sich inzwischen viel zu elend. Elend, weil seine Männer kaltherzig betrogen wurden. Elend, weil die Wölfe nun ihn selbst hassen und verachten würden. Das Band der Kameradschaft, das sie einmal verbunden hatte, würde sich ihnen jetzt wie ein Messer in den Bauch bohren, und er selbst führte diese Waffe. Als Cato um die Ecke des Zeltkomplexes bog und steifbeinig auf die Überlebenden der Wolfskohorte zumarschierte, war jede Freude, die er sonst vielleicht über sein neues Kommando empfunden hätte, aus seinen Gedanken verschwunden. In einiger Entfernung von den atrebatischen Kriegern wurden einige Abteilungen Legionäre in voller Ausrüstung gedrillt. Für alle Fälle, dachte Cato mit einem bitteren Lächeln.

Sobald er den Zenturio erblickte, ließ Mandrax seine Männer Haltung annehmen. Das Geplauder verstummte und sie richteten sich auf, Speer und Schild vorschriftsmäßig auf dem Boden abgestellt. Sie nahmen die Schultern zurück, drückten die Brust heraus und hoben das Kinn, wie Macro es ihnen an ihrem ersten Ausbildungstag beigebracht hatte. Die Bronzehelme schimmerten in der Sonne, als Cato sich vor ihnen aufstellte.

»Rührt euch!«, rief er auf Keltisch und seine Männer entspannten sich. Einen Moment lang starrte er über ihre Köpfe hinweg in die Ferne und kämpfte gegen den Drang an, ihnen in die Augen zu sehen und seine Scham einzugestehen. Jemand hustete, und Cato beschloss, dass er das, was er zu tun hatte, am besten schnell tat.

»Kameraden«, begann er verlegen – diesen Ausdruck hatte er nie zuvor benutzt, doch in den Tagen ihres letzten verzweifelten Kampfes waren sie genau das geworden –, »ich bin zu einer anderen Einheit versetzt worden.«

Einige der Männer runzelten die Stirn, aber die meisten hielten die Augen weiter ausdruckslos gerade.

»Der Prokurator hat mich gebeten, euch für eure ausgezeichneten Dienste in den letzten Monaten zu danken. Selten haben Männer tapferer gegen eine solche Überzahl gekämpft. Jetzt ist es Zeit für euch, zu euren Familien zurückzukehren. Zeit, den Frieden zu genießen, den ihr euch so voll und ganz verdient habt. Zeit, die Bürde eurer Waffen niederzulegen und …« Cato ertrug die Farce nicht länger. Er schluckte, starrte zu Boden und blinzelte wütend die ersten verräterischen Tränen zurück. Er wusste, dass er in einen Tränenstrom ausbrechen würde, wenn er seine wahren Gefühle zuließ. Doch eher würde er sterben, als vor seinen Männern zu heulen, wie ungerecht, verletzend und beschämend die Situation auch sein mochte. Er schluckte wieder, biss die Zähne zusammen und blickte auf.

»Die Wölfe haben den Befehl erhalten, sich aufzulösen. Ihr müsst alle Waffen und eure Ausrüstung hier ablegen und das römische Lager verlassen … Es tut mir Leid.«

Die Männer blickten ihn einen Moment lang schweigend an, verwirrt und ungläubig. Mandrax ergriff als Erster das Wort. »Herr, das muss ein Irrtum sein. Es ist doch gewiss …«

»Es ist kein Irrtum«, antwortete Cato barsch, da er es nicht wagte, sein Mitgefühl zu zeigen oder auch nur eine Erklärung zu geben. »Legt jetzt Waffen und Ausrüstung nieder. Das ist ein Befehl.«

»Herr …«

»Ich erwarte Gehorsam!«, brüllte Cato, der bemerkt hatte, dass die Legionäre ihren Waffendrill unterbrochen hatten und sich in einiger Entfernung von den Wölfen aufstellten. »Waffen nieder! Sofort!«

Mandrax öffnete den Mund zum Widerspruch, presste ihn aber dann zusammen und schüttelte den Kopf. Cato trat zu ihm und sprach flüsternd.

»Mandrax, es gibt keine Wahl. Wir müssen es tun, bevor sie uns dazu zwingen.« Cato deutete auf die Legionäre. »Du musst mit deinem Beispiel vorangehen.«

»Muss ich?«, gab Mandrax leise zurück.

»Ja«, zischte Cato. »Ich werde meine Hände nicht mit deinem Blut besudeln. Und nicht mit dem ihren. Um Himmels willen, tu es, Mann!«

»Nein.«

»Wenn du es nicht tust, wird keiner die Waffen ablegen.«

Mandrax sah Cato tief verletzt an und warf dann einen Blick auf die Legionäre, die sie schweigend aus der Nähe beobachteten. Nach einem Moment des Nachdenkens nickte er. Cato atmete tief durch. Mandrax zog sein Schwert und stieß es vor Catos Füßen in die Erde. Es folgte eine kurze Pause, dann setzte sich der nächste Mann in Bewegung, legte Speer und Schild nieder und schnürte seine Helmriemen auf. Die anderen folgten seinem Beispiel, und schließlich standen sie nur noch in ihren Tuniken vor Cato, während der Boden mit ihrer Ausrüstung übersät war. Cato richtete sich steif auf und rief seinen Männern einen allerletzten Befehl zu:

»Kohorte … abtreten!«

Die Männer wandten sich dem Ausgangstor nach Calleva zu. Einige blickten sich ein- oder zweimal zu Cato um, dann wandten sie sich endgültig ab und gingen schweigend mit ihren Kameraden davon. Nur Mandrax blieb stehen, noch immer die Wolfsstandarte in der Hand. Er starrte Cato an, reglos wie eine Statue, und keiner der beiden wusste, was er sagen sollte. Was konnten sie sich jetzt noch sagen? Nachdem sie Seite an Seite miteinander gekämpft hatten, waren sie durch ein Band verbunden, und doch war diese Gemeinsamkeit nun zerrissen und würde es auch bleiben. Langsam hob Cato die Hand und streckte sie Mandrax entgegen. Der Standartenträger blickte darauf hinunter und nickte dann bedächtig. Er streckte seinerseits die Hand aus und ergriff Catos Unterarm.

»Es war eine gute Zeit, Römer. Es war schön, ein letztes Mal Krieger zu sein.«

»Ja, es war schön.« Cato nickte matt. »Ich werde die Wolfskohorte nicht vergessen.«

»Nein. Vergiss sie nicht.« Mandrax ließ los und sein Arm fiel schlaff herab. Dann blickte er zum vergoldeten Wolfskopf der Standarte auf. »Kann ich die Standarte behalten?«

Die Bitte überraschte Cato. »Ja. Natürlich.«

Mandrax lächelte. »Dann also leb wohl, Zenturio.«

»Leb wohl, Mandrax.«

Der Standartenträger wandte sich ab, legte sich den Schaft über die Schulter und marschierte auf das ferne Lagertor zu.

Mit einem Gefühl der Leere, Beschämung und Selbstverachtung sah Cato ihm nach. Als Mandrax das Tor durchschritt und verschwand, hörte Cato plötzlich Schritte, die sich rasch von hinten näherten.

»Cato! Cato, Junge …« Macro blieb keuchend neben seinem Freund stehen. »Ich habe die Nachricht gerade eben erfahren … Der Legat hat sie mir persönlich mitgeteilt … Er sagte, du seist hier um die Ecke … Wir mischen bald wieder richtig mit! Denk doch mal. Wenn wir beide in derselben Kohorte Dienst tun, wird diesen Briten bald Hören und Sehen vergehen!«

»Sicher …«, antwortete Cato leise. »Da hast du wohl Recht.«

»Komm schon, Junge!« Macro boxte ihn gegen die Schulter. »Das ist doch eine großartige Neuigkeit! Vor zwei Monaten hat dieser Scharlatan im Krankenhaus noch behauptet, du könntest vielleicht nie wieder unter dem Adler dienen. Und jetzt schau dich einmal an!«

Cato drehte sich endlich um, blickte Macro an und zwang sich zu einem Lächeln. »Ja. Das ist eine gute Nachricht.«

»Und noch besser.« Mit weit aufgerissenen, vor Erregung glänzenden Augen beugte Macro sich näher heran: »Ich habe mich mit einem Hauptquartiersschreiber unterhalten, und es sieht so aus, als wären wir bald wieder unterwegs. In den nächsten Tagen schon.«

»Unterwegs?«

»Ja. Der Legat wird sich mit den anderen Legionen vereinigen, um Caratacus den letzten Rest zu geben. Dann sind wir mit dem Drecksack fertig. Dann bleibt uns nur noch das Vergnügen, uns die Beute zu teilen. Also Kopf hoch, Junge! Wir sind Zenturionen in der besten Legion der besten Armee dieser verdammten Welt, und etwas Besseres kann man sich wirklich nicht wünschen!« Macro zupfte ihn am Ärmel. »Komm schon, suchen wir uns was zu trinken und feiern wir.«

»Nein, wir wollen uns nicht betrinken«, entgegnete Cato und Macro runzelte die Stirn. Dann lächelte Cato und fuhr fort: »Wir wollen uns besaufen. Uns richtig voll laufen lassen …«

Anmerkung zum Stand
der historischen Forschung

Es könnte paradox wirken, dass die Schwierigkeiten, denen General Plautius sich im zweiten Sommer des Feldzugs gegenübersah, durch seinen Erfolg im Vorjahr bedingt waren. Caratacus war in mehreren sorgfältig geplanten Schlachten vernichtend geschlagen worden, was zum Fall Camulodunums und zur Kapitulation einer Reihe von Stämmen führte. Da es Caratacus mit Sicherheit immer schwerer fiel, seine Truppen aufzufüllen, versuchte er es im Jahr 44 n. Chr. vermutlich mit einer neuen Strategie. Die Römer hatten ihre Überlegenheit in der Schlacht bewiesen und Caratacus scheute davor zurück, seine Truppen noch einmal in einer solchen Situation aufzureiben.

Für den britischen Kommandanten musste in dieser Lage Rückzug die ratsamste Strategie sein, und nicht nur, um seine Armee vor der Vernichtung zu bewahren. Im Bestreben, den Kern des keltischen Widerstands in einer Entscheidungsschlacht niederzuwerfen, würde General Plautius ihm mit seinen Legionen folgen. Je weiter sie vorrückten, desto längere Nachschubwege mussten von immer größeren Truppenteilen bewacht werden. Die Legionen konnten sich auch nicht aufteilen, um auf breiter Front vorzurücken. In diesem Fall wäre eine Legion nach der anderen angegriffen und vernichtet worden. Umso überraschender scheint es, dass Vespasian mit einer relativ kleinen Truppe zu einem Feldzug im Südwesten losgeschickt wurde.

Eine solche Aufspaltung der römischen Kräfte wirkt im Angesicht eines Feindes, der noch immer zahlenmäßig überlegen war, wie eine sehr übereilte Entscheidung. Vielleicht hatte General Plautius gute Gründe, das Risiko für gering zu erachten, doch das werden wir niemals wirklich wissen. Aus heutiger Sicht weisen die Historiker auf die Erfolge hin, die Vespasian verbuchte, doch es stellt sich die Frage, was geschehen wäre, wenn die Briten ausreichend starke Kräfte gegen die Zweite Legion hätten zusammenziehen können. Wäre es Caratacus gelungen, die Zweite mit einer Überrumpelungstaktik zu schlagen, hätte er die Möglichkeit gehabt, von hinten über General Plautius' Armee herzufallen und die Nachschublinien zu zerstören. Das hätte für die Legionen eine Katastrophe bedeutet und vielleicht sogar zu einer weiteren Niederlage des Ausmaßes geführt, wie Varus sie den Römern in den germanischen Wäldern zufügte, als drei Legionen vernichtet wurden.

Eine solche Hypothese ruft uns das heikle Gleichgewicht aller militärischen Feldzüge in Erinnerung – ein Aspekt der Geschichte, der in den Berichten und Deutungen der Historiker gern verloren geht. Doch für die Männer im Feld – Männer wie Macro und Cato – bedeutet die Realität immer Verwirrung, Zweifel und blutigen Überlebenskampf. Eine Welt, die mit den ordentlichen Landkarten und Plänen der Generäle und Politiker wenig gemein hat.

Caratacus befindet sich weiterhin in Freiheit. In immer größerer, trotziger Verzweiflung sucht er eine letzte Gelegenheit, um das Geschick der Briten zu wenden. In den nächsten Monaten können die Zenturionen Macro und Cato und ihre Kameraden in den vier Legionen der römischen Armee sich nicht den kleinsten Fehler erlauben, wenn sie das tödliche Kräftemessen mit ihrem immer verzweifelteren und fanatischeren Gegner zu einem Ende bringen wollen.

Danksagung

Die Serie der *Adler*-Romane hat sich bisher als weit erfolgreicher erwiesen, als ich es mir je hätte träumen lassen. So wird es höchste Zeit, dass ich einmal den Leuten danke, die hinter den Kulissen an diesem Erfolg mitwirken. Während der Arbeit an diesem Buch hatte ich das Glück, zu einer Marketingkonferenz eingeladen zu werden, auf der mir zweierlei auffiel:

Zum einen, wie viele Menschen an der Entstehung eines Buches beteiligt sind und welch große Zahl von Vertretern in die Buchläden Englands und nun auch der Vereinigten Staaten, Spaniens, Deutschlands, Finnlands, Tschechiens und Portugals ausschwärmt.

Zum anderen, wie positiv alle die Serie beurteilten, und zwar gerade auch das Marketingteam, das wirklich an die *Adler*-Serie glaubte und den Buchkäufern diese Begeisterung mitteilen konnte. Danach setzte sich der Erfolg des Buches per Mundpropaganda fort, was mich wirklich freut.

Als Nächstes heißt es Hut ab vor Merric Davidson, meinem Agenten – einem Gentleman alter Schule –, und vor Sherise Hobbs – Marion Donaldsons Assistentin, die am Telefon stets die Freundlichkeit selbst ist und ansonsten bestürzend effizient arbeitet, vor Kim Hardie, die einen nimmermüden Kampf um Platz in den Spalten der Buchkritik führt, und vor Sarah Thomson, die die Auslandsrechte der Serie beeindruckend gut verkauft hat.

Nicht vergessen möchte ich Kerr MacRae und sein Team, die die Serie in aller Munde brachten. So möchte ich hier ohne Reihenfolge nennen: Sabine Stiebritz (die ganz schön raffinierte Events organisiert), James Horobin, Katherine Ball, Barbara Ronan, Peter Newsom, Seb Hunter, Sophie Hopkin, Paul Erdpresser (der einem gewissen Filmstar frappierend ähnlich sieht), Jo Taranowski, Diane Griffith, Selina Chu und Jenny Gray. In der Außenmannschaft haben wir in Irland Ruth Shern, Heidi Murphy und Berda Purdue, in England Damon Richards, Nikki Rose, Alex MacLean, Clare Economides, Steve Hill, George Gamble und Nigel Baines. Zuletzt, aber keineswegs an letzter Stelle, möchte ich Tony McGrath nennen, dem ich für viele vergnügliche Gespräche über das Leben mit kleinen Kindern bei einer Tasse starkem Kaffee im Starbucks in Norwich danke.

Meinen Dank euch allen.
Simon Scarrow

Clive Cussler bei BLANVALET

»Das ist Clive Cussler in Spitzenform!«
Kirkus Reviews

36014